中古汉语研究

（二）

朱庆之 编

商务印书馆
2005年·北京

图书在版编目(CIP)数据

中古汉语研究(二)/朱庆之编. —北京:商务印书馆,
2005
ISBN 7-100-04274-7

I.中… II.朱… III.汉语-中古-文集 IV.
H109.2-53

中国版本图书馆 CIP 数据核字(2004)第 096373 号

所有权利保留。
未经许可,不得以任何方式使用。

ZHŌNG GŬ HÀN YŬ YÁN JIŪ
中古汉语研究
(二)
朱庆之 编

商 务 印 书 馆 出 版
(北京王府井大街36号 邮政编码100710)
商 务 印 书 馆 发 行
北 京 民 族 印 刷 厂 印刷
ISBN 7-100-04274-7/H·1063

2005年9月第1版	开本 850×1168 1/32
2005年9月北京第1次印刷	印张 14 1/4
印数4 000册	

定价:23.00元

目　录

前言 …………………………………………………………… 1

中古汉语语法研究概述 ……………………… 董志翘　王　东 1
20世纪中古汉语词汇研究 ………………………… 方一新 32
1950年以来中国内地中古音研究概述 ……………… 张渭毅 61
台湾中古汉语研究成果综述 ………………… 竺家宁　李昱颖 91
日本学者中古汉语词汇语法研究概况 ………〔日〕佐藤进 107

汉语音韵史上有待解决的问题 ……………………… 丁邦新 118
表示梵语"翘舌"元音的汉字
　　——二等重韵和三四等重纽 ………〔日〕水谷真成 138
论《切韵》的分韵原则：按主要元音和韵尾分韵，不按介音分韵
　　——《切韵》有十二个主要元音说 ……………… 冯　蒸 151

东汉魏晋南北朝在语法史上的地位 ………………… 魏培泉 181
"尔许"溯源
　　——兼论"是所""尔所""如所""如许"等指别代词
　　…………………………………………………… 胡敕瑞 218
《齐民要术》中所见的使成式 Vt＋令＋Vi ……〔日〕古屋昭弘 235

几组常用词历史演变的考察 ………………………… 汪维辉 258
谈谈词缀在古汉语构词法中的地位 ………………… 王云路 286

1

民族语对中古汉语浊声母演变的影响 ………… 陈其光 299
《世说新语》《齐民要术》《洛阳伽蓝记》《贤愚经》《百喻经》
　　中的"已""竟""讫""毕" ………… 蒋绍愚 309
从契丹文推测汉语"爷"的来源 ………… 刘凤翥 322
"姊隅"探源 ………… 黄树先 326

读江蓝生《魏晋南北朝小说词语汇释》 ………… 郭在贻 331
区分中古汉语俗语言中字和词的界限的重要性
　　——从对寒山诗的译注看世界汉学界的弊端
　　………………………………………… 〔美〕梅维恒 341

附录
　中国内地中古汉语研究论文目录（1997—2002）
　　………… 帅志嵩　刘爱菊　玄盛峻 365
　日本近二十五年来中古汉语研究文献目录
　　………………………………………… 〔日〕松江崇 403

前 言

在 20 世纪最后的几年里,学术界纷纷对各自领域近一百年的历程做出总结,并以专书的形式出版,这无疑是很有意义的。在汉语史研究方面,有关的著作至少有三部,它们是《中国语言学现状与展望》(许嘉璐,1996)、《二十世纪的中国语言学》(刘坚,1998)和《二十世纪的古汉语研究》(严修,2001)。但稍感遗憾的是,这些著作对以魏晋南北朝为中心的中古汉语的研究成果所给予的关注,与中古汉语在汉语发展史上的地位以及学术界在这一领域所取得的成绩,并不完全相称。

在上述背景之下,2000 年 10 月的金秋时节,中古汉语研究领域的同行们在北京大学召开了首届中古汉语学术研讨会。会议的主要议题就是回顾总结已往,尤其是 20 世纪 80 年代以来的中古汉语研究成果,并为新世纪的学科发展提出展望。几乎所有在这一领域做出成绩的学者都参加了会议,群贤毕至,少长咸集,显示了中古汉语研究队伍的蓬勃生机。

正是在这个会议举行期间,商务印书馆汉语编辑室的张万起先生委托我继方一新和王云路教授选编的《中古汉语研究》(商务印书馆,2000)之后,编辑《中古汉语研究》第二集,并就收录范围等做了交待,即延续第一集的体例,以收录已往发表过的优秀论文为主,同时选录少量会议论文。现在献给大家的就是三年来工作的结果。

尽管学术界已经进行了大量的讨论,但中古汉语的分期还是一个在选编时不得不涉及的问题。简要而论,东汉作为汉语中古期的上限似乎没有太多的异议,但相比起来,下限就不同了,可谓聚讼纷纭:从严者到隋以前,从宽者到唐以后,一般读者可能会有点儿无所适从。

在理论上,分期应当主要依据语言的内部特征。但实际的情况可能并不是等到研究清楚了这些特征以后再分,而是先根据已有的知识分了再研究;然后再根据新的研究对已往的意见加以修改。经过无数次这样的往复循环,逐渐接近事实。中古汉语的分期也是如此。在现阶段,系统的中古汉语研究刚刚起步,分期的最大意义在于方便研究者进行更细致的工作。因此,学术界在分期方面出现分歧是正常的,没有可能,也没有必要取得完全一致的意见。在这一方面,近代汉语研究领域近些年的一些变化很值得注意。有些学者将近代汉语的上限由晚唐五代向前推至中唐甚至初唐,更有学者将研究的触角伸入魏晋。这不但没有影响中古和近代的相对独立,反而促进了研究的进一步深入。本论文集对于中古汉语的界限的把握即建立在这样的认识基础之上——我们注意到在语音、语法和词汇三个方面不能"一刀切",同时也不要求作者的意见必须一致。

根据内容,这个论文集可以分为两大部分。一是正文,共收入文章 19 篇,包括:一、回顾总结,二、专题研究,三、学术评论。二是附录,收入中国内地和日本学者所编的中古汉语研究论著目录 2 篇。以下将正文部分的编辑旨趣略作介绍,以便阅读。

回顾总结。共收入 5 篇文章,都是作者撰写的专稿,初稿大都在首届中古汉语学术研讨会上做过交流,收入时作者进行了增补。虽然我们并不奢望这几篇文章能够对已往的研究成果做出全面完整的总结,但相信它们能够适当弥补前边提到的缺憾,让整个学术界看到我们的成绩。

专题研究。共收入 12 篇文章,分为语音、语法、词汇(语义)和语言接触四个专题。总的来说,这些文章大都具有微观和宏观相结合的特点,在描写的同时,还或多或少地有些抽象的说明或解释。这应当是今后中古汉语研究的努力方向。需要强调的是,语言接触是语言演变的重要原因,但在已往的汉语史研究中措意不够。设立这样一个专题的目的是希望引起学术界更多关注。另外需要说明的是,佛教文献语言的研究是近二十年中古汉语研究的一个热点,其成果理应有更多的反映,但我们已经在着手编辑《佛教汉语研究》的论文集,相信可以更加集中地展示这方面的成果,故将这里的篇幅更多地留给其他专题。

学术评论。收入2篇文章。学术的发展和进步离不开严肃的学术批评。但学术界对于什么是学术批评,似乎还存在着不同的意见。我们以为,真正的学术批评,应以促进学术的进步和发展为宗旨,是善意的、积极的。因此,学术批评应将鼓励科学创新,反对平庸作为核心,批评者不但要勇于"挑"出被批评者的缺点和错误,更要善于发现他们独到的优点和长处。有的时候,后者更难。然而,就已往的学术评论来看,反对那种以相互吹捧为目的的伪学术批评,仍是我们的当务之急。基于这样的认识,入选的两篇文章或可一读。

坦白地说,现在的内容与我最初的设想有一点距离。大约在十年前,美国学者罗杰瑞和柯蔚南教授发表了题为《汉语历史语言学研究的新方法》的文章,对高本汉以来的汉语历史语言学传统作了尖锐的批评,在海外学术界引起了热烈的讨论。不久,蒲立本教授以《〈切韵〉和〈韵镜〉:汉语历史语言学的主要依据》*的文章做

---

* 《汉语历史语言学研究的新方法》(A New Approach to Chinese Historical Linguistics, *Journal of the American Oriental Society* 115.2(1995)),朱庆之译,张永言校,《汉语史研究集刊》第一辑,巴蜀书社,1998。《〈切韵〉和〈韵镜〉:汉语历史语言学的主要依据》(*Qieyun and Yunjing*: the Essential Foundation for Chinese Historical Linguistics, *Journal of the American Oriental Society* 118.2(1998)),刘爱菊译,《汉语史研究集刊》第五辑,巴蜀书社,2002。

出了认真的回应。方法论对于科学研究的意义和作用是不言而喻的。我原来计划将这两篇观点对立的文章放在一起,同时加上丁邦新教授的讨论文章构成一个专题,以期对汉语历史语言学的理论建设有所帮助。然而,这个专题最终因为篇幅的限制被取消了,让人感到无限的遗憾。

如果不是亲身经历,我真不知道选编一个论文集会比自己写一本书还要难上好几倍。这样的感觉并非来自必须花费大量的时间去仔细阅读那些心血之作,而是来自一种心理上的矛盾:明明知道有些更优秀的文章会由于自己的偏见而不能入选,却仍要为之。敬请读者原谅。

最后,感谢海内外同行的支持,感谢商务印书馆的信任,感谢责任编辑。祝愿中古汉语的研究更加繁荣。

朱庆之
2003 年岁末于北大燕北园

中古汉语语法研究概述

董志翘 王 东

关于中古汉语的起迄,目前比较一致的意见是指东汉至隋(公元1世纪到7世纪初)。中古汉语语法,也就是指这一时期的汉语语法。"中古汉语"这一分期的明确虽然为时较晚,但对这一时期汉语语法的研究却很早就开始了。20世纪三四十年代,王力、吕叔湘、高名凯等前辈开此先河;五六十年代,洪诚、刘世儒、周法高、祝敏彻等学者继续研究。引起广泛的重视并较为深入地开展研究,当是从70年代末80年代初起,一直延续到今天。这20多年间,新人辈出,成果丰硕,无论是涉及的领域、掌握的材料、运用的方法,还是理论的建树,都有突破性的进展。今就笔者所见,择其要作一综述,以展示这一方面研究概貌。

语法研究,一般包括句法研究和词法研究。学者们对中古汉语语法的研究也是从这两个方面着手的,以下就按句法研究和词法研究分别评述。

中古汉语句法研究

中古汉语句法研究主要集中在判断句、被动句、疑问句、存在句、动补结构、双宾语结构和处置式等方面。

判断句的研究

判断句发展的重要内容是判断词的产生与发展。"是"作为现代汉语中唯一的判断词,它的产生、发展与成熟自然就成为衡量判断句发展成熟与否的标志,因此,研究的焦点就集中于此。对于判断词"是"的产生年代,王力最初认为出现于六朝,洪诚《论南北朝以前汉语中的系词》(1957)根据《史记》和《穀梁传》的材料,认为产生于汉初。但由于例证较少,且人们对《史记》中用例是否经后人改动、《穀梁传》的确切年代等问题有不同看法,故一直争论不休。1973年长沙马王堆出土帛书的面世,对解决这一问题具有极为重要的意义。裘锡圭《谈谈古文字资料对古汉语研究的重要性》(1979),就是利用出土帛书《天文气象杂占》一些彗星图下的注文"是是帚彗""是是竹彗"等五例,参之以云梦睡虎地秦简占书中类似的数例,才把判断词"是"的出现年代推前至战国末期。郭锡良《关于系词"是"产生时代和来源论争的几点认识》(1988)指出了讨论系词的某些文章在方法论上存在的根本问题,并承认系词"是"在两汉时期(或战国末期)就已经产生。

判断词"是"虽然产生于战国末年,但它要到中古汉语中方得到较为普遍的使用,这是大家一致认同的。因而,中古时期判断句的讨论也就主要集中在"是"在这一时期是否已经趋于成熟的问题上。王力认为系词"是"成熟于中古,并提出了三条判定标志:(1)摆脱了语气词"也"字,"是"字成为一个必要的,而不是可有可无的系词;(2)系词"是"字可以被副词修饰;(3)系词"是"前面加否定词"不"字,在口语里代替了上古的"非"。人们一般接受这一观点,但在具体成熟于中古的哪一阶段的问题上,又存在着分歧。

刘世儒《略论魏晋南北朝系动词"是"字的用法》(1957)专门探讨了魏晋南北朝时期"是"的使用情况,得出系词"是"构成的肯定式判断句在南北朝已经进入了成熟期,和它相对,由"不是"构成的否定式判断句在此时还未形成。

向熹也认为晋宋以后"是"字句有了迅速发展,与刘氏不同处是,他认为"不是"构成的否定判断句南北朝就开始了。

唐钰明《中古"是"字判断句述要》(1992)、汪维辉《系词"是"发展成熟的时代》(1998)在研究中利用了汉译佛典等新材料,得出了新结论。唐氏论证了"是"字判断句在东汉已走向成熟,唐代完全成熟。认为"X非是X"格式最早在东汉末出现,就在魏晋南北朝普遍采用"X非是X"取代"X非X"之际,"X不是X"这种新格式亦已悄然降临。汪氏则将"X不是X"这类否定判断句出现的时代推前至东汉末。汉译佛典是较为明显并集中地反映东汉以降汉语口语的材料,充分利用这些新材料能得出超乎前人的、可信的结论,唐、汪二氏的做法是一种可贵的尝试。

从以上讨论可以看出,用系词"是"构成的判断句在中古已进入了成熟期,并且出现了用"不是"构成的否定判断句,用法上基本与现代汉语无别。

被动句的研究

从西周金文开始就出现了用介词"於"引进施动者的被动句。春秋战国时表被动的句式有了极大的丰富,常见的有"见"字式、"为"字式、"被"字式等。到了汉代,"被"字式长足发展,成为汉语被动句的主要形式。因而,中古时期被动句研究就主要集中在"被"字式上,学者们讨论了"被"字式被动句的各种类型及其特点。

"被"字式在战国末期萌芽。起初,被动式的"被"由"蒙受""遭受"义演变而成,还带有很强的动词性,因此,"被"与后一动词之间不能插入关系语(施事者),直到汉末魏晋时期,"被"字与动词之间才能插入关系语,至此真正的"被"字式被动句才算产生。

王力(1958)认为:"被"字式产生以后,受"为……(之)所……"的影响出现了"被……(之)所……"式;与"见"字相结合,产生了"被……见……"式。唐钰明《汉魏六朝被动句式略论》(1987)认为:六朝末,在"N_2 被 N_1 V"式的基础上,萌生了"被 X 所 X"式和"被 X 之所 X"式。董志翘《中世汉语中的三类特殊句式》(1989)也讨论了唐氏所提及的两种句式,并将其萌生年代分别上溯到东晋初、汉末。董氏还提出"间接受事+被+动词+直接受事"可能不是唐代才新发展起来的,而早在魏晋南北朝时就已常见。吴金华《古汉语被动句"为……见"式补说》(1992)认为汉末"R 被 A 见"式就跟"被……所"同时出现了。袁宾《〈祖堂集〉被字句的研究——兼论南北朝到宋元之间被字句的历史发展和地域差异》(1989)对中古汉语"被"字句的特点也有论述:大约在东汉末年,开始出现"被"字引入主动者的情况,南北朝时期,"被 V"中可以插入的主动者一般是单纯名词或单音、双音名词。柳士镇(1995)比较集中地研究了魏晋南北朝时期"被"字句的许多新形式:被 V;被+施事者+V;被字与补语式相结合;被字式被动动词带宾语;被+施事者+所+动词。"被……所""被……之所"是在"为……"字式的影响下而产生的某些类化结果。

除此之外,学者们还讨论了其他类型的被动句。潘允中(1982)讨论了"见……于"式,认为这种句式到了魏晋南北朝时期,词序方面略有变动,往往把动词后面的施动者提到前面以示强调。形式上看是倒主语,实则是一介宾倒置。唐钰明(1987)讨论了"为"字句的三个层次:春秋出现"为"字式;战国出现"为 X 之 X""为 X 见 X""为 X 所 X"式;汉魏六朝出现"为所 X""为 X 之所 X""为 X 所见 X""为 X 之所见 X"式。吴金华关于被动句研究也撰写了一系列文章(1983、1984、1988、1989),讨论了"为……见"和"R 为 A 所见"式的发展情况,认为"为……所见"式的性质与"为……所""为……见"式相同,"所"与"见"具有相同的语法功能,属于同义复用。冯春田《魏晋南北朝时期某些语法问题探究》(1986)研究了"为……"式及"为……所……"式的十三小类句式。曹小云

《〈论衡〉被动式研究》(1999)探讨了《论衡》中的六种十四小类被动句式。日本太田辰夫(1989)讨论了十一种被动句式。柳士镇(1985)、姚振武《古汉语"见 V"结构再研究》(1988)分别讨论了"为……所""见 V 于 A"与"见 V 于 R"等同形异实结构。

面对纷繁复杂的被动句式,学者们不仅详细地描写分析了它们的类型,并且努力去探索其形成及发展变化的原因。顾穹《论汉语被动句在历史发展过程中的变化规律》(1992)通过对中土文献的调查后认为:类比、句式糅合、替换关系词、旧有形式的消亡变化分流是汉语被动句在历史发展过程中的最基本规律。朱庆之《汉译佛典中"所 V"式被动句及其来源》(1995)则从梵汉对照的角度认为,汉译佛典中"所 V"式被动句是梵文被动态在汉语中的体现。顾氏为我们做了某些理论上的解释,朱氏从方法上为我们开拓了新的思路。朱氏的这种梵汉对照的方法实质上是在进行两种语言之间的比照研究,对研究者要求较高,也是今后要努力的方向。

疑问句的研究

中古疑问句在出现了不少新的疑问词的同时也出现了一些新的句式。柳士镇、梅祖麟、志村良治、太田辰夫等对中古疑问句均有论述。

柳士镇认为这一时期的疑问句的特点是:(1)出现了新兴的疑问代词"那"。(2)选择问句由新兴的选择连词"为"字和"为"字结合而成的"为复""为是""为当"等构成。(3)由叙事句构成的反复问句,表示否定方面的否定副词主要用"不(否)""未"。由判断句构成的反复问句,表否定方面的否定副词主要用"非""不(否)"。(4)产生了一些询问量度的新词语,主要有询问数量的"多少""几许""几多",询问时间的"何当""早晚",询问距离的"远近"等。

梅祖麟《现代汉语选择问句法的来源》(1978)指出:现代选择

问句的几种句式,如 N_1VP_1 为(N_2)VP_2(乎/也)、N_1 为 VP_1(也/耶)为 VP_2(乎/耶)、N_1VP_1(N_2)VP_2 等,差不多在 5 世纪均已出现。现代选择问句具有的三个特征,如句末不用疑问语气词;用系词作选择问记号;选择问记号可以成对出现。这些特征在南北朝时也都已出现。换言之,现代选择问句的句法在 5 世纪已经具型。

对于梅氏的文章中的某些观点,李崇兴(1990)提出过商榷意见。如李氏认为:(1)用"为是"的选择问句,在 3 世纪就已出现,由此推测"为"字进入选择问句的时代当比"为是"更早些;(2)"为"字进入选择问句,是它系词用法的引申,而非来源于表假设的用法。而何亚南(2001)更是认为:梅氏所指出的现代选择问句的三个特征,在东汉佛经中都已出现,时代比梅氏所说的公元 5 世纪早了整整 3 个世纪。

太田辰夫《中古(汉魏南北朝)汉语的特殊疑问形式》(1987)指出:中古汉语疑问句出现了新方法和特殊形式:(1)否定副词"不""未"等用作句末助词构成疑问词;(2)选择问句用"为……为"的形式;(3)特殊形式"以……为","用……为","何……为","为……","何所……"。"何所(=何)",问人、问场所、问事物、问原因,"所(=何)"等。

志村良治(1984)也指出:中古疑问句特色之一,是在句末用"不""否""未"等否定词表示疑问,中古疑问句已经具有近代和现代疑问句的雏形;特色之二,是"那"兼任远称指示词和疑问词。

存在句的研究

存在句虽然在现存最早的汉语文献中就已出现,且广泛使用了几千年,但对它的研究却始终显得冷清。特别是对各个时期的存在句进行断代研究,更是很少有人问津。储泽祥等《汉语存在句的历时考察》(1997)曾从历史的角度探讨了口语中的存在句,间或涉及中古的情况,但不够详备。目前对存在句进行较为细致深入的专题研究者,当数南京大学王建军的博士论文《汉语存在句的历时研究》(2000)。论文成功之处约举如下:(1)对自《马氏文通》问世以来百余年间存在句的研究状况及存在问题作了言简意赅的回顾,从而将前人研究的局限处——"研究基点偏差""研究范围偏狭""研究视野偏小",作为自己研究的拓展空间。(2)抓住存在句的"时空背景""主题性特征""结构类型"三个核心问题,运用"三个平面理论"创立起新的类型系统。提出的"主题与主语二者处于不同平面(主语是句法概念,主题是语用概念)";"存在句是从语义和语用角度归并出来的一个句类,将其完全纳入句法层面的句型研究是削足适履"等看法均颇有见地。(3)从语用功能出发,对叙述型存在句、描写型存在句、判断型存在句历史发展作了深入的探讨,其中"主谓谓语型存在句的历史发展""无中介动词存在句的历史发展"几节都能发前人所未发,创获较多。论文中还多处涉及存在句演变的分歧,比如:"存在句中介动词泛化的第二阶段是由一般动词发展到强动作动词。这实际上代表了汉语存在句的一次质的飞升,即由静态句进化到动态句。这一事实也萌生于上古后期或中古前期。""真正的强动作问句自唐代始见",等等。这些结论对于汉语史的分期均有重要参考价值。王氏的工作为相对寂寞的存在句研究增添了几分亮色。

动补结构的研究

学者们对中古时期动补结构的研究主要着眼于结果补语、"得"字结构、趋向补语三类。

一、结果补语

结果补语或称使成式(王力),或称动结式(蒋绍愚、蒋冀骋),或称使成复合动词(太田辰夫、志村良治)。对于结果补语的产生时代,学界目前仍存在着分歧。潘允中、祝敏彻、管燮初、余健萍、周迟明等主殷或周代说;傅子东、何乐士、杨建国、程湘清、王锳、向熹等主春秋战国秦说;王力主汉代说;太田辰夫主唐代说;主张产生于中古的主要是志村良治、刘丽川、梅祖麟等人的魏晋六朝说。对中古结果补语的特点进行深入研究的主要有:王力(1958)、潘允中(1982)、刘丽川(1984)、向熹(1993)、柳士镇(1995)、梅祖麟(1991)、程湘清(1994)、蒋绍愚(1999)及日本学者太田辰夫(1958)、志村良治(1984)等。他们的主要观点分别为:

王力认为南北朝时使成式应用更普遍了,在使成式之间可以插入宾语。

潘允中认为结果补语的演变规律是:使动法→动+而+补→动补。从汉魏六朝到唐代具体发展有四类:他动词带自动词为补语,并有宾语;动词(他动或自动)带自动词为补语,而没有宾语;动词带形容词为补语,并有宾语;动词带形容词为补语,而没有宾语。

柳士镇根据补语的构成成分分为五种句式:不及物+不及物动词;及物动词+不及物动词;不及物动词+形容词;及物动词+形容词;及物动词+及物动词等。

太田辰夫主要是以自动、他动两用的动词随着时代下移而自动词化的倾向为标准,找到了一个判定使成复合动词的方法,即依据"杀"和"死"的用法。"死"是古今通用的自动词,"杀"是古今通用他动词,在一个动词后该用"杀"的地方用了"死",则说明已形成使成式复合动词。

志村良治提出了构成使成复合动词的前提条件及其发展的三个阶段。前提条件是:(1)复音节动词中前面的形态素 A 表动作的原因,后面的形态素 B 表动作结果;(2)AB 由于结合已经脱离了各自的原义,引起了词义上的变化;(3)AB 紧密结合表达一个新的意义。三个阶段是:(1)词义并列性的消失;(2)复合词的单词化;(3)第二音节的助词化。用公式表示为:分用→简缩(等定性连用)→惯用化(定型化)→第二音节动词的自动词化→等定性消失→使成复合动词化。

刘丽川对太田氏的判定方法提出商榷意见:(1)"杀"如果处于不含"杀"义的动词后,这两个动词往往各自保持独立性,它们表示时间上先后发生的两件事,形成连动结构;(2)太田氏所说的隋代以前一定用"杀"不用"死",直到唐代才多用"死",不符合这一时期的语言实际,从先秦到两汉的文献中不断出现了"动+死"的形式。

梅祖麟总结了"V杀"和"V死"构成的四种句型:甲、施事者+V杀+受事者;乙、受事者+V死;丙、施事者+V死+受事者;丁、受事者+V杀。并指出:(1)真正的结果补语只有出现于六朝的丙型。(2)结果补语的两个来源:a.由甲型"他动+他动"的并列结构变来;b.由乙型"他动+自动"再加上宾语变来。梅氏还着重讨论了促使甲型"他动+他动"转变成"他动+自动"的动补结构的四要素:清浊别义的衰落、使动式的衰落、"隔开式"动补结构的产生、"动+形"式复合词的产生,认为甲型变成动补结构是在六朝。(3)对动补结构定义稍作修改:a.动补结构是由两个成分组成的复合动词,前一个成分是他动词,后一成分是自动词或形容词;b.动补结构出现于主动句:施事者+动补结构+受事者;c.动补结构的意义是在上列句型中,施事者用他动词所表示的动作使受事者得到自动词或形容词所表示的结果;d.唐代以后第二条限制可以取消。

蒋绍愚的《汉语动结式产生的时代》,是一篇后出转精的总结性论文。蒋氏认为:汉语动结式什么时候产生,学界看法相当分歧。其原因,一方面是所依据的材料不完全相同,但更重要的是对"什么是动结式""怎样判定动结式产生的时代"等问题有不同理解。文章指出:(1)判断是否动结式,要重视语义,但也不能仅凭语义;(2)许多动结式"V_1+V_2"是由动词并列式"V_1+V_2"发展来的,只有当"V_2"自动词化或虚化,或者自动词不再用作使动,和后面的宾语不能构成述宾关系,这才是动结式;(3)还有一部分动结式最初是以"V+O+C"的形式出现的,这也是动结式产生的重要途径;(4)确定动结式产生的时代,首先要把动词并列式"V_1+V_2"和动结式"V+C"区分开来,同时还和使动用法何时开始衰微、他动词何时自动化、"V+O+C"形式、动词词缀"得""却""取"、动结式的否定形式等何时出现综合起来考虑。根据上述标准,蒋氏对《史记》《论衡》《世说新语》《玉台新咏》《贤愚经》《百喻经》六部代表性著作了详细调查,结论是:《史记》中还没有严格意义上的动结式,《论衡》仅"化为""变为"等少数几个可看成动结式,《世说新语》中动结式已经形成,而动结式的否定式出现得较晚,大约在齐梁时才开始形成。

二、"得"字结构

"得"原来是个动词,它是什么时候由动词虚化为助词的?王力认为是在唐代。潘允中、向熹则认为是在南北朝时期。至于"得"又是怎样从动词虚化为表示结果、可能的助词的,日本志村良治经过深入研究后认为:(1)"得"与另一个动词构成并列关系,是"得"从前置变为后置的条件。到了中古,再从前置助动词变成后置助动词。(这与潘允中的观点相似,潘氏亦指出:"得"的可能义由"获得"引申而来,并从主要动词演变为动词前的助动词。这是"得"走向虚化的第一步。到了汉代"得"由动词前转移到动词后,从而演化为补语,表示动作所得的结果。南北朝时期,动补结构中的"得"已走向虚化。)(2)当主动词表示类似"获得"的动作(如取、捕、买等)时,"得"兼有"获得"和"可能"义。后来以意义的类推作用为纽带,逐渐转向表示可能。等到与"能""可"放在对称位置上表示互文关系时,就表明"得"已完全具有"可能"的意义了。杨平

《"动词+得+宾语"结构的产生和发展》(1989)也讨论了"V得(O)"结构的来源,在"得"从"获得"义转为"可能"义的途径上,与志村有所不同。杨氏认为:表完成的"V得"和表可能的"V得"来源相同,其中的"得"来源于表"获得"义的动词"得"。先秦时"得"开始用于取义动词后,与前面的动词构成连动结构,汉末起"得"用于非取义动词后,"获得"的实词义虚化,与前面的动词构成述补结构,表示动作实现、有结果。当"V得(O)"用于非已然的语境中时,它表示实现某种行为的可能性。文章还通过对七种中古文献(译经4种,中土文献3种)的调查统计,证明汉代的"V得(O)"主要的还是"得"用在取义动词后面,用在非取义动词后的很少,而魏晋南北朝时期这类例子增多了。

三、趋向补语

潘允中、柳士镇、杨克定、曹广顺、志村良治等人讨论了中古时期的趋向补语。

潘允中认为:先秦前期典籍中还没有出现趋向补语,在后期才开始出现"V+单趋补"结构的初期形式;"动+单趋补"和"动+单趋补+宾"起源于先秦,盛行于汉代,并由此派生出"动+单趋补""动+宾+单趋补"式;复趋补起源于西汉,汉以后继续产生"出去、上去、过去、过来"等固定结构;动词与趋补之间带词尾"将"的句型萌芽于南北朝及唐;汉代产生出典型"动+宾+单趋补"的句型,南北朝以后此类句型得到相当广泛的发展。

柳士镇讨论了魏晋南北朝时期出现的几种表趋向述补式结构:趋向动词+趋向动词;不及物动词+趋向动词;及物动词+趋向动词+宾词;及物动词+宾语+趋向动词;及物动词+趋向动词。

杨克定通过研究《世说新语》及《搜神记》(1992),得出魏晋时期动词"来"已经开始带处所宾语,动词"去"的"往"义已经产生,

"来"作补语比"去"更加活跃,使用频率更高,"来"字句和"去"字句日趋复杂精密。

曹广顺《魏晋南北朝到宋代的"动+将"结构》(1990)一文中认为:魏晋南北朝是"动+将"结构出现的前期,基本格式是"动词+将+趋向补语",这些"动+将"结构是一种连动式,"将"是动词,含有较明显的"携带、挟持"之义。"动+将"之间的关系比较松散,常常可以在中间插入宾语、并列连词,变成"动+宾+将+补""动+而+将+补"格式。进入"动+将"结构的动词有两个特点:一是及物的;二是有一部分动词与动词"将"词义相似,或隐含有"携带、挟持"义。这种情况动摇了"将"字在连动式"动+将"结构中作为一个并列动词的地位,从而为"将"字以后的变化提供了条件。并得出结论:魏晋南北朝是汉语补语在两汉基础上广泛发展的时期,"动+将"结构在这个背景下产生,并从连动式向动补式发展,"将"字开始了从动词向助词转化的过程。

从以上研究结果来看,中古的趋向补语实质上是动词变化的一大体现,即志村氏所说的"动词的补助动词化",也可以说是动词的虚化。

双宾语结构的研究

早在20世纪60年代初,胡竹安(1960)提出:"动+与+间(+直)"的形式远在"动+直+与+间"之前产生。后来,贝罗贝(1986)从语义深层剖析双宾语结构,提出了与胡氏相反的观点:(1)"动$_1$+动$_2$+间+直"式产生于西汉,魏晋南北朝更加普遍;"动$_1$+直+动$_2$+间"式产生于东汉以后,大约在4至5世纪。"动$_1$+直+动$_2$+间"式来源于"动$_1$+动$_2$+间+直"。(2)其转变过程为:当"动$_1$+直+动$_2$+间"式发展到能轻易地接受"动 b 类(如:取、把、持)"或"动 c 类(如:作)"动词时,动$_1$(动 c 类)+直+

动₂+间→动₁(动 c 类)+动₂+间+直。(3)把"动+直+于(於)+间""以+直+动+间""动+间+以+直"归入双宾语结构。

萧红(1995)肯定了贝罗贝的一些观点,如赞同贝文采用"泛双宾语"的思路对"动+直+于(於)+间"等的处理,同时也对贝文中的疏漏之处提出了商榷意见,即不同意贝文对"动₁+直+动₂+间"产生的时代和来源的界说。认为此式在《史记》和《论衡》中可找到不少例证,最迟西汉已经产生;此式的产生可能是受当时复杂谓语(并列谓语、连动式、动补式)发展日益成熟的大环境的直接影响,而并非来源于"动₁+动₂+间+直"式。

萧氏把双宾语结构置于当时的大环境中去探讨,既注意到纵向溯源,又注意到横向比较,得出的结论较合乎语言实际。

处置式的研究

处置式是王力(1944)提出的一个术语,它的产生与发展是汉语趋向完善的标志之一。因而,学术界多有关注。不过,以往研究较多集中在上古或近代两个时期,这与处置式的产生年代有关。人们一般认为:要么上古就存在处置式,要么唐代处置式才开始出现。这样一来,中古时期处置式的发展演变的研究就相对冷落。不过问津中古处置式的,也偶有人在。

祝敏彻(1957)认为:"将"最初是一个动词,南北朝以后,经常用于连动句中。后来表处置式的"将"就是由"动词'将'+名词+及物动词"式中的"将"虚化而来的,这种连动句中的及物动词承担了主要功能,使得"将"成为一种无关紧要的辅助。

董琨(1985)在分析了南北朝佛经译文中反映出来的一些表处置的"将"字句后认为:至少在公元 3 世纪间,汉语已经出现处置式。

梅祖麟(1990)在论及唐宋处置式的来源时,也涉及了中古时期处置式。他认为:处置式的主要形成方式是在受事主语句前头加"把"字或"将"字,而这种形式在5至6世纪开始出现。这一时期,"将"字也用在以前的"以"字句里,产生同样结构的处置(给)、处置(作)、处置(到)。(1)处置(给)结构,从先秦到隋代,只有两种演变:一是"将、把、持"替代了"以"字,一是"给"义的单音动词复词化而变成"V与";(2)处置(作)结构,从先秦到南北朝一直有[以AVB]的句式,意思是"把A看作B""A把当作B",到了隋代,"将"开始替代"以";(3)处置(到)结构,兴起于汉代,到了南北朝才开始流行,到了隋代,"以""将"通用。梅氏还从历时角度分析了处置式产生的方法:承继先秦两汉的处置(给)、处置(作)、处置(到)结构基本形式;受事主语句前加"把"或"将";用"把"或"将"把[主—动—宾]的宾语提前。

曹广顺、遇笑容认为,要深入了解中古汉语处置式发展使用的情况,必须更广泛地调查这一时期比较接近口语的材料。由于中古时期符合这一要求的本土文献较少,研究的结论难免偏颇,所以有必要将研究目光扩展到卷帙颇丰的汉译佛经。他们的《中古译经中的处置式》(2000)就是以自东汉至隋的14部汉译佛典为主要材料,同时参考4部中土文献,对中古处置式作了更为深入的考察。他们的结论是:(1)隋以前,译经中处置式以"取"字式为主,"将"字式少见,"把"字式尚未出现。(2)"取"字式有广义处置式(来源上古汉语中"以"字构成的处置式)和狭义处置式两种。(3)狭义处置式有"取+O+V+之""取+V+之""取+O+V"三种格式,后两种是由第一种省略宾语而来的,这种省略是在汉代广泛使用的动词连用格式的影响下发生的。而"取+O+V"的出现,可能与译经者母语(梵文、巴利文等,在这些语言中,宾语的位置在动词前面)有关。(4)广义、狭义两种处置式的"取"都是通过语法化过程,从动词变来。

总的说来,中古时期处置式的研究仍相对单薄,要想弄清楚处置式的流变,只有把各个时期的断代研究做好,才能较完整地勾勒出处置式发展演变的"史"的全貌。

中古汉语词法研究

中古的词法研究主要包括:代词、数词、量词、副词、介词、连词、助词等的研究。

代词的研究

一、人称代词的研究

中古时期人称代词已有了独自的体系,对这一问题的研究,学者们用力甚勤。研究重点在于第二人称"你"和第三人称"伊""渠""他"等的产生上。

(一)第二人称代词"你"

吕叔湘、王力、李方桂、向熹、潘允中、柳士镇、冯春田、梅祖麟、太田辰夫、志村良治等都认为"你"就是古代的"爾",后来草书里把"爾"写作"尔",又在左边加上了"亻"旁。李方桂还对"你"来自"尔"作了语音上的探究,他认为从前的三等字有个-j-,在轻读时-j-丢掉了。所以在读"尔"字时,没有了-j-就变成"你"。

然而,日本平山久雄(1995)提出了与以上各家不同的观点,以为"你"来自"汝"。他根据自己提出的魏晋以至中古时期鱼韵的音值为-ɪə 的看法来说明:"汝"*ɲiə因为在口语中常用,往往说得较弱、较粗略,所以韵母的语音形式发生简化,主要元音为介音吸收,变成了单纯的 I、i 之类的元音,同时硬腭声母 ɲ-(日母)也弱化成舌尖声母 n-(泥母),以便节省舌面紧贴硬腭的力气,这样就形成了第二身代词 ni 的语音形式。不过,平山氏不能确定"你"字原来(即旨、止合流以前)的韵母是 i 还是 iI,认为目前还不能拿"你"字在止韵一事作为"你"来自"汝"的一证。

平山久雄的观点比较独到,很能让我们对一般公认的观点多一些思考。

(二)第三人称代词"伊""渠""他"

上古没有完备的第三人称代词。到了南北朝,为了适应要求,又产生了新的第三人称代词——伊、渠、他。学者们对"伊、渠"讨论得少,主要是对"他"进行讨论。

王力、向熹、柳士镇、郭锡良、太田辰夫等以为中古第三人称"伊"是由上古指示代词"伊"演变来的。"渠"的来源有三说:(1)王力、向熹、柳士镇、郭锡良、太田辰夫等认为"渠"源于"其";(2)吕叔湘以为"渠""其"同源;(3)梅祖麟认为"渠"可能与"吾""汝"一样,有藏文、缅文的同源词。

梅氏对吕氏的"渠""其"同源说提出质疑并申述了己见:第一,其,之部;渠,鱼部,之部怎么会变成鱼部,一直没有明确的解释。第二,"吾五乎切""汝人诸切""渠强鱼切"这三个表示第一、第二、第三人称的代词的语词都是鱼部,整整齐齐,像是同一时期产生的产品。这三个字都可能有藏文、缅文的同源词。至于"渠"是否有非汉语的同源词,目前还没有一致的看法,这里只是说有这种可能。第三,"渠"是个南方方言词,可能上古以前就有渠字,后来在北方方言里失落,保存在南方方言里,一直到魏晋时代才在文字记录中出现。第四,"其"字最早跟藏文 gji 同源。

梅氏的研究又为我们提供了一个新的方法,即进行汉藏语言比较,这也是以后要努力的一个方向。

对于第三人称代词"他"的研究,主要集中在两个方面:(1)"他"作为第三人称代词究竟起于何时?(2)"他"是怎样由旁称代词转变为第三人称代词的?

"他"的产生时代有两种观点:(1)唐代说。以王力、郭锡良、梅祖麟、蒋绍愚、郭红、俞理明、太田辰夫、罗杰瑞等为主。(2)先唐说。吕叔湘认为是六朝开始的,高名凯以为是汉以后的事,杨树达说始于晋宋间,潘允中以《左传·昭公五年》中"公室四分,民食于他"作为第三人称代词最早的可信例子。

关于"他"是怎样由旁称代词转变为第三人称代词的,以上学者都有所论述。

向熹认为:"他"上古是旁指代词作"别的"讲,六朝时常常用作旁称代词,指"别人"讲;"他"字前面有先行词,而且所指的对象是有定而且非常明显,已经成为第三人称代词。

太田辰夫认为:"他"原来作"它",从"别的物""别的事"转变为"别的人",然后又成为"某人"之义,成为第三人称代名词。作为第三人称代词的确凿例子始见于唐代。

罗杰瑞认为:"他"原指其他,在古汉语中"他"可修饰人以外的所有名词,"他"单用时指非生物的名词,到了南北朝,"他"才用来指他人,在唐以前还没有看到"他"用作第三人称的毫无歧义资料。最早无歧义的例子,见于初唐(7世纪),到了8世纪就用得多了。

梅祖麟对吕著《近代汉语指代词》中的个别问题提出了质疑,并且赞同郭锡良的说法:北齐《百喻经》中"他"的用例,都不是第三身代词,"他"字用作第三身代词大概是《晋书·张元锡传》中的例子。

柳士镇认为:"他"本是指示代词,中古时期处于转用为第三人称代词的变化过程中。其转用的首要前提是由指代事物表示"别的""别的东西"转为指代人表示"别人""他人";而在随后的演变中又有以下两个重要的转化关键:(1)"他"字指代"别人""他人"不再是包举所有的其他人或泛指任何其他人,而是转指某个或几个"其他的人";(2)"他"字所代替的人由无定转为有定。具体说来,"他"字或者代替前面已经提到的某一个确定的人,或者代替在场的对话之外的第三人。

俞理明《从汉魏六朝佛经看代词"他"的变化》(1988)分析了佛经文献材料后指出：称人的"他"见于东汉，但东晋以前"他"仍多作指示代词，意思是"别的"，东晋以后才以称人为常。称人"他"是无定的，在使用中，无定的"他"由泛指发展为专指，这是"他"字转变成第三身代词的关键。南北朝时"他"主要还是一般地指"别人"，定指的"他"既不是专指第三人称，又是少数，当时指第三人称的代词主要还只是用"其""之"以及"彼"，在有些话中，这些代词和定指的"他"虽然都指第三人称，但又各有所指，不能互换。由于汉语当时还缺乏一个完备的第三人称代词，用"他"定指第三人称的用法获得了有利的发展条件。唐代以后，"他"才发展成为一个真正的第三人称代词。

郭锡良系统地讨论了"他"字演变过程，认为："他"本作"它"，现存先秦古籍中有三种写法：它、他、佗，是一个无定代词，即指示不确定的事物或人，大多用作定语，也可以用作宾语。从西汉到东汉前期"他"字的用法没有变法，到东汉后期才开始发生变化，"他"作"别人"讲刚刚萌芽。南北朝时期，"他"字虽然仍保存先秦的意义用法，但用作"别人"的意思已是普遍现象。从《百喻经》中的使用情况来看，"他"在六朝发生了重大变化，由"别的"向"别人"转化，而且用作宾语也增多了。如果前面已说到某人，"他"就很容易被误认为指代这"某人"的人称代词。这说明"他"字已经向第三人称代词方向大大前进了一步。到了唐初，"他"字才真正发展成为第三人称代词。

除此之外，李功成(1997)认为干宝《搜神记》中"饮他酒脯"的"他"正隐含着无定代词"他"发展为他称代词的"他"的轨迹。

以上讨论可以用郭锡良的说法作为总结：现代汉语普通话中的第三人称代词"他"是由先秦的无定代词"他"演变而成。先秦时代,"他"的意义是"别的",汉末到南北朝,"他"由"别的"演化成"别人"的意思,成为向第三人称代词转变的重要阶段,初唐,"他"开始具有第三人称代词的语法功能,盛唐以后才正式确立起作为第三人称代词的地位。

二、疑问代词的研究

中古疑问代词的研究者主要有:向熹、柳士镇、朱庆之、石锓、俞理明等。

向熹认为:中古汉语疑问代词有很大发展,上古流传下来的"何""谁"等继续使用,六朝以后又先后产生了"多少""几多""那""若""所"等新的疑问代词以及有关的复合疑问代词。

柳士镇比较详细地讨论了疑问代词魏晋南北朝时期的演变。从规范化角度看,先秦时期形式复杂多样,用法有同有异的众多疑问代词经过淘汰后,在口语色彩较浓的典籍中主要留下"谁""何"两个。从新兴发展的角度看,一是利用"谁""何"构成的某些新语法形式,或者原有的由它们构成的语法形式可以表达新的意义(如:阿谁、何等、何物等);二是产生了一些疑问代词的新形式:"那""底""所""若""若为"等。柳氏还讨论了特殊条件下形成的疑问代词"等""缘";与询问有关的词语"多少""早晚""远近"等。

朱庆之《魏晋南北朝佛典中的特殊疑问词》(1991)运用类比、黏合以及词义沾染等西方语言学理论讨论了魏晋南北朝汉译佛典中的几个特殊疑问词"所""为""如",指出这些词都有疑问功能的原因是:(1)"为"由于常处于"何……为""何以……为"的结构之中,渐渐受到"何"词义的沾染,从而吸收了"何"的疑问语义;(2)"所"由于常处于"何所"这种习惯组合之中,受到"何"的词义沾染的结果;(3)"如"是动词"如"在固定组合"何如/如何"里受到"何"词义沾染的结果。

石锓《论疑问词"何"的功能渗透》(1997)探讨了魏晋南北朝时

期"所""缘""等""如""若""那"几个词为何都有表疑问功能的原因,认为这些词表疑问的用法都来源于疑问词"何",也就是说疑问词"何"通过粘连式渗透、复合式渗透、间接式渗透等途径把表疑问的用法转移到了那几个本不表疑问的词语上。石氏所说"渗透"途径其实质与朱氏所用的理论一样,都是西方的词义沾染理论,只不过说法不同而已。

朱、石二氏把西方语言学理论与汉语语法史研究结合起来,较好地解释了汉语史上的某些现象。这种研究方法无疑是值得提倡的,只不过运用时要找好结合点,以免生搬硬套。

数词的研究

王力、潘允中、向熹、柳士镇、太田辰夫等人的著作中都设有专门章节对数词进行讨论。中古时期的称数法虽然没有发生太大的变化,但也有一些值得重视的现象。向熹着重谈了约数和不定数的表示法的发展。柳士镇谈到表示序数的前缀"第"字完成虚化的过程,概数、零数在表达上出现的一些新形式。潘允中认为虚数后面直接接上名词,如"第一人""第二名"之类的用法起源汉魏六朝。

除此之外,骆晓平《大数冠小数约数表示方法源流略考》(1996)系统地讨论了"大数冠小数"的表约数方法,列举了"大数冠小数"表约数法的十几种格式以及 AB(A 代表大数,B 代表小数。如:五三)、AXBX(如:三年二年)、AABB(如:三三两两)、XAXB(如:五申三令)四种组合方式,认为"大数冠小数"的约数表示法归根结底只不过是更为发达的"小数冠大数"约数表示法的一种陪衬。虽然这种约数表示法,从先秦一直到近代文献中均不乏用例,但六朝时期是"大数冠小数"表约数较为多见的一个时期。

近来南京大学张延成的博士论文《中古汉语称数法研究》(2001)则集中对中古汉语"数词的句法功能""复合数词的构造"

"序数、分数与倍数"等问题作了深入细致的探讨,是近年来较为系统的中古数词研究著作。

另外值得引起注意的是一些学者对专书中称数法进行了个案研究:庄正容《〈世说新语〉中的称数法》(1980);丁根生《对《〈世说新语〉中的称数法》一文的两点补充》(1980);杨露《谈〈世说新语〉中的数量词》(1986)等文考察了《世说新语》中的称数情况。马振亚《〈列子〉中关于称数法的运用——兼论〈列子〉的成书年代》(1995)对《列子》中的称数情况进行了讨论。

量词的研究

量词的迅速发展是中古最典型的语法现象之一,对中古量词研究贡献最大者当推刘世儒。刘氏在20世纪50—60年代详细地讨论了魏晋南北朝时期的量词用法,发表了一系列的论文:《论魏晋南北朝量词》(1959)、《汉语动量词的起源》(1959)、《魏晋南北朝称量词研究》(1962)、《魏晋南北朝动量词研究》(1962),最后结集为专著《魏晋南北朝数量词研究》(1965)。刘氏的贡献不仅在于系统地描述了这一时期量词的总貌,为后来学者的研究奠定了基础,也以大量事实更正了王力《汉语史稿》中关于动量词唐代以后才出现的错误。潘允中、向熹、柳士镇等专著中都有研究量词章节。指出此期量词的主要特点是:(1)产生了大批名量词。(2)名量词与数词结合。六朝以后,数量词直接在名词前面的用法更为普遍。(3)名量词有了词缀化的趋向。(4)量词本身可以重叠。(5)动量词起源于汉代,大量出现仍在魏晋以后。

张延成的博士论文中,对中古量词的状况也有涉及,论文中关于中古时期"数量名"战胜"名数量"格式、"动数量"格式的萌生与迅速发展、系数词"一"的省略(能将这一现象置于其他语系及汉藏语系的亲属语言及现代汉语方言的大背景加以考察)等问题,均有独到的见解。此外,吕叔湘《个字的应用范围,附论单位词前一字的脱落》(1985);洪诚《略论量词"个"的语源及其在唐以前的发展情况》;王绍新《量词"个"在唐代前后的发展》(1989);张万起《量词"枚"的产生及其历史演变》(1998)等论文都对具体的单个量词进行了历史考察,探讨其产生、发展、萎缩过程及其原因。

贝罗贝《上古、中古汉语量词的历史发展》(1998)是近年来研究汉语量词的一篇重要论文。(该文所言"量词"一律指物量词。并且将量词与单位词分别开来。大部分中国学者则将单位词也称为量词,故把量词分为度量衡量词、集体量词、容量量词、部分或个体量词。而贝罗贝认为只有最后一类才真正属于量词,其余则为单位词)文中对六朝时期的量词特点作了如下描写:(1)六朝时代(220—589),量词越来越多,但不是在所有文献中都同样普遍;(2)在此时变为普遍的量词"枚",可以用于不同名词,就像现代汉语的"个"一样;(3)此时的新兴量词有"株""条""根""本""枝""梃""凡""件""道""番",等等;(4)当量词开始普及的时候,它们主要仍然处在名词后面的位置上;(5)此阶段量词处于名词前的例子很罕见,要到公元7世纪以后才普及起来。

贝氏通过对名量词系统内部变化的描述,及对量词产生过程的解释,最后的结论是:量词系统是属于汉语本身的,游汝杰(1982)的量词流传的(即变化产生之后的普遍化问题)外来影响假设(台语对汉语的影响)值得商榷。就算今天与台语有较多接触的中国南方方言里有较多的量词,而与没有量词的阿尔泰语系有较多接触的北方方言的量词较少,也并不足以证明外来影响。

副词的研究

副词在中古时期有着明显的复音化趋势,因而关于"自""复"是否为副词词尾(或称"后缀")的讨论,也成了这一时期副词研究的热点。刘瑞明《〈世说新语〉中的词尾"自"和"复"》(1989)首先提出"自""复"为副词词尾的说法，立刻就在语言界引起一场争论，形成两种截然相反观点：(1)认为"自""复"为副词词尾者，以刘瑞明《关于"自"的再讨论》(1994)、《"自"非词尾说驳议》(1998)，蒋宗许《也谈词尾"复"》(1990)、《再说词尾"自"和"复"》(1994)、《关于词尾"复"的一些具体问题》(1998)，高云海《"自"和"复"非词尾说质疑》(1998)等为代表。(2)认为"自""复"非词尾者，主要以姚振武《关于中古汉语的"自"和"复"》(1993)为代表。

中古副词研究的另一热点是对指代性副词"见"字的讨论。吕叔湘认为"见"字的指代作用仅于第一身；董志翘、柳士镇、侯兰笙都认为"见"字可以指代第二身、第三身。而姚振武《古汉语"见 V"结构再研究》(1988)重新研究了"见 V"结构，认为"见"不具指代作用，而是一个表示显义的动词，"见 V"语法功能相当于单个动词的动宾结构。对于这一问题，目前仍在讨论之中。

除此之外，黄珊《古汉语副词的来源》(1996)探讨了副词的来源：(1)实词虚化是单音副词的主要来源：①由实词本义直接引用虚化为副词；②由实词间接引申虚化为副词；③由实词假借而来。(2)从结构上看复合副词的构成主要由联合式、后置式、重叠式形成。此文虽然不是专论中古汉语副词，但对于中古汉语副词的来源亦有参考价值。刘凯鸣《〈世说新语〉里"都"字的用法》(1982)、韩惠言《试论〈世说新语〉中的与否定词连用的单音副词》(1990)、侯兰笙《〈世说新语〉中表肯定副词的连用式》(1983)等还讨论了《世说新语》等专书中的副词使用情况。

介词、连词的研究

马贝加《介词"同"的产生》(1993)运用词义渗透理论，解释了介词"同"的形成：介词"共"萌生于南北朝时期(6世纪)；"共"发展成介词后,"同"受其影响也向介词转化。于江(1996)也认为动词"共"在魏晋南北朝虚化,始产生介词用法。

连词的研究主要是讨论"所以"产生的时代。王力说到了唐代"所以"完全变为连词;张万起《连词"所以"产生的时代》(1984)认为是在魏晋南北朝时产生。潘荣生《连词"所以"产生于晋代》(1982)推至晋代。陈秀兰《也谈连词"所以"产生的时代》(1998)再上溯到东汉失译《大方便佛报恩经》第四和三国吴支谦译《菩萨本缘经》卷下。这是目前见到的较早上限。

助词的研究

这一时期,助词的研究主要集中在"着""了""看"上。

一、"着""了"

王力《汉语史稿》中说:动词形尾"着"和"了"的产生,是近代汉语语法史上划时代的一件大事。它们在未成为形尾以前,经历过一些什么发展过程,是值得我们深切注意的。王力认为:"着"的虚化在东汉末已有迹象,南北朝以后开始虚化,到唐代,带"着"的动词后开始可以有宾语,宋代时,真正的表示行为在进行中的形尾"着"已经存在,元代时普遍使用。表示完成貌的"了"是由动词"终了""了结"义发展而来,唐代才开始虚化,南唐时真正的形尾已经出现,宋代逐渐多起来。

吕叔湘对"著"的虚化有过精辟的概括:以著字辅助动词,初以表动作之有所著,继以表动作之持续。

董琨(1985)则根据佛典语言材料对"着""了"进行细致的研究,认为:"着"和"了"字都是在魏晋南北朝已基本完成了虚化过程;对"了"的看法与潘允中相近。潘氏也认为:南北朝时期作为表示完成了的形尾"了"逐渐明显。

梅祖麟《汉语方言里虚词"着"字三种用法的来源》(1988)则对

现代方言(官话、闽、吴、湘等)中存在的表示各种体貌标记的"着"进行历时溯源。《现代汉语完成貌句式和词尾的来源》(1981)用"词汇兴替"来解释"动+宾+了"的来源:从南北朝到唐代,"动+宾+完"这个结构没变,而其中的词汇发生变化;"了"在这个结构中替代了其他词汇,变成最常用的完成动词,"讫""已""毕"唐代还在用,但已渐被"了"字淘汰,这样就形成了"动+宾+了"的结构。这样把共时与历时、现代与古代紧密结合,为进行"史"的贯通作了很好的尝试。

柳士镇认为:在魏晋南北朝时期,"着"除去单独用作谓语动词之外,还有三种用法:(1)用于动词及其宾语之后,表处置意义;(2)部分虚化用于谓语动词之后充任补语,在表示处置意义的同时,兼表依附状态;(3)进一步虚化附于谓语动词之后,表示动作的持续状态。"著"字开始虚化是一步重要的发展,因为它的第三类用法,以至于最终发展为成熟的时态助词,正是从这里开始。第三类"著"字在词义上进行虚化,表示动作的持续状态,很容易发展为表示动作进行的现在时态。不过,它还只是处于萌芽阶段。发展到唐代才逐渐增多。

此外,赵金铭《敦煌变文中所见的"了"和"着"》(1979),潘维桂、杨天戈《魏晋南北朝时期"了"字的用法——"了"字综合研究之一》(1998)、志村良治等也对"着""了"做过研究。

二、"看"

关于语助词"看"的形成,劳宁《语助词"看"的形成》(1962)认为,早在北宋时"看"就是个道地的语助词了。心叔《关于语助词"看"的形成》(1962)则认为,形成的时代还可以更提早些。蔡镜浩《重谈语助词"看"的起源》(1990)指出,语助词"看"并不是到唐代才逐渐出现的,早在南北朝时期就开始产于口语之中。它应该是由表"测试"义的动词"看"虚化而来。吴福祥《尝试态助词"看"的历史发展》(1995)以范围更广的历史文献为依据,对"看"作了进一步的历史考察,也得出尝试助词"看"产生于魏晋南北朝的结论。

对于中古语法的研究,我们择其要者,作了如上介绍和评价。因囿于篇幅,我们不可能面面俱到,另因资料的不足、眼光的局限,疏漏、不当也在所难免。除此而外,还有两部博士论文和一部虚词专书也值一提:何亚南的博士论文《〈三国志〉和裴〈注〉的句法研究》,以《三国志》及裴注为出发点,从几种主要句型入手,上下贯通,溯流探源,然后再详细论述了《三国志》和裴《注》在这一过程中所处的地位及语法演变中所起的作用。在方法论上,突出了语法形式与深层语义相结合的研究方法,开了中古汉语语法研究新路。李禾范(韩国)的博士论文《魏晋南北朝小说句类研究》对魏晋南北朝时期志人、志怪小说中的陈述句、疑问句、祈使句、感叹句这四种类型的句子作了深入的考察和研究。在研究方法上,借鉴了源于西方而目前在现代汉语语法研究中普遍运用的语法、语义和语用"三个平面"的理论,归纳出了魏晋南北朝句类发展的若干规律。此论文为汉语语法史研究提供了一项可信的断代的句类研究成果。董志翘、蔡镜浩合著《中古语法虚词例释》(1995)一书是目前不多见的专门研究中古虚词的著作,其特点:(1)注重词义和用法的考释:发现新的虚词;发现新义和新用法;探求虚词之间的内在联系;辨识正误。(2)突出语法性的描述,明确虚词的词性;着重语法特征的描写。(3)追溯历史来源:追溯新词、新义、新用法较早使用时间;追溯新词、新义、新用法的来历及演变途径。(4)口语材料运用了当时翻译的佛经、笔记小说、医农科技著作、民歌、史书等,取材十分广泛。

综观中古汉语语法研究,虽然没有上古、近代和现代三个阶段研究得深入,但也取得了巨大的成就:已经涉及了汉语语法的很多领域。既有共时的描写,又有历时的溯源;既有专书的挖掘,又有单个语法现象的剖析。而最引人注目的则是:(1)研究材料的范围得到扩展,在充分利用中土文献的同时,也开始将目光转向中古汉语的富矿——汉译佛典。(2)研究方法有所更新,借鉴了西方语言学理论,在不同语言语法、亲属语言语法的比较研究,句式变换的研究、统计法运用方面都进行了有益的尝试。(3)重视了语法的系统性,把所研究的语法现象纳入特定的系统中来观察思考,力求从系统的调节作用和整合功能的角度来解释语法现象的发展与演变。

不过,由于中古汉语语法研究起步缓慢,因而还存在着一些不足:(1)句法研究的面虽已铺开,但还不全面。疑问句、双宾语句、存在句等虽也有涉及,但都不太深入,都不能较详备地反映中古时期各自的发展面貌。感叹句、祈使句、陈述句则涉及更少。(2)词法研究中的虚词研究尤待进一步加强,汉译佛典等新材料中的虚词研究得很少。研究虚词的专书也太少。(3)研究方法与研究手段尚需进一步更新。目前主要还是采用传统的分析方法,有些虚词的研究还停留在训诂阶段。运用计算机作随机统计研究的论文更是凤毛麟角。提倡借鉴西方语言学理论来分析汉语语法现象,但要找到合适的契入点,不能生搬硬套。(4)研究队伍尚需进一步壮大。

总之,今后要继续发扬优点,改进不足,以期更准确、全面、真实地揭示出中古汉语语法的面貌,为构建科学的汉语史奠定坚实的材料和理论基础。

参考文献

论著:

程湘清 1994 《魏晋南北朝汉语研究》,山东教育出版社。

董志翘　蔡镜浩　1994　《中古虚词语法例释》，吉林教育出版社。
郭锡良　1997　《汉语史论集》，商务印书馆。
蒋绍愚　2000　《汉语词汇语法史论文集》，商务印书馆。
柳士镇　1994　《魏晋南北朝历史语法》，南京大学出版社。
吕叔湘　1999　《汉语语法论文集》(增定本)，商务印书馆。
吕叔湘著　江蓝生补　1985　《近代汉语指代词》，学林出版社。
罗杰瑞〔美〕　1995　《汉语概说》，张惠英译，语文出版社。
梅祖麟　2000　《梅祖麟语言学论文集》，商务印书馆。
潘允中　1982　《汉语语法史概要》，中州书画社。
太田辰夫〔日〕　1987　《中国语历史文法》，蒋绍愚　徐昌华译，北京大学出版社。
　　　　　　　　1991　《汉语史通考》，江蓝生　白维国译，重庆出版社。
王力　1996　《汉语史稿》，中华书局。
王云路　方一新　2000　《中古汉语研究》，商务印书馆。
向　熹　1995　《简明汉语史》，高等教育出版社。
志村良治〔日〕　1995　《中国中世语法史研究》，中华书局。

论文：
贝罗贝〔法〕　1986　《双宾语结构从汉代至唐代的历史发展》，《中国语文》第3期。
　　　　　　　1989　《早期"把"字句的几个问题》，《语文研究》第1期。
　　　　　　　1998　《上古、中古汉语量词的历史发展》，《语言学论丛》第二十一辑，商务印书馆。
蔡镜浩　1990　《重谈语助词"看"的起源》，《中国语文》第1期。
曹广顺　1990　《魏晋南北朝到宋代的"动＋将"结构》，《中国语文》第2期。
曹广顺　遇笑容　2000　《中古译经中的处置式》，《中国语文》第6期。
曹小云　1999　《〈论衡〉被动句式研究》，《古汉语研究》第2期。
储泽祥等　1997　《汉语存在句的历时性考察》，《古汉语研究》第4期。
丁根生　1980　《对〈《世说新语》中的称数法〉一文的两点补正》，《中国语文》第5期。
董琨　2000　《汉魏六朝佛经中所见若干新兴语法成分》，《中古汉语研究》，商务印书馆。

董志翘	1989	《中世汉语"被"字句的发展和衍变》,《河南师大学报》第1期。
	1986	《中世汉语中的三类特殊句式》,《中国语文》第6期。
高云海	1998	《"自"和"复"非词尾说质疑》,《中国语文》第4期。
顾 穹	1992	《论汉语被动句在历史发展过程中的变化规律》,《东岳论丛》第1期。
郭 红	1998	《他称代词"他"究竟产生于何时》,《中国语文》第5期。
韩惠言	1990	《试论〈世说新语〉中的与否定词连用的单音副词》,《兰州大学学报》第4期。
何 容	1961	《论六朝时期的几个代词》,《中山大学学报》第4期。
何亚南	2002	《〈三国志〉和裴〈注〉的句法研究》,南京师范大学出版社。
洪 诚	1963	《略论量词"个"的语源及其在唐以前的发展情况》,《南京大学学报》第2期。
	1958	《论古汉语的被动式》,《南京大学学报》第1期。
	1957	《论南北朝以前汉语中的系词》,《语言研究》第2期。
侯兰笙	1983	《〈世说新语〉中表肯定副词的连用式》,《西北师范学院学报》第1期。
	1985	《〈世说新语〉中的方位词》,《西北师范学院学报》第1期。
胡竹安	1960	《动词后"给"的词性和双宾语问题》,《中国语文》第5期。
黄 珊	1996	《古汉语副词的来源》,《中国语文》第3期。
蒋宗许	1993	《词尾"自"再说》,《佳木斯教育学院学报》第3期。
	1994	《再说词尾"自"和"复"》,《中国语文》第4期。
	1996	《语气词"那"考索》,《古汉语研究》第1期。
劳 宁	1962	《语助词"看"的形成》,《中国语文》第6期。
李崇兴	1990	《选择问记号"还是"的来历》,《语言研究》第2期。
李禾范〔韩〕	2000	《魏晋南北朝小说句类研究》(博士论文稿)。
刘凯鸣	1982	《〈世说新语〉里"都"字的用法》,《中国语文》第5期。
刘丽川	1984	《试论〈搜神记〉中的结果补语》,《语文研究》第4期。
刘瑞明	1989	《〈世说新语〉中的词尾"自"和"复"》,《中国语文》第3期。
	1994	《关于"自"的再讨论》,《中国语文》第6期。
刘世儒	1959	《汉语动量词的起源》,《中国语文》第6期。
	1957	《略论魏晋南北朝系动词"是"字的用法》,《中国语文》第2

期。
　　　　　1959　《论魏晋南北朝量词》,《中国语文》第 11 期。
　　　　　1962　《魏晋南北朝称量词研究》,《中国语文》第 3 期。
　　　　　1962　《魏晋南北朝动量词研究》,《中国语文》第 4 期。
　　　　　1965　《魏晋南北朝量词研究》,中华书局。
刘子瑜　1995　《唐五代时期的处置式》,《语言研究》第 2 期。
骆晓平　1996　《"大数冠小数"约数表示法源流略考》,《中国语文》第 5 期。
马贝加　1993　《介词"同"的产生》,《中国语文》第 2 期。
马振亚　1995　《〈列子〉中关于称数法的运用——兼论〈列子〉的成书年代》,《东北师大学报》第 2 期。
潘荣生　1982　《连词"所以"产生于晋代》,《中国语文》第 3 期。
潘维桂　杨天戈　2000　《魏晋南北朝时期"了"字的用法——"了"字综合研究之一》。《中古汉语研究》,商务印书馆。
平山久雄　1995　《中古汉语鱼韵的音值——兼论人称代词"你"的来源》,《中国语文》第 5 期。
裘锡圭　1979　《谈谈古文字资料对古汉语研究的重要性》,《中国语文》第 6 期。
石锓　1997　《论疑问词"何"的功能渗透》,《古汉语研究》第 4 期。
谭赤子　1991　《方位词的方位意义在语言发展中的引申和变化》,《古汉语研究》第 1 期。
唐钰明　1990　《古汉语动量表示法探源》,《古汉语研究》第 1 期。
　　　　　1987　《汉魏六朝被动式略论》,《中国语文》第 3 期。
　　　　　1992　《中古"是"字判断句述要》,《中国语文》第 5 期。
汪维辉　1999　《方位词"里"考源》,《古汉语研究》第 2 期。
　　　　　1998　《系词"是"发展成熟的时代》,《中国语文》第 2 期。
王建军　2000　《汉语存在句的历时研究》(博士论文稿)。
吴福祥　1995　《尝试态助词"看"的历史发展》,《语言研究》第 2 期。
吴金华　1989　《"……见"式两例商兑》,《中国语文》第 1 期。
　　　　　1988　《"R 为 A 所见"式述例》,《南京师大学报》第 4 期。
　　　　　1984　《〈试论"R 为 A 所见"式〉补正》,《中国语文》第 1 期。
　　　　　1992　《古汉语被动句"为……见"式补说》,《南京师大学报》第 4 期。

	1983	《试论"R 为 A 所见"式》,《中国语文》第 3 期。
萧 红	1995	《也谈中古双宾语结构的形成与发展》,《古汉语研究》第 1 期。
肖 旭	1998	《也说"自"和"复"》,《中国语文》第 4 期。
心 叔	1962	《关于语助词"看"的形成》,《中国语文》第 8—9 期。
许威汉	1982	《从〈世说新语〉看中古语言现象》,《江西师范学院学报》第 2 期。
杨 露	1986	《谈〈世说新语〉中的数量词》,《吉林师院学报》第 4 期。
杨克定	1988	《从〈世说新语〉、〈搜神记〉等书看魏晋时期动词"来"、"去"语义表达和语法功能的特点》,《魏晋南北朝汉语研究》,山东教育出版社。
杨 平	1989	《"动词+得+宾语"结构的产生和发展》,《中国语文》第 2 期。
姚振武	1988	《古汉语"见 V"结构再研究》,《中国语文》第 2 期。
	1993	《关于中古汉语的"自"和"复"》,《中国语文》。
于 江	1996	《近代汉语"和"类虚词的历史考察》,《中国语文》第 6 期。
俞理明	1990	《从佛经材料看六朝时代的几个三身称谓词》,《中国语文》第 2 期。
	1989	《从佛经材料看中古汉语人己代词的发展》,《四川大学学报(哲社版)》第 4 期。
	1988	《从汉魏六朝佛经看代词"他"的变化》,《中国语文》第 6 期。
	1989	《汉魏六朝的疑问代词"那"及其他》,《古汉语研究》第 3 期。
张万起	1984	《连词"所以"产生的时代》,《语文研究》第 4 期。
	1998	《量词"枚"的产生及其历史演变》,《中国语文》第 3 期。
张显成	1994	《从简帛文献看使成式的形成》,《古汉语研究》第 1 期。
张延成	2000	《中古汉语称数法研究》(博士论文稿)。
赵金铭	1979	《敦煌变文中所见的"了"和"着"》,《中国语文》第 1 期。
朱庆之	1995	《汉译佛典中的"所 V"式被动句及其来源》,《古汉语研究》第 1 期。
	1991	《魏晋南北朝佛典中的特殊疑问词》,《语言研究》第 1 期。
祝敏彻	1957	《论初期处置式》,《语言学论丛》第 1 期。
庄正容	1980	《〈世说新语〉中的称数法》,《中国语文》第 3 期。

20世纪中古汉语词汇研究

方一新

所谓"中古汉语",目前学术界的认识尚未完全一致。我们认为,从汉代特别是东汉以来,汉语发生了很大的变化,以东汉为界,把西汉列为过渡期和参考期,把古代汉语分成上古汉语和中古汉语两大块,以东汉魏晋南北朝隋为中古汉语时期,从语法、词汇上看都是比较合理的,语音上也可以找到相应的证明。唐代以后,汉语又有了新的情况,试比较一下南北朝民歌和王梵志诗、六朝小说和《游仙窟》,就可明了,故理应把唐代(主要指中晚唐)划入近代汉语时期,初唐可列为过渡期和参考期。[①]

郭在贻师在评价魏晋南北朝词汇研究现状时曾经说过:"关于汉语词汇史的研究,魏晋南北朝这一阶段向来是最薄弱的环节。"[②] 20世纪上半叶的中古汉语词汇研究主要是词语考释类的,有一些给汉魏六朝作品作笺注的学者,在古籍整理的著作中也涉及了部分六朝语词。

解放后的中古汉语词汇研究大致可以分为两个时段,即前三十年和后二十年。在前三十年(即1949到1978)中,有关中古汉语词汇的研究是相当薄弱的,没有见到研究专著,有一些单篇论文或相关的著述发表。

从20世纪70年代后期以来,随着学术研究的复兴,中古汉语研究全面崛起,其中的词汇研究取得了较快的发展,成果迭出,研究队伍和领域也在扩大,呈现出前所未有的兴盛局面。王云路教授已经撰写了《百年中古汉语词汇研究述略》一文,③对 20 世纪以来的中古汉语词汇研究作了很好的总结,包括研究现状、20 世纪 80 年代以来取得较快发展的原因、今后需要做的工作等。本文拟为续貂补苴之作,对上个世纪的中古汉语词汇研究情况作一提纲挈领式的述评。笔者闻见和学识有限,难免有挂一漏万和褒贬失当之处,敬请博雅君子不吝赐教。

壹

20 世纪上半叶是中古汉语词汇研究的萌芽时期,其时成果不多,50 年代至"文革"结束时,这方面的研究仍不多见;自从 70 年代末、80 年代初以来,中古汉语词汇研究著作逐渐增多。这些著作大抵可以分成两大门类:一种属于概论型著作,有通史类、断代专题类和专书类;另一类属于考释型著作,有校注类、词语考释类和词典类,④兹分述如下。

一、通史类

和中古汉语词汇研究有关的通史类概论著作有王力《汉语词汇史》、潘允中《汉语词汇史概要》、史存直《汉语词汇史纲要》、向熹《简明汉语史》等。

王力《汉语词汇史》。作者早在 50 年代就撰写了汉语的第一部通史著作《汉语史稿》,其中第四章《词汇的发展》在全面论述汉语词汇发展的历史时,对先秦及汉魏六朝、隋唐时期若干词语(主要是常用词)的演变、佛教借词和译词等作了垦荒式的研究,有导夫先路之功。

20 世纪 80 年代初,王力对《汉语史稿》进行了全面修订,在原书上、中、下三册的基础上,修订出版了《汉语语音史》《汉语语法史》《汉语词汇史》。其中,1983 年 9 月至 1984 年 4 月,王先生修订《汉语史稿》下册(《词汇的发展》一章),改写为《汉语词汇史》。

在《史稿》的基础上,作者做了这样几项工作:首先是增写了两章,即第二章同源字和第三章滋生词;其次是将原来《汉语悠久光荣的历史》这一内容扩张成了《汉语对日语的影响》《汉语对朝鲜语的影响》《汉语对越南语的影响》三章;其他各章的内容也有不少充实和修改。[⑤]

新旧著作在实际举证上也有很大的差异。《汉语词汇史》第一章第七节"历代词汇的发展"指出,"上古社会里,汉语词汇已经相当完备了。但是随着社会的发展,新事物不断产生,也就不断产生新词。"举"纸、砚、碗、案、碓、硙、帆、艇、寺、庵、塔、观"十二字为例。谈到"砚",考证汉代才有砚台,《释名》:"砚,研也,研墨使和濡也。"字也作"研"。举《后汉书·班超传》《晋书·陆机传》为证。"碗",《说文》《方言》有释,举《抱朴子外篇·广譬》《晋书·周访传》为证。"碓",举桓谭《新论》《邺中记》为例。"帆",字亦作"颿",上古行舟,有楫而无帆,帆始于汉代。《释名》:"随风张幔曰帆。"东汉以来始用"帆"字。"寺",汉初是官署的意思,佛教传入中国后,用来指称佛寺。"庵",字也作"萻",原是小草舍的意思。《释名》:"草圆屋曰蒲。……又谓之庵。"尼姑所居曰庵,则又是近代的事了。"观",道教的庙宇叫"观"(guàn),大约起于南北朝。"塔"字最初见于晋葛洪《字苑》,大约产生于魏晋时代,举《魏书·西域传》《洛阳伽蓝记》为证。[⑥]

第四章《古今词义的异同》,在列举了 32 个例子(都是常用词),逐一说明其产生、演变年代后指出:"词义是发展的,而且变化的情况要比一般人所料想的复杂得多。过去我们的文字学家在这一方面做了许多研究工作,取得了很大的成绩。但是,他们只注意上古,不大注意中古以后的发展;他们只注意单音词,不大注意复音词。所以这一方面的研究工作,还要投入巨大的人力,才能取得令人满意的成绩。"所论十分正确,切中要害。

潘允中《汉语词汇史概要》,写于 80 年代中期,共分八章。其中如第一章《汉语词汇史概说》第二节《中古词汇发展的特点》、第二章《汉语构词法的发展》第二节《中古时期构词法的发展》、第六章《汉语古今借词和译词的来源(上)》等章节中,都对中古词汇在内的许多词汇问题作了比较深入的研究。关于"笑"的同义词,作者指出从上古到近代陆续产生了大概 20 个以上,所谈的是很有意思的现象。

史存直《汉语词汇史纲要》。全书共分五章,其中第二章社会发展和词汇的新陈代谢,概说之后,分别讨论了殷商时代、周秦时代、汉魏六朝时代、隋唐宋时代及元明清时代的词汇特点;第四章构词法的发展、第五章汉语中的借词和译词等章节都讨论了中古、近代汉语词汇的问题。如第一章《基本词汇的形成和发展》,在谈到"关于自然现象、自然物的名称"由单音词发展为双音词时举"日"和"太阳"一例,指出:"古人很早就用'阳'字来表示'日'了。……到了汉代,阴阳五行之说盛行,阴阳家们索性就称'日'为'太阳',称'月'为'太阴'。后来,'太阳'这个名称进入到一般词汇里,而'太阴'这个名称却始终只在阴阳五行范围内使用。这就是'太阳'代替了'日'字的过程。"[②]真正称得上是"词汇史"的研究。

向熹《简明汉语史》。和同类著作相比,本书堪称是一部后出转精之作。全书分上下册,上、中、下三编,其中中编是《汉语词汇史》。第二章《中古汉语词汇的发展》,分别论述了中古汉语单音词、复音词和词义的发展、外族文化对中古汉语词汇发展的影响、同义词的发展、成语的发展等六方面的问题。有点有面,有概述,有实例,研究深入而细致。

作者在《绪论》第二节《研究汉语史的依据》中,指出:"魏晋以后,书面语和口语的距离日益加大。六朝骈文讲究骈偶、对仗、辞藻和用典,远离了口语实际。……六朝开始出现一种比较接近口语的书面语——古白话。南北朝《世说新语》、《齐民要术》、佛经翻译、唐代变文、宋人语录、宋元话本、元代杂剧,以及明清小说……等,都用白话写成,它们是研究中古和近代汉语的主要依据。六朝乐府、民歌、唐诗、宋词,许多也很通俗,应用了大量口语,无疑也是研究中古和近代汉语的重要依据。我们原则上不是根据骈文和古文来研究中古语言,但古文中也可能吸收当时若干口语成分。"(11页)对研究中古汉语语料问题作了很好的论述。此外,作者关于汉代、魏晋南北朝语言特点的论述(26—29页)、关于汉语史分期的意见和中古汉语的特征的几点概括等研究也很重要,值得认真参考。

除了通史类的词汇史著作外,有些训诂学著作也对中古汉语词汇研究及相关问题作了论述,如郭在贻《训诂学》。该书专辟"训诂学的新领域——汉魏六朝以来方俗语词的研究"一章(第九章),对俗语词研究的意义、历史与现状、材料和方法以及展望等问题作了论述。就俗语词的研究方法而言,郭书概括为"审辨字形""比类综合""据对文以求同义词或反义词""据异文以求同义词或近义词""即音求义""探求语源""方言佐证"等七种,辅之以翔实的例证,对初学者具有指导意义。

二、断代专题类

这方面目前的著述尚不多见,以作品体裁而言,佛经方面有朱庆之、俞理明、梁晓虹、颜洽茂等的著作,小说方面有殷正林等人的论文,诗歌方面有王云路的论著,史书方面有方一新、王云路、王魁伟的论文等;以词汇性质而言,近年来有关汉语常用词演变的论著异军突起,有张永言、汪维辉的论文和李宗江、汪维辉的著作等;此外还有专书类的论著。

(一)佛典

80年代中期以前的中古汉语词汇研究基本都是以中土文献

为取材对象,后来人们逐渐认识到佛典的重要性,开始加以利用,并出现了以佛典为主要语料的研究专著。

朱庆之《佛典与中古汉语词汇研究》。本书是作者的博士论文,分为《汉文佛典的语言特点》《佛典与中古汉语词汇的共时研究——微观篇》《佛典与中古汉语词汇的共时研究——宏观篇》《佛典与中古汉语词汇的历时研究》等四章,首次以汉文佛典为基本语料,对中古佛典词汇作了比较系统的研究。其中诸如揭示汉文佛典语言特点及在中古汉语词汇史上的研究价值、考释中古佛典中的新词新义、探讨佛典语汇对汉语词汇双音化的影响、佛典语料与敦煌俗文学词语溯源等都很翔实深入。作者的立足点高,视野开阔,在理论方面也有建树:比较深入地探讨了词义演变方式,提出了"词义沾染"的主张,⑧对人们认识汉语词义演变现象具有启发意义。不足之处是:强调佛典在中古汉语词汇史的价值方面稍感过头。理想的词汇史研究应该把佛典与中土典籍结合起来,缺一不可。

此外,朱庆之还撰写了《佛经翻译与中古汉语词汇二题》《试论佛典翻译对中古汉语词汇发展的若干影响》《汉译佛典语文中的原典影响初探》等文章,列举实例,就佛典语言对中古汉语词汇的影响等问题进行了论述。

俞理明《佛经文献语言》。本书的篇幅不大,只有十万字,但内容比较丰富,研究也相当深入。全书分为两大部分,前一部分为《佛教文献和佛经文学语言》,是对佛典及其语言的概述和评介;后一部分为《从佛经用语研究中古代词》,从佛典语料出发,比较系统地研究了中古时期的代词,是全书的主干部分。作者在《中国语文》等刊物也发表了数篇相关的论文。

梁晓虹《佛教词语的构造与汉语词汇的发展》。本书是作者在博士论文的基础上修改而成的。分成上、下两编:上编是《佛教词语的构造》,分别讨论了音译词、合璧词、意译词、佛化汉语、佛教成语和俗谚。下编是《佛教词语的创造带来汉语词汇发展的历史性转折》,力图从词汇史的角度,探讨佛教对汉语尤其是词汇所产生的重大影响。梁晓虹还有《小慧丛稿》,收有作者发表的有关佛教语言词汇与文化等方面的研究论文29篇。作者以研究佛教音译词、意译词、合璧词以及构词方式等见长,对普通语词特别是口语词涉及不多。

颜洽茂《佛教语言阐释——中古佛教词汇研究》。本书是作者在博士论文的基础上修改而成的。全书共分八部分,对魏晋南北朝佛教概况、佛典资料与版本、魏晋南北朝译经事业、译经文体、译经词汇构成、译经复音词结构模式及语义构成、译经词汇现象、译经词汇在汉语史上的地位及其功用等问题作了比较系统的研究,对正确认识译经词汇在汉语词汇史上的地位,揭示它在汉语史研究以及汉语辞书编纂中的功用等方面都具有一定的参考价值。书中涉及的少数词语前人时贤已有考释或论述,但作者未能参考征引。

(二)小说

小说是中古汉语词汇研究领域起步较早的一个门类,涌现出一大批研究者和研究著作,但绝大多数都是词语考释类的,只有一小部分论著从宏观的角度对词汇特别是专书词汇作了描写研究。专书词汇研究是断代性词汇研究的基础,加强对中古汉语专书语言词汇的研究,对促进中古汉语词汇研究乃至整个汉语词汇史研究都具有非常重要的意义。

在笔记小说类里较早展开专书词汇研究的有《世说新语》《搜神记》《颜氏家训》等中古名著。

殷正林《〈世说新语〉中所反映的魏晋时期的新词新义》是完成于80年代初的汉语史硕士学位论文。文章对中古笔记小说名著

《世说新语》的新词新义作了系统研究。作者从《世说》中选出的三千多个词,把它们和《诗经》《论语》《孟子》《春秋三传》《荀子》《墨子》等先秦要籍和《汉书》《论衡》、汉乐府诗等几部东汉著作相对照,发现其中有365个新词和118项引申义未见于这些著作,定为汉以后新生的词和义,并据此以探索魏晋时期新词和新引申义的特点。作者是较早利用专书作词汇史研究的学者,有关的研究方法和结论对后世产生了影响。

张振德、宋子然主编《〈世说新语〉语言研究》。本书从词汇、语法两方面对《世说新语》作了比较全面的研究。共有二十章,词汇方面从第一章到第六章,分别是《世说新语》词汇概说、新生词、古语词、熟语、新生义、联绵词。虽不无发明,但所考释的部分条目前人时贤已有解释,作者大多没有提及。

周日健、王小莘主编《〈颜氏家训〉词汇语法研究》。全书共分十四部分,先词汇,后语法。词汇部分有《颜氏家训》词汇概貌、新词新义、古词古义、同义词、反义词、复音词的构成方式等,其中"从《颜氏家训》看魏晋南北朝汉语词汇的几个特点"一节概括了中古词汇的几大特点和词义发展的几种途径,较见功力。语法部分分别讨论了《颜氏家训》的实词、虚词、几种句式等。此外,还有"《颜氏家训》注译及标点商榷""《颜氏家训》词典"等内容。它是国内学者有关《颜氏家训》语言的最新研究成果。本书有关词汇部分的论述还可再深入一些,部分条目前人已有研究的似应提及。

(三)诗歌

汉魏六朝诗歌上承《诗经》《楚辞》,下启唐诗宋词,在诗歌发展史上占有重要的地位。但以往对其语言词汇研究得很不够。进入80年代以来,开始有一批单篇论文发表,但多数属于考释类文章。王云路则由撰写博士论文入手,对汉魏六朝诗歌词汇作了系统的研究,共有两部专著出版:

《汉魏六朝诗歌语言论稿》。本书是汉魏六朝时期诗歌语言研究的第一本专著,填补了研究空白。全书共分十章,对这一时期诗歌语汇的基本特点、源流演变、研究现状、研究意义等作了较为系统全面的考察,大致呈现出汉魏六朝诗歌语言的概貌。其中如《历代汉魏六朝诗歌语言研究的简略回顾》《汉魏六朝诗歌新词的构成类型》《汉魏六朝诗歌语词新义的产生方式》《汉魏六朝诗歌语汇的研究方法》等章都较有新意。

《六朝诗歌语词研究》。这是作者在中古诗歌语言研究方面的又一部著作。全书分成上、下两编。上编为概说篇,论述六朝诗歌的构词方式、语汇特色、研究价值及研究方法等;下编为释词篇,这是本书的重点内容,集中考释了 330 余条六朝诗歌语词,涉及新词、新义以及习语、俗语等,不少条目补正了《汉语大词典》的不足。诗歌语言是中古文献中比较特殊的一块,因为受韵律或字数的影响,遣词造句与散文自有不同。所以,在利用诗歌语言研究相关的词汇问题(如构词法)时,应该充分考虑这一点。

(四)史书

以往的研究者往往把史书归入正统文言里面,不大重视史书语料的价值。其实,史书也有其特殊的一面:反映社会生活广泛,语料的整体数量大,并且保存了不少口语材料,应该给予应有的重视。

就六朝史书语料的年代问题,以往一直存在着不同意见。一种意见认为应以史书所记载的年代定。譬如把《后汉书》当作东汉语料,把《晋书》《南史》当作六朝语料。另一种意见认为应以作者写作的时间为依据,如《后汉书》应看作南朝宋的语料。还有折中的意见,认为"应将史料分为记言与记事两个部分,记事部分可以断为成书时代,记言部分则应断为说话人所处的时代"。

方一新、王云路《谈六朝史书与词汇研究》一文以及方一新《东汉魏晋南北朝史书词语笺释》一书的《前言》,主张把史书语料分为原始资料和其他资料两大类,东汉魏晋南北朝史书中的原始资料,是指《晋书》等史书中原文引录的当朝文献和《三国志》《后汉书》二书旧注中征引的汉魏六朝典籍,原则上应可认定为当朝人的作品。原始资料以外的部分都属于其他资料,包括记事和记言两大类。记事部分理应看作是史书作者年代的语料。记言部分从原则上讲,仍然应该视同为史书作者年代的语料。当然,记言部分内部还可以根据不同情况加以区分,其语料的性质不能一概而论。方、王的文章只是一家之言,这方面的问题还有待于进一步探讨。

王魁伟近年来发表了几篇有关史书语料年代的论文,如《读太田辰夫〈中国语历史文法·跋〉》《关于〈晋书〉的语料年代》,研究比较深入,他的意见值得重视。

(五)常用词

常用词演变研究是近几年开始逐渐受到重视的研究领域,取得了引人瞩目的成绩。从近、现代看,涉及常用词研究的学者不少,如20世纪二三十年代的黎锦熙、何容、刘复等,五六十年代的王力,近十多年的王凤阳、蒋绍愚、张双棣、魏德胜、李宗江等。⑨

王力《汉语词汇史》第六章《概念是怎样变了名称的》,讨论了多个常用词的词义演变,如说"'走'当行路讲,大约起源于明代""(错)由交错的意义引申为错误的意义,大约起源于唐代(或较早)""《论衡》和《搜神记》都有害怕的'怕',但是不常见。直到唐代以后,'怕'字才大量出现了""到了汉代以后,'偷'字才有了窃的意义""'输'字用作输赢的'输',大约是在六朝以后""'赢'字用作输赢的'赢',大约是在隋唐以后""'硬'字大约产生在隋唐以后""一直到魏晋南北朝时代,还是用'食'字表示吃"等等,都对新词、新义的产生年代作了考察。虽然具体结论不无可商,但在中古常用词研究方面的确是导夫先路的。

90年代中期,张永言与汪维辉合写的《关于汉语词汇史研究的一点思考》一文提出了加强汉语词汇史研究特别是常用词研究的主张,指出:"不对常用词作史的研究,就无从窥见一个时期的词汇的面貌,也无从阐明不同时期之间词汇的发展变化,无从为词汇史分期提供科学的依据。"[⑩]振聋发聩,令人耳目一新。

李宗江《汉语常用词演变研究》。本书是在汉语常用词研究方面的第一部专著,共分"专题讨论"和"个案研究"两大块。"专题讨论"收了八篇论文,对汉语常用词研究的有关理论问题作了比较深入的探讨。"个案研究"收了十篇论文,主要对一些虚词的历时替换问题作了专门研究,如《"即、便、就"的历时关系》《"进"对"入"的历时替换》等。作者由现代汉语领域转而研究汉语常用词的历时变化,对汉语史研究者不无启发和促进。

汪维辉《东汉—隋常用词演变研究》。本书是作者在其博士论文基础上完成的一部重要著作,首次对中古(东汉魏晋南北朝隋)时期的常用词作了集中研究。本书讨论了先秦两汉魏晋南北朝时期产生又流传至今的部分常用词的更替演变,既提供了进行这一难度很大的研究工作的成功范例,又清晰地呈现出东汉至隋这一阶段常用词演变的基本面貌,为"中古汉语"这一汉语史分期主张提供了新的科学依据,是汉语常用词研究所取得的最新成果。作者态度谨严,征引详博,结论大抵可信。当然,个别词条的分析或结论也还可以商榷。

(六)复音词

在中古汉语词汇方面,有关复音词的研究起步较早,成果也较多,如程湘清、张万起、韩惠言等。程湘清是较早进行复音词研究的学者,发表了《〈论衡〉中联合式复音词的语义构成》《〈论衡〉中联合式复音词在现代汉语中的变化》《〈论衡〉复音词研究》《〈世说新语〉复音词研究》等论文。在中古作品的复音词研究方面有开创之功,上述系列文章在汉语史学界影响较大。不过,程氏关于复音词的划分范围较为宽泛,把一些词组和固定成分也划入其中。

张万起《〈世说新语〉复音词问题》[①]指出,可以根据结合的紧密程度和是否有新的整体意义两方面情况来判定复音词;在判定古今一致的语言形式是词或非词时,要有历史观点,并注意语言的社会性;处理复音词和词组要慎重,不要随意扩大复音词的范围。文章不长,但所谈的问题比较深入,富有启发意义。

贰

考释型著作也可分为三类,即:校注类、词语考释类和词典类。具体而言,校注类包括作品的点校、注释和翻译工作中涉及中古语词的内容;词语考释类包括单一文学体裁或作品考释(包括古籍的鉴别辨伪)以及综合类作品考释;词典类主要指专书语言词典(中古时期尚未见到断代的语言词典)。

一、校注类

(一)20世纪上半叶中古作品的笺注整理

对汉代至隋唐的作品进行笺注,这是自古以来就有的做法。如唐李善、五臣《文选注》、明胡之骥《江文通集汇注》、清倪璠《庾子山集注》、清吴兆宜注、程琰删补《玉台新咏笺注》等。20世纪上半叶,比较多的是对几部名著如《世说新语》《抱朴子》《水经注》《颜氏家训》等的笺注整理。以《世说新语》为例,清末民国初年及近代的学者如王先谦、李慈铭、程炎震、李详、严复、沈剑知、刘盼遂、王利器、余嘉锡、徐震堮等都对《世说新语》作过专门的研究,有关成果汇集于余嘉锡《世说新语笺疏》、徐震堮《世说新语校笺》二书。

(二)20世纪五六十年代中古作品的笺注整理

关于《世说新语》,有王利器《世说新语校勘记》,依据宋元明等版本,对《世说新语》作了详尽的校勘,抉发了部分魏晋口语词。

杨勇《世说新语校笺》，这是第一部全面整理校释《世说新语》的著作。作者用了八年时间，搜集了二百四十余种有关《世说》资料，详加校勘、注释，首次把《世说新语》这部中古名著整理、介绍给读者，功不可没。书中也存在着一些校释疏失。杨氏还有《陶渊明集校笺》《〈洛阳伽蓝记〉校笺》等著作。台湾学者王叔珉撰有《〈世说新语〉补正》。

关于北朝名著《洛阳伽蓝记》，则有范祥雍《洛阳伽蓝记校注》、周祖谟《洛阳伽蓝记校释》两种校注著作，都各有特色。

此外还有一批文学名著，如余冠英《乐府诗选》等，就不一一介绍了。

(三)20世纪70年代末以来中古作品的笺注整理

1976年以后，学术研究得到振兴，古籍整理工作也迎来了繁荣的局面。一大批名著经典经过整理面世。比较有影响的有：

余嘉锡《世说新语笺疏》、徐震堮《世说新语校笺》。两书是《世说新语》研究的集大成著作，在诠释《世说》词语、校正字词讹误方面都取得了很大的成绩，比较而言，余书虽以文献考证、史料订补见长，但其词语考释也很精当；徐著则较重语词的校释特别是口语词的抉发，各有千秋。

王利器《〈颜氏家训〉集解》(增补本)。王氏注释六朝典籍，比较重视语词的抉发和解释，在征引前人的解释后，也时常加上自己的意见，并注明语词的出处。如《勉学》："素怯懦者，欲其观古人之达生委命。"王注："委命，犹言委心任命，《文选》班孟坚《答宾戏》：'委命供已，昧道之腴。'"《音辞》："一言讹替，以为己罪矣。"王注："讹替，讹误差替。"下引本书《杂艺》、《拾遗记》卷二、颜延之《为齐世子论会稽表》等佐证。

王明《太平经合校》《抱朴子内篇校释》(增订本)。这两种道教古籍整理著作基本上以校勘为主，作者参考了许多不同版本，详加校勘,同时也对典章制度、人名地名等名物词等详加注释,普通语词注得不多。

杨明照《抱朴子外篇校笺》上、下册。杨氏有关《抱朴子外篇》的校笺,既有校勘,又有注释,也注重抉发六朝语词。书中的少数校释也有待于商榷。杨明照还撰有《文心雕龙校注拾遗》,在校和注两方面对《文心雕龙》作了考释,在六朝语词方面有所发明。

缪启愉《齐民要术校释》,对北朝著名农书《齐民要术》作了校勘、注释,作者精通农学,旁征博引,发明了一批六朝口语词。

还有北京大学历史系《论衡注释》,吴树平《风俗通义校释》,章巽《法显传校注》,杨伯峻《列子集释》,林其锬、陈凤金《刘子集校》,陈桥驿《水经注研究》等,都有一定的参考价值。

(四)近些年来的笺注整理

近几年来,中古典籍的笺注整理新著不断问世,往往呈后来居上之势。这里介绍其中的三种:

俞理明《〈太平经〉正读》。道教名著《太平经》是研究中古汉语的宝贵材料。但由于该书在流传过程中讹误较多,加之充斥其中的东汉口语词和道教色彩的语词,故向称难读。作者所做的工作有三:一是文字校勘。校正了书中的大量讹误,为读者扫清了障碍。二是字词注释。本书首先注明通假和异写,同时也注明词义及语法修辞现象,尤其在阐释东汉口语词、道教词语方面,多有创获。三是标点属读。作者对书中的疑难词句反复推敲,纠正了以往的标点错误。故本书实际上是一本融入了作者多年研究心得的学术著作。

赵幼文《〈三国志〉校笺》。赵幼文生前研治《三国志》五十余年,著有《武英殿本三国志刊误》《三国志集解献疑》《三国志裴注疏证》三部遗稿(后者只存部分残稿),由其哲嗣赵振铎、鄢先觉夫妇携儿子、儿媳一家四人整理汇编成《三国志校笺》一种,于近日出版。《校笺》详引《三国志》各种版本及卢弼《集解》等前人的意见，征引详博，校、注并重，考订矜慎，时有按断，不少地方涉及汉魏以来的中古语词，值得参考。

杨勇《〈世说新语〉校笺》。这是杨氏自1969年出版《〈世说新语〉校笺》后的修订本。作者访求《校笺》出版后当世有关《世说新语》新著一百余种，又穷八年之力，重加修订增补本。凡修订旧版九百余处，新增三万余字；另附录《〈世说新语〉汪藻〈人名谱〉校笺》《〈世说新语校笺〉人名异称表》《〈世说新语校笺〉人名索引》三种编为下册，比原版更加充实。

二、词语考释类

要研究某一历史时期的语言，首先必须扫除有关典籍中的语言障碍，真正读懂它们。因此，和近代汉语词汇研究一样，中古汉语词汇研究也是从训诂考释起步的。

(一)20世纪上半叶的考释研究

20世纪上半叶是中古汉语词汇研究的起步阶段，大规模的词语考释专著尚未见到，有一些零星的考释论著。如：吕叔湘《读〈三国志〉》，考释了《三国志》中"自""然赞""迎""部"等条词语。[12]周一良《论佛典翻译文学》虽属于概论性的文章，但其中也考释了"仁""曼""续""缘""唐""呜""将无"等几个佛典语词。[13]

(二)20世纪50至70年代中期的考释研究

从1949年以后，有关中古汉语词汇研究的著述也还不多见，涉及的著作有1954年初版的张相《诗词曲语辞汇释》和1959年初版并屡经修订的蒋礼鸿《敦煌变文字义通释》。《汇释》重在解释唐宋以来的诗词曲语词，但少数条目也作了一些溯源。《通释》虽然是解释敦煌变文词语的，但溯源工作比《汇释》要好得多，许多唐宋俗语词的源头被上溯到汉魏六朝。此外，值得提到的学者有：

徐震堮。发表了《〈世说新语〉里的晋宋口语释义》。徐氏这篇文章发表于50年代,是研究《世说新语》口语词汇方面较早的论文。

张永言。五六十年代,张永言就在《中国语文》上发表了《词义演变二例》《"几多"是什么时候出现的》《"错"字在唐代以前就有了"错误"义》《"信"的"书信"义不始于唐代》等论文,大多是探讨中古词义演变方面的,对汉魏六朝词汇研究起到了促进作用。

周大璞。周氏在60年代发表了《"阿堵"这个词》《"伊""底"二词考辨》两文,探讨了中古的新生代词。

杨伯峻、徐复。杨伯峻撰《〈列子〉著述年代考》、徐复撰《从语言上推测〈孔雀东南飞〉一诗的写定年代》,两文都从语言的角度,分别考证了《列子》《孔雀东南飞》的写作年代,为鉴别疑伪古籍开辟了一条新路。

台湾学者许世瑛所撰的《魏晋人心目中伧字的意义》《晋时下级官吏对上级自称曰"民"》《晋时卑贱者称尊者曰"官"》《释身》《释"阿奴"》等论文都考释了魏晋词语,见《许世瑛先生论文集》第三集。另一台湾学者曲守约出版了专著《中古辞语考释》《辞释》《续辞释》,考释了较多的六朝词语,成绩不俗。

(三)20世纪70年代后期以来的考释研究

进入20世纪70年代末以后,中古汉语词汇研究出现了良好的发展势头。在研究的起步阶段,有几位学者起到了带头和示范的作用,他们是:

徐震堮。发表了《〈世说新语〉词语简释》。从50年代以来,徐氏一直在研究《世说新语》,故在70年代末就发表了这篇重要文章,集中考释了一批六朝口语词,是一篇有影响的论文。

周一良。周氏先后在《文史》发表了《〈三国志〉札记》(第九辑)、《〈晋书〉札记》(第十辑)等论文,其有关六朝词汇的研究成果集中体现在《魏晋南北朝史札记》一书中。本书看似史学专著,其实有相当的篇幅是考释六朝词语的,创获很多,是研究中古词汇必须参考的重要著作。

郭在贻。郭氏在研究唐宋语词的同时,也把目光投向汉魏六朝词汇,撰写了《〈汉书〉札记》《释"匆匆""无赖"》《〈世说新语〉词语考释》《六朝俗语词杂释》等论文,并有《魏晋南北朝史书语词琐记》等遗稿,成绩相当可观。

此外,江蓝生、吴金华、蔡镜浩等学者也早早开始了对中古汉语词汇的考释研究,是当时中青年学者中的佼佼者。

近十多年来,中古汉语词汇在汉语发展史上的地位得到了重视,研究队伍较以往更加壮大,研究也更为深入,取得了丰硕的成果。

从成果的类型上看,有专以某一类文献语料为主要研究对象的,包括:小说、佛典、史乘、诗歌等,几乎涵盖了所有门类;也有对这一时期专书或通代词语作考释研究的。

先看以某一类文献语料为主要研究对象的著作:

1. 小说

有江蓝生、吴金华、方一新、蒋宗许等人的著作。

江蓝生撰有《魏晋南北朝小说词语汇释》。这是中古汉语词汇研究领域的第一部专著。本书的特点有二:一是首次专门以六朝时期比较口语化的作品为研究对象,对六朝的小说词汇进行了较大规模的考释,本书收有词目330多条,加上附论词语,总共约有400条,另有待质词语十多条。这样的规模是以往所未曾见到的。二是书中的考释大多为前人所未释,也为大型语文辞书所失收。总之,作者的研究是开创性的,填补了以往存在的研究空白。当然,个别条目的释义还可斟酌。[13]

吴金华撰有《世说新语考释》。全书按《世说》次第逐条疏证,凡考释《世说》词语170条,21万字。在考释新词新义、校正衍脱讹阙、发明名物制度等方面均取得了较高的成就。

方一新撰有《〈世说新语〉语词研究》(杭州大学博士论文,1989,未刊),并发表了《〈世说新语〉词语札记》《〈世说新语〉语词释义》《〈世说新语〉词义散记》《〈世说新语〉斠诂》等文章。

蒋宗许发表了《〈世说新语校笺〉札记》《〈世说新语〉疑难词句杂说》等文章。

2. 佛经

有李维琦、朱庆之、辛岛静志等人的著作。

李维琦撰有《佛经释词》和《佛经续释词》。《释词》是作者在中古佛典词汇研究方面的第一部专著。语料取自《大正藏》第3、4两卷计56部佛经,解释唐以前佛经词语139条,凡21万字。《续释词》是《释词》的姊妹篇。共考释佛经词语222条,20万字。《释词》和《续释词》从第一手材料入手,把相关的佛典语料全部输入电脑,借以进行穷尽性的定量研究,研究方法科学可取。两书的主要成绩有:(1)发明新词新义;(2)纠正前人时贤的阙失;(3)订正《汉语大词典》等大型语文辞书的阙失。不足是部分条目的释义意义不大,也有可商榷者。

朱庆之的博士论文《佛典与中古汉语词汇研究》(详见前)第四章也考释了部分佛典口语词。

辛岛静志系日本创价大学的年轻学者,通晓梵文和汉语,先后发表了《汉译佛典的研究》《汉译佛典的语言问题》《〈道行般若经〉与"异译"的对比研究》等论文,撰著出版《〈正法华经〉词典》《〈妙法莲华经〉词典》,是作者计划编纂的系列佛典语言词典(最终形成《佛典汉语辞典》)中的两部,为中古汉语词汇研究作出了贡献。

此外,胡竹安、张锡德《〈法显传〉词语札记》,张联荣《汉魏六朝佛经释词》、吴金华《佛经译文中的汉魏六朝语词零拾》、太田辰夫、江蓝生《〈生经·舅甥经〉语词札记》、蔡镜浩《魏晋南北朝翻译佛经中的几个俗语词》等都是较早发表的有关佛经词语的考释文章。

3. 道藏

有俞理明《〈太平经〉文字校读》《道教典籍〈太平经〉中的汉代字例和字义》《〈太平经〉通用字求正》,王云路《〈太平经〉释词》《〈太平经〉语词诠释》,方一新《〈抱朴子内篇校释〉词语札记》《〈抱朴子内篇〉词义琐记》等论文。

4. 史书

有吴金华、刘百顺、方一新等人的著作。

吴金华《三国志校诂》。本书是在《〈三国志〉解诂》、《〈三国志〉考释》、《〈三国志〉拾诂》等系列论文的基础上写成的。作者按照《三国志》原书的卷次逐卷校诂,侧重于校正文字讹误、考证疑点难点、抉发魏晋口语等,颇多创获。书后有《三国志考释集锦》作为"附编",收录前人研究、整理《三国志》的相关成果。是研究《三国志》或六朝史书词汇应该参考的重要著作。书后如能附一个语词索引,当能便利读者。

刘百顺《魏晋南北朝史书词语考释》。是一部研究六朝史书语言的专著。作者对《后汉书》《三国志》等八部魏晋南北朝时期的史书作了全面的考察,考释了其中的语词111条,另有校勘断句若干条。篇幅虽不大,但释义细密精当,部分条目还纠正了前人时贤及辞书的误释,多可信从。

方一新《东汉魏晋南北朝史书词语笺释》。本书凡考释东汉至唐的史书词语185条,如六朝通语"恨恨""拉""女弱""欺巧""肉薄""知见"等,常用词"鼻头""病""动""赌""书信""祖父"等。另有校勘条目18则附后。大抵遵循无征不信的原则,在前人研究的基础上,有所发明。不足是部分条目考释难度不大,未能割爱。

5. 诗歌

樊维纲自80年代以来,陆续发表了《魏晋南北朝乐府民歌词语释》《魏晋南北朝乐府民歌词语札释》《乐府民歌词语解释》《魏晋南北朝乐府民歌词语校释》等多篇汉魏六朝诗歌语词的考释文章；张联荣发表了《魏晋六朝诗词语释义》，王云路发表了《汉魏六朝语言研究与中古文献校理》《论诗歌注解中的似是而非现象》《汉魏六朝诗歌语言研究与辞书编纂》《汉魏六朝诗歌校注释例》等文章。

上面五个门类，大体只介绍了专著，也提到了一小部分论文；此外还有为数众多的单篇论文，限于篇幅，不逐一评述。

再看综合类考释著作：

1. 专门研究、考释这一时期词汇的论著

蔡镜浩《魏晋南北朝词语例释》。作者取材除了史书、诗赋等传统的语料外，还涉及翻译佛经、笔记小说、法帖、医农、科技著作等接近口语的作品。书中考释的词语分为两种类型：一类是常见的社会习语，指在当时的特定社会环境中产生的社会通用词语；二是通行的口头俗词语，这类俗词语占了本书的大部分篇幅。作者通过研究，发明了许多新词新义，同时也吸收了学术界在这方面的研究成果。书中还纠正了旧说、辞书或古籍整理中的讹误。据《前言》所说，本书考释词义，主要采取了以下几种方法：一是归纳整理，二是钩沉旧注，三是利用校勘，四是因声求义，五是用互文、对文印证，六是方言佐证。这些方法，对词义考释工作具有指导意义。书中的部分条目系作者采用前贤的说法，但未能逐条说明，只是笼统地署"编著"。

王云路、方一新《中古汉语语词例释》。本书收录汉魏两晋南北朝隋语词五百余条，着重解释这一时期产生、流行的新词新义，尤其是口语词和口语词义。也酌收上古罕用而中古流行的义项。凡需考究源流、探讨得义由来、补证成说及匡谬正讹时，均加按语。"前言"论述了东汉魏晋南北朝时期词汇特点，提出了汉语史分期的思路，即：先秦、秦汉——上古汉语；西汉——上古汉语向中古汉语演变的过渡阶段；东汉魏晋南北朝——中古汉语；初唐、中唐——中古汉语向近代汉语演变的过渡阶段；晚唐五代以后——近代汉语。并回顾了中古汉语词汇的研究历史。少数条目释义的难度不大，应可割爱；有些条目的例证年代还可以提前。

2. 其他著作

方一新、王云路《中古汉语读本》。本书是编者仿刘坚《近代汉语读本》之例编著而成。收录东汉魏晋南北朝时期比较口语化的作品，分为"佛经""小说""诗歌""杂著"和"其他"五类。各类作品下先是总说、著作及作者简介、题解，原文之后有详细的注释。力求揭示汉魏六朝口语词汇的一些基本特点，展现部分习用语的使用情况。本书选录各类作品的比重尚可再作调整，如增加史书的内容，减少诗歌的篇目等。

王云路、方一新编《中古汉语研究》。本书和《近代汉语研究》一样，同为商务印书馆出版的汉语史研究系列论文集。收入自建国以来至1996年间国内外学者在中古汉语研究领域发表的24篇论文，大体反映了近50年来中古汉语领域的研究水准。书后附1978—1996年间有关中古汉语方面的论文目录。

张能甫《郑玄注释语言研究》。本书是作者的博士论文。作者以现存的郑玄的《毛诗笺》《三礼注》等著作为主要材料，对其中的词汇作了详尽的研究，填补了这方面的研究空白。

三、语言词典

近一二十年来，上古汉语、近代汉语中专书语言词典、断代语言词典陆续出版，反映出研究的深入；相比较而言，中古时期的专书语言词典比较少，基本上集中在《论衡》《世说新语》、少数佛典和史书上。

《世说新语》先后有两部专书语言词典出版。

张永言主编《世说新语辞典》。这是《世说新语》的第一部专书语言词典,填补了研究空白。全书汇释了《世说新语》原文中所有的字、词等,共计收单字3032个,复音词5257条,正文连同附录,凡一百万字。本书在收词立目、标点属读等方面都有特点,例如,原书中的字、词而外,还收释了成语、熟语和凝固结构,为读者查检提供方便。特别是释义,比较注重抉发、考定六朝口语词;对部分疑难词语或考索作释,或择善而从。有些条目下可见考证的文字,说明词义来源、推阐得义由来、介绍研究情况等,有较高的参考价值。例证方面,以《世说新语》为主,同时也兼采同时期的各类典籍为旁证,使立义更加可信。对已有的研究成果,编者也比较充分地予以吸收。另如百科词目征引翔实,解释比较精当;书后附有《世说新语》原文等,都是本书的可取之处。不足是成于众手,或有自相抵牾之处;少数释义容可商榷。

张万起《世说新语词典》。是第二部《世说新语》专书语言词典,分为正编和副编。正编分为语词编和百科编,收录《世说新语》中出现的全部字、词、固定词组6100多条,人名、地名、官名、书名等1900多条。《世说新语》36门题解也收入百科编中。副编收词条约1600多条,选收刘孝标注文中的部分词语,收录的原则是魏晋南北朝时代产生的词语和某些需要解释的词语,源于正文而后代才固定下来的成语、典故词语等也收录在副编中。把刘注中的部分语词用副编的形式加以收释,是本词典的一个创造。《词典》的特点至少有以下四条:第一,正编所列词条,都有出现频率统计,为研究者提供了方便;第二,对虚词的解释十分详明,并且都标注词性;第三,正编、副编互证,收录副编是本词典的创举,部分正文中只出现一两次的词语,作者适当征引刘注中的用例,以为佐证;第四,在部分词条下,列有[附论][备考]两项。[附论]是对《世说新语》中出现的某些语言现象作一些议论或理论说明,[备考]是附列一些佐证和参考资料。凡此都对读者阅读理解提供了帮助。不足是引例仅限于《世说》,某些释义尚可商榷。

冯春田《〈文心雕龙〉语词通释》。本书收释了除人名、地名等一般专有名词以外的其他所有词汇,包括词和词组,并作语义分析。全书总共收入语词约八千条,收词堪称详尽。释义、校勘吸收了现当代学者的研究成果。书证方面,对《文心雕龙》前后时代语词的常见义,书中酌举例证;对反映词汇时代特点的词语,用例则尽举,并引其他所见书证;对用典及引用他书的词语,则考源、引证。

叁

一、中古汉语词汇研究的发展和特点

由前所述可以看到,中古汉语词汇研究发展比较快,取得的成果较多,已经成为汉语史研究领域的引人注目的新领域。近些年的研究则有以下几方面的特点:

(一)注重揭示某一时期或专书的语料价值

董志翘《试论〈洛阳伽蓝记〉在中古汉语词汇史研究上的语料价值》、高明《简论〈太平经〉在中古汉语词汇研究中的价值》分别对两部中古名著,俞理明《汉魏六朝佛经在汉语研究中的价值》、王云路《从〈汉语大词典〉看六朝诗歌的汉语史研究价值》、方一新《东汉语料与词汇史刍议》分别对先唐佛经、诗歌和东汉语料在中古汉语词汇史上的研究价值作了论述——凡此都从比较宏观的角度研究了专书、专类语料或某一断代文献语料在汉语史上的研究价值。

(二)注重语料的辨伪

在语料利用上,经历了"狭窄—广泛—精审"的过程。以佛典为例。较早的论著一般只利用中土文献,对佛经语料注意不够。如《〈世说新语〉词语简释》基本上只征引小说、史书等作品为证,至《魏晋南北朝小说词语汇释》已经利用了一些佛典材料,《魏晋南北

朝词语汇释》、《中古汉语语词例释》等推而广之。朱庆之、李维琦、俞理明等则直接以佛典为语料撰写专著,完成了由小范围征引到广泛利用的阶段。

在此基础上,更有学者提出应该注重语料的辨伪和鉴定。中土文献问题很多,如《齐民要术》卷前的《杂说》。柳士镇《从语言角度看〈齐民要术〉卷前〈杂说〉非贾氏所作》一文指出:"语言的时代特色,首先反映在词汇上。因为在语言诸要素中,词汇对于客观事物的发展最为敏感,它的变化最快,它所表现出来的时代特色也最为显著。其次也反映在语音同语法上,不过由于它们发展变化的速度比不上词汇,因此表现这种时代特色也就没有词汇那样迅捷。但是,也正因为它们的发展变化比词汇要缓慢,因而它们一旦发生了变迁,其鉴别作品时代性的作用也就更加显得重要而可靠。"作者主要从词汇和语法两方面作了考证。包括农业专用词汇"盖磨"和"盖"、量词"个"、序数词+动量词"第二徧(遍)"等、"盖著""盖磨著"等的"著"、"收了""耕了"的"了",等等,这些用法基本上都始见于唐代或唐代以后,在南北朝时期尚未见到。张永言《从词汇史看〈列子〉的撰写年代》是一篇很有分量的辨伪论文,作者从汉语词汇史的角度,就《列子》在用字用词上的某些特殊现象特别是书中所见晚汉魏晋以降的新词新义进行探讨,对《列子》的写作年代作了进一步的考订,较有说服力。

佛典方面,较早有许理和的论文《最早的佛经译文中的东汉口语成分》《关于初期汉译佛经的新思考》,对东汉译经目录进行了梳理。近年来,陆续有学者对疑伪佛经进行考辨,从语言的角度,确定其写作或翻译的年代,[15]为研究提供科学可靠的语料。

(三)把描写和解释结合起来

在以往纯粹考释的基础上,也出现了一些把描写和解释结合起来的文章,如朱庆之《"敢"有"凡"义及其原因》,在考释了"敢"有凡义后,进一步解释了其得义由来。朱庆之还有《释"助"和"助喜"》等论文。何亚南先后发表了《中古汉语词汇通释两则》《汉译佛经与后汉词语例释》《汉译佛经与传统文献词语通释二则》等论文,把考释词语与探讨理据、词义演变规律结合起来,颇有新意。

探讨构词规律也是近些年来的一些学者试图做的,如王云路《中古诗歌附加式双音词举例》《从〈唐五代语言词典〉看附加式构词法在中近古汉语中的地位》《简述汉魏六朝诗歌中的新词及其分类》《谈谈词缀在古汉语构词法中的地位》,董玉芝《〈抱朴子〉复音词构词方式初探》,韩惠言《〈世说新语〉复音词构词方法初探》等文,都涉及了这一问题。

就一些比较大的问题,如中古汉语时期到底有没有词缀(或叫词头词尾)一类的东西,学者们的看法很不一致。如关于"自""复"是否属于词尾的问题,就先后有刘瑞明、蒋宗许和姚振武三位发表过意见。刘、蒋认为是词尾,姚振武则持否定的态度。争论未必有结果,但这本身就说明了大家都对复音词的构词方式感兴趣,有助于人们作进一步的思考。

(四)研究方法上尝试新的突破

随着研究的深入,研究方法也更加丰富多彩,富有变化,出现了许多新的尝试。约而言之,大致有三:

第一,取地下出土文献和传世古籍相互印证

刘钊《谈睡虎地秦简中的"漬"字》,读"漬"为"垒",就是两者结合的好例。张显成《先秦两汉医学用语研究》利用出土简帛文献,对中古早期的医籍词语作了考释,论述了其在历史词汇学上的价值。

第二,用现代方言和传世古籍相印证

张惠英《吴语劄记》(之二)、《吴语劄记》(之三)、张惠英、梅祖麟《说"屙"和"恶"》等文章都利用现代方言,对中古、近代典籍中的语词作了训释考证,给人以不少启发。

第三,取同人异经或同经异译相互比较、印证

在考察疑伪佛经时,利用同一译者所翻译的佛经作为参照物,来考察、推断可疑佛经,是一个行之有效的方法。遇笑容、曹广顺《也从语言上看〈六度集经〉与〈旧杂譬喻经〉的译者问题》,从语法的角度,对《六度集经》和《旧杂譬喻经》是否同一译者及同一时代的问题作了探讨,具有启发意义。

辛岛静志《〈道行般若经〉与"异译"的对比研究》把《道行般若经》和异译经《大明度经》《摩诃般若钞经》《小品般若波罗蜜经》《大般若波罗蜜经》(第四会、第五会)《佛母出生三法藏般若波罗蜜多经》等六种异译佛经进行对比,俯瞰从东汉到宋代汉译佛典的语言演变,很有意义。

(五)研究更加深入

和早期的论著相比,近年来的研究显然要更为深入细密。这方面的例子不少,仅举两例以见一斑。

俞理明《说"郎"》,这是作者关于"汉语代词研究"系列论文中的一篇。文章探讨了"郎"这一称谓词的源流演变,尊卑变迁,指出"郎"最初称宫廷侍卫人员,是一种荣耀的职务,汉魏六朝又作为权贵子弟的美称或谀称;唐代以后词义两分:一方面高贵的意义淡化,可用来称呼某些社会地位不高的行业的男子;另一方面高贵义强化,可转指父亲或尊长男子,现代汉语中"郎"的使用仍趋平民化。考证原原本本,十分翔实。

王云路《说"儿"》,指出"儿"的本义是婴儿、幼童,由此引申,年龄相对低的称"儿",地位低的也称"儿"。分析了地位低称"儿"的三种情形:女子地位低下,故女子自称"儿",对女性的一些蔑称也以"儿"为语素,如"儿女子""儿妾";奴仆称"儿",如"儿婢""儿客""儿从";对他人的蔑称多以"儿"为语素,如"庸儿""吴儿""客作儿"

"白眼儿"。讨论了"儿"字义项间的联系,从而正确解释了由"儿"语素构成的合成词的含义,纠正了以为"儿"仅表示年轻义的许多误解。

二、中古汉语词汇研究的趋势和展望

从以上的粗略介绍可以看到,20世纪以来的一百年间,中古汉语词汇研究取得了较快的发展和较多的成果,成绩是有目共睹的;但也存在着研究方法相对滞后,研究视野有待于拓宽等问题。迈入新世纪,总结过去,展望未来,应该是不无意义的。

笔者以为,进入新千年之后,中古汉语词汇似应着重从以下几个方面展开研究:

(一)做好资料的校勘和整理,为中古汉语词汇(还可包括语法)研究提供可信的语料。刘坚、蒋绍愚主编三卷本《近代汉语语法资料汇编》,对唐宋元明时期有代表性的近代汉语资料进行了校录整理,为研究近代汉语词汇语法提供了可资利用的材料。从汉到隋的中古时期的作品也应该做这样的工作。

(二)把词汇研究和现代方言、少数民族语言的查证利用结合起来,多角度地研究中古词汇。以往的研究偏重于书面文献,较少利用现代方言和少数民族语言的相关材料,留有缺憾。目前,方言学、少数民族语言学研究取得了大量的成果,汉藏语系比较研究有了新的进展,中古汉语词汇研究如能加以借鉴和利用,将会使本身的研究如虎添翼,取得新的突破。

研究早期佛经词汇,就汉文佛典和梵文原典之间作对比研究,从而更深入地揭示佛经词汇的来龙去脉和发展演变,应该是一条值得重视的新路子。

(三)在以往作描写研究的基础上,加强解释,把词汇作为一个整体和系统,重点研究中古词汇发展的基本面貌,特点和规律,注重语言的系统性。并以此为基点,撰写《中古汉语词汇史》,探讨、阐释中古时期词汇发展、演变的特点和规律。

(四)继续加强对专书或专类文献的词汇研究,只有专书、专类的词汇研究透了,才有可能进一步推动中古汉语词汇研究向纵深发展。这方面的工作还大有可为。

(五)在个别词语考释的基础上,编纂断代的《中古汉语词典》,这是一项很有意义的工作。一方面它要总结已有的研究成果,在词典中加以反映;另一方面,它应该对现有的中古作品作详尽的调查、取证,考求新词新义,弥补以往的研究空缺,以求编成一部学术含量较高并具有前瞻性的断代语言词典。

附注：

① 参看笔者《中古汉语的分期问题》,第二届中古汉语国际学术研讨会(2001年9月·杭州)论文。

② 见《读江蓝生〈魏晋南北朝小说词语汇释〉》,载《中国语文》1989年第3期,收入《郭在贻语言文学论稿》。

③ 例如,文章指出:近一二十年来中古汉语词汇研究取得了丰硕的成果,究其原因,有以下几点:一是明确提出"中古汉语"的分期主张,二是前辈学者的重视与倡导,三是研究方法逐步提高,四是研究领域逐步拓展。参看《浙江大学学报》(人文社科版),2001年第4期。

④ 这两大门类也只是粗线条的区分,概论型的著作里可能有词语考释的条目,考释型著作里也可能有概论性的内容,往往是互相包容的。有些著作可能是跨类的,本文只能将其归在一种类别里——凡此都说明拙文仅仅作了大致上的分类,二者之间的界限并不都是非常清晰的。

⑤ 参看《王力文集》第十一卷《汉语词汇史》卷前的"编印说明"。

⑥ 从举证来看,有些词的使用年代还可提前,但作者意在说明其是新词,并不刻意追求最早用例。

⑦ 关于"日""日头"和"太阳",王力《汉语史稿》495—496页、潘允中《汉语词汇史概要》44—46页、洪诚《训诂学》109页都有过讨论,请参看。

⑧ 参看李维琦(1992):《释"胡不"兼及contagion》,《湖南师范大学学报》第2期。

⑨ 参看《东汉—隋常用词演变研究》5—6页。

⑩ 张永言、汪维辉《关于汉语词汇史研究的一点思考》,载《中国语文》1995年第6期;又见《研究》"附录"。

⑪ 见《中古汉语研究》,商务印书馆,2000。

⑫ 本文写作于20世纪40年代,但正式发表则在《中国语文》1982年第5期,又见吕氏《语文杂记》,上海教育出版社,1984年。

⑬ 原载《申报》文史副刊第三—五期,1947.12.20、27,1948.1.10;收入周一良《魏晋南北朝史论集》314—322页,中华书局,1963年。

⑭ 同注②。

⑮ 参看曹广顺、遇笑容《也从语言上看〈六度集经〉与〈旧杂譬喻经〉的译者问题》(《古汉语研究》1998.2)、《从语言的角度看某些早期译经的翻译年代问题——以〈旧杂譬喻经〉为例》(《汉语史研究集刊》第三辑,巴蜀书社,2000)、史光辉《〈大方便佛报恩经〉翻译年代考》(《东汉翻译佛经词汇研究》,浙江大学博士论文,2000)、方一新《〈兴起行经〉翻译年代初探》(第十一届全国语言学会年会论文,2001.11·扬州)。

参考文献

符淮青　1996　《汉语词汇学史》,安徽教育出版社。

郭在贻　1986　《训诂学》第九章及附录二"俗语词研究参考文献要目",湖南人民出版社。

江蓝生　曹广顺　吴福祥　1996　《近代汉语研究的回顾与前瞻》,《中国语言学的现状与展望》,外语教学与研究出版社。

蒋冀骋　1998　《建国以来的近代汉语研究》,《二十世纪的中国语言学》,北京大学出版社。

蒋绍愚　1998　《近十年间近代汉语研究的回顾与前瞻》,《古汉研究》第4期。

1950年以来中国内地中古音研究概述

张渭毅

一、对象、范围和材料

所谓中古音,指汉语语音史上魏晋至唐五代时期的语音。中古音研究史属于中国音韵学史的范畴。一般把中国音韵学史分成传统音韵学和现代音韵学两大部分,从东汉到清末的一千七百多年,是传统音韵学;20世纪初起,转变为现代音韵学。本文讨论现代音韵学中的中古音研究。

1900年至今的汉语中古音研究,中国、日本、韩国、新加坡、美国、加拿大、瑞典、法国、英国、匈牙利、前苏联、丹麦等国都有学者研究,从研究者的人数和研究成果的数量来看,中国、日本和美国居多。

中国的中古音研究,以1949年为分界,可以分作两大阶段,1900—1949年是第一大阶段,1950年至今为第二大阶段。1950年以来中国学者的中古音研究,中国内地和台湾省形成两个主要的阵地,各有千秋。根据我们所编制的《1900—2003年中古汉语语音论著目录》的统计,1950至2003年的54年间,中国内地发表中古音研究论著的学者有476位,共发表论著(论文和专著)983篇(部),其中专著121部,论文862篇。根据政治形势和学术环境的变化、研究对象和热门话题的转变诸因素,可以粗略分成以下四个阶段:

1. 1950—1964年的15年为第一个阶段,作者有41位,其中

27位已经去世。共发表论著81篇(部),其中专著11部,论文70篇。

2.1965—1977年的13年为第二个阶段,由于众所周知的"文化大革命"的影响,音韵学研究陷于停顿,在异常困苦的环境下,仍然有4位作者发表了9篇(部)中古音论著,其中专著1部,论文8篇。

3.1978—1990年的13年为第三个阶段,作者有183位,发表论著331篇(部),其中专著40部,论文291篇。

4.1991—2003年的13年为第四个阶段,作者有248位,发表论著561篇(部),其中专著69部,论文492篇。

尽管不同阶段的中古音研究各有不同的特色,但是各阶段之间探讨的对象、话题和内容总是难免有交叉,有重迭,为了避免重复叙述话题,我们把54年的中古音研究成果看作一个整体,按照中古音研究的对象、话题和内容分类,择要评述。

二、《切韵》系韵书和韵图的研究

所谓《切韵》系韵书,指《切韵》及其唐五代宋各种增订本,现存的完整增订本有王仁昫《刊谬补缺切韵》和《广韵》。《广韵》虽成书于宋,但其音系是《切韵》音系。《集韵》音系已跟《切韵》有了一些距离,但多数学者仍把《集韵》看作《广韵》系韵书。《切韵》系韵书是中古音研究的重心所在,范围宽,论题广,大致可分为音系外围的研究和音系的研究两大部分。

(一)《切韵》音系外围的研究

《切韵》音系外围的研究,包括韵书的搜集和整理、韵书的源流和异同、异读字、韵书跟现代方言和普通话的对应关系及其应用等内容。

1. 韵书的搜集和整理

1950年以后对于《切韵》系韵书的搜集和整理,基本上是20世纪初韵书整理工作的延续和总结。

1936年,姜亮夫访书于巴黎国民图书馆,摹录了敦煌韵书残卷33种,1942年成书,名为《瀛涯敦煌韵辑》。1952年10月由上海出版公司出版,台湾鼎文书局1972年有影印本。凡24卷,指陈刘复所录王仁昫《刊谬补缺切韵》(P2011)失误二千多条,是继《十韵汇编》之后一部比较完备的《切韵》系韵书的总结集。1990年,浙江古籍出版社又出版了姜氏的专著《瀛涯敦煌韵书卷子考释》,补订了《瀛涯敦煌韵辑》的疏漏。

1983年,中华书局出版了周祖谟《唐五代韵书集存》,上、下两巨册,将唐五代韵书写本和五代、宋初的韵书刻本30种按体例和内容编排,共分七类。凡是有照片或底片的韵书都予以影印,照片漫漶不清的,则另外细加摹写,供读者参照比较。考释部分说明各个写本的情况、时代的先后、原书的体例和特点,分别异同,辨章源流,阐明有关韵书之间的关系。本书汇集的韵书资料是迄今国内外最齐全的。

《广韵》刊行以来,刻本、抄本达百种之多,校勘整理《广韵》成为专门的学问。清代以来,音韵学家一向重视《广韵》的研究,但一直没有一个好的校本。1936年,周祖谟以张士俊泽存堂刻本为底本,与其他宋本和元明刻本以及20种唐五代韵书对校,全面校勘《广韵》,写成《广韵校勘记》五卷,1938年上海商务印书馆影印出版,1951年又出版了跟《广韵校勘记》相对照、相配套的《广韵校本》。

1983年,上海古籍出版社影印出版了《钜宋广韵》,原本缺去声一卷,取南宋巾箱本补足。周祖谟撰《影印〈钜宋广韵〉前言》(1983),阐明了《钜宋广韵》的版本价值。

2002年8月,由鲁国尧主持,江苏教育出版社影印出版了《宋本广韵》《永禄本韵镜》合刊本,以巾箱本为底本,缺页用南宋高宗绍兴浙刊本和孝宗乾道钜宋本补配,这样,就给学界提供了一部比较真实的宋本《广韵》。

黄侃是研究《广韵》的大家,于《广韵》钻研甚深,但是谨于著述。黄焯在整理黄侃的中古音学说方面做了大量细致的工作,他把黄侃"漫无次第"的笺识"董而理之",定名《广韵校录》,1985年2月上海古籍出版社出版,堪称黄氏的功臣。葛信益1989年作《谈黄季刚〈广韵校录〉卷五中的一些错误》,对黄著第五卷"字有又音而不见本韵及他韵者"的380字一一查对,指出错误,堪称黄氏的又一大功臣。

1993年北京师范大学出版社出版了葛信益的论文集《广韵丛考》,收录了1937—1990年发表和未公开发表的论文16篇,阐发《广韵》的体例,校订《广韵》正文、注释和异读。1945年辅仁大学出版的《广韵声系》,中华书局1985年据原底稿影印,是一部极有价值的《广韵》谐声字典。遗憾的是,国内此前一直没有修订本。1987年起,葛信益仔细校读,写出《〈广韵声系〉(上、下二册)校读杂记》,为利用《广韵声系》所必读。

2000年上海辞书出版社出版了香港学者余迺永的《新校互注宋本广韵》,这是继周祖谟《广韵校本》以后影响很大的《广韵》校本。余氏还发表了一系列讨论《广韵》版本的文章,如《俄藏宋刻〈广韵〉残卷的版本问题》(1999)、《泽存堂本〈广韵〉之版本问题》(1999)和《〈新校互注宋本广韵〉修订版序》(2000)等。

近年来,深圳大学文学院应用语言学研究所和北京大学中文系合作,研制开发出《广韵》电子检索系统,可以迅速查询反切和声、韵、调、摄、等、呼的音韵地位以及《广韵》释义的引用书目,为全面整理《广韵》提供了便利。

2. 韵书的源流和异同

1951年,魏建功发表了《故宫完整本王仁昫〈刊谬补缺切韵〉续论之甲》,此后又发表了《〈切韵〉韵目次第考源》(1957)、《〈切韵〉韵目四声不一贯的解释》(1958)等一系列论文,基本上搞清了《广韵》和《切韵》的关系以及唐宋韵书的源流。周祖谟《唐五代韵书集存》(下册考释部分)多发前人所未发,如项跋本《刊谬补缺切韵》,即通常所说的"王二",不是王仁昫的原著,而是一部唐中宗以后汇合长孙讷言笺注本和《王韵》以及其他家韵书的本子,体现出很多唐代实际语音特点。

从《切韵》到《唐韵》,再到《王韵》,最后到《广韵》,几种韵书之间存在着显著的差异。古德夫《中古音新探》(1992)收了9篇论文,全面比较了《切韵》、《唐韵》、《王韵》和《广韵》的韵目、韵次、大韵、小韵、反切等的异同,探讨《切韵》到《广韵》在体例、分韵、反切、释义等方面发生的变化,指出《切韵》是综合音系,特别强调《广韵》的语音发生了变化,已经不同于《切韵》音系了。但是,大多数学者,如王力、李荣、唐作藩等认为,从《切韵》到《广韵》,尽管相差407年,韵数和小韵反切增加了,有些反切用字改变了,然而韵类数和韵母数并没有增加,反切的读音没有改变,《广韵》音系仍就是《切韵》音系。

3. 异读字的研究

《切韵》或《广韵》的异读,反映字音的演变轨迹和古今方音的差异,说明音系的性质、构词规律和上古音音类关系。黄侃《广韵校录》举出《广韵》"字有又音而不见于本韵及他韵者"的字300多个。葛信益从《广韵》的体例出发研究异读字,发明《广韵》异读字的体例,著有《张氏泽存堂〈广韵〉异读字形讹举例》(1984)、《〈广韵〉异读字释例》(1985)、《〈广韵〉异读字有两体皆声者》(1985)、《谈〈广韵〉中又音不注反切或直音而注声调的问题》(1993)等。李荣(昌厚)的《隋代诗文用韵与〈广韵〉的又音》(1962)说明隋代诗文用韵表现的又音绝大多数跟《广韵》一致。赵振铎《〈广韵〉的又读字》(1984)讨论了又读字的古今分歧、方音差异、构词规律和特殊读音。

同义异读字能够说明语音的来源和层次,说明《广韵》音系的性质。汪寿明《从〈广韵〉的同义异读字谈〈广韵〉音系》(1980)论证《广韵》是综合多种语音成分的综合音系。黄典诚撰《从反切异文证上古汉语十九声纽演变为中古四十个声母》(1988)和《切韵的异读》(遗著)(1994),主张《切韵》反切异文是上古至中古发展过程中的产物,声母方面,可以证明轻唇音出于重唇音、舌上音出自舌头音、正齿音出自齿头音、喻四出自定母;韵母方面,可以说明与韵头有关的开合和四等之间的互转关系、与韵类有关的邻韵旁转关系以及跟韵尾有关的对转或旁转关系。

4.韵书跟现代方言和普通话的对应关系及其应用

运用历史比较法重建起来的《切韵》音系,既要能解释《切韵》本身和《切韵》系的各种韵书、韵图以及同时期域外对音所表现的音类的区别,又要能说明从《切韵》到现代汉语方音的历史演变。一方面,要以《切韵》为参照,建立普通话、方音跟《切韵》的对应关系,进而探讨古今音变的规律。另一方面,要利用方言透视《切韵》,为音系的构拟提供证据。

1956至1961年,教育部和中国科学院语言研究所举办了普通话语音研究班,丁声树、李荣等专家讲授汉语音韵课程,编写印发了一部讲义,1981年《方言》第4期刊载这部由丁声树撰文、李荣制表的《汉语音韵讲义》,能有效地引导读者了解和掌握《广韵》音系和现代汉语普通话语音的继承和发展关系。丁声树、李荣还合作编著了《古今字音对照手册》,收常用字6000多个,便于查检和推究古今音的演变,具有示范意义,1958年科学出版社初版。

华中理工大学研制出《古今字音对照手册》的计算机分析系统,陈汉清、邓希敏著有《〈古今字音对照手册〉的计算机处理》(1988),运用电脑统计了13项古今音变及其例外,具有实用价值。

讨论《广韵》的反切、音系跟现代汉语普通话的对应规律及其运用方面(包括辞书注音)的代表性论著有方孝岳的《〈广韵〉研究怎样为今天服务》(1959)、殷焕先《反切释例》(1962)、《反切续释》(1963)和《反切释要》(1979)、李荣《〈广韵〉的反切和今音》(1964)、李新魁的《怎样读古反切》(1979)、唐作藩《〈辞源〉(修订本)注音疑误举例》(1984)、裘锡圭《〈辞源〉〈辞海〉注音商榷》(1985)和《〈辞源〉修订本在注反切方面的一些问题》(1986)、唐作藩《音韵学教程》(第三章,1987)、郭锡良《汉字古音手册》(1987)、林涛《〈广韵〉四用手册》(1993)和李葆嘉《〈广韵〉反切今音手册》(1997)等。

1962年,文字改革出版社出版了北京大学中文系语言学教研室编写的《汉语方音字汇》,后由王福堂主持修订,1989年出版第2版。收集20个方言代表点2961个字的读音,字目标注《广韵》(或《集韵》)的音韵地位,实际上可以看作一部《广韵》与20个方言点的古今字音对照工具书,从中可以探寻各方言与《广韵》的对应关系及其古今音变轨迹。此书对于字目和字音的处理审慎严格,王福堂撰《〈汉语方音字汇〉中字目和字音的处理》(1990)。

(二)《切韵》音系的研究

1. 几部《切韵》(《广韵》)研究专著

1950年以来,中国内地学者发表了9部有影响的《切韵》(《广韵》)音系研究专著:李荣的《切韵音系》(1956),邵荣芬的《切韵研究》(1982),方孝岳、罗伟豪的《广韵研究》(1988),闵家骥的《怎样学习〈广韵〉》(1989),严学宭的《广韵导读》(1990),黄典诚的《切韵综合研究》(1994),黄笑山的《切韵和中唐五代音位系统》(1995),

潘悟云的《汉语历史音韵学》[中古篇](2000)和葛毅卿的《隋唐音研究》(2003)。另外,用韵图展示《切韵》(《广韵》)音系和音类结合关系的专著有三部:周祖谟的《广韵四声韵字今音表》(1980)、方孝岳的《广韵韵图》(1988)和周祖庠的《切韵韵图》(1994)。限于篇幅,不一一评述。

2.《切韵》音系的专题研究

《切韵》音系的研究分两步走:考求音类,构拟音值。1950年以后,各家运用音位分析法,并结合反切系联法和审音法,归纳声母,结论颇有分歧:

李荣《切韵音系》(1956)定声母为36个,泥娘合并,分出俟母。王力《汉语音韵》(1963)和唐作藩《音韵学教程》(1987,2002年增订二版)比李荣少俟母,共35个。邵荣芬《切韵研究》(1982)泥娘分立,俟母独立,有37个声母。李新魁的《中古音》(商务印书馆1991)则遵从其师方孝岳《汉语语音史概要》(1979)的意见,把《广韵》声类定为59类,归纳成44个声母,是声母音位最多的一家,特点是知组分知二组和知三组两组八个声母,娘母独立,俟母不独立,非组四个声母独立。黄典诚《切韵综合研究》(1994)分辅音音位33类,知组并于端组,俟母独立。若按腭化与非腭化之分,则可以分为52类声母,除庄组、章组、日母、邪母和喻四等13个声母腭化、没有纯粹的声母外,其他声母都有纯粹与腭化两类声母。黄淬伯《〈切韵〉音系的本质特征》(1964)、葛毅卿《隋唐音研究》(2003)和麦耘《〈切韵〉二十八声母说》(1994)则都主张《切韵》有28个声母,帮组和非组合一,端组和知组合一,精组和照二组合一,是声母音位最少的。

赵元任1934年发表的《音位标音法的多能性》提出归纳音位的多能性原则。看来,归纳《切韵》的声母音位系统,确实有多种可能的方案,只有好坏之分,而无对错之别。

《切韵》韵类和韵母的归纳,也有分歧,关键在于是否相信宋元韵图、承认重纽的区别。不承认重纽的区别,韵类数一般在290—295类之间,韵母数一般在139—142类之间;承认重纽的对立,韵类数一般在317—331类之间,韵母数一般在157—162类之间。

全面运用西方历史比较法,系统地、成功地构拟《切韵》的音值,始于高本汉的《中国音韵学研究》(1915—1926年著,1940年汉译本)。《中国音韵学研究》是《切韵》音系的奠基作,也是音韵学走向现代化的标志,后来的《切韵》研究都是它的延续、补苴和发展。1950年以后,围绕这部书所涉及的问题,音韵学界展开了长期而深入的讨论,《切韵》研究的材料丰富了,方法多样了,视野开阔了,主要涉及7个问题。

(1) [j]化问题

高本汉根据《切韵》一二四等反切上字与三等的不同,主张一二四等的声母是纯粹的,三等声母是[j]化的。早在1939年,陆志韦《三四等及所谓"喻化"》就指出"三四等之分别断不在乎辅音之真正化为腭音与否","喻化"说掩盖了三四等对立的实质,即主元音的不同。赵元任《中古汉语内部的语音区别》(英文,1941)更是用介音和谐说代替[j]化说,认为反切上下字的介音有求同的趋势。1950年以后,各家补充论证陆、赵说法的合理性。李荣《切韵音系》(1956)明确指出,"[j]化说在方言里头没有根据"。邵荣芬《切韵研究》(1982)补充论证反切上字一二四等跟三等只有分组的趋势,而不是必然对立的。葛毅卿《隋唐音研究》(遗作,2003)进一步批评高本汉的唇牙喉音三等字的[j]化说。至此,高本汉的[j]化说可以取消。

但是,方孝岳《汉语语音史概要》(1979)、李新魁的《古音概说》(1980)和《中古音》(1991)以及黄典诚《切韵综合研究》(1994)仍然坚持高氏[j]化说。李新魁《中古音》(1991)指出,一二四等反切上字是粗音,三等反切上字是细音,由来已久,在上古时期这两类声母就有所不同,一二四等声母是硬音声母,三等声母是软音(腭化)声母,到了中古时期,软音声母的舌面化成分促成了韵母[i-]介音的产生,这个[i-]介音属于辅音性,与真的元音不同,因两套反切上字是两类音位变体,可以归纳成一套声母。

(2) 全浊声母不送气的问题

陆志韦《汉语的浊声母》(1940)发现,隋唐以前佛经的译音全都用《切韵》的浊音对译梵文的不送气浊音。从《切韵》的异读字(陆氏叫一字重读)看,不送气清音跟浊音构成的异读数远多于送气清音跟浊音构成的异读数。形声字声母跟声符声母的清浊、送气不送气的关系,与异读字的情形一致。由此得出《切韵》全浊声母不送气的结论。李荣(1956)援引梵汉对音、龙州壮语借字和瑶歌借字论证全浊音不送气。尉迟治平《周隋长安方音初探》(1982)和施向东《玄奘译著中的梵汉对音和唐初中原方音》(1983)利用梵汉对音,都证明了公元六七世纪长安音和洛阳浊塞音和浊塞擦音不送气,这两种方音与《切韵》有很密切的关系,可见《切韵》浊声母不送气。邵荣芬《敦煌俗文学中的别字异文和唐五代西北方音》(1963)利用敦煌文献中的别字异文全浊和全清声母字互相替代,认为当时浊声母已经清化成不送气清声母。

可是,罗常培《唐五代西北方音》(1933)根据五种藏汉对音和译音材料,提出全浊声母原本是送气音,推论全浊平送气、仄声不送气的清化趋势此时已经开始。刘广和《唐代八世纪长安音声纽》(1984)根据不空的梵汉对音材料,考订8世纪长安方音的全浊声母是送气的,证明了罗先生的推论。葛毅卿(2003)主张应该把浊音送气或不送气跟调值概念联系起来,分析中古长安的四声调值,得出阳平送气,阳上、阳去不送气的结论。黄笑山《试论唐五代全浊声母的"清化"》(1994)和《〈切韵〉和中唐五代音位系统》(1995)

认为唐五代时浊音（C"）可能已经由全浊发展为类似吴方言的（Ch），以后的演变是声母的带音成分逐渐转移到韵母（气声化元音）进而逐渐消失的过程。麦耘《"浊音清化"分化的语音条件试释》（1998）纠正黄氏的说法，主张中古浊音清化首先产生气声化音，并由此逐渐分化，C"→Ch 变化开始的时代，暂定于 8 世纪。

同是唐代西北方音材料，在浊声母送气不送气问题上为什么有如此相反的解释？是值得进一步探讨的。

(3) 修订高本汉的拟音

① 声母的构拟

早在 1947 年，陆志韦《古音说略》（1985）就把照二组声母拟为舌叶音，船禅地位颠倒，船母是擦音，禅母是塞擦音。邵荣芬《敦煌俗文学中的别字异文和唐五代西北方音》（1963）用梵汉对音和颜之推的话支持陆说，《切韵研究》（1982）又进一步用晋到唐代的梵汉对音证明禅母是塞擦音而不是擦音。尉迟治平《周隋长安方音初探》（1982）和施向东《玄奘译著中的梵汉对音和唐初中原方言》（1983）对此阐发，都印证了陆说的合理性。

高本汉把庄组声母构拟成舌尖后塞擦音和擦音，得到罗常培和李方桂的支持。李荣《切韵音系》（1956）、王力《汉语音韵》（1963）和邵荣芬《切韵研究》（1982）等表示反对，改拟为舌叶音。

知组音值的构拟大致有五派意见：(1) 高本汉把知组的音值拟成舌面塞音，得到王力《汉语史稿》（1957）、邵荣芬《切韵研究》（1982）、唐作藩《音韵学教程》（1987）等的赞同；(2) 罗常培《知彻澄娘音值考》（1931）根据梵汉对音把知组拟为卷舌塞音[ṭ][ṭ'][ḍ][ṇ]，施向东《玄奘译著中的梵汉对音和唐初中原方音》（1983）、刘广和《音韵比较研究》（2002）、储泰松《梵汉对音概说》（1995）等支持罗说；(3) 李新魁《中古音》（1991）知组分为两类声母，知二组拟作卷舌塞音，知三组拟作舌面塞音；(4) 麦耘《〈切韵〉知、庄、章组及相关诸声母的拟音》(1991)、黄典诚《切韵综合研究》(1994)和葛毅卿《隋唐音研究》(遗著,2003)知组归端组。不过,麦耘的端组与知组的区别在于介音 r-的有无,知组有 r,拟作 tr-;黄典诚的知组有 j,拟作 tj-。葛毅卿知二组拟音跟端组同是 t-,没有介音,而知三组有介音 iɯ-,拟作 tiɯ-;(5)李荣《切韵音系》(1956)看出,知组和庄组都出现在二等和丑类寅类韵,但是反切上字无分组趋势,知庄声母后[i]介音不十分显著,因此,知庄两组的发音部位近于[ʃ],即知组拟作跟[ʃ]部位相同的舌面塞音。

日母的构拟,是语音史中"最危险的暗礁之一"(高本汉语)。王力《汉语音韵》(1963)、邵荣芬《切韵研究》(1982)、唐作藩《音韵学教程》(2002年增订二版)和李新魁《中古音》(1991)等均从高本汉,拟作鼻擦音[nʑ],李荣《切韵音系》(1956)则作[n̠]。林焘《日母音值考》(1995)评价诸家日母构拟的短长,清理日母古今南北演变的线索,主张从中古时期到现代北方话的日母读音一直是[ʐ]或[r],而鼻音的读法是南方读音,明确地把南北差异和古今层次的观念提到解决日母问题的日程上来。

② 韵母的构拟

a. 二等介音问题

《切韵》的二等韵有没有介音?从反切上字的分布趋势来看,应该是没有。多数学者认为,一等和二等既然都是洪音,就没有介音。

但是,上古音有二等介音 r-,这个介音到了《切韵》又是怎样消失的?近年来,不少学者联系到浙南、浙西南、晋方言、广西伶话等方言里开口二等字有高元音介音的事实,指出二等韵的介音在《切韵》里并没有消失。郑张尚芳《汉语介音的来源分析》(1996)指出,中古音二等介音的形式是[ɣ],许宝华、潘悟云《释二等》(1994)阐发了郑张的观点,麦耘《论重纽及〈切韵〉的介音系统》(1992)把《切韵》的二等介音拟作 rɯ-，黄笑山《〈切韵〉和中唐五代音位系统》(1995)和《中古二等韵介音和〈切韵〉元音数量》(2002)认为二等韵介音在《切韵》仍然是 r，在《韵镜》时代发展成/-i-/。

看来，中古二等介音的构拟不是孤立的问题，必须置于语音史和方音史的大背景下去考察，还有继续争论下去的必要。

b. 四等韵介音和主元音问题

高本汉认为纯四等韵有介音[i]，得到很多学者的赞同。马学良、罗季光《〈切韵〉纯四等韵的主元音》(1962)主张纯四等韵的主元音是长的[i:]，而与四等韵相配的三等韵的介音是短的[i]，长元音[i:]能产生过渡音，过渡音后来进而发展为主元音，如[e][a]之类。郑张尚芳《上古韵母系统和四等、介音、声调的发源问题》(1987)和《汉语介音的来源分析》(1996)认为，中古四等介音[i]来自上古前元音 i、e 的复化。

四等韵有介音 i，无法解释《切韵》反切上字的分组趋势、声韵组合关系。陆志韦《古音说略》(1947)、李荣《切韵音系》(1956)和邵荣芬(1982)等指出，纯四等韵无 i 介音。理由是，纯四等韵的反切上字不跟具有[i]介音的三等韵(包括三四等合韵)的反切上字同类，而跟没有[i]介音的一二等韵的反切上字同类，纯四等韵的反切下字跟三等韵(包括三四等合韵)的反切下字绝不能有任何关系。从声母和韵母配合的格局看，四等韵的声韵结合关系跟一等韵相同，而跟三等韵不同。此外，梵汉对音中，法显(617)至善无畏、地婆呵罗(685)都用纯四等字(主要是齐韵字)对译佛经梵文的[e]音。佛教密宗的陀罗经的对音，四等字不对译 i，差不多只用来对译 e。可见，纯四等的主元音是[e]。施向东《玄奘译著中的梵汉对音和唐初中原方音》(1983)和尉迟治平《周隋长安方音初探》(1982)也证明了这一点。李如龙《自闽方言证四等韵无 i 说》(1984)指出，闽方音有文白异读，凡四等韵无[i]介音的属于白读，带[i]介音的属于文读,文读是照韵书的反切,从中古以后的系统而来,白读的系统保持较古的音读。因此,《切韵》的纯四等韵没有[i]介音,[i]介音是后起的。

但是,从语音史看,远至魏晋、近至隋唐的反切和直音资料里,都有不少纯四等韵并入三等韵的现象。根据刘广和《介音问题的梵汉对音研究》(2001),唐朝译经语言纯四韵等字有[i]介音。

看来,《切韵》本身纯四等韵应该没有[i]介音,并不能说《切韵》时代纯四等韵没有[i]介音。《切韵》以前和《切韵》时代的某些方言里,纯四等韵还是有[i]介音的。

(4) 重纽问题

高本汉忽略了重纽问题,但这个问题自陈澧发现后,确实是有待解决的难题,众说纷纭。总的看法是,重纽代表两种音节的对立,大致可分为四派意见:〈1〉主要元音区别说,代表作有陆志韦《三四等及所谓"喻化"》(1939)、董同龢《广韵重纽试释》(1948)、周法高《广韵重纽的研究》(1948)等。1950年以后,很少有人再主张主元音区别说了。〈2〉介音区别说,代表作有有阪秀世《批评高本汉对三四等的拟音》(1937—1939)、河野六郎《朝鲜汉字音的一个特点》(1939)、王静如《论古汉语之腭介音》(1948)等。此后,李荣《切韵音系》(1956)、邵荣芬《切韵研究》(1982)、潘悟云、朱晓农的《汉越语和〈切韵〉唇音字》(1982)、郑仁甲《论三等韵的 i 介音——兼论重纽》(1994)、郑张尚芳《重纽的来源及其反映》(1997)等都补充论证这个问题。〈3〉声母区别说,自三根谷彻《关于〈韵镜〉的三四等》《关于〈韵镜〉的三四等》(1953)提出此说后,得到李新魁《重纽研究》(1984)的支持。〈4〉韵尾区别说,由薛凤生的《试论〈切韵〉音系的元音音位与重纽、重韵等现象》(1996)提出。1995 年,台湾省召开了第四届国际暨第十三届声韵学研讨会,中心议题是重纽问题。总的看来,介音区别说得到较多学者的支持。

与此相关的另一个问题是舌齿音反切下字如何归类,大致有三种意见:其一,董同龢(1945)、周法高(1945)和李荣(1956)等认为舌齿音跟重纽四等是一类,重纽三等单独成为一类,得到较多学者的赞同。其二,陆志韦《古音说略》(1948)把舌齿音中的知组、庄组和来母跟重纽三等归为一类,把精组、章组和日母跟重纽四等归为另一类。冯蒸的《论庄组字与重纽三等韵同类说》(1997)、刘云凯的《论庄组字与重纽三等韵同类说》(1998)对陆说给予充分而有力的论证。其三,龙宇纯《广韵重纽音值试论,兼论幽韵及喻母音值》(1970)、邵荣芬(1982)认为舌齿音跟重纽三等同属一类,重纽四等单独成为一类。各家都有立论的依据和论证的合理性,关键在于是否分清《切韵》重纽本身的层次和《切韵》以后层次,麦耘《论重纽及〈切韵〉的介音系统》、丁邦新《重纽的介音差异》(1997)等认为《切韵》以后的重纽发生了不同于《切韵》时代的演变。

重纽问题是汉语语音史中的热点问题。《切韵》的重纽反切结构跟《切韵》以后的不同,它们之间的差别是否可以归结为各自的语音基础不同?《切韵》和《切韵》以后的重纽差异是否只具有时间上的先后不同?是否还反映空间上的南北区别?从《切韵》到慧琳音义和早期韵图,重纽的演变是直线式的前后继承和发展关系,还是各自处于不同的南北层次?促使《切韵》以后重纽格局转变的机制是什么?张渭毅的《魏晋至元代重纽的南北区别和标准音的转变》(2003)提出新的看法,主张重纽跟语音史中其他音类一样,也有南北的差异,把重纽的南北差异和分类格局置于《切韵》前后各个历史时期大的语音背景之下加以考察,用标准音的变动解释某个时期南北方重纽差异趋向一致的现象。

(5) 唇音字有没有开合的对立

有两派意见。赵元任《中古汉语内部的语音区别》(1941)提出唇音字没有开合对立的看法,得到李荣《切韵音系》(1956)、邵荣芬《切韵研究》(1982)等的大力支持与论证。王力撰《唇音开合口辩》(1986),则主张《切韵》唇音有开合之分。葛毅卿《隋唐音研究》(2003)反对李荣"唇音字无所谓开合"之说,认为《韵镜》中唇音字有开合两读,而《切韵》唇音字的开合情况基本上和《韵镜》相合,可见《切韵》唇音字有开合两种。

(6) 元音的数量有减少的趋势

高本汉拟订的元音数量多至 18 个,王力《中国音韵学》(1935)有 18 个。邵荣芬《切韵研究》(1982)改至 13 个,李荣《切韵音系》(1956)有 12 个,陆志韦《古音说略》(1948)、王力《汉语音韵》(1963)、喻世长《〈切韵〉韵母拟音的新尝试》(1989)有 10 个,黄笑山的《〈切韵〉和中唐五代音位系统》(1995)有 9 个,葛毅卿的《隋唐音研究》(2003)拟订的主元音只有 6 个,堪称中国内地学者最少者。《切韵》元音的多寡,涉及跟上古音元音系统的对应和发展关系、押韵的原则、分韵的原则、重纽、介音以及音位分析的对立、互补、相似、经济的原则和音韵系统匀整的原则等各种问题,需要通盘考虑。

(7) 关于《切韵》的性质

继章太炎、陈寅恪、高本汉、罗常培等之后,20 世纪 50 年代末至 60 年代初,中国内地音韵学界展开了对《切韵》性质的大讨论,有单一音系说和综合音系说。

单一音系论者内部有分歧。邵荣芬《〈切韵〉音系的性质和它在汉语语音史上的地位》(1961)、王显《〈切韵〉的命名和〈切韵〉的性质》(1961)和《再谈〈切韵〉音系的性质——与何九盈、黄淬伯两位同志讨论》(1962)认为《切韵》音系是以洛阳方音为基础的、同时也吸收其他一些方音特点(主要是金陵方音)的活音系。黄典诚(1994)则看作历史悠久的洛阳官音移植到金陵后由文读系统和白读系统交相为用而构成的河洛官音,有文读、白读两套系统。黄笑山《〈切韵〉和中唐五代音位系统》(1995)从标准语方言基础转移的角度,论证《切韵》音是齐梁以来以洛阳皇室旧音为基础、浸染金陵的某些语音而形成的雅音系统,这个标准音有以洛下为代表的北方话和以金陵为代表的南方话两种主要的地域变体。葛毅卿的《隋唐音研究》(2003)则坚持高本汉的长安音系说。

综合音系论者,黄粹伯著有《论〈切韵〉音系并批判高本汉的论点》(1957)、《〈切韵〉的"内部证据"论的影响》(1959)和《关于〈切韵〉音系基础的问题——与王显、邵荣芬两位同志讨论》(1962)等论文,指出《切韵》音系不是一时一地的语音记录,更不是所谓长安方言,而是具有综合性的作品。何九盈《〈切韵〉音系的性质及其他——与王显、邵荣芬同志商榷》(1961)和《中国古代语言学史》(1995年增订本)主张《切韵》音系以读书音为基础,是古今南北语音的杂凑。这些看法得到了张琨的支持,他的《论中古音与〈切韵〉之关系》(1975)、《古汉语韵母系统与〈切韵〉》(1972)、《〈切韵〉的综合性质》(1979)等一系列论文论证了《切韵》是包容古今南北音韵区别的综合体。

王力《汉语史稿》(1957)认为《切韵》只代表一种被认为是文学语言的语音系统,是参照古音和方音来规定的。周祖谟《〈切韵〉的性质和它的音系基础》(1966)指出,《切韵》音系是就金陵和邺下的雅言,参酌行用的读书音而定的,既不专主南,也不专主北,它的基础是公元6世纪南北通用的雅言。

总的看来,单一音系论者不完全单一,往往主张在一个特定音系的基础上或多或少综合了其他方音和古音成分,而综合音系论者也不是纯粹的杂凑,也承认《切韵》有其语音基础,折衷不同的音系成分并不妨害音系的完整性。双方其实不是完全排斥的,彼此都有可以兼容的成分,因此至今没有达成一致,将来也不会达成一致。

《颜氏家训·音辞篇》是研究《切韵》的纲领性文献,是解读《切韵》性质、解决《切韵》音系问题的一把钥匙。鲁国尧的《"颜之推谜题"及其半解——兼论历史文献考证法与历史比较法的结合》(2003)以《颜氏家训音辞篇》的"南染吴越""皆有深弊"作为谜题,运用二重证据法,以传世文献与现代活方言相互发明,重申西晋末年南徙至淮南与长江中下游两岸的北方移民所操南朝通语乃江淮方言之源,南朝通语之流并非现代吴方言。此文还提出语言研究中的"犬马——鬼魅法则",引起了争鸣。王洪君的《也谈吴方言覃谈寒桓四韵的关系》(2004)发表不同意见,认为谈覃与寒桓的关系并不平行,不能用来作为南朝通语跟《切韵》系语言重要分歧的证据。

(三)《集韵》音系的研究

《集韵》的研究,至今已有294年的历史,可以分成以校勘、考证为主的研究和以音系为主的研究两个阶段。1706—1931年,以校勘、考证《集韵》为主,段玉裁、钮树玉、严杰、汪小米、陈庆镛、方成珪、马钊、孙诒让、陈准、黄侃等校勘大家,整理、出版了一批校本,其目的是为了探求研治声韵、训诂的捷径。1931年,白涤洲发表了《〈集韵〉声类考》(1931),此后研究的重心转向音系问题的探讨,黄侃著有《〈集韵〉声类表》(1936),施则敬著有《集韵表》(1935)、《关于〈集韵表〉评论之商榷》(1937)、《重刊〈集韵表〉序》(1939),王力著有《评黄侃集韵〈声类表〉、施则敬〈集韵表〉》(1935),提出商榷。黄侃的《读〈集韵〉证俗语》(1936)揭示了《集韵》与方言的关系。1950年以来,中国内地学者提出了不少有价值的见解。邵荣芬著有《释〈集韵〉的重出小韵》(1984)、《〈集韵〉韵系特点记要》(1994)、《〈集韵〉的开合与洪细》(1995)和《〈集韵〉音系简论》(1997)等一系列有分量的论文,对《集韵》音系的面貌做了全面的静态描写。赵振铎多年来校勘《集韵》,很见功力,还写了《〈集韵〉的内部结构》(2003),与台湾学者林英津《〈集韵〉之体例及音韵系统中的几个问题》(1985)的观点不谋而合。杨雪丽从《集韵》的反切上字出发,发表了《外部调和与内部沉积——〈集韵〉反切上字的特点》(1987)、《〈集韵〉中的牙音和喉音声母》(1996)、《〈集韵〉精组声母之考察》(1997)和《〈集韵〉与中古音韵》(2000)。杨军发表了《〈集韵〉见、溪、疑、影、晓反切上字的分用》(1995)。关于《集韵》的语言学史意义,路萌怡著有《收字最多、规模宏大的韵书〈集韵〉》(1984)。张民权著有《论清儒仇廷模对〈集韵〉声韵问题的研究的贡献》(2002)。

但是,总的来说,多数学者只把《集韵》单纯地看作《切韵》、《广韵》的延续,而多少忽视了《集韵》的特殊性。1996年,鲁国尧发表了《从宋代学术史考察〈广韵〉〈集韵〉时距之近问题》(1996)提出一个很值得注意的问题:在《广韵》成书短短的26年后,北宋官方为什么要大规模地诏修《集韵》? 鲁先生从北宋学术史的角度予以解答。张渭毅则从《集韵》内部入手,发表了一系列论文。《〈集韵〉异读研究》(1991)揭示《集韵》异读的复杂来源,论证了《集韵》异读形成的原因。《〈集韵〉删并字音体例的重新认识》(1996)和《论〈集韵〉折合字音的双重语音标准》(1998)发现《集韵》折合字音有两个语音标准。《〈集韵〉研究概说》(1999)评价了三百年来的《集韵》研究史。《关于〈集韵〉异读的层次分析问题》(2000)尝试采用异读的音变规律作为划分异读层次的标准。《集韵重纽的特点》(2001)从《集韵》收录《广韵》重纽字音和折合《广韵》以外的不同来源的重纽字音两个方面集中考察了《集韵》重纽小韵归字的特点。《〈集韵〉的反切上字所透露的语音信息》(2002)把《集韵》改动《广韵》上字的反切置于语音史大背景下,透视分析其中的语音现象。

(四)早期切韵学的研究

鲁国尧《卢宗迈切韵法述论》(2003年修订本)指出,"等韵"一词,明代始用,明以前的所谓"等韵学"其实应该称作切韵学,切者,反切上字,韵者,反切下字。1990年,鲁国尧发现了日本所藏的宇内孤本切韵图《卢宗迈切韵法》。这项发现,不亚于清末学者发现《韵镜》的意义。传世的宋元韵图,因而增至六部。从韵图与韵书的关系论,可以分为《广韵》系韵图和《集韵》系韵图两大派别,《韵镜》和《七音略》属于《广韵》系韵图,《卢宗迈切韵法》属于《集韵》系韵图。

关于《韵镜》的研究,李新魁著有《韵镜研究》(1980)和《韵镜校证》(1982),影响很大。《韵镜校证》是研读《韵镜》必备的工具书。后人陆续修正此书,有谢伯良的《〈韵镜〉李校补遗》(1993)、杨军的《〈韵镜校证〉补正》(1995)和《〈韵镜校证〉续正》(2001)、白钟仁的《〈韵镜校证〉求疵》(1998)等论文。2003年4月,安徽大学召开了《韵镜》国际学术研讨会。2003年,上海辞书出版社出版了陈广忠的《韵镜通释》。

葛毅卿《〈韵镜〉音所代表的时间和区域》(1957)和《隋唐音研究》(2003)考订《韵镜》音和《切韵》音的关系,指出成书于751—805年之间的《韵镜》反映了更早时期7世纪前半期的语音——隋和初唐的语音,跟隋唐长安音相合,认定《韵镜》的韵类与《切韵》相同。

关于《七音略》的研究,罗常培《通志·七音略研究》(1935)开了一个好头。其后台湾学者的研究形成主流,研究者众,成果丰硕。中国内地有潘悟云的《"轻清、重浊"释——罗常培〈释轻重〉、〈释清浊〉补注》(1983),赵克刚的《〈七音略校释〉绪论》(1988)和《〈七音略校释〉绪论》(续)(1988),许德平的《韵镜与七音略》(1963),马重奇的《〈起数诀〉与〈韵镜〉〈七音略〉比较研究——〈皇极经世解起数诀〉研究之二》(1996)等。2003年上海辞书出版社出版了杨军的《七音略校注》,取《七音略》版本九种、《韵镜》版本八种互校,共一千余条校记,堪称后出转精之作。

李新魁的《汉语等韵学》(1983)和《汉语音韵学》(1986)是两部成系统的专著,中古音部分全面介绍了早期韵图的术语、基本概念和结构,阐明了对于等韵学的起源、发展和门法的见解,为国内外学者所重视。

切韵学的产生,与梵文悉昙章有关,俞敏《等韵溯源》(1984)分析了字母、韵图形式、概念与悉昙章的关系。其他论著有黄典诚《轻清重浊的划分是等韵之学的滥觞》(1984)和《试论〈辨四声轻清重浊法〉与等韵的关系》(1994)、朱星《三十六字母略说》(1981)和《宋元等韵学述评》(1996)、张世禄讲授、李行杰整理的《等韵学讲话提纲》(1、2)(1990)、徐复《守温字母与藏文字母之渊源》(1990)、赖江基《〈韵镜〉是宋人拼读反切的工具书》(1991)等等。

三、诗文韵系的研究

(一)魏晋南北朝诗文用韵研究

魏晋南北朝是中古音转变的重要时期。1950年以后,周祖谟发表了《魏晋音与齐梁音》(1982)、《齐梁陈隋时期诗文韵部的分类》(1982)、《魏晋宋时期诗文韵部的演变》(1983)、《齐梁陈隋时期诗文韵部研究》(1988)等一系列有分量的论文,论述了魏晋宋和齐梁陈隋两个时期的韵部、声母、声调演变的格局,指出前期音韵格局的最大变化在于阳声韵与入声韵相承,已不能按照谐声关系确定韵部的字类;后期跟刘宋的分韵不同而跟《切韵》接近,证明《切韵》音系有实际语音基础。这些成果汇聚在他的专著《魏晋南北朝韵部之演变》(1996),分上下两篇,详论韵部分合和个别韵字读音演变,解释音变原因,列举各时期诗文韵谱和合韵谱,编制诗文作家籍贯生卒年表。

其他论著有杨道经《〈胡笳十八拍〉的用韵》(1959)、王力的《范晔刘勰用韵考》(1982)和《汉语语音史》(魏晋南北朝音系,1995)、李荣的《庾信诗文用韵研究》(1982)、刘冬冰《从梁诗用韵看其与〈广韵〉音系的关系》(1983)、李毅夫《由用韵看〈胡笳十八拍〉的写作时代》(1985)、李露蕾《南北朝韵部研究方法论略》(1991)、虞万里《黄庭经用韵时代新考》(2000)、丁治民《沈约诗文用韵概况》(1998)、刘纶鑫《魏晋南北朝诗文韵集与研究》(韵集部分)(2001)等等。

(二)隋唐诗文用韵研究

1950年以来中国内地地区隋唐诗文押韵的研究,获得了全面丰收,有64篇论文,两部专著。举凡《全唐诗》重要的诗人用韵,都有学者研究,对有的诗人押韵的研究,还不止一篇(部)论著,如白居易(7篇),杜甫(4篇,专著1部),韩愈(4篇),王梵志(3篇),李白(2篇),寒山子(2篇),元稹(2篇),杜牧(2篇)。

对于一个或几个时期的诗文用韵作宏观的总体考察,李荣、唐作藩、鲍明炜、尉迟治平、麦耘等创获较多。李荣的《隋韵谱》(1961—1962)排比讨论《全隋诗》《全隋文》用韵情况。唐作藩连续二十多年指导北大学生研究唐诗用韵,基本上把《全唐诗》作品较多的诗人用韵清理了一遍,以此为基础,把中古韵部分为前期(六朝至初唐)43部和后期(中晚唐)29部,拟测韵母系统,并著有《唐宋间止蟹二摄的分合》(1991)、《晚唐尤韵唇音字转入虞韵补证》(1991)等。鲍明炜的《唐代诗文韵部研究》列出初唐、盛唐作家的诗文韵谱,整理出初唐韵系。

关于敦煌变文诗文用韵,周祖谟著有《变文的押韵与唐代语音》(1989),考订唐五代北方话的韵母为23摄,并加以拟测,指出现代北方话的韵母系统即在此基础上发展而来,研究普通话的历史,须以此为起点。此外,周大璞著有《敦煌变文用韵考》(1979)、张金泉有《敦煌曲子词用韵考》(1981)等。

上个世纪90年代以来,华中科技大学研制了"反切系联整理系统"和"诗文用韵系统整理程序"。尉迟治平领导课题组运用计算机技术建立语料数据库、编制应用程序系联韵字,并利用几率统计法计算韵部相押的概率来归纳韵部,全面整理隋唐五代诗歌的用韵情况,发表了一系列有分量的论文,有陈海波、尉迟治平的《五代诗韵系略说》(1998),胡杰、尉迟治平的《诗文用韵的计算机处理》(1998),刘根辉、尉迟治平的《中唐诗韵系略说》(1999)和赵蓉、尉迟治平的《晚唐诗韵系略说》(1999)等。麦耘的《隋代押韵材料的数理分析》(1999)取材李荣的《隋韵谱》,尝试采用数理统计法,编成计算机软件,对辙和辙、韵和韵之间的分合和疏密关系作了较精确的统计和验证,指出隋代韵文28辙的共通现象。运用计算机技术整理中古时期的押韵材料,是今后的发展方向。

四、音注材料的研究

运用反切系联法和反切比较法,从众多的字书、音义书音切中整理出注音者的音系,构成中古音研究的重要内容,形成了几个研究热点。

(一)《经典释文》音的研究

《经典释文》罗列汉魏晋南北朝经师异读,陆德明的注音标作首音。以《切韵》音系为参照,根据各个朝代的经师音切可透视各朝的语音特点,甚至建立音系。从陆德明音切则可以离析出六朝标准音系。

黄焯的《经典释文汇校》(1980)对《经典释文》作了全面的校勘,具有很高的资料价值。吴承仕20世纪20年代搜检群书,辑录出大量的汉魏六朝人的注音资料,对作音者的生平和著述详加考证,中华书局出版了他的遗著《经典释文序录疏证》(1984)和《经籍旧音辨证》《经籍旧音序录》(1986年合印),堪称汉魏六朝音韵学史的外编。

关于《经典释文》的性质,林焘的《陆德明的〈经典释文〉》(1962)主张陆德明所据标准音是当时受到北音很大影响的金陵音。王力的《经典释文反切考》(1982)考证出陆德明的语音系统,认为《经典释文》的反切代表当时中国的普通话,可能是长安音。他的《汉语语音史》(1985)以此作为建立隋中唐音系的主要依据。邵荣芬《经典释文音系》(1995)是音系方面集大成的著作,从首音考证出陆德明的音系,主张陆氏音系是以金陵音为基础的南方地区的标准语音系,具有跟《切韵》对等的地位,本书列出陆德明同音反切字表,展示陆氏音系格局。

此外,继香港学者邓仕樑、黄坤尧编成《新校索引经典释文》(1988)后,1997年中华书局出版了由黄焯、郑仁甲编的《经典释文索引》,不仅收录陆德明全部所注之字,而且还收录经典异文,有很高的使用价值。

关于经师音系,取得的一项重要成果是蒋希文的《徐邈音切研究》(1999),提出适用于整理经籍中零散反切的归纳法,即在采用反切系联法的基础上,进一步运用枚举归纳推理法,从现存的1400多条徐邈切语中得出声类35类,韵部78部,揭示了两汉以后齐梁以前汉语读书音的特点。此外,吕忱、刘昌宗、李轨、郭象等经师音系都有人专门研究,2002年出版了两部专著:简启贤《吕忱〈字林〉音注研究》和范新干的《东晋刘昌宗音切研究》。

(二)顾野王《玉篇》音系的研究

顾野王原本《玉篇》残卷存2100余字,仅占原书的八分之一。周祖谟《万象名义中之原本玉篇音系》(1936)依据日本沙门空海所作《篆隶万象名义》的反切考订拟测出《玉篇》完整的音系,得36个声母,52部178韵。周祖庠《原本玉篇零卷音系》(1995)使用类比法和统计法,把《玉篇》残字反切跟《切韵》比较,推论出音系,主张《玉篇》代表6世纪的金陵读书音。1995年,中华书局出版了由刘尚慈整理的《篆隶万象名义》,刘尚慈还著有《〈篆隶万象名义〉考辨》(1997),为进一步研究《玉篇》音系提供了便利。周祖庠还著有《篆隶万象名义研究》(2001)。

(三)曹宪《博雅音》的研究

黄典诚的《曹宪〈博雅音〉研究》(1986)运用反切比较法,把曹宪音切打入中国社科院语言所编的《方言调查字表》中,得出"《博雅音》大体和《切韵》一样,都是契合金陵洛下两地的官音所凝成的较古的东京洛阳音的反映"的结论。丁锋《〈博雅音〉音系研究》(1995)注意到曹宪音的语言层次问题,在整理出声、韵、调系统的基础上,指出《博雅音》记录了梁、陈、隋之际含有书音和口音的扬州音系。

(四)玄应《一切经音义》的研究

周法高著有《玄应反切考》(1948)、《从玄应音义考察唐初的语音》(1948)和《玄应反切再论》(1984),采用反切系联法全面整理玄应《一切经音义》的反切的声韵系统,主张玄应音代表活的长安方音。王力《玄应〈一切经音义〉反切考》(1980)也有相同的看法,运用反切比较法考证唐初长安音系,指出声母重唇、轻唇不分,舌头、舌上不分,有44个韵部。在他的《汉语语音史》(1983)中以此作为建立隋中唐音系的主要依据。周著和王著的最大不同在于,周著有重纽,除非反切下字系联成一类,不合并《切韵》本有区别的韵类;王著不承认有重纽,除了把个别反切下字混切看作例外,只要有一部分反切下字混切,就合并《切韵》相关的韵部。此外,周祖谟著有《校读玄应一切经音义后记》(1966)等。

(五)慧琳《一切经音义》的研究

黄淬伯《慧琳一切经音义反切考》(史语所专刊之六,1931年初版)采用反切系联法考订唐僧慧琳《一切经音义》的反切,得67个声类(归纳为37个声母),173个韵类,认为反切取自元廷坚的《韵英》,反映了跟《切韵》音系不同的唐代关中方言的语音系统,并参考日汉对音加以构拟。黄氏后来又对此书补充修订,写成《唐代关中方言音系》(江苏古籍出版社1998)。

20世纪80年代以来,对《慧琳音义》中的梵汉对音进行了系统的研究。聂鸿音的《慧琳译音研究》(1985)发现不空、慧琳和空海三人的对音最为相近,属于马伯乐所谓的"不空学派"。他们有共同的特点。

慧琳音义研究另有两部专著:徐时仪的《慧琳音义研究》(1997)和姚永铭《慧琳〈一切经音义〉研究》(2003),侧重于词汇史和辞书史的研究。

(六)颜师古的《汉书音义》音切的研究

研究颜师古音切的学者,计有十一家,结论共同点多。代表作有钟兆华的《颜师古反切考略》(1982)、谢纪锋的《〈汉书〉颜氏直音释例》(1991)、《〈汉书〉颜氏音切韵母系统的特点——兼论〈切韵〉音系的综合性》(1992)和《〈汉书〉音切校议》(1992)等。钟著认为,颜师古声韵系统和《切韵》大同而小异,代表了以长安话为中心的关中方音。

(七)朱翱反切的研究

朱翱反切不同于《唐韵》反切,反映了晚唐五代的时音。张世禄著有《朱翱反切声类考》(1943)和《朱翱反切考》(1944),严学宭著有《小徐本说文反切之音系》(1943);张、严采用反切系联法,王力《朱翱反切考》(1982)采用反切比较法,分别考证朱翱反切的音系,结论颇有不同。王力《汉语语音史》(1985)以朱翱反切作为构建晚唐五代音系的依据,分声母36个,韵部40个。张渭毅《朱翱反切的开合系统》(1994)揭示了朱翱反切在开口、合口韵类的分布和归字上表现出来的不同于《切韵》的特点。

(八)其他音注材料的研究

1950年以来,邵荣芬的《〈五经文字〉的直音和反切》(1964)首先正式使用反切比较法,得出跟《切韵》音系大致相同的结论。他的《〈晋书音义〉反切的语音系统》(1981)也旨在证明《晋书音义》和《切韵》有共同的语音基础。邵荣芬的《敦煌俗文学中的别字异文和唐五代西北方音》(1963)根据敦煌俗文学抄本的别字、异文的同音关系探讨唐五代西北方音的语音特点,对罗常培的《唐五代西北方音》的结论进行补充和修订。陈亚川的《〈方言〉郭璞注的反切上字》(1981)和《〈方言〉郭璞注的反切下字》(1983)归纳了郭璞音的特点。此外,张永言著有《〈水经注〉中语音史料点滴》(1983),彭辉球有《〈尔雅〉郭注的反切》(上、下)(1991),孙玉文有《李贤〈后汉书音注〉的音系研究》(上、下)(1993),龙异腾有《〈史记正义〉反切考》(1994),张洁有《〈文选〉李善音切校议》(1995)、《〈文选〉李善注的直音和反切》(1998),徐之明有《〈文选〉五臣音声类考》(2001),储泰松有《隋唐音义反切研究的观念与方法之检讨》(2002)等。

五、对音的研究

对音是中古音研究材料的重要来源。1950年以来,利用对音,李荣(1956)解决了全浊声母不送气问题。关于中古汉语四声的性质,古代文献中的描述很模糊。王力《汉语诗律学》(1958)和周祖谟《关于唐代方言中四声读法的一些资料》(1958)推测了四声大致的念法。

上个世纪80年代以来,对音研究有了长足的进展。徐通锵、叶蜚声的《译音对勘和汉语音韵的研究》(1980)评价对音材料在构拟译音时代的语音中所起的重要作用,指出译音对勘的方法是汉语音韵研究方法的转折。

通过初唐中唐的对音考察当时长安、洛阳一带的方音,成为热门的话题。施向东《玄奘译著中的梵汉对音和唐初中原方音》(1983)利用玄奘译著的梵汉译音,认为初唐中原方音的平声是高平调,去声是低平调,上声、入声介于两者之间,上声是升调,入声是降调。去声最长,其次是平声,再次是上声和入声。尉迟治平著有《周隋长安方音初探》(1982)、和《周隋长安方音再探》(1984),全面拟测了周隋时期长安音系。刘广和的《〈大孔雀明王经〉咒语义净跟不空译音的比较研究》(1994)则通过唐僧义净与不空译音的差异,论证唐代北方地区有两个势力很大的方言,一个是洛阳为中心的东部方言,另一个是以长安为中心的西部方言。

刘广和的《不空译咒梵汉对音研究》(2002)全面拟测了8世纪长安音声母、韵母的音值和调值。王吉尧著有《从日语汉音看八世纪长安方音》(1987),金德平著有《唐代长安方音声调状况试探》(1989)和《从日语汉音试论唐长安话明母的音值》(1994),储泰松著有《唐代的吴音和秦音》(2000),等等。

关于汉越对音,潘悟云、朱晓农有《汉越语和〈切韵〉唇音字》(1982),探讨了唇音声母的开合、重纽、轻唇化等相关问题。

关于日汉对音,史存直著有《日译汉音、吴音的还原问题》(1986)针对日语、汉语语音体系的差异和历史上日本人转写汉语语音的困难,提出还原日译汉音的原则和方法。姚彝铭著有《日语吴音汉音和中古汉语语音》(1984),尉迟治平著有《日本悉昙家所传古汉语调值》(1986),王吉尧、石定果著有《汉语中古音系与日语吴音汉音音系对照》(1986)等。

唐以前的对音研究主要在于考察两晋、十六国、南北朝的译音。2002年刘广和的论文集《音韵比较研究》出版,收录两晋、唐时梵汉对音的研究论文10篇,有5篇探讨两晋语音,构拟了西晋和东晋的声母系统和韵母系统。施向东发表了《鸠摩罗什译经与后秦长安音》(1999)、《鸠摩罗什译音中的几个问题》(1999)、《十六国时代译经中的梵汉对音(声母部分)》(2000)和《十六国时代译经中的梵汉对音(韵母部分)》(2001)等一系列论文,考订出后秦长安音声母、韵母系统。储泰松有《鸠摹罗什译音研究(声母部分)》(1996)、《鸠摩罗什译音的声母系统》(1998)和《鸠摩罗什译音的韵母研究》(1999)等。

主要参考文献
[1]《中国语言学论文索引》(甲编),中国社会科学院语言研究所编,商务印书馆1983年。
[2]《中国语言学论文索引》(乙编),中国社会科学院语言研究所编,商务印书馆1983年。
[3]《中国语言学论文索引》,中国社会科学院语言研究所编,商务印书馆2003年。
[4]《语言学论文索引》,1991—1995年,董树人主编,北京语言学院出版社。
[5]《1978—1993年音韵学论著目录》,张渭毅、张丽娟编,中国音韵学研究会

《音韵学通讯》连载。

[6]《1994—2001年上半年音韵学论著目录》,刘广和、张渭毅主编,中国音韵学研究会《音韵学通讯》总第22、23期,2002年徐州。

[7]《1978—2001年上半年近代汉语语音论著目录》,张渭毅编,中国音韵学研究会《音韵学通讯》总第22、23期,2002年徐州。又载于日本《开篇》2002年。

[8]《近二十年来有关中古汉语研究论文目录》,王云路、方一新编《中古汉语研究》,商务印书馆2000年。

[9]《近五年来台湾地区汉语音韵研究论著选介》,何大安,(台)《汉学研究通讯》1983年2卷1期:5—13页。

[10]《近五年来台湾地区汉语音韵研究论著选介》(上、下),姚荣松,(台)《汉学研究通讯》1989年8卷1期:1—5;8卷2期:90—97页。

[11]《台湾地区汉语音韵研究论著选介(1989—1993)》(上、中、下),王松木,(台)《汉学研究通讯》1995年14卷3期:239—242页;1995年14卷4期:336—339页;1996年15卷1期:87—93页。

[12]《台湾地区汉语音韵研究论著选介(1994—1998)》,江俊龙,(台)《汉学研究通讯》2000年19卷1期:149—168页。

[13]《台湾四十年来的音韵学研究》,竺家宁,中古音部分,《中国语文》1993年第1期23—32页。

[14]台湾地区期刊论文索引,台湾图书馆编。

[15]《声韵学会通讯》,第1—13期,台湾声韵学会编。

[16]《台湾五十年来声韵学暨汉语方言学术论著目录初稿(1945—1995)》,林炯阳、董忠司主编,台湾文史哲出版社1996年6月初版。

[17]《香港近四十年(1961—2000)汉语音韵学著述目录》,郭必之编,中国音韵学研究会《音韵学通讯》总第22、23期,2002年徐州。

[18]《1900—2003年中古汉语语音论著目录》,张渭毅编,中国音韵学研究会《音韵学通讯》总第24期。

台湾中古汉语研究成果综述

竺家宁 李昱颖

本文写作目的在于分析台湾对中古汉语研究的特色及趋势，着重材料的分类与介绍，对于各学者的得失，则不加评述。[①] 文中所谓"中古"，是从东汉至中唐时期；[②] 并以文字学、声韵学、训诂学、词汇学、语法学五大学门为汉语语言学涵盖范畴，分别进行论述。其次，学位论文或专题研究报告，因其流传不广，则加以注明出处及年代；此外，由于今日网络发达，出版信息易于查询，所以我们在征引刊物时，凡已公开出版者，不予详列出版资料；以求行文简洁。

壹 文字学

本文所谓"文字学"专指字形方面。台湾学者于中古时期的文字学研究，以《说文解字》为重心，发表论文共有百余篇；另有字样学与金石学、古文字等相关研究。内容包括有：

一、《说文解字》

与《说文》相关的研究繁多，议题可分为几种类型：

（一）《说文》或《说文解字序》研究

对《说文解字》进行综述，或以《说文解字序》为讨论对象。有鲁实先《说文正补》、李孝定《读说文记》、高明《说文解字传本续考》、潘重规《说文约论》、李国英《说文类释》、蔡信发《说文商兑》及《说文答问》（一篇上）、林维祥《说文解字叙析论》（1992，中国文化大学硕论)等篇。

(二)《说文》部首问题

从《苍颉篇》、《急就篇》开始就有"部居"观念,发展至《说文》540部渐趋完备。一般讨论字典部首起源多以《说文》为宗,因此,部首问题是台湾学者研究重点之一,有蔡信发《说文部首类释》、宋建华《说文五百四十部首系联用语初探》、巫俊勋《说文解字分部法研究》(1993,辅仁大学硕论)、丁亮《说文解字部首及其从属字关系之研究》(1997,东海大学硕论)、杜负翁《说文部首通释及说文概论序》。亦有学者将《说文》部首与其他字书分部系统进行比较,有李孝定《论玉篇增删说文部首——汉字新分部法初探》、吴忆兰《说文解字与玉篇部首比较研究》(1989,东海大学硕论)、薛惠琪《说文解字与康熙字典部首比较研究》等篇。

(三)《说文》重文与字形问题

有许锬辉《说文重文形体考》及《说文解字重文谐声考》、方怡哲《说文重文相关问题研究》(1994,东海大学硕论)、张维信《说文解字古文研究》(1973,台湾大学硕论)、陈镇卿《说文解字"古文"形体试探》(1997,中央大学硕论)、林美娟《说文解字古文研究》(2000,暨南国际大学硕论)、林素清《说文古籀文重探——兼论王国维战国时秦用籀文六国用古文说》、南基琬《说文籀文至小篆之变所见中国文字演变规律》、陈韵珊《小篆与籀文关系的研究》、杜忠诰《说文篆文讹形研究》(2001,台湾师范大学博论)、蔡信发《说文中一字正反之商兑》、谢一民《说文解字同文异体字考原举隅》、江英《说文解字省体字释例》、郑邦镇《说文省声探赜》(1975,辅仁大学硕论)、史宗周《说文增声字释例》、陈光政《六书之余——反倒书》等篇。在《说文》字形研究方面,杜忠诰的研究深具独创性,除参考古文字资料及现存文献之外,在其研究方法中,最为特殊的是杜氏结合书法中与书写密切相关的"笔法"、"笔意"与"笔势"等概念,从形体学之角度,针对《说文》篆文讹形的相关问题进行探讨。

(四)《说文》六书研究

就台湾研究成果看来,六书问题是早期学者讨论《说文》的重心,有综论性质的,如方远尧《六书发微》、李圭甲《六书通释》(1985,台湾师范大学硕论)、杜学知《六书今议》、帅鸿勋《六书商榷》、陈光政《六书学纷争论试辨举隅》、劳干《六书条例中的几个问题》;或以某一造字法为主的,如陈飞龙《说文无声字考》(1968,政治大学硕论)、洪丽月《说文解字象形辨疑》(1973,台湾大学硕论)、金经一《说文中有关象形文之研究》(1986,中国文化大学硕论)、戴君仁《部分代全体的象形》、蔡信发《象形兼声分类之商兑》、周雅丽《说文以后的象形会意字》(1989,台湾大学硕论)、晏士信《说文解字指事象形考辨》(2001,成功大学硕论)、弓英德《六书会意之疑问及其分类》、江举谦《六书会意研究》、许锬辉《说文会意字补述例释》、蔡信发《说文会意字部居之误》、《段注会意形声之商兑》及《形声字称类的区分》、林尹《形声释例》、周何《形声字形符义近者得组合归类说》、许锬辉《形声字形符之形成及其演化》、《形声字形符表义释例》、《形声字声符表义释例》及《说文形声字声符不谐音析论》、黄永武《形声多兼会意考》、郑佩华《说文解字形声字研究》(1997,台湾师范大学硕论)、刘雅芬《说文形声字构造理论研究》(1997,成功大学硕论)、庄舒卉《说文解字形声考辨》(2000,成功大学硕论)、周小萍《说文形声字声母假借发凡》、江英《说文解字省体形声字考》(1973,中国文化大学硕论)、刘煜辉《说文亦声考》(1971,中国文化大学硕论)、鲁实先《转注释义》、史宗周《转注新释(一至五)》、姜叔明《说文转注考》、黄沛荣《当代转注说的一个趋向》、弓英德《论转注及六书之四正二变》、毛子水《六书中的转注和假借》、蔡信发《转注先于假借之商兑》、鲁实先《假借溯原》、张建葆《说文假借释义》(1970,台湾师范大学博论)、谢云飞《六书假借的新观点》、杜学知《造字假借说之研究》及《说文造字假借字例疏证》、许锬辉《许慎造字假借说证例》、蔡信发《以假借造字检验说文字义》、陈新雄《许慎之假借说与戴震之诠释》及《章太炎先生转注假借说一文的体会》等篇。

(五)《说文》字根研究

《说文》分部建首的不尽完善,对"孳乳寖多"的文字繁衍生成情形亦无法充分呈现,皆与字根不明有关。台湾学者在《说文》字根研究较少,仅有高绪价《说文解字字根造字研究(一至七)》,属于短篇论文。早期有吴焕瑞《说文字根衍义考》(1970,台湾师范大学硕论)、柯淑龄《说文上声字根研究》(1971,文化学院硕论),这些论文都具有相当的开创之功,然而,这项研究在近20年间都未被注意。值得一提的,是近年由季旭升所指导李佳信《说文小篆字根研究》(2000,台湾师范大学硕论),这篇论文以大徐本《说文解字》中的正篆(字头)或体、为正篆所收之古文、籀文,以及大徐新附字;所谓之"字根",系指"具有独立形、音、义之最小成文单位"。在体例与方法上,主要参考《中文字根孳乳表稿》及《甲骨文字根研究》二著,并进行字根考释与孳乳表制作,可说是首先对《说文》小篆字根进行全面性观察的研究。

(六)历代典籍引《说文》

有曾忠华《玉篇零卷引说文考》、王紫莹《原本玉篇引说文研究》(1999,中央大学硕士论文)、温文锡《李善文选注引说文考》(1965,中国文化大学硕论)、翁敏修《唐五代韵书引说文考》(2000,东吴大学硕论)、刘建鸥《唐类书引说文形义考》、《唐类书引说文释义考》及《唐类书引说文用字考例》、陈光宪《慧琳一切经音义引说文考》(1971,中国文化大学硕论)、陈焕芝《玄应一切经音义引说文考》、黄桂兰《集韵引说文考》(1973,政治大学硕论)、关国暄《御览所见说文逸字考(一、二)》、李淑萍《康熙字典及其引用说文与归部之探究》(2000,中央大学博论)。

(七)《说文》其他相关议题

讨论《说文》其他问题的,有周何《大徐说文版本源流考》、蔡宗阳《说文从大之字初探》、邱德修《说文"绅"字考——兼论论语"拖绅"与"书诸绅"的问题》、陈美华《说文干支字研究》(1984,中国文化大学硕论)、徐再仙《说文解字食衣住行之研究》(1993,政治大学硕论文)、许舒絜《说文解字文字分期研究》(2000,台湾师范大学硕论)、林明正《说文阴阳五行观探析及对后世字书之影响》(2001,中国文化大学硕论)、陈明道《汉字构造理论与应用系统》(1999,中山大学硕论)、马舒怡《说文解字列字次第之探究》(1996,中央大学硕论)、许锬辉《说文脱序文字释例》及《说文引尚书例述》、蔡信发《说文变例之商兑》及《说文正文重出字之商兑》、吴玙《说文幽眇阙误探微》等。

从以上所罗列资料得知,台湾学者在《说文解字》研究方面,可说是投注相当大的心力,讨论课题广泛多样、专著论文数量丰富。

二、字样学研究

台湾学者对字样学的讨论远不如《说文》热烈,以《干禄字书》来说,有曾荣汾《干禄字书研究》(1982,中国文化大学博论)、蔡忠霖《唐代的两种字样书——"正名要录"与"干禄字书"》。其中,曾荣汾早在20年前就注意到字样材料与字样学研究,将此书的相关论题进行全面性研究,实为当时创举。另有李景远《张参五经文字研究》(1989,政治大学硕论)及《隋唐字样学研究》(1997,台湾师范大学博论)。其中,李景远的博士论文将隋唐字样书的作者、体例、所分字级的内涵及属性、著作观及正字观等相关问题进行论述,并作《隋唐字样著作正俗字谱》于文后,以呈现隋唐字样著作所集录的正俗字情形。而郑阿财《敦煌文献与唐代字样学》以敦煌文献为材料,为字样研究开展新的材料及视野。除了字样材料的分析之外,李景远《唐代字样著作所呈现的正字观》等文,以单一现象为线索进而分析字样材料,亦有其研究意义。

三、其他文字相关研究

在古文字学方面,有林素清《两汉镜铭所见吉语研究》、《两汉镜铭初探》、《十二种镜录释文校补》、《两汉镜铭字体概论》、《两汉镜铭汇编》等文章;在金石学方面的研究,主要有河永三《汉代石刻文字异体字与通假字之研究》(1994,政治大学博论)、邱德修《魏石经古文释形考述》等;此外,也有从事俗字研究的,如李相馥《唐五代韵书写本俗字研究》(1989,中国文化大学硕论)等篇。

从台湾学者在中古文字学方面的研究成果看来,从事研究的学者及论文数量都相当可观。整个研究趋势着重于《说文解字》的研究,字样学、俗字等其他相关文字研究虽有论及,但篇数较少。然而,近几年来,台湾学者的研究趋向逐渐转移,对异体字、俗字及古文字领域的研究风气正逐渐兴盛。

贰 声韵学

本文所谓"声韵学"专指字音方面。此一领域在清儒实事求是精神的手中奠定良好基础,高本汉一方面充分吸收清儒研究成果,一方面运用现代语言学的知识和方法,使得声韵学的研究成为一套系统化、科学化的新知识。经过早期几位大师的开拓,例如董同龢、许世瑛、林尹、高明、周法高等,声韵学相对于其他语言学门总是居于领先地位,在台湾汉语语言学各部门当中足称为显学。对台湾音韵研究成果进行整理论述的专文有不少,如何大安(1983:5—13)、姚荣松(1989:90—97)、王松木(1995:239—242)及(1996:87—93)分别在《汉学研究通讯》发表"台湾地区汉语音韵研究选介"议题;竺家宁在1996年《音韵学研究通讯》发表《台湾声韵学当前的研究状况(上、下)》。这些论文虽未能专就中古音韵研究进行论述,却有相当高的参考价值,分别反映台湾近20年间各阶段的音韵研究情况,也足见学科研究风气之鼎盛。此外,由林炯阳、董忠司主编(1996)《台湾五十年来声韵学暨汉语方音学术论著目录初稿》一书,全面性地将50年来(1945—1995)相关研究目录进行整理,为学术研究者提供丰富的参考资料。

在论述台湾中古音韵成果之前,首先罗列几篇与断代相关的论文,丁邦新《魏晋音韵研究》、林炯阳《魏晋诗韵考》(1972,台湾师范大学硕论)、何大安《南北朝韵部演变研究》(1981,台湾大学博论)及《刘宋时期在汉语音韵史上的地位——兼论音韵史的分期问题》、竺凤来《陶谢诗韵与广韵之比较》(1968,政治大学硕论),有了这些断代的音韵研究作基础,近世的音韵学书籍或教科书,才更有可能作更精密的历史描述。

以下论述分别从"文献材料考察"及"语音现象探究"说明台湾中古音韵研究的情形。

一、文献资料考察

以书面文献作为音韵现象及语音系统分析的材料,乃是历史语言学研究的重要途径。就文献材料性质可再细分为:字书韵书类、音义资料、诗文类、其他文献。

(一)字书、韵书研究

中古时期的字书,以《说文解字》、《玉篇》为主,其在文字学研究里算是重要议题,对于音韵研究也具有相当重要性。学者以声训、读若、联绵词等资料进行分析,有陈素贞《说文所见方言研探》、陈梅香《〈说文〉联绵词之音韵现象探析》及《〈说文〉既言"某声"又注"读若"之音韵现象初探——以声母部分为主》、钟明彦《声训及说文声训研判》(1995,东海大学硕论)、吴世畯《部分〈说文〉"错析"省声的音韵现象》及《说文声训所见的复声母》(1995,东吴大学博论)、金钟赞《论〈说文〉一些叠韵形声字及其归类问题》、竺家宁《说文音训中所反映的带1复声母》及《说文省声的语音问题》、谢云飞《从说文读若考东汉声类》、翁文宏《梁顾野王玉篇声类考》(1970,台湾师范大学硕论)等篇。

在韵书方面,对于《切韵》之前亡佚的几部韵书研究,有何大安《阳休之、李季节、杜台卿三家韵书的分韵基础》、林平和《吕静韵集研究》(1972,国立政治大学硕论)、林平和《李登声类研究》(上、下)。学界主要着重于《切韵》系韵书的一系列研究,有姚荣松《从切韵诸本的异同探重纽之形成》、姜嬉远《唐写全本王仁昫〈刊谬补阙切韵〉多音字初探》(1993,辅仁大学硕论)、董同龢《全王本王仁昫〈刊谬补阙切韵〉的反切下字》及《全王本王仁昫〈刊谬补阙切韵〉的反切上字》、林尹《切韵韵类考证》、张光宇《切韵纯四等韵的主要元音及相关问题》、李方桂《切韵 a← 的来源》、周法高《切韵鱼虞之音读及其流变》、张琨《古汉语韵母系统与切韵》及张琨《切韵的综合性质》、陈新雄《切韵性质的再检讨》、林庆勋《〈切韵序〉新校——黎本、张本〈广韵·切韵序〉之来源》、林炯阳《切韵系韵书反切异文形成的原因及其价值》、翁琼雅《孙愐唐韵韵部研究》(1998,国立台湾师范大学硕论)。从《切韵》系韵书的综论、版本、内容、性质、异文、音韵系统、反切等议题,涵盖范围之广,论文数量之多,可说是巨细靡遗。

(二)音义资料研究

汉代以降,经师先后以直音及反切注经,这些音义资料也是台湾学者研究中古音韵的一大重点,其中更以《经典释文》为瞩目焦点。有何大安《经典释文所见早期诸反切结构分析》(1973,台湾大学中文所硕论)、李正芬《经典释文庄子音义异音异义考》(1991,东吴大学中文所硕论)、杜其容《毛诗释文异乎常读之音切研究》、竺家宁《经典释文与复声母》、张宝三《前人误读经典释文举隅——以毛诗音义为例》、潘重规《经典释文韵编》、谢云飞《经典释文异音声类考》(1959,台湾师范大学硕论)、简宗梧《经典释文引徐邈音辨证》及《经典释文徐邈音之研究》(1971,国立政治大学硕论)。由上述论文发现,在20世纪六七十年代左右,有许多篇学位论文是以《经典释文》为题的。

除此之外,其他音义研究也不少,有董忠司《董钟两家颜师古音系的比较》及《颜师古所作音切之研究》(1978,政治大学中文所博论)、庄淑慧《玄应音义所录大般涅盘经梵文译音之探讨》、宋丽琼《方言郭璞音之研究》(1981,辅仁大学硕论)、陈新雄《郦道元水经注里所见的语音现象》、董忠司《曹宪博雅音研究》(1973,政治大学硕论)、林文政《文选六臣注音系研究》(2001,中国文化大学硕论)、谢美龄《慧琳一切经音义声类新编》(1989,东海大学中文所硕论)等篇。

(三)诗文用韵研究

相关研究可依其性质类分为二:一以某一时代或作家诗文用韵呈现的音韵现象,有丁洪哲《陶潜诗文用韵研究》、陈美霞《白居易诗文用韵考及其与唐代西北方音之比较研究》(1995,辅仁大学硕论)、廖湘美《元稹诗文用韵考》(1993,东吴大学中文所硕论)、耿志坚《初唐诗人用韵考》及《唐代近体诗用韵之研究》(1983,政治大学博论)、林炯阳《敦煌写本王梵志诗用韵研究》及《魏晋诗韵考》(1972,台湾师范大学硕论)、林至信《汉魏韵研究》(1963,台湾师范大学硕论)、陈素真《初唐四杰用韵考》(1971,辅仁大学硕论)、林庆盛《李白诗用韵研究》(1986,东吴大学硕论)等篇,对于共时研究及断代问题都有所裨益。二是从音韵角度切入,并与文学鉴赏结合,有李三荣《音韵结构在小园赋第一段的运用》及《庾信小园赋第一段的音韵技巧》;许世瑛有多篇论著,如《谈谈思旧赋句中的平仄规律与朗诵节奏》、《谈谈思旧赋句中的写作技巧与用韵》、《论孔雀东南飞用韵》及《论鹏鸟赋用韵》,这类研究虽偏向鉴赏,却能有效地深化文学作品分析的内涵,让文学的空灵得以落实,近几年台湾兴起语言风格研究,韵律即为风格之一。

(四)其他中古文献研究

有王松木《论敦煌写本〈字宝〉所反映的音变现象》及《敦煌〈俗务要名林〉残卷及反切研究》、金钟赞《大般涅盘经字音十四字理、厘对音研究》、竺家宁《西晋佛经并列词之内部次序与声调的关系》、洪艺芳《唐五代西北方音研究——以敦煌通俗韵文为主》(1995,文化大学中文所硕论),这些论文主要是以敦煌文献与汉译佛经为研究材料,利用韵文材料中韵脚的押韵及同音替代的别字异文为研究对象,加以分类、归纳、排比,藉此以呈现唐五代的西北方音在声类、韵类和声调的特色。

台湾学者在研究材料的选择,主要从中文系所熟悉的文本入手,因此,字书、韵书、一般诗文用韵研究即便成为主要趋势。从事学术研究工作,除了研究方法上的创新之外,研究材料的开发也是突破的一大方法。敦煌资料及汉译佛经是研究中古音韵的重要宝库,目前台湾从事这方面的研究不多,这几年有中正大学的郑阿财及竺家宁分别从事这两个领域的研究,也指导不少学位论文,对中古音韵研究有极大的帮助。

二、语音现象研究

在中古音韵研究,讨论最热烈的即是重纽问题,这方面的专文很多,有周法高《隋唐五代宋初重纽反切研究》、孙玉文《中古尤韵舌根音有重纽试证》、竺家宁《试论重纽的语音》及《重纽为古音残留说》、龙宇纯《支脂诸韵重纽余论》、平山久雄《重纽问题在日本》、丁邦新《重纽的介音差异》、余廼永《中古重纽之上古来源及其语素性质》、李存智《论"重纽"——变迁的音韵结构》、谢美龄《慧琳反切中的重纽问题(上、下)》等篇,探讨重纽的来源、性质、语音现象;陈贵麟《切韵系韵书传本及其重纽之研究》(1997,台湾大学博论)一文，论证《切韵》是综合音系，并介绍重组概念、列举历来学者意见，认为《切韵》系韵书三等"严、凡"等韵中的重纽是介音差异，并讨论其来源、音值及音韵成分。另有董忠司《七世纪中叶汉语之读书音与方俗音》、阿部亨士《唐代西北方音与日本汉音比较研究》(1993，东吴大学硕论)、龙宇纯《中古音的声类与韵类》、陈贵麟《论中古群匣为三母缘自连续式跟离散式两种音变》、陈重瑜《中古音前后入声舒化的比较》等篇，讨论中古音韵系统及语音现象。

叁 训诂学

训诂涵盖范围广泛，凡以今语解释古语者均属之，因此，相关论文不可计数，本文仅择要选录。在台湾中古汉语研究，属于这一类的，可依性质再加以细分：

一、古代某一专书或语料

专书研究主要以学位论文为主，有丁介民《方言考》(1965，国立台湾师范大学硕论)、李建诚《〈尔雅·释训〉研究》(1992，中央大学硕论)、胡楚生《释名考》(1963，国立台湾师范大学硕论)、陈建梁《服虔〈汉书音训〉钩沉》、蔡谋芳《尔雅义疏指例》(1972，国立台湾师范大学硕论)、王त辉《两晋南北朝〈尔雅〉著述佚籍辑考》(2002，政治大学博论)。单篇论文则多以语料中的某一词语进行分析，有郭鹏飞《〈尔雅·释诂〉"林烝天帝皇王后辟公侯，君也"探析》、周碧香《〈桃花源记〉"外人"另释》、李正芬《〈庄子音义〉"绝句"解析》等篇。

二、训诂条例、训诂术语

有尹锡礼《说文解字之递训研究》(1983，台湾大学硕论)、李秀娟《文选李善注训诂释语"通"与"同"辨析》(1998，辅仁大学硕论)、张建葆《说文声训考》、张意霞《徐锴〈说文系传〉训诂术语析例》、张觉《〈汉魏六朝同形反义现象掇拾〉商榷》、许锬辉《说文训诂释例——以〈说文〉释"以为"诸字为说》、李鎏《昭明文选通甲文字考》（1962，国立台湾师范大学硕论）、邓声国《〈毛诗笺〉训诂术语锁论》、卢国屏《由字异训异义同例看〈尔雅〉与〈毛传〉之关系》、金周生《〈经典释文〉"如字"用法及读音考》、黄坤尧《〈论语音义〉"绝句"分析》等篇。

三、其他训诂相关议题

其他议题的，如竺家宁《佛经同形义异词举隅》一文，以汉译佛经为材料，提出八个古今同形而意义有变的复音节词，从佛经实例中观察其上下文，推求出该词在当时的具体词义。有李振兴《训诂学流衍述要——魏晋至隋唐》、张宝三《汉代章句之学论考》等篇，以训诂学史为题。

此外，台湾这几年的学位论文有新的研究方向，即以某一现象作为训诂考察对象，如彭雅琪《汉代人名字研究》（1997，台湾师范大学硕论），就人名而言，首先说明其起源、特点，其次按照朝代先后，介绍自夏商周至春秋战国的人名特色。就人的取字而言，首先说明字的含义、功用，其次交代行次与字之辨、冠字的法度、冠字的演变、人名相应说、字名连称制等。

肆　词汇学

本文所谓"词汇学"，专指以语言中的词和词汇作为研究对象的学科；相对于其他汉语语言学学科来看，台湾目前研究成果远不及其他学科的成绩。研究者主要着重于国语词汇方面，中古词汇研究的相关论文与其他汉语学科相较，可说是少之又少，根据笔者所搜集的论文性质分类论述如下：

一、典籍词汇的探讨

主要的研究在构词问题上。古代词汇研究与训诂学关系密切，在佛经词汇议题方面，以竺家宁的研究为主。有《早期佛经中的派生词研究》、《西晋佛经中之并列结构研究》、《早期佛经词汇之动补结构研究》、《西晋佛经词汇之并列结构》、《佛经同形义异词举隅》、《早期佛经动宾结构词初探》等篇,以《大正藏》材料,从中了解汉语构词变迁的模式。此外,竺家宁近几年来已先后完成多项国科会计画,分别为《早期佛经词汇研究:西晋佛经词汇研究》(1995—1996,国科会补助计画)、《早期佛经词汇研究:三国佛经词汇研究》(1996—1998,国科会补助计画)、《早期佛经词汇研究:东汉佛经词汇研究》(1998—1999,国科会补助计画)、《慧琳一切经音义复合词研究》(2000—2001,国科会补助计画)。汉译佛经是中古汉语的最大语料库,这批丰富的材料具体地反映当时实际语言。佛经是给社会大众诵读的,这样才能达到传教目的,它不是少数学者用以孤芳自赏的,要建立汉语词汇学体系,不能不充分开发这批佛经资料,这也是词汇学理论不可缺的部分。

二、词汇理论与词义变迁探讨

以竺家宁的研究为主,有《佛经中"唐"字的意义和用法》、《西晋佛经中表假设的几个复词》、《词义场与古汉语词汇研究》、《古汉语词义变迁中的义位填补现象》等篇。

三、词汇风格研究

一般来说,词汇意义除了表现概念的"理性意义"之外,还带有一定的"感情色彩"和"风格色彩",词汇风格特色的表现,可以反映一位作家运用语言的特点。台湾学者在这方面的研究以古代文献为主,多数是竺家宁所指导学位论文,然而,所研究的主题皆为晚唐之后作品,与中古文献有关的却未能得见。相关研究者,仅有李绣玲《试探"古诗十九首"的音韵与词汇风格》单篇论文,由此可知,在中古词汇风格领域仍有极大的发挥空间。

台湾中古词汇研究成绩,总体来说并不是相当理想,这是受到时代背景局限的结果,随着学术趋势的演变,相信在学者的推动之下,日后应有更好的发展才是。

伍 语法学

台湾在 20 世纪 50 年代后才真正展开所谓的历史语法研究,就中古语法研究来说,早期的语法研究者虽有论及,主要仍是以西汉以前的典籍及出土资料进行分析,从东汉至中唐时期的语料语法研究,仅占少数;近十年左右,由中央研究院魏培泉等人的研究,则以中古文献为考察中心,进行全面且深入的讨论。以下仍就论文性质分别论述台湾中古语法研究概况:

一、综论性研究

在这类著作中,首要论述周法高的研究,有《中国古代语法》为代表著作,分为:造句编(上)、构词编、称代编三部分,讨论议题所涵盖的时间为先秦至南北朝,以上古汉语为主要范围的,部分议题延伸到中古汉语。此书内容详尽、分析深入,句例的选择及处理妥善,是研究古汉语的重要参考资料。除此之外,周氏《中国语法札记》也可见几种中古汉语语法问题的探讨。

二、文献资料考察

有许世瑛《登楼赋句法研究兼论其用韵》、《蔡琰悲愤诗句法研究兼论其用韵》(上、下)、《谈谈〈世说新语〉中"相"字的特殊用法》、《谈谈〈世说新语〉中"见"字的特殊用法和被动式的几种句型》、《〈世说新语〉中第一身称代词研究》、《〈世说新语〉中第二身称代词研究》等篇;许氏的语法研究以上古汉语文献为主,中古汉语的材料只占作品部分,着重于《世说新语》与诗赋分析,其中诗赋并兼论用韵问题,强调对于典籍文句的剖析。另有詹秀惠《〈世说新语〉语法探究》(1971,台湾大学硕论)及《南北朝著译书四种语法研究》(1975,台湾大学博论)、赵芳艺《寒山子诗语法研究》(1989,东海大学硕论)[3]、张丽丽《三国志语法研究》(1987,辅仁大学语言所硕论)①、魏伯特(Robert Reynolds)《郑玄、赵岐、何休传笺的一些语法特色》(1989,台湾大学硕论)等学位论文,写作时间都在1990年之前。

三、语法现象探究

这方面的研究不少,学位论文有杨如雪《六朝笔记小说中使用量词之研究》(1988,台湾师范大学硕论)及《支谦与鸠摩罗什译经疑问句研究》(1998,台湾师范大学博论)、魏培泉《汉魏六朝称代词研究》(1990,台湾大学博论)、蔡蓉《唐代量词研究》(1997,台湾师范大学硕论)、洪艺芳《敦煌吐鲁番文书中之量词研究》(2000,中正大学博论)等。这些论文的共同特色,是以语法现象或虚词进行专题讨论,不再只以文献材料为题,同时,可以发现这些论文的写作年代都在1990年之后,足见中古语法研究的趋势演变。

除此之外,魏培泉与刘承慧可说是近年来台湾中古汉语语法研究的代表人物。魏氏的相关著作有《中古汉语新兴的一种平比句》、《古汉语介词"于"的演变略史》、《古汉语被动式的发展与演变机制》、《说中古汉语的使成结构》、《论古代汉语中几种处置式在发展中的分与合》等,主要锁定上古与中古为研究范围,特别着重语法演变问题。其语言分析除能善用传统理论与方法,又能汲取现代的形式语法与功能语法理论。刘承慧的主要著作《古汉语动词的复合化与使成化》《使成动词的复合与定型——语料库在语法学研究上的应用实例》《试论使成式的来源及其成因》《动补"得"字结构的历史发展》,其研究从上古汉语开始,而后延伸至中古汉语。主要成就为连动式的研究,特别是在使成式的分析,近期并著有《汉语动补结构历史发展》一书,归结其近年研究成果。

台湾中古语法研究,大致上可以分成两个阶段。早期的研究并不理想,不但从事研究的学术人口稀少,主要以描写文献资料现象为研究趋势;后期的研究有明显的进步,不但从事研究者增多,研究方法也兼采中西之长处,以语法现象为题,在各方面都有长足的进步。

结　语

上文就台湾学者在中古汉语语言学研究方面的成果作一综述,一则可将台湾研究成果向海外介绍,以期有助于学术交流;二则借机整理研究成果,以作为将来学界研究发展的参考。本文将"汉语语言学"类分为文字、声韵、训诂、词汇、语法五个学门,然而,这些领域的深入研究并非一己之力可及,因此,在论文的搜集及论述之际,或多或少会有疏漏之处,尚祈方家不吝指正。

附注:

①本文所收论文以台湾学者研究为主,借以呈现研究面貌;由于篇幅所限,将论述重点摆在分类及介绍,所收篇目择要列出,不一一繁举。另有些许论文乃是中国内地及日本学者论文于台湾发表的,为避免分类上有所遗漏,暂一并收录。

②一般将汉语史分为三个时期:上古汉语时期是从先秦到西汉,中古汉语时期为东汉魏晋南北朝,近代汉语时期则为唐五代以迄于清。本文暂不以此说法。

③本篇论文的研究不仅包括语法分析,并进行音韵、词汇探究。

④本篇论文以英文为写作语言。

日本学者中古汉语词汇语法研究概况

〔日〕佐藤进

1.中古汉语词汇语法研究的萌芽

一般而言,日本学者把"中古汉语"这个用语作为音韵史上的时代区分名称。而词汇语法的历史研究我们日本学者采用"六朝汉语"这个名称。可是,下文我也依照中国学者研究中古汉语的时代区分习惯,将介绍从东汉到唐代中期的词汇语法研究,不拘泥六朝这个名称。日本人研究中古汉语,尤其注重音韵学研究。但是关于日本人音韵学研究,以后再作介绍,本稿不包括在内。

长期以来,日本有"汉文训读法",即把古代汉语直接念成为古代日语而解释上下文,所以将这种文言文视为汉语的概念是很淡薄的。日本所谓汉文,就是古代汉语,与近现代汉语(即日本所谓中国语)根本不同,作为彼此不相干的研究对象。

第二次世界大战以后,吉川幸次郎很早就写出了一篇叫做《六朝助字小记》[①]的论文,把六朝时期的汉语从所谓汉文研究中解放出来了。《世说新语》是魏晋南北朝史传中文章精彩,极具代表性的作品,吉川以此为对象,于1938年发表了《世说新语之文章》[②]一文,文中剖析"相、便、复、是、都"等助字和由这些助字合成起来的复合助字,发现了前代所无的新用法。《六朝助字小记》中的记述更进一步集中在语法论上,吉川指出了"定""将无、将不、将非""颇""何物"等新用法新词义。这篇论文影响力极大,促进了包括口语成分在内的六朝汉语研究。

2. 研究对象的扩展

吉川的研究以来,研究家纷纷提出了可以利用的性质各异的有关研究材料。作为唐朝以前的材料,除了《世说新语》一类的小说文献,太田辰夫《中国语历史文法》③就提出了应该利用汉译佛教经典的建议。

牛岛德次《汉语文法论(中古编)》④主要利用了《后汉书》《三国志》(含裴松之注)《宋书》《南齐书》等正史,和《世说新语》(含刘孝标注)。

森野繁夫在《六朝汉语的研究——关于〈高僧传〉》⑤文中把可以利用的资料分成(1)史传,(2)书信,(3)见于古小说的话本,(4)汉译佛教经典等四大类。我觉得这个分类对研究中古汉语很有参考价值。

进入唐代,口语资料的种类更加增多。松尾良树在《〈万叶集〉词书与唐代口语》⑥中将可以利用的资料分为(1)《敦煌曲子词集》等敦煌文献,(2)《游仙窟》等唐代传奇小说,(3)《朝野佥载》等笔记札记,(4)《北齐书》等史书,(5)支谶、鸠摩罗什等沙门翻译的佛教经典,(6)白居易、寒山等制作的唐诗,(7)《入唐求法巡礼行记》等域外书籍等以上七大门类。说到唐代以后的研究材料,我们已经进入近代汉语(日本所谓近世语)的研究领域,可是松尾所说,对研究中古汉语口语成分很重要,值得参考。

哲学研究家野间文史的《五经正义语汇语法札记》⑦更新加上了《五经正义》,前后共提出了四篇调查报告论文。

3. 总论性的记述

中古汉语词汇语法的总论性记述研究,应该说志村良治的《中古汉语的词汇语法》⑧内容最丰富而且全面。这篇论文已有中文

译本[9],想来中国学者必定都很熟悉其内容。在这儿再重新列出全书标题:

(一)中世汉语的时代区分,(二)新的变化——复音节词的增加,四六基调的确立,口语的反映,破读,(三)使成复合动词的形成,(四)把字句——宾语提前,(五)被动式——兼语动词"被"的确立,(六)使役式,(七)疑问表达的发展,(八)关于系词"是",(九)名词,(十)人称和称谓,(十一)数词和量词,(十二)指示代词,(十三)疑问代词,(十四)动词,(十五)补助动词,(十六)形容词,(十七)副词,(十八)连词,(十九)介词,(二十)词头和词尾,(二十一)助词。

对于每个条目,志村都根据截至那时的研究成果很翔实而高明地记述下来。这篇论文在过了34年的今天也值得精读。但是,该文大修馆书店版跟三冬社版之间有一些出入,后者更值得推荐。

牛岛德次《汉语文法论(中古编)》虽然写得比志村论文晚些,内容竟脱不了原有的文言语法轮廓。比方说,《世说新语》有许多虚字化的"～自""～复",它们是在单音节形容词或副词后作为词尾的,但牛岛只是把"乃自""故复"等作为单纯副词的连用形式罢了。依我看,该书出版以后,它的影响力并不大。可是它的词汇索引很充实,作为索引也有参考价值。

太田辰夫《中古语法概说》[10]专门论及了中古汉语特有的语法项目。当然,太田的《中国语历史文法》也有中古汉语的语法记述。但它们都是跟现代汉语有关的。与之相反,《中古语法概说》则注重跟现代汉语无关的语法项目。而且,该篇的语法体系是跟《中国语历史文法》一致的。可以说是包括性的记述。

4. 史传、书信、古小说等的研究

下面,我们先把对佛教经典以外的文献研究情况概观一下。
从前,广岛大学中国中世文学研究会成员积极推动了六朝汉语的研究。他们的研究特点是从各种文献里搜集双音节词汇。

结果,他们陆续刊行了不少研究成果。比如,有《六朝古小说语汇集》[11]、《高僧传语汇索引》[12]、《三国志语汇集》[13]和《三国志裴氏注语汇集》[14]。《六朝古小说语汇集》含有见于《搜神记》《后搜神记》《异苑》《世说新语》《古小说钩沉》等的新兴词汇。那时候儿的情况跟今天大不一样。今天我们多用电脑抽出有关词汇。可是当时他们逐一在卡片上记下来才编成那些语汇集的。

主持这个研究会的森野繁夫有(1)《见于简文帝诗的"自"——以"本自"为重点》[15],(2)《六朝汉语的问句》[16],(3)《六朝汉语的研究——关于〈高僧传〉》[17],(4)《六朝汉语的研究——以陆云〈与平原书〉为例》[18]等等一连串的研究成果,还有一些对译经的研究。他的论文(2)指出了疑问词"那""何物",在句尾的否定副词"不、否"等众所周知的语法事实,同时,还介绍了在问句开头的疑问副词"为、当、定、竟、审、颇、不审"。论文(3)除了同样的用例以外,还指出了不表示起点而表示地方和对象的介词"自"。使人很感兴趣。另外还举例说明了前代所无的双音节动词、双音节副词、副词词尾"自、已、尔"等等。

受森野熏陶的佐藤利行写了《六朝汉语的研究——以王羲之书信为例》[19]。他对王献之、陆云的书信也有研究。这些与森野论文(4)一样,是森野所说的书信研究的实例。

以上的研究成绩的确不愧为精心著作。可是,举例而言,关于森野指出的不介于起点而表示到达点的"～自",高田时雄《见于慧皎高僧传的特殊语法》[20]更深一层考察指出,当时会稽方言"-t"+"自"跟"-t"+"于"几乎同音,所以"达自"等于"达于"。他的立论绝不仅是语法现象的指出,令人深深感动。

除了以上所说以外,有一些以《世说新语》为中心的六朝小说语言研究,请参照论文目录。对于唐诗口语成分的研究,盐见邦彦

《唐诗口语的研究》[21]里有好些论文,值得参考。

5.汉译佛教经典的研究

前面我们曾经提及,太田辰夫曾呼吁利用汉译佛典,在这一倡导的促进下,将译经导入汉语语法史研究领域已不再是新鲜事儿。唐宋以后的语法史研究中使用禅家语录已十分普遍,不过这属于近代汉语研究课题,在此不加论述。

最早从汉语史研究的角度引入汉译佛教经典的当首推水谷真成的《颇字训诂小考》[22]。原来,水谷是音韵学专家,通过译经的研究带来了音韵史上的许多光辉成果。除了《颇字训诂小考》以外,他还有介绍第二人称代词"仁"的《关于汉译佛典中特殊的待遇表现》等有关语法研究成果[23]。

西谷登七郎的《六朝译经语法之一端》[24]也是较早利用译经的论著。在那之后,森野繁夫的《六朝译经的语法》[25],《六朝译经的词汇》[26],《六朝译经的语法与词汇》[27]等著述亦相继面世。

几乎是同一时期,长尾光之也推出了《鸠摩罗什译本〈妙法莲华经〉中所见六朝时期汉语口语》[28],《汉译〈百喻经〉的言语》[29]、《汉译〈杂宝藏经〉的言语》[30]、《汉译〈生经〉的言语》[31]等一系列研究。比如《妙法莲华经》便就以下要点进行了论述:问句("～不、～耶、何、谁"),被动句("为～所～、见、被"),"是"的用法,双音节词(作为副词、能愿动词的成分,"便、即、复、当、应、必、定、次、曾、共、各、更、已、皆、寻、同、悉、亦、又、自、转、能、善"),副词+否定词("常不、曾无、都不、都无、皆不、皆非、亦不、终不"),重叠("处处、段段、各各、时时、世世、在在、一一、亿亿、数数、渐渐、念念、止止"),"相","即时、应时","却后"等。到目前为止,有效地利用长尾论文的研究者似乎还不很多。长尾的论文应该得到相应的更广泛的重视。其他研究成果还有伊藤丈的《六朝汉译佛典的语法·之一

"将+否定词"》[②],及《之二·"了+否定词"》[③]等。

与调查汉译佛典语法词汇进行研究的做法略为不同,松江崇的《〈六度集经〉〈佛说义足经〉中人称代词的复数形式》[④]一文是积极利用佛典来进行汉语史的构筑的论述。该文根据两种佛典译者所用汉语方言之不同,分析其复数词尾形式之差异,提示出二者之间除了时代差异之外,尚有南北方言的差异。同样的论著,松江崇还有《中古初期二地域之第二人称代词》一文[⑤]。松江另有一些关于扬雄《方言》的研究,充分反映他的研究特色,也成功地为中古汉语研究开辟了崭新的突破口。

与汉译佛典的语法研究相比,音译语方面的研究要少得多。音译语的研究,不仅需要梵语与佛教混合俗语的知识,还需要精通中国古典语言,所以想在短时期内拿出研究成果是相当困难的。不过,梵语学出身的专家辛岛静志已发表了《〈长阿含经〉原语之研究——以音写语分析为重点》[⑥],《汉译佛典的汉语与音写语的问题》[⑦],《汉译佛典的语言研究》[⑧],《同(之二)》[⑨]等论文,这些论文均是精心力作,显示着在中国学研究领域的活跃可堪期待。

6. 其他语法研究

第4节中介绍的是按照利用资料不同而展开的分类研究状况,近十年来又出现了根据语法专题的不同进行研究的做法。如坂井裕子的《中古汉语的是非问句》[⑩],便专门论述了句尾为否定副词"不"的问句,而田中和夫的《关于中古汉语副词"无得"》一文[⑪]针对"得"的词尾化展开论述。

小方伴子的《〈论衡〉的使动用法》[⑫]和《关于先秦、两汉的"见"字》[⑬]等论文考察了至东汉为止的用作使役、被动等用法的动词种类的历史变迁,亦属语法主题分类研究之例,其论证并不局限于口语,证实了文语中语法结构的历史展开的确存在。

另外，古屋昭弘的《见于〈齐民要术〉的使成短语 Vt＋Vi》[48]与至今为止的各类中古汉语语法研究均有所不同,该文已超越了单纯的语句用法的介绍,其对语法结构本身的历史展开的论述是其魅力所在。

上述这些论文的着眼点,今后在更广更深的层面上将大有用武之地。

7. 文献研究

对于中古汉语的研究来说,"小学"的研究必不可少。在日本,音韵学的研究是极为兴盛的,训诂学的研究也不在少数,而以这一时期为对象的文字学研究则显得弱了一些。在这里介绍几点训诂资料的研究。史游和扬雄虽是西汉末期人物,但他们写作的《急就篇》和《方言》却不能视为上古汉语资料,所以这二部书也是我们这里的论述对象。关于顾野王《玉篇》和陆法言《切韵》的文献研究,将见于介绍日本音韵学研究的记事之中,在此略过不谈。

福田哲之的《关于〈急就篇〉皇象本各种书本》[45]《汉代〈急就篇〉残卷论考》[46]《吐鲁番出土〈急就篇〉古注本考》[47]《吐鲁番出土〈急就篇〉古注本校释》[48]等一系列论著将出土资料纳入视野,积极推进了训诂资料的研究。

而佐藤进《扬雄〈方言〉研究导论》[49]《宋刊方言四种影印集成》[50]《戴震〈方言疏证〉引〈文选〉考》[51]《扬雄方言研究论文集》[52]等论述则重新构筑了《方言》研究的基础。其中特别值得一提的是网罗了傅增湘刊珂罗版与宋抄本(静嘉堂文库所藏)等版本抄本影印而成的《宋刊方言四种影印集成》是重新认识周祖谟《方言校笺》极其底本四部丛刊本的重要资料。

关于《方言》的编纂,因为书的末尾部分仅列出了条目,所以像《四库提要》所记述的那样,自古便有该书是未完之作的说法。而远藤光晓在《从编集史的角度剖析扬雄〈方言〉》[㊙]一文中通过分析(1)所谓"通语"表示在先还是表示在后的分布;(2)"谓之"与"曰"的分布;(3)地名的出现分布等三种分布状况,指出其卷次分布倾向,从而提出了这种倾向是推测成书过程的着眼点的观点。远藤用的是在圣经学中达到高水准的编集史研究,也就是在文献自身之中寻求、考察可以推测其成书过程的痕迹的方法。这种自觉方法论的研究方法对于古文献研究的重要性自是不言而喻。

松江崇《扬雄〈方言〉逐条地图集》[㊙]是逐条将《方言》的记述地图化的作品。这与以往的以《方言》为基础来勾勒研究者自己认为的汉代方言分区地图的作法有着本质的区别,而为《方言》的每一词汇描绘出使用地域图,其生动有趣之处是相当突出的。另外,以《逐条地图集》为基础绘制的《汉代方言中的言语境界线》[㊙]以图显示出方言区域间的亲疏关系,从中不难看出,与南北对立对比,东西对立更为明显。

研究中古前期的训诂学者郭璞及其《尔雅》注的立石广男著有《〈尔雅〉注中的方言》[㊙]《〈尔雅〉注的诸考证问题》[㊙]《郭璞的训诂》[㊙]等作品,第一篇论文是在与扬雄《方言》进行对比中考察郭璞记述的方言的著作。

附注:

①1946 年,秋田屋《智慧》創刊號;1949 年,弘文堂《中國散文論》所收。

②世說新語の文章,《東方學報》(京都)第十册第二分;《中國散文論》所收。

③1958 年,江南書院;中譯本 蔣紹愚、徐昌華譯,1987 年,北京大學出版社。

④1971 年,大修館書店。

⑤六朝漢語の研究-《高僧傳》について一,1978 年,廣島大學文學部紀要・38-1。

⑥《萬葉集》詞書と唐代口語,1986年,奈良女子大《叙説》·13。

⑦1996年,廣島大學文學部紀要·56。

⑧中古漢語の語匯語法,1967年,大修館書店《中國文化叢書1·言語》;1984年,三冬社《中國中世語法史研究》所收。

⑨江藍生、白維國譯,1995年,中華書局。

⑩1988年,白帝社《中國語史通考》;中譯本,江藍生、白維國譯,1991年,重慶出版社。

⑪1979年,森野繁夫·藤井守編。

⑫1979年,森野繁夫編。

⑬1980年,藤井守編。

⑭1981年,藤井守編。

⑮簡文帝の詩にみえる"一自"―"本自"を中心として―,1973年,廣島大學文學部紀要·32-1。

⑯六朝漢語の疑問文,1975年,廣島大學文學部紀要·34。

⑰前揭注5。

⑱六朝漢語の研究―陸雲《平原に與うる書》の場合―,1979年,廣島大學教育學部紀要第二部·28。

⑲六朝漢語の研究―王羲之の書翰の場合―,1985年,安田女子大學紀要·14。

⑳慧皎高僧傳に見える特異な語法について,2000年,興膳教授退官記念中國文學論集。

㉑《唐詩口語の研究》,1995年,中國書店。

㉒1954年,大谷學報·34-3;1994年,三省堂《中國語史研究》所收。

㉓漢譯佛典における特異なる待遇表現について,1961年,冢本博士頌壽記念佛教史學論集;1994年,三省堂《中國語史研究》所收。

㉔六朝譯經語法の一端,1958年,廣島大學文學部紀要·14。

㉕六朝譯經の語法,1974年,廣島大學文學部紀要·33。

㉖六朝譯經の語匯,1976年,廣島大學文學部紀要·36。

㉗六朝譯經の語法と語匯,1983年,東洋學術研究·22-2。

㉗鳩摩羅什譯にみられる六朝期中國の口語,1972年,福島大學教育學部論集·24。

㉙中國語譯《百喩經》の言語,1979年,福島大學教育學部論集·31-2。

㉚中國語譯《雜寶藏經》の言語,1980年,福島大學教育學部論集·32-2。

㉛中國語譯《生經》の言語,1981年,福島大學教育學部論集·33。

㉜六朝漢譯佛典の語法その一"將+否定詞",1984年,大正大學總合佛教研究所年報·6。

㉝六朝漢譯佛典の語法その二"了+否定詞",1985年,大正大學總合佛教研究所年報·7。

㉞《六度集經》《佛説義足經》における人稱代詞の復數形式,1999年,中國語學·246。

㉟中古初期二地域における二人稱代詞,2000年,東京都立大學人文學報·311。

㊱《長阿含經》の原語の研究—音寫語分析を中心として—,1994年,平河出版社。

㊲漢譯佛典の漢語と音寫語の問題,1996年,春秋社《東アジア世界と佛教文化》。

㊳(中文),1997年,俗語言研究·4。

㊴(中文),1998年,俗語言研究·5。

㊵中古漢語の是非疑問文,1992年,中國語學·239。

㊶中古漢語副詞"無得"について,1994年,愛知大學文學論叢·88。

㊷《論衡》の使動用法,1998年,中國語學·245。

㊸先秦·兩漢の"見"について,1999年,中國語學·246。

㊹《齊民要術》に見る使成フレーズ Vt+Vi,2000年,日本中國學會報·52。

㊺《急就篇》皇象本諸本について,1994年,汲古·35。

㊻1995年,島根大學教育學部紀要·人文社會科學·29。

㊼1998年,東方學·96。

㊽1999年,大阪大學中國研究集刊·25。

㊾1998年,東方書店《現代中國學への視座·言語編》。

㊿1998年,即《中國における言語地理と人文·自然地理(2)》。

㉛1998年,東京都立大學人文學報·292,共著。

㉜2000年,即《中國における言語地理と人文·自然地理(6)》。

㉝(中文),1998年,《語苑搆英—慶祝唐作藩教授七十壽辰學術論文集》。

㉞1999年,即《中國における言語地理と人文・自然地理(2)》。

㉟漢代方言における言語境界綫,2001年,《中國における言語地理と人文・自然地理(7)》。

㊱《爾雅》注における方言,1987年,日本大學人文科學研究所紀要・33。

㊲《爾雅》注に關する考證の問題,1988年,日本大學人文科學研究所紀要・35。

㊳郭璞の訓詁,1995年,汲古書院《栗原圭介博士頌壽記念東洋學論集》。

汉语音韵史上有待解决的问题[*]

丁邦新

汉语音韵史的研究有两条主线：一条是继承传统语言学的研究，把古文献中有关汉语语音的资料整理分析，用现代语言学的眼光加以诠释，赋予新的意义。另一条是调查汉语方言，整理方言的语音系统，用历史语言学的方法拟测古音。研究者试着把这两条线交汇起来，找出音韵史上若干演变的点。到目前为止，第一条主线的成绩相当可观，第二条主线的研究还有待加强。至于追寻两条线的交汇点，则有的成功，有的难以成立，还有很长远的路要走。

1. 汉语音韵史研究方法论

1995年同时有两篇文章讨论到汉语音韵史研究的方法论。一篇是 Jerry Norman（罗杰瑞）和 South Coblin（柯蔚南）(1995) 合作的文章：A New Approach to Chinese Historical Linguistics[①]。一篇是我写的《重建汉语中古音系的一些想法》（丁1995）。这两篇文章都认为现在大家所采取的研究法有些缺陷，应该改弦更张，但是意见并不相同。我想有必要在此略为介绍这两篇文章的大意。

Norman 和 Coblin 两位提出以下四点：一、《切韵》并不代表

---

[*] 此文为作者在2000年6月第三届国际汉学会议（台北）上的主题讲演。

任何时代任何地点的一个活方言,根据《切韵》所拟的中古音因此不是一个语言,既无音韵结构,亦无词汇文法可言。二、毫无根据说《韵镜》代表唐代的长安话。三、唐代的长安话未必是一个举国奉行的官话(koine),尤其不能说这种长安话渐渐取代了唐以前的多种方言。四、不能说闽语以外的各种方言都从《切韵》来,因为《切韵》不是一个真实的语言,而是传统音韵注释的记录。结论是我们需要从一个新的角度出发,试从方言的比较做起,必须结合传统的比较方法和历史文献来研究,在两者之间取得一个平衡点。所谓方言的比较应离开"字"的比较,从词汇着手,并注意文法,因此需要一个方言的分类。根据分类才能了解各大方言区的内涵,然后再在同一个大方言区里做次方言的比较,从而厘清汉语的历史演变。

我(1995)的文章基本上也说《切韵》不是一个活方言,不能拟测为一个单一的音系,而是南北两个方言的融合,一个是北方的邺下音系,一个是南方的金陵音系。《切韵》序中记录参与讨论的九个人可以彼此沟通,主要讨论的是字与字可不可以押韵的关系,其次才是声类的问题。但可以押韵并不代表读音相同,所以我们没有理由给《切韵》拟测单一的音系。而传统的音注最早的到东汉,他们讨论的读书音涵盖东汉到晋,西汉及以前根本没有资料,无从谈起。我认为现代方言除闽语白话音外应分两组,一组从邺下音系演变而来,另一组从金陵音系演变而来。

回头来看这两篇文章,主要的不同点有二:第一,我认为《切韵》可以分别拟测南北两大方言音系,Norman 和 Coblin 两位没有这个看法。第二,他们觉得研究应从方言词汇比较着手,而我根本没有提起。现在来检讨一下。

我以为《切韵》既是为押韵而作的韵书,自然离不开字音,不提词汇文法毋宁是自然的事。如果它的音系是由两个大方言拼凑而成,加上五家韵书韵类的区别,我们可以设法还原。首先把不大常见的读书才用得到的字放在一边,然后把南北有差异的地方分开,再根据现代方言加上《切韵》的区别拟测南北两个方言的音系。近年来梅祖麟(1995,1999)文章中屡屡提到的古江南方言、江东方言就是我所说的《切韵》的金陵音系。

根据《切韵》及方言拟测当时的两个音系固然是读书音,但当时的读书音与白话音相信距离还不是太远。《切韵》成书后八年,隋炀帝609年才开始设置明经、进士两科,大量的文白之异是科举盛行以后读书音跟方言不相合才产生的现象。所以到现在方言之中以闽语的文白距离最大,官话系统文白的差异非常有限。《切韵》序中提到的九个人既然可以讨论押韵问题,而从颜之推的《音辞篇》看来,几乎没有提到文白之异,可见当时说话读书是很相近的,可能跟大多数的官话方言类似。邺下和金陵两个音系如果拟测完成,代表的应是当时实际的口语。

Norman 和 Coblin 两位认为方言研究应该从词汇的比较着手,我以为如果没有《切韵》,如果文白读音差异极大,那当然要从词汇的比较开始。现在既然可以从《切韵》的间架和方言的字音拟测当时的两大音系,而且文白的区别又不是那么显著,那么,从字音入手和从词汇入手得到的结果相信不会有很大的差别。反而,从词汇入手的方法会有一点局限和偏差。以下分别从三方面来说:

第一,词汇和字音没有差别

我们用今天的方言来说明这个现象,资料的来源是北大的《汉语方言词汇》和《汉语方音字汇》。用数目字 1357 表示阴调,2468 表示阳调,0 表示轻声。有些不分阴阳调的方言只用 135 表示平上去,如太原。

方言点	词目:桃花(1995:88)	词目:桃 花(1989:179,15)
北京	tʻau2 xuar1	tʻau2 xua1（花儿 xuar1）
济南	tʻɔ2(42→45) xua0	tʻɔ2 xua1
西安	tʻau2 xua1	tʻau2 xua1
太原	tʻau1 xua1	tʻau1 xua1
武汉	tʻau2 (213→21) xua1	tʻau2 xua1
成都	tʻau2 xua1	tʻau2 xua1
合肥	tʻɔ2 xua1(212→21)	tʻɔ2 xua1
扬州	tʻɔ2 xua1	tʻɔ2 xua1
苏州	dæ2 (24→22) ho0	dæ2 ho1
温州	də2 (31→21) ho1 (44→33)	də2 ho1
长沙	tau2 fa1	tau2 fa1
双峰	dɤ2 xo1	dɤ2 xo1
南昌	tʻau2 fa1	tʻau2 fa1
梅县	tʻau2 fa1	tʻau2 fa1
广州	tʻou2 fa1 (53→55)	tʻou2 fa1
阳江	tʻou2 fa1	tʻou2 fa1
厦门	tʻo2 (24→33) hue1	tʻo2 hue1
潮州	tʻo2 (55→213) hue1	tʻo2 hue1
福州	tʻɔ2 (52→44)ua1(x-)	tʻɔ2 xua1
建瓯	tʻau5 xua1	tʻau5 xua1

除去变调以外,词目的"桃花"就等于字目的"桃"加"花",二十二个方言点无一例外。方言的拟测对变调的利用(丁1982,1984;何1984),这里可以暂时不谈。个别词汇等于相关字音的总和,从字音入手和从词汇入手在某些情形下得到的结果是一样的,所以说没有差别。

第二,从词汇入手的局限

从词汇入手的比较研究有时可能只能作大方言之中次方言或

小方言的比较，无法拿来比较大方言，当然不容易谈到拟测古音。因为词汇之间的差别太大了，难以找到可以比较的共同词汇。再以现代方言为例，请看以下的例子。

方言点	词目[②]	螳螂	t'aŋ2 laŋ2
北京	刀螂		tau1 laŋ0
济南	刀螂		tɔl laŋ0
西安	猴子		xou2 tsʅ0
太原	扁担婆		pie3 tæ5 p'ɤ1, pæ̃3 tæ5 p'ɤ1
武汉	休子		ɕiou1 tsʅ0
成都	孙猴子		sən1 xəu2 tsʅ0
合肥	刀螂		tɔl lã0
扬州	刀螂子		tɔl laŋ0 tsɛ0
苏州	螳螂		dəŋ2 ləŋ2
温州	剪裾娘		tɕi3 tɕy1 ȵi2, tɕi3 tɕiəu1 ȵi2
长沙	禾老虫		o2 lau3 tsən2
双峰	禾老虫		əu2 lɤ3 dan2
南昌	螳螂		t'ɔŋ2 lɔŋ3
梅县	螳螂□		t'ɔŋ2 lɔŋ2 ɛ3
广州	马狂螂		ma4 k'ɔŋ2 lɔŋ2
阳江	马骝狂		ma3 ləu2 k'ɔŋ2
厦门	草猴		ts'au3 kau2
潮州	草猴		ts'au3 kau2
福州	草蜢哥		ts'au3 maŋ3 kɔl
建瓯	芦蚂		su5 ma3

我们可以看到方言大体的区分，大概官话区的是"刀螂"，吴、赣、客家是"螳螂"，湘语是"禾老虫"，闽南、潮州是"草猴"。其他词汇的情形更是各式各样，顶多在一个大方言区里作比较，给次方言分类，研究彼此的亲疏关系。显然不可能借词汇的比较作古音的拟测。

第三，从词汇入手可能产生的偏差

如果只看词汇，不参考《切韵》的字音，有时可能产生偏差。例如：

方言点	词目：	痣	
北京	痦子	u5 tsʅ0	
济南	痦子	u5 tsʅ1	
西安	黡子	iæ3 tsʅ0	
太原	黑黡	xəʔ7 ie3	红黡 xuŋ1 ie3
武汉	痣	tsʅ5	
成都	痣	tsʅ5	
合肥	痣	tsʅ5	
扬州	痣	tsʅ5	
苏州	痣	tsʅ5	
温州	痣	tsʅ5	
长沙	痣	tsʅ5	
双峰	痣	tsʅ5	
南昌	痣	tsʅ5	
梅县	痣	tsʅ5	
广州	痣	tʃi5	
阳江	痣	tʃi5	
厦门	痣	ki5	
潮州	痣	ki5	
福州	痣	tsei5	
建瓯	痣	tsi5	

"痣"在厦门、潮州读"ki5"，如果只看这个资料，可能会怀疑"痣"为何有这个读法？会不会就是"胎记"的"记"？但是如果知道《切韵》照三系声母的字在闽南有一类读舌根声母，如厦门：枝 ki1、齿 kʻi3、柿 kʻi6，那么就不会产生怀疑。

总之，对传统字音的重视有它的道理，即使纯从词汇入手，一方面可能跟字音的研究并无二致,另一方面可能有它的局限,并发生不必要的偏差。因此,我认为传统字音和方言词汇的研究可以并行不悖,不能完全扬弃《切韵》的功用。换句话说,不能完全离开"字"的比较。[3]

2. 中古三等韵的来源

《切韵》中的三等韵特别多,占全部韵数的 49%。对这个现象有许多解释,早年 Pulleyblank(1962)认为三等韵是从长元音来的;后来(1973)大体认为一二四等韵和三等韵来自不同的音节,三等韵是从有降调重音的音节来的。Bodman(1980)认为有两种-j-,一早一晚。郑张尚芳(1987)和 Pulleyblank 相反,认为是从短元音来的,Starostin(1989)也有相同的意见。Norman(1994)则将上古汉语的音节分为三种,认为三等韵是最自然的普通音节腭化的结果。只有柯蔚南(Coblin 1986)和龚煌城(1995)认为三等韵的-j-是原始汉藏语就有的,龚煌城的最主要的证据就是西夏语显然保存了原始汉藏语的介音-j-。对于西夏语的证据别人不研究的难以置喙,所以,我想从汉语本身的材料,检看一下这几个说法哪一个更接近事实。

设想上古若有长短元音的区别,这在音韵层次是一个很基本的差异,那么在《诗经》押韵里多少应该透露一点消息。如果有不同的音节,可不可以一起押韵呢?我想检看一下《诗经》的韵例,看看三等韵字在押韵的行为上有没有特殊的地方。如果三等韵字自成一类,和一二四等字不同,那么有可能是从某一类音演变而来的,或为长音或为短音,反正与一二四等字是不同的两类音,或者是不同的音节;如果三等字总跟一二四等字混在一起押韵,那么就没有理由相信有长短音的区别,可能也没有两种音高不同的音节,反而可以推论三等韵有某种介音,它跟一二四等字押韵是因为主要元音相同。

《诗经》的韵例因研究者的不同而有认定的差异,但是用整体的韵字来统计,几处个别性的差异就无关宏旨了。现在根据陆志韦(1948)的《诗韵谱》,参照王力(1980)的《诗经韵读》加以统计,以下便是统计的结果。

《诗经》韵组押韵情形统计表

等第	三字以下韵组数	四字以上韵组数
一	115	6
二	3	0
三	431	49
四	27	1
一二	28	6
一三	405	218
一四	3	0
二三	92	23
二四	5	0
三四	86	45
一二三	29	83
一二四	1	0
一三四	2	4
二三四	8	14
一二三四	0	1

在讨论统计结果之前,关于资料本身有几点要说明:

一、所谓"韵组"就是一首诗中连续押韵的一组韵字。因为至少两个韵字才能成为一个韵组,很容易找到两个音韵极接近的字,所以如果两个韵字同一等第并不奇怪。三个韵字还有偶然的可能,四个韵字音韵都很接近,虽不排除偶然的可能,一般说来应该反映诗人的语感。因此我把三字以下和四字以上的韵组分开计算。

二、有的诗共有四个韵字,但其中一个是明显的重复,就看成是三字韵组。例如《召南·江有汜》："江有汜,之子归,不我以。不我以,其后也悔。"三四两句只是完全重复的诗句,"汜、以、以、悔"四字押韵,但只当做三字韵组看待。

三、有的韵组在前后两章诗中重复出现,这是《诗经》中常见的现象,就只记录一次。例如:《王风·扬之水》:"扬之水,不流束薪;彼其之子,不与我戍申,怀哉怀哉!曷月予还归哉?扬之水,不流束楚;彼其之子,不与我戍甫,怀哉怀哉!曷月予还归哉?扬之水,不流束蒲;彼其之子,不与我戍许,怀哉怀哉!曷月予还归哉?"三章的最后两句完全相同,"怀归"两字押韵,只算一次,不重复记数。

四、有少数诗篇陆志韦、王力两位对韵字的看法不同,就参酌决定,不一一详细标明。幸好这样的地方不多,不致影响统计的结果。

现在来看表上数字代表的意义:

一、三字以下韵组中,三等字单独押韵的相当多,有431见,但是把一三、二三、三四、一二三、一三四、二三四等六种三等字跟一、二、四等字押韵的韵组加起来共有622条。可见三等跟本身押韵的要比跟一、二、四等押韵的为少。

二、如果看四字以上的韵组,比数就更加悬殊。三等字单押的有49见,但跟一、二、四等字相押的就达到388见。可见比较长的诗,韵字比较多的,混押的比数也就增加。

三、一、二、四等分别单押的比数也不高,四字以上的韵组尤其少。

根据这些现象得到以下的几个推论:第一、三等字在《诗经》里押韵的行为并没有单独成为一类的倾向,总是跟一等,二等或四等的字一起押韵。第二、一、三两等字在一起押韵的特别多,不像有长短音的不同,也不像有音节的不同。第三、二、四等字单独押韵的特别少,因为本来属于二等、四等韵的字就少。这跟字本身有没有在适合的词汇出现,以及有没有诗意、能不能入韵都有关。第

四、二等字既可以和一等字押韵,又可以和三、四等字押韵,一二三等字一起押韵的例子也不少。

除了《诗经》韵字以外,谐声字的行为本来也可以观察,但谐声字同时要求声母相近,不像诗韵可以有广泛的选择,所以没有作详细的分析。就一般的现象来说,一、三等字同属一个谐声声符的例子比比皆是,不遑枚举。

回头来看各家的理论,无论认为三等字是从短元音或长元音演变而来,在《诗经》韵和谐声字里,都没有清楚的证据。《诗经》韵里或可因为歌唱的关系使长短元音混押,但谐声字里的长短元音不可能相混。如果认为三等字是跟一二四等不同的一种音节,看起来这两种音节既可以互相押韵也可以自由谐声,不像是不同的音节。最可能的解释就是押韵的一、三等字主要元音相同,而三等字多一个三等的介音,这个介音既不影响谐声又不影响押韵。那么汉语的证据可以支持李方桂先生的拟音,也可以支持 Coblin 和龚煌城的假设。当然,如果这些理论讨论的都是《诗经》韵、谐声字以前的远古音系拟测,不需要在上古音中找证据的话,就要加强其他同族系语言的证据,这一点似乎做得还不够。

以上虽然说明了三等字恐怕不是从长、短元音或某种音节演变而来,但并没有解决根本的问题:三等字在中古音里为什么特多?我想最大的可能就是三等字有几个不同的来源,除去从-j-的直接来源以外,其中一个来源可能从带-l-<-r-[①]的复声母变来,从-l-<-r-变-j-是非常自然的事。例如争论较少的复声母字:"笔、禁、泣、品、检"都是三等字。上古音中还有许多问题,有些问题可以暂时留着等待将来再解决。

3. 重纽的纠葛

重纽的问题讨论了近 60 年了,最近的研究似乎慢慢有了共识,主要是龚煌城(1997)的《从汉藏语的比较看重纽问题》和我(1997)的《重纽的介音差异》。龚文主要讨论上古音中重纽的区别,援用汉藏语比较的例证;我则纯从中古音入手,看所有相关的材料如何解释。现在不介绍研究的历史,[5]只从重纽本身来检讨问题。重纽指在《切韵》"支、脂、真、(谆)、祭、仙、宵、侵、盐"等韵出现的两套唇牙喉音字。本文根据重纽在韵图出现的等第,称见于三等的为重纽三等,见于四等的为重纽四等,无重纽的三等韵称为普通三等韵。以下罗列重纽的特性及可能的解释。日本资料并不能显示重纽的区别,在此不赘。请参看平山久雄(1997)及吴圣雄(1997)。

3.1《切韵》重纽的情形

现象:重纽只在《切韵》三等韵出现。重纽三四等字不互作反切上字,但都用普通三等韵作反切上字。重纽三等字的又音是普通三等韵,而重纽四等的又音是纯四等韵(齐萧添先青)(李荣1956:140)。8世纪末慧琳的《一切经音义》中重纽三四等字也不互作反切上字,而重纽三等字和普通三等韵来往,重纽四等和纯四等字混用(谢美龄 1990:90)。

解释:重纽三四等字不互作反切上字,又都用普通三等韵字为上字,表示同声母的字有三种类型。它们不会是声母的不同,因为基本上声母的系联只有一类;[6]上字的问题不牵涉元音,也不会是元音和韵尾的不同;最大的可能是介音的不同,在三等韵中至少要设计三种不同的介音来解释重纽的问题。同时重纽三等的介音接近普通三等韵,重纽四等的介音接近纯四等韵,那么我们就不得不假定普通三等韵的介音和重纽三等的接近,纯四等韵的介音和重纽四等的接近。如果认为四等韵没有介音,对这种反切上字的现象简直没有办法解释。

3.2 重纽的演变

现象：重纽三、四等字从系联来说，从《经典释文》《全王》《广韵》到《集韵》都有区别，但又不能截然分开。而在早期韵图《韵镜》《七音略》里，重纽字分列三、四等，非常清楚。

解释：重纽三、四等分两类，在各个时代都有语音的根据，只是早晚期语音不同。董同龢先生(1945)认为重纽三等单独为一类，重纽四等和舌齿音为一类。龙宇纯(1970)恰恰相反，认为重纽三等和舌齿音是一类，重纽四等是单独的一类。其实两个说法都对，董所描写的是早期系联的现象，龙宇纯说的是韵图晚期的情形。[①]

3.3 重纽的音值

现象：在梵汉对音里，从3世纪到8世纪重纽三等字对译梵文的-r-，重纽四等字对译梵文的-y-。在高丽译音里，重纽唇音读法有 p、p' 的不同；牙喉音则重纽三等有后高元音 ɯ 或 u，重纽四等有-i-介音或 i 元音，但没有后高元音。在汉越语译音里，重纽三等唇音字仍读重唇，而重纽四等字则有一大部分变舌尖音。

解释：梵汉对音提供拟测重纽三、四等音值的线索。高丽译音唇音部分读法分歧跟谐声字有关，可能跟中古音值没有直接关联。牙喉音重纽三等 ɯ 或 u 大概是后来的演变。汉越语译音最关重要，必须找出唇音变舌尖音的条件。我(1997)的结论是：

重纽三等介音	-rj-
重纽四等介音	-i-
普通三等韵介音	-j-
纯四等韵介音	-i-

重纽三等的介音-rj-照顾梵汉对音，r 的发音可能接近现代英语的发音，有圆唇的成分，因此高丽译音里后来产生 ɯ 和 u。重纽四等的介音-i-，设想这个-i-使得唇音变舌尖音，主要参考 Ohala(1978)

的文章,他称这种现象为唇音腭化(palatalization of labials)。纯四等韵的介音也是-i-,跟重纽四等没有区别,只有三、四等韵的元音不同。在汉越语译音里,纯四等字也有读舌尖音的,例如:并 tinh、茗 zanh、霹 t'it。如果不给四等字拟测一个介音-i-,试问纯四等字在汉越语里为何也会跟重纽四等一样从唇音变成舌尖音? 普通三等韵的介音拟测为-j-,因为施向东(1983)指出梵文有-y-的音节总是用三等字对译。同时普通三等字可以用为重纽三四等字的反切上字,正是因为这个-j-。一方面和重纽三等-rj-的第二成分一样,另一方面也接近重纽四等的-i-。

3.4 重纽的上古来源

现象:中古的重纽具有不同的上古来源,有的来自不同的韵部,如中古的"支、真、谆"诸韵。例如:真韵的重纽三等字"彬彪贫珉"来自上古文部;而重纽四等字"宾缤频民"却来自真部;入声部分完全一样,重纽三等"笔弼密[®]乙"来自微部入声,重纽四等"必邲蜜一"来自脂部入声。有的则来自相同的韵部,如中古的"祭仙宵"诸韵。例如宵韵重纽三等的"镳苗趫乔"和重纽四等的"飙蜱跻翘"都来自宵部。

根据龚煌城(1997)的资料,汉藏语里的同源字显示和重纽三等对当的大体是-r-,和重纽四等对当的不一致,大体是-y-。

解释:认为在上古音中重纽三等具有-rj-介音的有好几位学者,说得最清楚的是 Baxter(1992:280)。龚煌城汉藏语的材料可以大致证明有-r-,是不是-rj-还不是很清楚。但上文第二部分已经从《诗经》韵和谐声字推定三等韵的-j-是上古已有的,而且是古汉藏语所共有的,中古重纽三等和普通三等韵又有密切的又音关系,那么-rj-的拟测应无可疑。

现在上古音和中古音两者对重纽的解释都指向同一个方向,

重纽三等是-rj-无可争论，但重纽四等我认为中古是-i-，不是-j-，因为汉越语里普通三等韵的唇音字不变舌尖音，只有部分重纽四等字和纯四等的字才变为舌尖音，而上古的重纽四等按李方桂先生的拟音则是从-ji-来的，在好几个韵部里也许就不需要拟测-ji-了。

中古音按我的意思要分为两个音系：金陵音系和邺下音系，现在还没有整套的拟音，因此无法具体地说明重纽介音如何影响元音演变的方向。我们知道《颜氏家训·音辞篇》说过："岐山当音为奇，江南皆呼为神祇之祇"，"岐奇"是重纽三等字，"祇"是重纽四等字，那时江南人已经不分了，而北方仍然可以分辨。

以下按李先生的系统作部分的修正，加上重纽字的-rj-，把相关的上古音罗列出来，[⑨] 作为本文的结束。例字取比较常见的，不一一列举。

中古韵目及重纽　　上古韵部及例字

支韵重纽三等　歌部平声：陂 prjar 铍 phrjar 皮 brjar 縻 mrjar

　　　　　　　　　　　羁 krjar 奇 grjar 宜 ngrjar 牺 hrjar

　　　　　　　　　　　妫 kwrjar 亏 khwrjar 危 ngwrjar 为 hwrjar

　　　　　上声：　　　彼 prjarx 被 brjarx 靡 mrjarx

　　　　　　　　　　　掎 krjarx 绮 khrjarx 蚁 ngrjarx 倚 ?rjarx

　　　　　　　　　　　诡 kwrjarx 跪 gwrjarx

　　　　　去声：　　　寄 krjarh 义 ngrjarh 戏 hrjarh 伪 ngwrjarh

　　　　　微部上声：　委 ?wrjərx 毁 hwrjərx

支韵重纽四等　佳部平声：卑 pjig 陴 bjig 只 gjig 规 kwjig 阕 khwjig

　　　　　上声：　　　俾 pjigx 婢 bjigx 弭 mjigx

　　　　　去声：　　　臂 pjigh 譬 phjigh 避 bjigh 企 khjigh

　　　　　　　　　　　恚 ?wjigh 孈 hwjigh

脂韵重纽三等　脂部平声：眉 mrjid

　　　　　上声：　　　美 mrjidx

　　　　　去声：　　　秘 prjidh 郿 mrjidh

	微部平声：悲 prjəd
	去声： 濞 phrjədh 冀 krjədh 器 khrjədh 愧 kwrjədh
	喟 khwrjədh 匱 gwrjədh
	之部平声：丕 phrjəg 邳 brjəg 龟 kwrjəg 逵 gwrjəg
	上声： 鄙 prjəgx 噽 phrjəgx 否 brjəgx 軌 kwrjəgx
	去声： 备 brjəgh
脂韵重纽四等	脂部平声：纰 phjid 毗 bjid 伊 ʔjid 葵 gwjid
	上声： 匕 pjidx 牝 bjidx 癸 kwjidx
	去声： 弃 khjid 季 kwjidh 悸 gwjidh
	微部去声：痹 pjiədh 鼻 bjiədh 寐 mjiədh
真谆韵重纽三等	文部平声：彬 prjən 贫 brjən 珉 mrjən 巾 krjən
	銀 ngrjən 麋 kwrjən 困 khwrjən
	上声： 愍 mrjənx 蜃 khrjənx 听 ngrjənx 窘 gwrjənx
	去声： 仅 grjənh 憖 ngrjənh
真谆韵重纽四等	真部平声：宾 pjin 频 bjin 民 mjin 因 ʔjin 均 kwjin
	上声： 紧 kjinx
	去声： 印 ʔjinh
质韵重纽三等	微部入声：笔 prjət 弼 brjət 密 mrjət 乙 ʔrjət 肸 hrjət
质韵重纽四等	脂部入声：必 pjit 匹 phjit 邲 bjit 蜜 mjit 去 kjit
	吉 kjit 诘 khjit 一 ʔjit
祭韵重纽三等	祭部去声：劓 ngrjad 劊 kwrjad
祭韵重纽四等	祭部去声：蔽 pjiad 潎 phjiad 獘 bjiad 袂 mjiad 艺 ngjiad
仙韵重纽三等	元部平声：愆 khrjan 干 grjan 焉 ʔrjan 权 gwrjan
	上声： 辡 prjanx 辨 brjanx 免 mrjanx
	蹇 krjanx 齴 ʔrjanx 卷 kwrjanx 圈 gwrjanx
	去声： 变 prjanh 卞 brjanh 彦 ngrjanh
	眷 kwrjanh 倦 gwrjanh
仙韵重纽四等	元部平声：鞭 pjian 篇 phjian 绵 mjian
	上声： 褊 pjianx 緬 mjianx

	蹇 kjianx 遣 khjianx 蜎 gwjianx
	去声： 便 bjianh 面 mjianh 遣 khjianh 绢 kwjianh
薛韵重纽三等	祭部入声：别 brjat 揭 khrjat 杰 grjat 孽 ngrjat
薛韵重纽四等	祭部入声：瞥 phjiat 灭 mjiat 孑 kjiat
宵韵重纽三等	宵部平声：镳 prjagw 苗 mrjagw 骄 krjagw
	跷 khrjagw 乔 grjagw 妖 ʔrjagw 嚻 rjagw
	上声： 表 prjagwx 矫 krjagwx
	去声： 庙 mrjagwh
宵韵重纽四等	宵部平声：飙 pjiagw 漂 phjiagw 瓢 bjiagw 翘 gjiagw
	上声： 缥 phjiagwx 眇 mjiagwx
	去声： 剽 phjiagw 骠 bjiagwh 妙 mjiagwh
	翘 gjiagwh 要 ʔjiagwh
侵韵重纽三等	侵部平声：音 ʔrjəm
侵韵重纽四等	侵部平声：愔 ʔjəm
缉韵重纽三等	缉部入声：邑 ʔrjəp
缉韵重纽四等	缉部入声：揖 ʔjəp
盐韵重纽三等	谈部平声：箝 grjam 淹 ʔrjam
	上声： 奄 ʔrjamx
	去声： 憸 ʔrjamh
盐韵重纽四等	谈部平声：恹 ʔjam
	上声： 黡 ʔjamx
	去声： 厌 ʔjamh
叶韵重纽三等	叶部入声：腌 ʔrjap
叶韵重纽四等	叶部入声：魇 ʔjap

附注：

①中译文《汉语历史语言学研究的新方法》，朱庆之译，见《汉语史研究集刊》，第一辑，巴蜀书社1998年。

②因为跟主要的讨论不相干，资料里省略了变调。

133

③从另一方面来说,词汇研究也是不可缺少的。梅祖麟兄指出:"(1)苏州话'猪'一般说 tsʮ,如'猪、猪肝、猪肉、公猪',只有'猪油'的'猪'说 tsɿ。(2)上海话'虚心、虚实',虚字单说都说 xy,只有 hE tsong'虚肿'一词中的'虚'字说 hE,(拙著《方言本字研究的两种方法》)。"可见词汇的研究要结合字音,一个字不同的读法可能显示方言的层次。以上梅兄的话引自他给我的通信,在此致谢。

④现在大致都接受来母来自于 r 的说法,什么时候 r 变成 l 的呢?我想应该不晚于东汉,闽语从汉代分出来,各闽语方言都有-l-。Coblin(1983:48)认为东汉时代有带-l-的复辅音。

⑤请参看龚(1997)、丁(1997)。另请参看龙宇纯(1989),因为有好些观念上的不同,在此不加批评。

⑥董同龢(1952)、李荣(1956)系联《全王》反切上字,虽然有的声母一二四等上字与三等上字有别,但都认为分别属于一类。

⑦各家看法分歧的情形详见丁邦新(1977),此处只举有代表性的说法。

⑧"密"字归部各家有异,"宓"声在脂部。

⑨属于中古影母的字改用 ʔ。

⑩这一部有跟舌根音谐声的喻四字"衍",原来李先生拟为 grjan,现在直接拟为 ran,并不冲突。

参考文献

丁邦新　1984　《吴语声调之研究》,《中央研究院历史语言研究所集刊》55.4:755—788。

　　　　1995　《重建汉语中古音系的一些想法》,《中国语文》第 6 期:414—419。

　　　　1997　《重纽的介音差异》,《声韵论丛》6:37—62。

王　力　1980　《诗经韵读》,上海古籍出版社。

平山久雄　1997　《重纽问题在日本》,《声韵论丛》6:5—35。

北京大学中国语言文学系　1989　《汉语方音字汇》(第二版),文字改革出版社。

　　　　　　　　　　　　1995　《汉语方言词汇》(第二版),语文出版社。

何大安　1983　《变读现象的两种贯时意义——兼论晋江的古调值》,《中央研究院历史语言研究所集刊》55.1:115—132。

吴圣雄　1997　《日本汉字音能为重纽的解释提供什么线索》,《声韵论丛》6:371—413。

李　荣　1956　《切韵音系》,科学出版社。

李方桂　1971　《上古音研究》,《清华学报》新9.1—2:1—61。

　　　　1976　《几个上古声母问题》,《中央研究院总统蒋公逝世周年纪念论文集》,1143—1150,中央研究院。

周法高　1945　《广韵重纽的研究》,《中央研究院历史语言研究所集刊》13:49—117。

　　　　1989　《隋唐五代宋初重纽反切研究》,《中央研究院第二届国际汉学会议论文集》(语言文字组),85—110,中央研究院。

施向东　1983　《玄奘译著中的梵汉对音和唐初中原方音》,《语言研究》1:27—48。

陆志韦　1948　《诗韵谱》,《燕京学报》专号之二十一,哈佛燕京学社。

梅祖麟　杨秀芳　1995a　《几个闽语语法成分的时间层次》,《中央研究院历史语言研究所集刊》66.1:1—21。

　　　　　　　　1995b　《方言本字研究的两种方法》,《吴语和闽语的比较研究》,上海教育出版社。

　　　　　　　　1999　《闽语、吴语和南朝江东方言之间的关系》,第六届闽方言国际研讨会论文。

董同龢　1944　《上古音韵表稿》,中央研究院历史语言研究所单刊甲种之二十一。

　　　　1945　《广韵重纽试释》,《中央研究院历史语言研究所集刊》13:1—20。

　　　　1952　《全本王仁昫刊谬补缺切韵的反切上字》,《中央研究院历史语言研究所集刊》23.1:511—522。

　　　　1960　《四个闽南方言》,《中央研究院历史语言研究所集刊》30:729—1042。

郑张尚芳　1987　《上古韵母系统和四等、介音、声调的发源问题》,《温州师范学院学报》(社科版)1987.4:67—90。

龙宇纯　1970　《广韵重纽音值试论兼论幽韵及喻母音值》,《崇基学报》9.2:161—181。

　　　　1972　《韵镜校注》,台北艺文印书馆。

　　　　1989　《论重纽等韵及其相关问题》,《中央研究院第二届国际汉学会议论文集》(语言文字组),111—124,中央研究院。

谢美龄　1990　《慧琳反切中的重纽问题》,《大陆杂志》81.1:34—48。

龚煌城　1997　《从汉藏语的比较看重纽问题(兼论上古*-rj-介音对中古韵母演变的影响)》,《声韵论丛》6:195—243。

Baxter, William H. 1992 *A Handbook of Old Chinese Phonology*. Trends in Linguistics: Studies and Monographs 62. Berlin: Mouton de Gruyter.

Bodman, Nicholas 1980 Proto-Chinese and Sino-Tibetan: Data towards establishing the nature of the relationship. *Contributions to Historical Linguistics: Issues and Materials*, ed. by Frans van Coetsem and Linda R. Waugh. Leiden: E.J.Brill.

Chang, Kun(张琨), and Betty Sheffs Chang 1972 *The Proto-Chinese Final System and the Ch'ien-yün*. The Institute of History and Philology Monograph Series A26. Taipei: Institute of History and Philology, Academia Sinica.

Coblin, South(柯蔚南) 1983 *A Handbook of Eastern Han Sound Glosses*. Hong Kong: The Chinese University Press.

　　　　　　　　　1986 *A Sinologist's Handlist of Sino-Tibetan Lexical Comparisons*. Nettetal: Steyler Verlag.

Gong, Hwang-cherng(龚煌城) 1995 The system of finals in Sino-Tibetan. *The Ancestry of the Chinese Language*, ed. by William S-Y. Wang, 41—92. Journal of Chinese Linguistics Monograph Series No.8. Berkeley: Journal of Chinese Linguistics.

Ohala, John J.　1978　Southern Banta vs. the world: The case of palatalization of labials. *Proceeding of the Berkeley Linguistic Society* 4: 370—386.

Norman, Jerry（罗杰瑞）　1994　Pharyngealization in Early Chinese. *Journal of the American Oriental Society* 114.3:397—408.

Norman, Jerry, and South Coblin（罗杰瑞,柯蔚南）　1995　A new approach to Chinese historical linguistics. *Journal of the American Oriental Society* 115.4:576—584.

Pulleyblank, Edwin G.　1962　The consonantal system of Old Chinese. *Asia Major* 9:58—114, 206—265.

　　　　　　1973　Some new hypotheses concerning word families in Chinese. *Journal of Chinese Linguistics* 1:111—125.

Starostin, Sergei A.　1989　*Rekonstrukcjia Drevnekitajskoj Fouologiceskoj Sistemy*. Moscow: Nanka.

Ting, Pang-hsin（丁邦新）　1982　Some aspects of tonal development in Chinese dialects. *Bulletin of the Institute of History and Philology* 53.2:629—644.

Wang, William S-Y.（王士元）（ed.）1995　*The Ancestry of the Chinese Language*. Journal of Chinese Linguistics Monograph Series No.8. Berkeley: Journal of Chinese Linguistics.

表示梵语"翘舌"元音的汉字

——二等重韵和三四等重纽

〔日〕水谷真成 著

张猛译 远藤光晓校

1. 前言

在梵语里,"翘舌"辅音有 $ṭ[t]$, $ṭh[th]$, $ḍ[ɖ]$, $ḍh[ɖh]$, $ṇ[ɳ]$, $r[r]$, $ṣ[ṣ]$,关于它们的特征,历来有很多论述。

但是,在元音字母里, a, i, $ṛ$, l, u; $ā$, $ī$, e; $ṝ$, $ū$, o; $ai(e)$, $au(o)$ 以外,并没有列出"翘舌"字母或音素,就管见所及,历来的研究文献中也几乎没有涉及。

从语音学的角度来看的话,具有"翘舌"发音动作的辅音相连接的音,尤其是后续的元音,当然有可能具备"翘舌"性发音动作。

比起梵语来,中国《切韵》(公元601年)系统的元音音位丰富些;因此,现将与它时代相近的文献中所见的汉字拿来进行对比,希望能从中看出梵汉之间究竟有怎样的特性来。

2.1 资料

本文从与《切韵》时代相前后的、以北方长安、洛阳等方言撰写而成的文献里,选用了如下作品:

《添品法华经》七卷(《大正藏经》,Vol.9,No.264)。隋·仁寿元年(公元601年)阇那崛多共笈多译。

《种种杂咒经》一卷(《大正藏经》,Vol.21,No.1337)。周·武帝时(561—577)阇那崛多译。

阇那崛多(北印度·揵达国人)、达磨笈多(南印度·罗啰国人)等,根据经籍记载,可以肯定他们使用的是长安话,作为《切韵》同时代的资料,应该是最为合适的[①]。这两部经书,本来都收入了《法华经》的"陀罗尼六咒";但是后来问世的《添品法华经》比起《杂咒经》来,更有一种详细忠实之趣。

《玄奘译法华陀罗尼六咒》(《玄应音义》第六卷所收)这是唐僧玄奘(公元600—664年)的译作,现在只能在《玄应音义》里见到。

《成就妙法莲华经王瑜珈观智仪轨》一卷(《大正藏经》,Vol.19,No.1000)。唐·不空(公元747年来中国,译经至771年)译。

其中同样可见《法华经》的"六咒"。可以作为考察唐代中期用字方面的变化情况的比较资料。

与这些译经中所见《法华经》"陀罗尼六咒"的音译汉字对比的梵文文献有以下三种:

Saddharmapuṇḍarīka. Edited by H. Kern & B. Nanjo. St. Petersbourg, 1912.

《改定梵文法华经》,荻原云来、土田胜弥校订。东京,1935。

Saddharmapuṇḍarīkasūtram, with N.D. Mironov's Readings from Central Asian Mss. Revised by N. Dutt. Culcutta, 1953.

2.2 包含梵语的"翘舌"音的词语

下面,收集上述《法华经》"陀罗尼六咒"中所见的、包含"翘舌"音的词语进行对照比较。不过,为了避免繁杂,凡是重出的词语中没有新的汉字标记的,均不采录,只收集新出词语。因此不考虑使用频率。此外,由于汉字的情况不很清楚,不采录 r-,-o,-u 之类。所以,本文所考察的是包含有[ṭ,ḍ,ṇ,ṣ,ṛ]+[a,e,i]形式的音

139

节所构成的词语。

此外,在第五咒里没有见到相关的词语。第六咒的音译词语情况和其他咒的有很多差异,需要进一步根据善本进行校勘,然而这样做会也不对本文既定目标产生重大影响,所以将有关的校订工作留作将来的课题,目前仅限于依据《大正藏经》。

表示梵语的"翘舌"元音的汉字表

咒号	句号	Skt.	添品法华	杂咒经	玄应音义	法华仪轨
I	13	aviṣame	穫_{鸟合}鼻鈔迷	阿_上鼻沙_{禊我反}迷	阿毗三謎	阿_上尾灑迷
	16	kṣaye	憩_{籥反}頤鬻	叉_{楚我反}曳	刹_重曳	迄灑_吞曳
	18	akṣiṇe	惡敨嬭_籥	阿敨嬭_{籥皆}	惡刹捤_{籥反}戒	惡乞史_{引合}抳
	20	dhāraṇi	陀邏膩_籥	陀囉_上嬭_{籥绮}	駄剌_割尼	駄_引囉抳
	21	bhāṣe②	婆栖	婆西_{普長}	婆_重娑	婆_引細
	22	vekṣaṇi④	鞞刹_鬓膩	聱_{菩迷}叉嬭_{籥皆}	吠刹捤	吠_{微閉反}乞灑_吞抳
	24	niviṣṭe	儞_饢鼻瑟黿_{籥都}	儞鼻瑟齳_{籥皆}	涅栗地瑟黿	顆尾瑟氀
	28	araḍe	頞邏第_籥	阿_上囉_上第_{徙皆}	阿刺黿	阿囉嬭
	29	paraḍe	鉢邏第	跛囉_上第	鉢刺黿	跛囉嬭
	30	śukāṅkṣi	恕_崖迦敨	輸_上迦敨	輸_戎迦差_{初理反}	輸迦_引乞史
	33	parīkṣite	鉢離器狗	跛璃绮瓶	波利差低	跛哩乞史_合帝
	34	nirghoṣaṇi	涅瞿殺嬭	儞瞿沙_{禊我反}嬭_{籥绮}	涅具殺尼	涅寧_逸具灑抳
	37	mantrākṣa-yate	曼怛邏憩夜狗	曼跢囉叉夜瓶	曼多羅刹也低	滿怛囉_吞乞灑_吞夜帝
II	6	aḍe	頞第	阿_上第_{徙皆}	阿黿_重	阿嬭
	7	aḍāvati	頞茶_{邇反}皤底_{氀饢}	阿_上茶_{直下反}皤底_{氀儞}	阿吒_重伐底_長	阿拏_引嚩底_{丁以反}
	8	nṛtye	涅唎致_馨頤	那_上唎吒_上曳	涅_{叉札反}栗黿	顆㗚_吞知曳
	9	nṛtyāvati	涅唎致耶跋底	那_上唎吒_上耶皤底	涅栗吒伐底	顆㗚_吞知夜_合嚩底

140

咒号	句号	Skt.	添品法华	杂咒经	玄应音义	法华仪轨
	10	*iṭṭini*	壹郅鑾爾	伊上知上儞	伊緻抳_{宅几}	壹置顙
	11	*viṭṭini*	比荵郅爾	鼻上知上儞	毗緻抳	尾置顙
	12	*ciṭṭini*	質郅爾	只知上儞	旨緻抳	喞置顙
	13	*nṛtyani*	涅唎哲爾	那上唎知上儞	涅栗緻抳	怛㘑_{二合}置寧
III	14	*nṛtyāvati*	涅唎㘑宴	那上唎吒平	涅栗著㘑耶	怛㘑_{二合}吒引
			跋爾	幡底	伐底	嚩底
	2	*aṭṭe*	頞獻鑾	阿上齻	遏媄_{陵昔}	阿齻
	3	*naṭṭe*	捺^奴齻	那齻	捺媄	捺齻
	4	*nanaṭṭe*	訥^奴捺齻	那上那齻	努捺媄	努捺齻
	5	*anade*⑤	案那厨^奢	阿上那厨^{陀株}	阿捺厨_{陀磬}	阿曩引怒
	6	*nāḍi*	那稚^篆	那馳	捺遲	曩膩
	7	*kunaḍi*	捃^僵奈^奴稚	矩那馳上	俱捺遲	矩曩膩
IV	2	*agane*	惡揭蒿嬭鑾	阿上伽嬭_{奴啓}	阿揭捭	阿誐抳
	5	*caṇḍāli*	旃荼^箋利	旃荼_{宅下}離	旃荼唎	赞拏哩
VI	2	*adande*	阿壇荼_{達皆}	阿上壇荼_{陁皆}	遏彈_羹媄_{陵鬡}	阿難上嬭引
	3	*danda*	壇荼_{夏下}	壇荼_{陁下}	彈荼_羹	難拏
	8	*dhāraṇi*⑥	陀囉上尼_{奴啓}	陀囉上尼_{奴啓}	駄刺尼	駄囉抳
	10	*parīkṣite*⑦	跋唎綺羯⑦	跋唎綺羝	波唎刹尼	跛哩乞史_{二合}帝
	15	*vikrīḍite*	鼻_重抧㘑馳羝	鼻枳囉馳羝	毗_重訖唎雉帝	尾訖哩_{二合}膩帝

3.1 表示梵语 a 的汉字

在字母表里将梵文字母 *a* 作为字母标出时,标记其发音的汉字不管词首辅音,都基本上采用"歌、麻"韵系的字;在这意义上,"翘舌"辅音后面的元音的特点是无法看出来的⑧。

然而形成词语连缀成章句之后,标记它们的发音的汉字就不像在标记字母时看到的那样简单。发音动作上的特性反而往往会在这种场合里更为明显。

141

编　号	Skt.	添品法华	杂咒经	玄应音义	法华仪轨
VI 3	ḍa	茶亭下	茶直下	茶重	拏
II 7	ḍā	茶屠迦反	茶直下	吒重	拏引
IV 6	ḍā	茶佳蒙	茶直下	茶	拏
I 13	ṣa	鈘	沙稣我反	三①	灑
I 33	ṣa	殺	沙稣我反	殺	灑
I 16	kṣa	憩欝	叉楚我反	刹重	乞灑二合
I 22	kṣa	刹蠿	叉	刹	乞灑二合
I 37	kṣa	憩	叉	刹	乞灑二合
II 13	rtya	唎哲票	唎知上	栗緻	嘌置
II 9	rtyā	唎致耶	唎吒上耶	栗吒	嘌知夜二合
II 14	rtyā	唎吒都家反	唎吒平	栗著槃耶	嘌吒引

从前面列举过的词语里,将字母 a 后续的包含"翘舌"辅音字的音节抽取出来,对照如上表。

《杂咒经》里的"沙、叉"字出现在韵镜里属于一等韵字,而在《添品法华》的用字几乎都是属于二等韵的"佳·麻·衔·黠"的,指示读这些韵的反切下字的。下面研究一下这些用字。

"佳、麻"两韵,在《广韵》中出现在不同的位置,佳—上平声第十三,麻—下平声第九。但在王仁煦《刊谬补缺切韵》里,是按"歌—佳—麻"的顺序相邻排列的;此外,在陆德明的《经典释文》里,对"佳、麻"两韵是不加区别而使用的。可以设想当时这两个韵仿佛是相近的。不过,反映唐代的长安音的《玄应音义》、武玄之《韵诠》都分为二韵,由此来看,在当时的情况下也不能认为是完全相同的。

这两个韵用于音译时,就对应关系而言,可以看出如下的区别:
"佳"韵字:只用于翘舌元音
"麻"韵字:用于所有的 a
由此可以推测:"佳"韵的语音特点应该从"翘舌"元音的系列

中追寻探求。⑩

读作"黠"韵的字有"杀、哲(都八)"。"黠"韵在《切韵》《广韵》等韵书里,作为对应于平声"删"韵的入声韵,其实是对应于"山"韵的。⑪ "删""山"二韵在《玄应音义》里也有混淆的情况,在武玄之《韵诠》里是作为一个韵的。这两个韵作为音译字使用的情况很少,在《大唐西域记》里,"删"、"鎋"韵的字在这种"陀罗尼"中也只能见到惯用的"刹"(注意:另有"黠"韵的音注)一个字;"山""黠"韵的字有一个"疨"(原注女黠反,对应于 ṇa)。根据这样的用例可以推测,在当时的情况下,"删、山"以及"鎋、黠"合并,均对应于"翘舌"元音。

关于表中的"钐"(鑑)。"衔、咸"二韵在王仁煦《刊谬补缺切韵》韵目注描述在河北合为一韵;⑫ 在长安音系里,自《玄应音义》、《韵诠》以下,也全都合为一个韵。由于在《大唐西域记》、《玄应音义》里完全见不到用这两个韵的字来音译的例子,所以没有充分的具体资料来推知其语音特点,非常遗憾。看来在七世纪初,"咸"韵已经合并到"衔"韵。

3.2 表示梵语 e 的汉字

接在梵语"翘舌"辅音后面的元音 $e(ai)$,正如在此所见的一样,几乎都对应着"皆"韵,使"皆"韵的发音特点可以充分地显示出来。另一方面,梵语的单纯元音 e,正如历来所说的那样,是对应于"齐"韵的,"皆、齐"两韵之间的不同点也就清楚起来了。

编 号	Skt.	添品法华	杂咒经	玄应音义	法华仪轨
III 2	ṭe	黎皆	黎	媞皆	黎
I 28	de	第皆	第徒皆反	䵲	嬭
III 5	ḍe⑤	廚拏	厨陀株	厨樔具	怒
VI 2	ḍe	荼皆	荼徒皆反	媞徒皆反	嬭引
I 18	ṇe	嬭皆	嬭奴皆反	捏奴戒反	抳

143

编　号	Skt.	添品法华	杂咒经	玄应音义	法华仪轨
IV	2	ṇe	嬭䏭	嬭奴皆	捤	抳
I	21	se	栖	西䏭	（不见）	细
I	24	ṣṭe	瑟窗㝎	瑟齯㝎皆	瑟齯	瑟𪘚
II	8	rtye	唎致䏭颐	唎吒上曳	栗齯	㗚知曳二合

3.3　表示梵语 i 」的汉字

表示这类音的汉字，只有"尼，奴移反"（四等）一个字在原本里是有疑问的，其他的字在《韵镜》里有：

一、属于止摄牙音三等的：攲、器、绮

二、以止摄牙音三等字为反切下字的：稚（徒寄反）、腻（奴寄反）

三、以臻摄唇音三等字为反切下字的：郅（都笔）

四、属于止摄舌音三等的：嬭·（腻）

编　号	Skt.	添品法华	杂咒经	玄应音义	法华仪轨
II	10	ṭi	郅䏭	知上	緻	置
III	6	ḍi	稚䏭	驰	遟	腻
VI	15	ḍi	驰上	驰	雉	腻
I	20	ni	腻䏭	嬭奴绮	尼	抳
I	22	ni	腻	嬭奴绮	捤	抳
I	33	ni	嬭	嬭奴反	尼	抳
VI	8	ni	尼奴移	尼奴移	尼	抳
I	18	kṣi	攲	攲	刹	乞史引合
I	30	kṣi	攲	攲	差初理反	乞史
I	32	kṣi	器	绮	差	乞史二合
VI	10	kṣi	绮	绮	差初履	乞史二合

其中，属于唇、牙音系统的字，是所谓"重纽乙类"的字。属于"重纽甲类"的字，向来已知是对应于梵语的单纯元音 i・ī 的，而"乙类"的字是如何对应于梵语音的，以前不清楚[13]。

齿音属于这类的字,正如历来所了解的那样,是归在二等的,这一点没有改变。

半舌音"来"母,在《玄应音义》里,由反切下字来看,似乎对应于这类音,不过,和单纯元音 i 的关系也还是不清楚的,详细情况仍然是未知的。

关于喉音的字,但从当前的资料里看不出来,但从《大唐西域记》的梵语词

梵语 *rājagṛhī* 曷罗阇姞利呬 (9/25)

等对应关系来看,可以断定为同类的。

这样,从对音的角度来看的话,止摄可以归纳出这样的对应关系:

梵语 i:唇牙喉音四等,以及齿音三等(舌面),四等(舌尖)[14]

梵语 ir:唇舌牙喉音三等,以及齿音二等

4. 梵语的"翘舌"音

在梵语的古代发音法里,说是"翘舌"辅音的发音由"卷起来的舌尖(以及和它相接的舌尖的背面)和上颚的顶点"之间构成的,但其发音部位稍微有一些差异,有时会类似于齿龈音。但是,在其发音动作中具有舌尖"抬起"这一共同点是没有不同的。[15]

与该"翘舌"辅音连接的元音发生"翘舌"音化的语音学方面的考察也不是没有,不过那都是作为单纯元音的"变音"来考虑的,事实上几乎没有被顾及或是被忽略了[16]。

在现代印度语里,"翘舌"音的发音部位也是各种各样的[17],其特征"主要在于发音方法,而不在于发音部位"。[18]发音部位相当靠前的音,带有齿龈音或者后部齿龈音那样的音色,作为方言也有那样程度的情况。[19]详细考察有描写 Marathi 语[20],在那里,将舌尖上卷至上颚的后部,再向前方摩擦移动,这种摩擦持续到抵达硬腭中

部。其间,特别是在除阻的时候,舌尖离开上颚,随着舌头下降出现舌面中部的抬起。[21]发音完成时的特征是舌尖的翘起和舌中部的抬起。[22]

接续在这类"翘舌"辅音后面的元音,由于前面辅音的过渡作用,自然而然地体现为由舌尖部位的紧张递次转移到舌中部的紧张时所构成的"翘舌"元音。[23]它的特征仍然是"翘舌"性和中舌性兼有。

5. 梵汉的对应关系

至此所见,在阴声韵里,梵汉之间具有以下的对应关系:

I、梵语 a_1:"佳"

II、梵语 e_1:"皆"

III、梵语 i_1:"支$_2$·脂$_2$"

作为事实,这是应该被承认的;下面进一步考察,究竟哪样的语音性质满足这种对应关系,并且在汉字音韵体系方面也没有矛盾。

音译汉字所附的反切下字,通常使用的是和相对应的原词语的韵腹、韵尾完全相同或者最相近的字,下面就以这一惯例作为线索进行探求。[24]

表示I类的梵语 a_1 的汉字所附的反切下字,按声母分类如下:

唇音声母"八(黠)"

牙音声母"迦、家(麻)"

齿音声母"债(卦)、察(黠)"

喉音声母"下(马)"

II类的梵语 e_1 的反切下字:

牙音声母"皆(皆)"
　　III类的梵语 i₁ 的反切下字：

　　　唇音声母"笔(质)"
　　　牙音声母"寄(寘)"

如此看来，唇、牙、齿、喉各声类的都出现了。

　　见于这三类里带有"唇、牙、齿、喉"词首辅音的汉字对应于梵语的"翘舌"元音。但是，所谓"翘舌"音，只有连接到以舌尖(头)为发音器官而活动的"舌・齿"音声母才显得自然；但与舌尖主导作用的"唇・牙・喉"音声母配合，就非常不自然。因此可以推定，如果采用舌尖卷起的"翘舌"性作为梵汉对应之间的一个共同特征，是完全说不通的。

　　既然"翘舌"性作为共同特征是说不通的，接下来就必须在随"翘舌"音的附带动作而产生的"中舌性"或者其他的动作中寻求梵汉之间的共同特征。"舌中部上抬"，不仅能在"唇牙喉"词首辅音的后面产生，其音色也比单纯的元音更接近于"翘舌"音的音色，⑯还可以作为一个起于颤音 r 的近邻的元音来看待。⑱

　　如此一来，梵语的"翘舌"元音及其对应的汉字之间的共同特征可以说是"舌中部上抬"，⑰这是一个在所有方面都没有矛盾的结论。

6. 结语

　　以上通过和《切韵》(公元 601 年)同时代的译述编纂而成的长安方言资料研究了其中和梵语的"翘舌"音对应的汉字，探明了汉语的二等重韵和三四等重纽的表现，尤其是弄明白了历来没有明了的"舌音三等"的特征。现在，以阴声韵为例，就梵汉的对应关系整理列表如下：

147

梵字母 调音法	a	e(ai)	i
单纯	歌・麻	齐	支四・脂四・之四
翘舌	佳	皆	支三・脂三

如表中所示，可以看出鲜明的对立。

和梵语单纯元音 $i[i]$，翘舌元音 $i[i_ɿ]$ 对应的汉字，如果按照《韵镜》的格式放在四等的位置上的话，就构成了下面这种整齐的模样：

等＼部位	喉	齿	牙	舌	唇
一					
二		$i_ɿ$			
三	$i_ɿ$	i	$i_ɿ$	$i_ɿ$	$i_ɿ$
四	i	i	i	i	i

半舌"来"母，半齿"日"母只有三等，没有四等，关于这一点现在没有触及。

此外，除上述资料以外，不仅玄奘、不空的用字用不着说，《玄应音义》、《大唐西域记》等书所见的用字，也有很多可以作为上文的补充证据，甚至还有可供进一步探讨的资料，它们本身也是很有意思的问题，不过，为了不使问题复杂化，所以现在特意不予涉及。

(1959 年 11 月 1 日)

附注：

① 阇那崛多 Jñānagupta "处京华，通隋语。"(贞元新定释教目录，大正，Vol.55, 847a) 达磨笈多 Dharmagupta "入京城……至止未淹，华言略悉。"(开元释教录，大正，Vol.55, 550a)

② "bhāṣe" British Museum Mss. 以及河口 Nepal Ms. 作 "bhāse"。

③ "栖" 大正藏经作 "捿"。《集韵》"迁，古作捿"。当为 "栖" 之误，今正。

④ "vekṣaṇi" Mironov's Reading 作 "vekṣaṇe"。

⑤ "anaḍe" Cambridge Ms. 作 "anatro"。

⑥ "dhāraṇi" 诸本同。与 "尼，奴移反" 不合。比较 I/20 的相同词语。

⑦ "羯"，当为 "羝" 之误。

⑧ 参照李荣《切韵音系》(北京，1956) 所收的 "圆明字轮译文表"、"根本字译文表"。

⑨ "三" 是 "心" 母字，通常对应于原音的 sa。

⑩ 当然，笔者所见例数不多，但此类现象可在行智的《梵汉对译字类编》(A.D. 1834 刊) 这样的专书中得到印证。

⑪ 王力：《汉语史稿》(上)，1958，p.52。藤堂明保：《中国语音韵论》，p.230。

⑫ 远藤光晓按：咸，"李与衔同"。

⑬ 满田新造：《支那音韵断》，1915，pp.60—62。有坂秀世：《国语音韵史の研究》(增补新版)，p.350。

⑭ 齿音三等对应于 palatal 的问题，已经是有结论的。

⑮ 梵语 kṣ 不是 k + ṣ，而是一个完整的音韵单位。……也有方言的问题，必须考虑其他因素。Cf. W. S. Allen：*Phonetics in Acient India*, Oxford, 1953, pp.78—79.

⑯ W. S. Allen：同前。

W. S. Allen : Some Prosodic Aspects of Retroflexion and Aspiration in Sanskrit, *BSOAS*, 13(1951), pp.939 ff.

W. S. Allen : Retroflexion in Sanskrit, *BSOAS*, 16(1954), pp.556—565.

⑰ G. A. Grierson：*On the Modern Indo-Aryan Vernaculars*, 1933, §117.

⑱ T. G. Bailey：*Teach Yourself Urdu*, 1956, xvii.

⑲ G. A. Grierson：同前。

⑳ J. R. Firth : Word - Palatograms and Articulation, *BSOAS*, 12

(1948),p.859.

㉑ 服部四郎:《音声学》,p.100。

㉒ [paḍ],[dav],[ṭip],[phala]等……详见注 19 所引论文。

㉓ 参见 D. Jones : *An outline of English Phonetics*,1932,p.215,fig. 115.

㉔ 关于"音译汉字和反切的关系",必须另外进行全面的考察,不过就手头可见到的材料试举一例,"郅都笔"(郅,照母质韵三等;都,端母;笔,质韵)对应于 Skt. *ṭi*,因此,和一般的"标记汉字音的反切"的性质不同。

㉕ 有的看法认为现代汉语的"翘舌"元音是中舌元音。

佐久间鼎:《中舌母音について》,音声学会会报,100 号(1959),p.10.

㉖ D. Jones : 同前,§ 366 - 367.

㉗ 因此,在以舌尖动作为主的"舌·齿"音里形成"翘舌"的发音方法。

(《言语研究》第 37 号,pp.45-54,1960 年 3 月)

论《切韵》的分韵原则:按主要元音和韵尾分韵,不按介音分韵

——《切韵》有十二个主要元音说

冯 蒸

一 关于《切韵》分韵原则的两种不同见解

弄清《切韵》的分韵原则是《切韵》研究的最根本问题。自高本汉(Bernhard Karlgren 1899—1978)以来,对《切韵》音系进行全面研究和系统拟测的论著已经很多了。但我们认为,《切韵》的分韵原则是什么,正面的论述并不太多,而且有的说法观点不甚明确,亟有必要加以全面探讨。

《切韵》的分韵原则是什么,陆法言本人并未明言。在西人高本汉运用历史比较法和类型拟测法对《切韵》音系进行全面拟测以前,中国的传统学者虽然对这个问题也有所论及,但因未进行拟音,所以其有关论述,未能涉及分韵的本质,对于异在何处与同在何处,缺乏从音节结构上做具体的阐述。只有在对《切韵》的韵部系统运用音标符号进行了详细的拟测以后,作者的观点才可以从拟音中看出来,因为分韵的原则决定了拟音的原则。

目前绝大多数的《切韵》音系研究者,基本上都是认为《切韵》代表了一个内部一致的活方言音系,不管是某一具体方言音系(如洛阳话)还是某种雅言音系(读书音音系),并在此认识基础上对《切韵》的韵部系统和韵母系统进行了全面的构拟。

关于《切韵》的分韵原则,目前可以大致概括成下列两种意见:一种是以高本汉为代表的部分主元音和部分介音分韵说,另一种是以董同龢等先生为代表的部分主元音和介音分韵说。两说的介音内涵所指不同。

中古的介音系统通常认为有两类,一个是-j-/-i-介音,一个是-w-/-u-介音。高本汉认为-j-/-i-介音不足以分韵,他的这个观点是通过对 Schaank 构拟的驳论中阐明自己的看法的。

高氏在《中国音韵学研究》中说:"Schaank 的错误更可以用通摄证明,通摄东韵(去声送入声屋)里,一等不带 i 的,反切下字用'红','公'等;三等带 i 的,反切下字用'弓','戎','中'等,两者却同在一韵。可见 i 介音并不足以决定韵部的分合。……东韵的一等跟三等,反切下字分的很清楚。同样,在果摄里,麻韵的二等跟三等也是完全分开的。同果摄的麻韵相类的还有梗摄的庚韵,它的二等有一套反切下字,三等另有一套反切下字,也是厘然有别。既然从语言中最丰富的三摄里得到这三个例(要算四声的话,就有十二个例),那么我们可以看见韵母完全分得清清楚楚的有时还放一韵之内。这个事实很重要,因为它证明只有主要元音(当然,韵尾也在内)可以决定韵部的分合。假如两等的主要元音真相同,古人就不踌躇的合为一韵,不管它们韵母上别的方面的异同,如有无 i 介音之类。所以,在中古汉语有二百零六韵的时代,不同等而同韵的例既然这么少,这件事实的意义一定是等不同的,元音大半也不同,就是说等不同,韵又不同的,元音也不同。"(高本汉1940:51—52)按:高氏在这里以《广韵》的东₁/东₃同韵(通摄),麻₂/麻₃同韵(假摄,高氏果/假二摄不分,故称果摄),庚₂/庚₃同韵(梗摄),明确指出-i-介音不足以分韵,我们认为其理由是充分的。

至于-u-/-w-介音,问题就比较复杂了,高氏认为在《广韵》音系中有两个合口介音-u-和-w-,其开合分韵者,其介音是元音性的-u-,其开合同韵者,其介音是辅音性的-w-。具体言之,《广韵》一等韵如灰魂桓戈泰,其合口符号为-u-,二三四等的合口,高氏一概作-w-,惟独文韵系作-u-,但真韵系的-w-跟谆韵系的-u-却又并存。后来很多学者认为高氏的-u-跟-w-没有区分的必要,应简化为一个-w-。但不管怎样,高氏是认为-u-/-w-介音可导致分韵。

综上所述,高氏的观点可表述如下:《切韵》(即《广韵》)的分韵原则是:主要元音不同分韵;-u-介音不同分韵;但-i-介音不同不分韵。

另一种意见可以董同龢先生为代表。他认为-i-介音可以导致分韵。他说:"如果某摄的主要元音是较低的元音,他的开合四等当如下式:

	一	二	三	四
开	ɑ	a	jæ	iɛ
合	uɑ	ua	juæ	iuɛ

以上是就四等俱全的情形说的,根据第六章,我们知道半数的摄是没有二等韵同时也没有四等韵的,在那种情形下,只要假定一等韵没有介音 j 而三等韵有介音 j 就可以区别了。

	一	二	三	四
	u		ju	

一三等同韵的情形,也足以支持这一说,不过一三等不同韵也不是说他们的元音就不一样,如元音不同,绝不会合为一韵,如元音相同,却可以因为别的原因分韵。"(董同龢 1968:161—162,着重号为笔者所加)按:董氏的意见明显与高氏不同,他认为-i/j-介音的有无可以导致分韵。至于-u-介音,董氏的意见则与高氏基本相同,只是不区分元音性介音-u-和辅音性介音-w-,而一律

用-u-作代表。这个-u-介音的作用既可使开合同韵,也可导致开合分韵。目前多数《切韵》音系研究者均持与董氏相同的看法。如邵荣芬先生撰写的《中国大百科全书·语言文字》卷的"《切韵》音"一条云:"上表没有附列各韵的读音,这是因为各家所拟的读音分歧还相当大。比较一致的意见只有下列几点:

①在四等具足的摄里,一等韵的主要元音偏低偏后,二、三、四等韵依次偏高偏前。试以效摄为例:

一等豪 ɑ　二等肴 a

三等宵 æ　四等萧 ɛ(或 e)

②在只具备一等和三等的摄里,一等韵和三等韵的主要元音可以相同,一、三等的区别由介音表示。例如宕摄:

一等唐 ɑŋ　三等阳 iɑŋ

不同等而合为一韵的,也适用同样的原则。例如:

歌一等开 ɑ　歌三等开 iɑ

麻二等开 a　麻三等开 ia

③合口有介音 u,三等有介音 i(或 j)。例如:

一等开口痕 ən　一等合口魂 uən

三等开口殷 iən　三等合口文 iuən"(邵荣芬 1988:321)

可以看出此二家的说法虽然文字上有些差异,但基本意思是相同的。其他类似的看法就无须在此详加引述了。

以上两种看法大同小异,主要区别只在-j-/i-介音能否分韵这个问题上。我们认为这些看法虽有部分可取之处,但也有明显的不足,下面我们将在此基础上详细阐明我们对《切韵》分韵原则的看法。

二　论《切韵》的分韵原则:按主要元音和韵尾分韵,不按介音分韵

韵尾的不同可以导致分韵,这一点音韵学家均无异议,可姑置勿论。所以下文对分韵原则的讨论仅限于介音和主要元音的问题。

如上文所述,在对《切韵》分韵的理解问题上,高本汉和董同龢这两家的观点有同有异,根据《切韵》的音节结构,如果用音标说明的话,他们的观点可以用下面三条加以表述,即在韵尾相同的情况下:

1. 主要元音可以分韵(高、董);
2. -u-/-w-介音可以分韵(高、董);
3. -i-介音可以分韵(董)。

换言之,在这三点当中,第1点高、董二说相同;第2点高、董二说大同小异;第3点董氏赞同,高氏否定。

在具体阐述我们的观点之前,我们先再说明一下高氏对-i-介音不可分韵的看法。

我们认为,高氏虽然持-i-介音不可分韵的看法(见前引文),但是他在具体的拟音工作中并未完全贯彻这个原则,颇为令人不解,下面请看一下目前国际汉语音韵学界所普遍采用的、经过李方桂先生略加修订过的高本汉《切韵》拟音系统(李方桂1980:8—9页):

		一等	二等	三等(及重纽四等)	四等
果摄	开	歌 â	麻 a	麻 ja,戈 jâ	
	合	戈 uâ	麻 wa	戈 juâ	
遇摄		模 uo	—	鱼 jwo 虞 ju	
蟹摄	开	哈 âi	皆 ăi	祭 jäi(jiäi)	齐 iei
	合	灰 uâi	皆 wăi	祭 jwäi(jwiäi)	齐 iwei
	开	泰 âi	夬 ai	废 jɐi	
	合	泰 wâi	夬 wai	废 jwɐi	
	开	—	佳 aï		
	合	—	佳 waï		

(续表)

		一等	二等	三等（及重纽四等）	四等
止摄	开	—	—	支 jě(jiě)	—
	合	—	—	支 jwě(jwiě)	—
	开	—	—	脂 ji,i(i)	—
	合	—	—	脂 jwi,wi(wi)	—
	开	—	—	之 ï	—
	开	—	—	微 jěi	—
	合	—	—	微 jwěi	—
效摄		豪 âu	肴 au	宵 jäu(jiäu)	萧 ieu
流摄		侯 ǒu	—	尤 jǒu	—
				幽 jiǒu	
咸摄		谈 âm	衔 am	盐 jäm(jiäm)	添 iem
		覃 ậm	咸 ǎm	严 jɐm	
				凡 jwɐm	
深摄		—	—	侵 jəm(jiəm)	—
山摄	开	寒 ân	删 an	仙 jän(jiän)	先 ien
	合	桓 uân	删 wan	仙 jwän(jwiän)	先 iwen
	开	—	山 ǎn	元 jɐn	
	合	—	山 wǎn	元 jwɐn	
臻摄	开	痕 ən	—	臻 jɛn	
	合	魂 uən	—	—	
	开	—	—	真 jěn(jiěn)	—
	合	—	—	谆 juěn(juiěn)	—
	开	—	—	欣 jən	—
	合	—	—	文 juən	—
宕摄	开	唐 âŋ	—	阳 jaŋ	
	合	唐 wâŋ	—	阳 jwaŋ	
梗摄	开	—	庚 ɐŋ	庚 jɐŋ	青 ieŋ
	合	—	庚 wɐŋ	庚 jwɐŋ	青 iweŋ
	开	—	耕 ɛŋ	清 jäŋ	
	合	—	耕 wɛŋ	清 jwäŋ	

156

(续表)

		一等	二等	三等（及重组四等）	四等
曾摄	开	登 əŋ	—	蒸 jəŋ	—
	合	登 wəŋ	—	职 jwək	—
通摄		东 uŋ	—	东 juŋ	—
		冬 uoŋ	—	钟 jwoŋ	—
江摄		—	江 aŋ	—	—

李方桂先生对高氏中古音构拟的修订主要有两点：第一，区分脂之和佳夬；第二尽量区分重纽（李方桂1980:6），不影响我们对高氏有关论点的阐述。

从上表中可以看出：除了按主要元音分韵可勿论外，以-i-介音分韵的有下列诸韵：

                      一等   三等

  1. 遇摄：   模 uo   鱼 jwo

  2. 流摄：   侯 ə̌u   尤 jə̌u

  3. 臻摄：   痕 ən   欣 jən

                     魂 uen   文 juen

  4. 曾摄：   登 əŋ   蒸 jəŋ

  5. 通摄：   冬 uoŋ   钟 jwoŋ

以上5个韵摄的6组韵，从拟音上看，显然是按有无-j-介音分韵。所以我们说高氏本人的具体拟音工作并没有贯彻他所认定的这个原则，他的所说和所做是矛盾的。如果这样的话，高、董二氏的《切韵》拟音从体系上看基本上没有区别。

现在可以阐明我们对《切韵》分韵的看法。我们对《切韵》分韵原则的看法与高、董二氏之说均不相同，我们认为《切韵》的分韵原则只有一条，即：按主要元音分韵，不按介音分韵，不管是-u-/-w-

介音还是-i-/-j-介音。我们的理由是：

（一）《切韵》系韵书中"韵部"这一单位及其名称的设立，虽然《切韵》本身并没有给出明确的定义，但不难推知其固有含义应即是"韵腹+韵尾"，没有介音的意义在内。不管是《王三》的195韵还是《广韵》的206韵，均是如此。尽管各韵部的本身结构各有不同，如某些三等韵部一定带有-i-介音，但其前提是该韵部的主要元音必须与他部不同，某些韵部带有了-i-介音，那是该韵部本身的特殊性，不是分韵的依据。换言之，介音不是分韵的本质特征。

（二）《切韵》本身的分韵情况否定了介音分韵说。众所周知，在《广韵》61个韵系中，一/三等同韵的有东、戈二韵系，即东_/东_同韵，戈_/戈_同韵；东_、戈_有-i-介音，东_、戈_无-i-介音。二/三等同韵的有麻、庚_韵系，即麻_/麻_同韵，庚_/庚_同韵；麻_、庚_有-i-介音，麻_、庚_无-i-介音。这四个韵系的情况足以说明-i-介音不能导致分韵。此外，某些学者认为咍韵系也是一/三等同韵（李荣1956，邵荣芬1982），情况亦与此相同。但因咍_字极少，多数学者不承认有咍_，而把它们视为例外，所以此处亦暂不包括咍韵系。至于在《广韵》的61个韵系当中，除了东、戈、麻、庚4韵系外，其余57个韵系当中，一等韵有16韵，二等韵有10韵，三等韵有25韵，四等韵有6韵（幽韵暂归四等韵），除了四等韵的情况比较特殊暂姑置勿论外，内转诸摄及臻摄的某些一、三等韵，外转诸摄的某些二、三等韵，甚或某些异转异摄的二、三等韵之间，虽然，三等韵有-i-介音而一、二等韵无-i-介音，但现代学者在拟音时常将部分一、二等韵系与三等韵系配对拟成相同主元音，形成以介音分韵的局面，那恐怕只是现代拟音者的认识，未必符合《切韵》作者的原意。同理，-u-/-w-介音的情况也是如此。根据现代多数学者的意见，在16摄中，有7个摄（通、江、遇、效、流、深、咸）是独韵摄，9

个摄(止、蟹、臻、山、果、假、宕、梗、曾)是开合韵摄,在这9摄所含的37个韵系中,除了止摄的之韵系和臻摄的臻韵系是只有开口没有合口外,另外35个韵系均有配对的开合口韵,但其中有23个韵系是开合同韵,另外12个韵系被现代学者配为6组分拟为开合对立韵,即:咍/灰、痕/魂、欣/文、歌/戈、寒/桓、真/谆(斜线前为开口,斜线后为合口),此六组是为开合分韵。开合同韵者乃《切韵》中之固有现象,另外6组12个韵系被现代学者视为开合对立韵,应只是现代学者的认识,不代表陆法言本人的看法,换言之,此6组的每对之间是否为开合对立韵,须根据《切韵》的分韵原则重新考虑。至少《切韵》中大量开合同韵的情况可以否定-u-/-w-介音导致分韵的看法。

(三)今人对《切韵》韵部的拟音反映的《切韵》分韵原则在逻辑上混乱,标准上复杂,无以说明分韵原则。首先,从标准的逻辑性上看,根据前引高本汉的《切韵》拟音可以看出,现代学者多认为《切韵》既以主元音分韵,又以介音分韵,是双重标准,而且有交叉,这就在逻辑上造成了明显的混乱。在我们看来,这种说法既以主元音分韵,又不全以主元音分韵;既以介音分韵,又不全以介音分韵。而且何时以主元音分韵,何时以介音分韵,条件不明。这在逻辑上是绝对不可以的。此其一。其次,从标准的明确性上看,分韵的原则必须是简明的、特点显著的、易于掌握的、一以贯之的。而不应该是复杂的、特点不明确的、不易掌握的、忽此忽彼的。而根据现代学者对《切韵》的拟音来看,恰恰是后者。因为从韵母结构的角度来看,分韵标准只能在介音和主元音(包括韵尾,下同)这两项之间作出抉择,而如果把这两项都列作分韵标准的话,实际上等于取消了分韵标准,换言之等于没有标准。这种作法应是今人的一种主观任意解释,肯定不符合原书作者的分韵意图。因为既以主元音分韵,又以介音分韵,在没有介音的韵部当中,这项标准尚不冲突,而在既有介音又有主元音的韵中,到底哪项标准起作用,岂不令人无所适从?

有此三难,我们认为高本汉、董同龢等今人所定的《切韵》分韵标准是不可取的,陆法言书的分韵标准绝不可能是这样无从掌握,这种情况当是今人的不合理拟音造成的。所以对于《切韵》的分韵原则必须重新加以探讨,以求出《切韵》分韵的本意。并据此对今人的某些不合理拟音予以重新考虑。

根据分韵的简明性原则和一贯性原则,我们认为《切韵》的分韵原则只有一个,即是以主元音分韵,不以介音分韵。今人对《切韵》音系的拟音当中凡是以介音分韵者,其韵母均应重新加以改拟。这就是我们对《切韵》分韵原则的看法。

《广韵》音系中因-u/w-介音而导致分韵的6组12个韵系,特别是咍、灰、痕、魂、欣、文3组6个韵系,每组的两个韵系之间均非开合对立关系,而应是主要元音的不同,对此我们已有专文探讨(冯蒸1991),此外不再赘论。据我所知,持此类似看法的还有好几位学者,俞敏(1984a、b)、李新魁(1986)、罗季光(1986)、郑张尚芳(1987)等,虽然诸家的拟音并不相同。所以下文只讨论我们对前人-i-介音分韵说的看法。

三 根据《切韵》分韵原则确定《切韵》的主要元音数量:12—14个主要元音说

上文所确定的《切韵》音系以主元音分韵、不以介音分韵的分韵原则,显然对我们新的《切韵》音系构拟工作提出了明确的要求。我们在这里称之为新的构拟工作,是因为以前的《切韵》音构拟均未能从全局的角度系统考虑过最少应设立多少主元音才能满足其分韵要求,多只是一些局部性的考虑,系统性、全面性考虑不够。根据新的分韵原则,《切韵》音系应该有多少主元音才能满足分韵要求呢?我们认为:在《切韵》音系中,在韵尾相同的情况下,应该是有多少韵部,就有多少主元音。换言之,即在同一韵尾内,数量最多的一组韵原则上即可代表《切韵》诸韵系的主要元音总数。我们说原则上是如此,是不排除在某些特殊情况下,可能有个别主元音不见于该韵尾的情况。

那么在《广韵》的 61 个韵系(平声 57 韵,举平以赅上去入,加上 4 个去声韵祭泰夬废)当中,应该设立多少主元音才能满足分韵要求呢?请先看下表:

《广韵》61 韵系主要元音数目统计表

韵尾	所含韵摄数	所含韵摄名	所含韵部数	所含韵部名(举平赅上去入)	应有元音数	备注
-∅	4	止遇果假	10	支脂之微;鱼虞模;歌戈;麻	10	止摄的脂、微韵通常认为带有-i 韵尾
-i	1	蟹	9	齐佳皆灰咍祭泰夬废	9	蟹摄的佳韵有学者认为是-∅ 韵尾;祭泰夬废有人认为是-h 或-ʔ 韵尾
-u	2	效流	7	萧宵肴豪;尤侯幽	7	
-m	2	深咸	9	侵;覃谈盐添咸衔严凡	9	
-n	2	臻山	14	真谆臻文欣元魂痕;寒桓删山先仙	14	
-ŋ	5	通江宕梗曾	12	东冬锺;江;阳唐;庚耕清青;蒸登	12	
总计	16		61			

根据此表可知,《广韵》的-n 韵尾含有 14 个韵部,在各韵尾中

161

所含韵部数量最多,所以我们认为最少应设立 14 个主元音才能满足《广韵》的分韵要求。

此表对《广韵》个别韵部的韵尾归属可能有争议,特别是止、蟹二摄的所属韵,主要是止摄中的有些韵部(脂、微二韵系)有的学者认为有-i 韵尾,但我们认为,即使把全部止摄所属韵都归入到-i 韵尾当中,也只含有 13 个韵部,少于-n 韵尾的韵部所含数量,但这种情况几乎是不存在的,目前还没有一家学者认为止摄韵全收-i 尾。所以这个问题并不影响《广韵》元音总数的格局。其他个别问题备注中已有说明,兹不赘述。

以上是根据《广韵》61 个韵系所得出的统计数目。但不少学者认为《切韵》音系应以王仁昫《刊谬补阙切韵》(通称《王三》)为代表。《王三》共 195 韵,没有桓、谆、戈三个韵系,所以韵系总数是 58 个。由于桓、谆二韵系都是-n 韵尾,以至-n 韵尾的韵部数量由 14 个减到 12 个,意即该尾主要元音的数量亦由 14 个减到 12 个。这时与-ŋ 韵尾的韵部所含数量相同。这虽然会在一定程度上影响到《切韵》音系元音的总数目,但可看出 12 个元音实是构拟《切韵》主要元音系统的最低数目。

根据我们所确定的《切韵》音系主元音数量(《广韵》音系应是 14 个,《王三》音系应是 12 个),看一下此前中外学者对《切韵》的主元音构拟,至少就元音的数量而言,若干学者的拟测距离我们的要求,未免相差太远了。

本文对高本汉以来研究《切韵》音系有一定影响的 15 位学者的拟音加以讨论。这 15 位学者按照其论著发表的时间顺序分别是:(1)高本汉(1915—1926)、(2)陆志韦(1947)、(3)马丁(Samuel E. Martin 1953)、(4)李荣(1956)、(5)董同龢(1968)、(6)周法高(1968,1983)、(7)王力(1980)、(8)邵荣芬(1982)、(9)李新魁(1986)、(10)郑张尚芳(1987)、(11)喻世长(1989)、(12)余迺永

(1993)、(13)黄典诚(1994)、(14)黄笑山(1995)、(15)麦耘(1995)。现把各家构拟的主要元音表列如下：

《广韵》61 韵系主要元音数目统计表

编号	研究者	元音数量	前元音	央元音	后元音	备注
1	高本汉(1940)	16	i:、i、e:、e、ɛ、æ、a:、a	ə、ɐ、ʌ、ə:	u、o、ɔ、ɑ:、ɑ	不区别重纽；e、ə不作主要元音
2	陆志韦(1947)	15	i、ɪ、e、ě、ɛ̌、ɛ、æ、a	ə、ɐ	u、o、ɔ、ɑ、ɒ	i、ɪ作介音
3	董同龢(1968)	14	i、e、ě、ɛ、æ、ǎ、a	ə、ɐ、ʌ	ɑ、ɔ、u	ɒ作介音
4	王 力(1980)	13	i、e、ě、ɛ、æ、a	ə、ɐ	u、o、ɔ、ɑ、ɒ	不区别重纽
5	邵荣芬(1982)	13	i、ɪ、e、ɛ、æ、a	ə、ɐ	u、o、ɔ、ɑ、ɒ	i作介音
6	李新魁(1986)	13	i、e、ø、ɛ、æ、a	ə、ɐ	u、o、ɔ、ɑ、ɒ	
7	李 荣(1956)	12	i、e、ě、ɛ、a、ǎ	ə、ɐ、ʌ	u、o、ɔ	不区别重纽
8	郑张尚芳(1987)	12	i、e、ɛ、æ、a	ə、ɐ	u、ɯ、o、ʌ、ɔ	
9	黄典诚(1994)	11	i、e、ɛ、œ、a	ə、ɐ	u、o、ɔ、ɒ	不区别重纽
10	周法高 (1968)	10	i、ɪ、e、ɛ、æ、a	ə	u、o、ɑ	
10	周法高 (1983)	9	i、ɪ、e、æ、a	ə	u、o、ɑ	
11	喻世长(1989)	10	i、e、ɛ、a	ə、ɐ	u、o、ɔ、ɒ	
12	黄笑山(1995)	9	i、ɛ、a	ɨ、ə、ɐ	ɑ、u、o	
13	马 丁(1953)	8	*、i、e、ɛ、a	ə	u、ɑ	i、u作介音；不区别重纽
14	余迺永(1993)	7	i、e、a	ə	u、o、ɑ	
15	麦 耘(1995)	7	i、e、a	ə	u、o、ɒ	

此表笔者统计了高本汉以来至今的《切韵》音系主要研究者对主要元音拟测的数量和类型，从数量看，7—16 个元音不等，各个数量级均有。而根据本文所确立的主要元音数量标准，12 个元音以下的构拟不能满足《切韵》的分韵要求。12 个元音以上者（包括

163

12个元音)共有8家,从数量上看是够的,但从诸家拟测的结果看,有的本身在系统性上即有若干明显缺陷,如有的不区分重纽,有的元音 i 不能作主元音等,但最根本的问题还是元音的分布不甚合理,未能全面考虑《切韵》的分韵原则和元音分布原则,所以这些学者的构拟均出现数量不等的-i-介音分韵现象,从本质上说,应与12个元音以下者并无二致。

关于《切韵》音系的主元音构拟,在确定了数量级的基础上,我们还想说明这样两点:

1. 有人可能会认为在一个音系中构拟出最少12个元音(含12个以上者)的主元音系统可能是太多了。但是根据目前的类型学研究结果,一个语言中最多的元音数目可以是24个(Maddieson 1984:125),所以一个语言中含有12个或12个以上的元音无需感到奇怪。

2. 音位学理论的运用要格外慎重。目前,不少《切韵》音系研究者受现代音位学理论的影响,总是认为一个音系中元音的数量越少越好,音系越简单越好,这似乎是无可非议。但我们认为《切韵》音系的构拟工作应以符合实情为原则,一味的简化未必符合实际。各家对音位意义的理解各有不同,但我们认为,凡是被陆法言分为不同韵系者,其主元音的区别就是音位性区别,有的学者认为《广韵》不同韵的两个主元音可以视为一个音位,即使有所不同,也只是音位变体的问题,这是我们所不能苟同的。我觉得高本汉在《中上古汉语音韵纲要》(1954)一书中说过的一段话仍然值得我们重视,高氏说:"当然,音位学的原则在所有的语言研究中都极其重要,并且也是对任何一门语言做各种描写时本身就固有的,但这一简单的事实不应诱使我们过分地强调它,把它作为我们语言描写的最重要的特征,而排斥语言生命中同等重要的另一个方面。现代语言学家有这样一种倾向,他们盲目地重弹这一老调,以求在这种智力游戏中省些气力——用尽可能少而简单的字母来写下某一特定的语言,如果能用美国打字机上的那一套字母来写,那就再好不过了。语言学的这一现代趋势过分简化了所研究的语言的真正特性,从而歪曲了它。"(高本汉 1987:232)

以上我们根据同韵尾韵系的数量定出了《切韵》音系主元音的总数,但这个问题是否已经完全解决,有人可能会持另外的看法。导致这另外看法产生的原因,就是对主元音的分类。

如何对《广韵》音系的主元音分布进行分类,目前一种比较有代表性的看法是以"等"为标准划分元音类型,持这种看法的古人今人均有。清人江永在《音学辨微》中就说:"一等洪大,二等次大,三四皆细,而四尤细。"现代学者对此有更为明确的阐述(董同龢 1968:160—162)。根据这种看法,则等位与主元音的类型有一定的对应关系。先假定这种看法是正确的,我们要看一下这种看法会对我们确定主元音的总数产生何种影响。

以"等"为单位划分《广韵》的 61 个韵系,当如下表:

《广韵》同韵尾韵系分等统计表

	-ø	-i	-u	-ŋ	-n	-m	合计
一等	3 歌戈﹦模	3 泰咍灰	2 豪侯	4 东﹦冬唐登	4 痕魂寒桓	2 谈覃	18
二等	1 麻﹦	1 佳皆夬		3 肴 江庚﹦耕	2 删山	2 咸衔	12
三等	6 支之鱼虞 戈﹦麻﹦	4 脂微祭废	3 尤幽宵	6 东﹦锺阳 庚﹦清蒸	7 真谆臻文 欣元仙	4 侵严盐凡	26
四等		1 齐	1 萧	1 青	1 先	1 添	5
总计	8	11	7	12	14	9	61

这张表促使我们考虑的问题是,某一韵尾所含的韵系数虽然在总数量上超过其他韵尾而居第一,元音的总数亦可基本上据此确定,但可能会出现这样一种情况,即该韵尾所含的诸韵系可能不一定在每个等位上都超过其他韵尾所含的韵系数,换言之该韵尾所含各韵系的数量在等位的分布上不平衡。如出现这种情况,则元音的总数恐还须做出调整,即还必须根据在某一等位上比该总数韵尾多的其他韵尾韵系含量增加新的元音,也就是说元音的总数量还要增加。当然,这一考虑是建立在《广韵》音系的某一等位都有一套固定的主要元音,且各等位的主要元音之间不互见的前提之上的(不同等位而同韵者除外),如果这一前提不能成立,那我们的原有假设便基本上不受影响。从上表中可以看出,根据《广韵》的 61 个韵部系统,一等-n 尾表面上与-ŋ 尾同为 4 部,但-ŋ 尾的东₁与三等的东₃同韵,可用同一个主元音,所以如此处-ŋ 尾算 4 部,则三等的-ŋ 尾数量应该减 1,成为 5;反之,如三等的-ŋ 尾算 6 部,则一等的-ŋ 尾应算 3 部,少于-n 尾。据此,-n 尾的韵部数量仍居首位。三等、四等也没有什么问题,-n 尾的韵部数均不少于他尾。问题出现在二等上,此时-n 尾只有 2 部,而-ŋ、-i 尾各有 3 部,其中-ŋ 尾的情况与一等又相同,该韵尾的庚₂与三等的庚₃同韵,可用同一个主元音,即此处的-ŋ 尾如算 3,则三等应减 1,如此处算 2,三等数量可不变,所以这不算是一个严重的问题。但-i 尾 3 部的佳皆夬则非此种情况,该尾的确比-n 尾多 1 部。当然,有学者把佳部算作-ø 尾又当别论。如果-i 尾确是 3 部,则在此等位上所含韵部数量最多,超过了-n 尾和其他尾,这时确须比我们上文对《切韵》主元音理论上的推测总数要加 1,即增加一个主元音。以上是根据《广韵》韵部计算的。如根据《王三》的 58 个韵部计算,一等、三等的-n 尾各减去 1(还有-ø 尾的三等也减去 1),均无甚影响,问题还同样出现在二等的-i 尾上。所以按照这个理论,则总数应增加一个主元音,成为 13(《王三》)或 15(《广韵》)。

但是我们要明确说明的是：我们认为"等"与元音类型有严格对应关系的看法是不妥的。"等"的本质应是介音的问题：一等无介音，二等是ɣ(<*r)介音，三等是ɨ介音（郑张尚芳 1996），四等是 i 介音。表面上看来，各个等位与《广韵》相关韵系的主元音虽然也有某种对应关系，如：一等无前元音，二等无高元音，四等是前元音（e 或 ɛ），但三等则高、低、前、后的元音都有。目前尚无法按照某一现代语音分类标准把四个等位的元音类型都统一起来加以描述，古人更不可能据此分等。所以主元音的类型不是等位的区分本质，把现代语音分类意义上的各类元音牵强地与中古音的等位挂起钩来的做法是不可取的。《广韵》本身的一、三等可同韵、二、三等可同韵的情况亦可说明主元音与各等位挂钩的说法是不可信的。

此外，我们还要考虑到另外一种情况，即是否有可能某一元音因与所含韵系数量最多的某韵尾有抵触，独不见于此韵尾，而见于他韵尾。但这只是一种理论上的推测。在没有找到确证之前，我们不妨仍维持我们的假设，即同韵尾所含韵系最多者决定元音的总数量。

四 《切韵》-i-介音分韵说诸家拟音考察

在对现代学者用-i-介音区分《切韵》韵系的拟音系统进行修订之前，必须对目前有代表性的诸家《切韵》拟音作一全面考察。

目前诸家对《切韵》音系中-i-介音分韵的韵系范围、无-i-介音韵系与有-i-介音韵系的配对对象以及具体拟音各不相同，为了便于观览，下文用表列的方式把《切韵》音系主要研究者用-i-介音分韵的看法及其拟音一一列出，以作为下文讨论的基础。为了便于下文讨论，我们列出了三个表：一个表是一/三等韵同主元音者，一个表是二/三等韵同主元音者，一个表是三/四等韵同主元音者。大致说来，第一种情况主要是内转诸韵，第二种情况主要是外转诸韵，第三种情况也是外转诸韵。从这些表中可以看出，各家对介音分韵的范围,数量多寡,配对对象的选择等诸方面的处理多有不同,很多拟音甚至已经突破了传统的"摄"或"转"的界限,这些都是值得我们进一步研究的地方。诸家在这个问题上的处理所以会产生如此大的分歧,我认为当主要是对《切韵》分韵原则的理解不一所致。

本文对前述高本汉以来研究《切韵》音系有一定影响的 15 位学者的拟音加以讨论。此中马丁、余迺永和麦耘三家的元音数目较少(详上文),其构拟的主旨在于强调一种音位化标音,在本节的诸表中暂不赘列。又,喻世长先生的《切韵》韵母拟音体系与他家迥然不同,他用-i-介音分韵者有17组之多,下文的表中不便列出,现一并汇列如下,以供参考:(1) 东 uŋ/锺 iuŋ;(2) 冬 oŋ/东 ioŋ;(3) 江 ɔŋ/阳₃ ɯɛŋ;(4) 灰 oi/微 ioi;(5) 模 o/鱼 io;(6) 侯 u/虞 iu;(7) 泰 ai/废祭 iai;(8) 痕 ən/欣真₃ iən;(9) 魂 on/文 ion;(10) 寒 ɑn/元 iɑn;(11) 桓 ɔn/元仙₃ iɔn;(12) 豪 ɑu/宵 iɑu;(13) 唐 ɑŋ/阳 iɑŋ;(14) 清 eŋ/庚 ieŋ;(15) 登 əŋ/蒸 iəŋ;(16) 谈 ɑm/严 iɑm;(17) 覃 əm/侵₃ iəm。

《广韵》一/三等韵-i-介音区分韵系表

		高本汉	陆志韦	李荣	董同龢	周法高	王力	邵荣芬	李新魁	郑张尚芳	黄典诚	黄笑山	合计
内转	通 冬(1) 锺	uoŋ jwoŋ	woŋ ɪwoŋ	oŋ ioŋ	uoŋ juoŋ	uoŋ iuoŋ	oŋ iwoŋ	oŋ ioŋ			uoŋ iuŋ	uoŋ uioŋ	11家
内转	遇 模 鱼(2) 虞(3)	uo jwo	wo(u) ɪwo(ɪu)	o io	uo juo	uo iuo	u iu	o io	o iŏ	o/uo io jo	o	o uio	3家 8家
内转	宕 唐(4) 阳			ɑŋ jaŋ		ɑŋ iaŋ		ɑŋ iaŋ	ɑŋ jaŋ	ɑŋ ioŋ	ɑŋ iɑŋ		5家
内转	曾 登(5) 蒸	əŋ jəŋ	əŋ iəŋ	əŋ iəŋ	əŋ iəŋ	əŋ iəŋ			əŋ iəŋ				5家
流	侯(6) 尤	ŭu jĭu	əu iəu	u ju	u iu	əu iəu	əu iəu	əu iəu	ou iou		u iu		9家

168

(续表)

			高本汉	陆志韦	李荣	董同龢	周法高	王力	邵荣芬	李新魁	郑张尚芳	黄典诚	黄笑山	合计
外转	臻	痕(7)欣	ən jən	ən iən	ən iən	ən jən	ŋe iən	ən ǐən	ən iən			ən iən	ən iən	9家
		魂(8)文	uən juən	wən ıwən	uən iuən	uən juən	uən iuən	uən ǐuən	uən iuən	un iun		uən iuən	uən uiən	10家
	山	寒元(9)					ɑn iɑn							1家
	蟹	泰废(10)					ai iai							1家
	咸	覃凡(11)					ɑm					əm iuəm		1家
		严(12)					iɑm							1家
内外转	止蟹	哈/灰微(13)				əi/uəi iəi/iuəi					iə(哈) iəi	iə(哈) iəi/iuəi		3家
总 计			6组	5组	6组	7组	10组	6组	6组	4组	2组	8组	8组	

《广韵》二/三等韵-i-介音区分韵系表

			陆志韦	李荣	董同龢	周法高	王力	邵荣芬	李新魁	郑张尚芳	黄典诚	黄笑山	合计
内转	蟹	皆(1)废	ɐi iɐi		ɐi jɐi	ɐi	ɐi iɐi	ɐi ǐɐi				ɐi iɐi	5家
		佳(2)祭		æi jæi(1)	æi iæi(A)		æi iæi	æi					3家
		皆(3)祭	ɐi iɐi							ɣɐi yiɐi/ jiɐiA			2家
		夬(4)祭			ai iai(B)								1家
		夬(5)废								ai? iai?			1家
	山	删(6)元	ɐn iɐn		ɐn		ɐn iɐn			an ian			3家
		山(7)元										ɐn iɐn	1家
		山(8)仙	ɛn iɛn	æn jæn	an ian(B)		æn iæn			ɣɛn yiɛn B/ jiɛn A			5家

(续表)

		陆志韦	李荣	董同龢	周法高	王力	邵荣芬	李新魁	郑张尚芳	黄典诚	黄笑山	合计
内转	山 删(9) 仙				æn iæn(A) æm							1家
	咸 衔(10) 盐				iæm(A)				ɣem yiem/ jiem A			2家
	咸 咸(11) 严(凡)	ɒm ɒmi/ ɯmi	ɐm iɐm	ɐm jɐm	ɐm mɐi	ɐm mɐi	ɐm mɐi			am iam	ɐm mɐi/ muin	7家
	咸 衔(12) 盐				am iam(B)							1家
	效 肴(13) 宵				au iau(B)							1家
	梗 耕(14) 清	ɛŋ iɛŋ			æŋ iæŋ				ɣaɣ yiεB/ jiaŋA			3家
内外转	江/宕 江(15) 阳							ɔŋ iɔŋ				1家
	止/蟹 佳(16) 支								ɣy yiaɣB/ jieA			1家
总 计		3组	4组	4组	8组	2组	5组	1组	5组	3组	3组	

《广韵》三/四等韵及二/四等韵-i-介音区分韵系表

		陆志韦	周法高	李新魁	黄典诚	黄笑山
效	四萧	ɛu		eu	eu	ɛu
	三宵	iɛu/ɪɛu		ǐeu	ieu	iɛu/ɪɛu
梗	四青	ɛŋ		eŋ	eŋ	ɛŋ
	三清	iɛŋ		ǐeŋ	ieŋ	iɛŋ/ɪɛŋ
咸	四添	ɛm		em	em	ɛm
	三盐	iɛm/ɪɛm		iem	iem	iɛm/ɪɛm
山	四先	ɛn			en	ɛn
	三仙	iɛn/ɪɛn			ien	iɛn/ɪɛn
山/臻	四先		en			
	三真臻		ǐen			
蟹	四齐	ɛi				ɛi
	三祭	iɛi/ɪɛi				iɛi/ɪɛi
蟹/止	四齐			e		
	三支			ie		

(续表)

		陆志韦	周法高	李新魁	黄典诚	黄笑山
蟹/止	四齐			ei		
	三脂			ǐei		
蟹	四齐		iei			
	二皆		ei			
总计		5组	1组	4组	5组	5组

从以上这三个表中可以看出,对《广韵》音系中的 61 个韵系用介音-i-分韵实在是一个很普遍的现象,可以说到目前为止,还没有任何一家没有用到-i-介音分韵,只不过各家在这个问题上的处理只是数量多寡的不同、配对对象的不同而已,其本质都是一致的。根据这种拟音我们将很难想象陆法言是根据何种原则给《切韵》分韵的。我们认为,这种拟测违背了《切韵》的分韵原则。由于未能正确认识《切韵》的分韵原则,从而导致设置的元音数量偏少,或者元音的分布不合理,于是采用介音分韵就是不可避免之事了。下文将分别对上述三种情况加以讨论。

五 《切韵》内转一/三等韵不同主元音
试拟兼论真/臻、严/凡的主元音

从上文的《广韵》一/三等韵-i-介音区分韵系表中可以看出,《广韵》一/三等韵被诸家拟作-i-介音分韵者共有 13 组,这 13 组韵各家的处理也很不一致,大致说来内转各摄一/三等韵及外转的臻摄一/三等韵多被拟作用-i-介音分韵,外转的其他各摄及个别二韵分属内外转而被拟作-i-介音分韵者少,所以对于这后一种情况,这里就不讨论了。

这里共涉及分属内外转的 8 组韵,即:(1)冬/锺、(2)模/鱼·虞(本文算 2 组)、(3)唐/阳、(4)登/蒸、(5)侯/尤、(6)痕/欣、(7)魂/文。现对这 8 组韵的主要元音做一简单讨论。

(一)冬/锺。目前除郑张尚芳 1 家外,其余各家一致把这一组韵拟成相同的主元音,如何把这两个韵区分开来,我们认为,冬韵不妨仍拟作-oŋ,但锺韵可以拟作-ioŋ,后者有温州方言读音为证。如采取这种拟音,则江韵应予改拟,不应再拟作-ŋ。

(二)模/鱼·虞。这也是各家一致拟成相同主元音的一组韵。至于模韵与鱼韵相配对还是与虞韵相配对,各家学者有不同意见。高本汉、李新魁、黄典诚等三家认为模配鱼,但从上文《广韵》一/三等韵-i-介音区分韵系表中可看出多数学者认为模配虞,我们亦认为后者为是。根据《切韵》的分韵原则,这三个韵的主元音均不应相同,这里暂且把模韵拟作-u,虞韵拟作-io,鱼韵拟作-ɯ或-iɔ,这种拟测既反映了模虞主元音相近,又可解释早期等韵图把鱼韵定为开口的现象。潘悟云、朱晓农(1982)从押韵情况证明模、虞主元音应有别,可为一证。

(三)唐/阳。从上文表中可以看出,在所列出的11位学者的拟音中,有5位学者把此二韵的主元音拟成相同,6位学者认为主元音不同。高本汉把唐韵主元音拟成后ɑ,阳韵主元音拟作前a,可备一说。但我们认为如把唐韵拟作-aŋ,阳韵拟作-iɐŋ,也是一种可取的拟测方案。押韵材料亦可证明此二韵有别(潘悟云、朱晓农1982)。

(四)登/蒸。有5位学者把它们拟作相同主元音,6位学者拟成不同主元音。我们认为,这两韵的主元音有别,不但从《切韵》的分韵原则来看应是如此,而且从魏晋南北朝和隋代的诗文押韵中也可以证明此二韵的主元音全然不同。参李荣1982b,潘悟云、朱晓农1982,郑张尚芳1987。

(五)侯/尤。在前表五所列的11家拟音中,除了郑张尚芳和黄典诚2家外,其余9家都把此二韵的主元音拟为相同,虽然各家对此二韵主元音的音值拟测各有不同。郑张尚芳(1987)认为侯韵是-əu,尤韵是-ɯɯ,可备一说。

(六)痕/欣。这一对韵系的诸家拟音比较一致,在前表五所列的11家拟音中,只有李新魁和郑张尚芳2家拟作不同主元音。根据《切韵》的分韵原则,此二韵的主元音肯定有别。郑张尚芳把痕韵拟作-ʌn,欣韵拟作-iɯn,可备一说。

(七)魂/文。在前《广韵》一/三等韵-i-介音区分韵系表所列的11家拟音中,有10家把此二韵的主元音拟作相同,只有郑张尚芳一家把它们拟成不同的主元音。我们认为可以把魂韵拟作-on,文韵拟作-iun。

以上6摄7组《切韵》一/三等韵主元音的简单讨论就暂时到此为止。下面我们再附带简单讨论一下真/臻、严/凡两对韵系的主元音问题。因为在有的学者的《切韵》音构拟体系当中,这两组韵系的主元音也往往构拟成相同。而根据《切韵》的分韵原则,这种拟测是不可取的。

(八)真/臻。有学者认为《切韵》音系真臻二韵系处于互补状态,所以其主元音无别(邵荣芬 1982:80—83)。但我们认为既然陆法言把真臻二韵并立,一定认为其主元音有区别。这两韵的区别的一个最重要证据就是越南汉字音,限于篇幅这里不再举例说明。我们认为不妨把真韵拟作-iin,臻韵拟作-iən。

(九)严/凡。自高本汉以来,学者们一向认为严凡二韵的主元音相同,二者只是开合口之别。高本汉把严韵拟作-iɐm,凡韵拟作-iuɐm,其他各家的拟音与此基本相同。近年来,有学者认为严凡二韵并不是开合口的问题,二者处于互补状态,应合而为一,也就是说二者毫无区别,完全相同(邵荣芬 1982:80—82,133)。我们认为陆法言既然把严凡独立为二韵,一定是认为二者的主元音有别。它们之间应既不是完全相同,也不是开合口之别,否则的话,根据《切韵》的分韵原则,陆法言就应把它们全为一韵了。所以这两个韵即使互补,也不应合并。严凡二韵的主元音不同可以在越南汉字音中找到证据,越南译音把严韵多作-iêm[iem],凡韵多作-am,虽然在该译音系统中严凡二韵之别比真臻之别要复杂,限于篇幅,这里就不多作举例了。我们在这里的主要目的在于说明这两韵的主要元音应有区别,至于应该分别拟作何种主元音,可以再作考虑。

六 《切韵》二/三等韵不同主要元音构拟设想

从上文第四节《广韵》二/三等韵-i-介音区分韵系表的统计来看,诸家《切韵》音系构拟体系中-i-介音区分二/三等韵的情况比-i-介音区分一/三等韵和三/四等韵的情况复杂多了。可以说它有这样三个特点:(1)配对的韵系组数量多,共有16组;(2)韵系配对的范围广,不但普遍见于外转各摄,还有打破内外转的界限而形成的配对组;(3)各家意见分歧,在这16组配对韵中,最少的只有1家学者如此处理,竟有一半的配对韵(8组)是这种情况,最多的有7家。此外,具体到各位学者来说,表中一共统计了10位学者,各学者的组数分布也很不一致,最少的只有1组,即李新魁一家,最多的有8组,是周法高。但不管怎样,我们认为这种构拟都违背了《切韵》的分韵原则,都是不可取的。

需要指出的是,在高本汉的《切韵》构拟系统中,不存在二/三等韵同主元音而用-i-介音分韵的情况,这主要是因为高氏对二等重韵采用了长短音的理论,增加了元音的区别性。但自高氏以后,很多学者都不赞成把长短音系统引入中古音构拟,而改为元音音质的区别,这一改动,导致不少学者在有限的元音选择中未能把握住《切韵》的分韵原则,从而出现了相当数量的二/三等韵同主元音的情况。

限于篇幅,这里不拟对此作全面的逐一讨论,只对构拟的原则问题再谈一点我们的看法。

首先,是元音的数量问题,如前所述,少于12个主元音的构拟系统是不能完成分韵任务的。

其次,是对二等重韵的处理问题。我们知道,从上古音的角度来看,二等重韵的来源有两个,一个来自上古的*a元音(还有*o,但这个*o变作中古的合口二等),此来源的二等重韵中古音一般也是a,另一是来自上古的非a元音(按照郑张尚芳先生的6元音上古音体系,应是i、ɯ、e、u四个元音,此中u亦是变作中古的合口),此来源的二等重韵诸家拟音最为分歧,要皆不出ɐ、æ、ɜ、ɛ这几个元音,如果二等韵选择了这几个元音中的某一个,那么与之相当的三等韵则应改换为上列四个中另外3个元音中的一个,总之二者不应相同。这里面还有许多具体的问题需要考虑,此处恕不赘论。

七 《切韵》三/四等韵不同主要元音说

关于用-i-介音区分三/四等韵的问题,始于陆志韦先生。陆氏(1947)把齐、先、萧、青、添五个韵系均构拟成不带-i-介音,并且主要元音是ε的系列,同时确立了与纯四等韵相配的五个三四等合韵是祭、仙、宵、清、盐,它们的主要元音也是ε,但有-i-介音。这样,纯四等韵与相配三四等合韵的区别就只落在-i-介音上面。这是对高本汉拟音体系的一项重大的修改。这个问题在高本汉的《切韵》音构拟体系当中并不存在,高氏不但纯四等韵都带有-i-介音,并且主元音与三等韵均全然不同。我们认为,陆氏的这项修改,确认纯四等韵不带-i-介音,是一个贡献,但是把纯四等韵和部分与之相配的三四等合韵的主元音构拟成完全相同,这是我们所不能苟同的。因为这样的话,这五组三/四等韵的情况就与前述诸家-i-介音区分一/三等韵、二/三等韵的情况完全相同了,这显然与《切韵》的分韵原则不合,依照陆氏的构拟,《切韵》的作者就应把它们合为一韵了。

陆氏以后,也曾有不少学者把纯四等韵拟成不带-i-介音的系列,但与陆氏有两点不同:第一,虽把纯四等韵拟成不带-i-介音,但其主元音与三等韵的主元音并不相同,如李荣(1956)、邵荣芬(1982)等。第二,把纯四等韵的主元音拟成 e 系列。我们认为,纯四等韵带不带-i-介音,主元音是 e 还是 ε,这两点从《切韵》的分韵原则角度来看,并不重要,但他们并未如陆氏那样把纯四等韵的主元音构拟成与相配三等韵相同这一点,无疑是最重要的,也是完全可取的。

此外,与纯四等韵齐韵相配的三四等合韵是祭韵,还是支韵,还是脂韵,学者们也有不同意见(见上文第四节中的《广韵》三/四等韵及二/四等韵-i-介音区分韵系表),这里也不多作讨论。总之,采用纯四等韵不带-i-介音并且把主元音与相关的三等韵拟成完全相同的学者并不太多,这里就不多说了。

另外,还有周法高一家把二等皆韵与四等齐韵拟成是-i-介音的区别,这也是不可取的。

八 论《切韵》内转各摄一/三等韵的趋同音变及相对年代学问题

这里所说的内转诸摄暂时包括外转臻摄,具体言之,是指下列六摄 7 组一/三等韵:(1)通摄(冬/鍾),(2)遇摄(模/鱼·虞),(3)宕摄(唐/阳),(4)曾摄(登/蒸),(5)流摄(侯/尤),(6)臻摄(痕/欣、魂/文)。在我们明确《切韵》是按主要元音分韵、不是按介音分韵的分韵原则之前,内转一/三等韵不同主元音的问题并不突出,即使有一两个韵摄的一/三等韵一直被拟为不同的主元音,它的音变问题也一直未能引起汉语音史研究者的应有注意。现在既然这 6 摄 7 组一/三等韵原来均具有不同的主元音,那么它的合流音变问题就显然值得我们格外注意了。

关于这项音变,有三个问题值得注意:第一,这种音变何时发生,何时完成;第二,这种音变的趋同过程如何;第三,与其他音变的相对年代学(relative chronology)关系是怎样的。

关于第一点,即此项音变的产生时代,可以肯定发生的时代很早,至晚在唐代即已发生,证据之一就是《广韵》卷首总目和每卷卷首韵目下所注的"同用"。据唐封演《闻见记》载:"先仙、删山之类分为别韵,属文之士共苦其苛细,国初许敬宗等详议,以其韵窄,奏合而用之。"据此可知,允许邻韵同用最早出现于唐初,但当时规定允许同用是多少韵,是哪些韵,无从得知。今本《广韵》有21处(包括26韵)允许同用,上去入声独用同用与平声一致。我们认为这些"同用"无疑反映了语音的简化。我们把这21处"同用"分成了六类,分别代表六种情况:

1. 一等重韵合流:

①灰咍同用;②寒桓同用;③歌戈同用;④覃谈同用

2. 二等重韵合流:

①佳皆同用;②删山同用;③咸衔同用

3. 三等重韵合流:

①支脂之同用;②真谆臻同用;③文欣同用;④严凡同用

4. 二/三等韵合流:

①庚耕清同用

5. 三/四等韵合流:

①先仙同用;②萧宵同用;③盐添同用

6. 一/三等韵合流:

①冬锺同用;②虞模同用;③元魂痕同用;④阳唐同用;⑤蒸登同用;⑥尤侯幽同用

这前5种情况都是我们很熟知的汉语语音史常见音变,而这第6种,也就是本节所涉及的6摄7组一/三等韵合流音变,虽然"元魂痕同用"一组与我们此处所述的臻摄情况不合,当另有原因。众所周知,这些"合用"规定,为后来平水韵的形成奠定了基础。我们认为这些"合用"规定反映了这些一/三等韵主元音的趋同音变,而这项音变看来与其余的5项音变是平行的。第二项证据就是金代韩道昭所撰《五音集韵》的160韵所注"同用"。此书平声44韵,上声43韵,去声47韵,入声26韵,此书韵部的分合没有完全依照《广韵》独用、同用的原则,其中涉及此处所论的6摄7组一/三等韵虽仍完全独立成韵,但《广韵》的同用《五音集韵》基本仍是同用,只是蒸登未注同用是例外。第三项证据是元代周德清的《中原音韵》(1324)。这6摄7组一/三等韵在《中原音韵》中分见于下列6个韵部:

(1)通摄(冬/鍾)——《中原音韵》东鍾韵 (2)宕摄(唐/阳)——《中原音韵》江阳韵

(3)遇摄(模/鱼·虞)——《中原音韵》鱼模韵 (4)臻摄(痕/欣;魂/文)——《中原音韵》真文韵

(5)曾摄(登/蒸)——《中原音韵》庚青韵 (6)流摄(侯/尤)——《中原音韵》尤侯韵

众所周知《中原音韵》的韵部主元音是完全相同的,所以这项韵母主元音的趋同音变至晚在元代北方话中已全部完成。据此我们认为这项音变始于唐代,最晚完成于元代。高本汉(1940:54—55)对这个问题也有讨论,请参阅。

关于第二点,即此项音变的趋同过程,我们认为这些一/三等韵的主元音从相异变成相同,元音趋同后,韵母本身还保持着洪细之别,即原来的一等韵是洪音,三等韵基本上是细音(有声母的条件)。至于这种趋同音变是一等主元音变同三等主元音还是三等主元音变同一等主元音,抑或二者同变为一个新的主元音,尚需仔细研究。高本汉认为是三等变同一等(见高本汉1940:54—56),我们认为基本可信,但似也不能排除有别的情况,如《蒙古字韵》的庚韵其主元音写作 i,即把《广韵》的登蒸二韵系均写作-iŋ,看来又像是一等变同三等了。

关于第三点,即此项音变的相对年代学(relative chronology)问题,高本汉曾提出这样的看法,他说:"关于韵母的简化我们已经划出了三大阶段:第一是同等间的简化;第二是一等开合口元音的混同(译者原注:"此语所指原文,译文已删,参上53页脚注(三)。");第三是一三两等元音的混同。现在还有一个第四段,是这个演变的最后一段:就是独立的二等韵(指各种声母全有的二等韵,看上文)被别的等所吸收。有一件有趣的事值得注意的,就是这类二等字,照 Schaank 的系统并没有什么独立性,仿佛不应该有它自己所专属的韵部,而事实上它却是比别的韵保持独立最长久的那一等。在刘渊那么晚的时代,这类的二等韵还没有一个失掉它的本韵而被别等吸收了去的例。到《洪武正韵》,才开始有归并,然而很丰富的山蟹两摄仍旧保持它们的独立韵部。一直到现代官话时代这个独立性才失掉了。"(高本汉 1940:56)高氏把内转各摄(依高氏体系应只有一个宕摄)一/三等韵的趋同音变置于同等重韵合流的音变之后,是有道理的,当然他的这项假设还有待更多的音韵资料加以证实。

参考文献

董同龢　1968　《汉语音韵学》,台北,广文书局。
冯　蒸　1991　《〈切韵〉、〈痕魂〉、〈欣文〉、〈哈灰〉非开合对立韵说》,《隋唐五代汉语研究》,山东教育出版社,472—509页。又见冯蒸1997,150—183页。
　　　　1997　《汉语音韵学论文集》,首都师范大学出版社。
高本汉　1915—1926　《中国音韵学研究》,赵元任、罗常培、李方桂译,商务印书馆,1940。
　　　　1954　《中上古汉语音韵纲要》,聂鸿音译,齐鲁书社,1987。
黄典诚　1994　《〈切韵〉综合研究》,厦门大学出版社。
黄笑山　1995　《〈切韵〉和中唐五代音位系统》,台北文津出版社。
李方桂　1971　《上古音研究》,《清华学报》新九卷1、2期合刊。此据商务印书馆,1980。
李　荣　1956　《切韵音系》,科学出版社。
　　　　1982a　《音韵存稿》,商务印书馆。

	1982b	《隋韵谱》,《音韵存稿》135—209 页。
	1982c	《庾信诗文用韵研究》,《音韵存稿》225—258 页。
李新魁	1986	《汉语音韵学》,北京出版社。
	1991	《中古音》,商务印书馆。
陆志韦	1947	《古音说略》,《燕京学报》专号之二十。又见《陆志韦语言学著作集(一)》,中华书局,1985。
罗季光	1986	《"广韵"开合分韵说质疑》,《音韵学研究》第二辑,中华书局。
麦 耘	1995a	《音韵与方言研究》,广东人民出版社。
	1995b	《"切韵"元音系统试拟》,《音韵与方言研究》,广东人民出版社。
潘悟云	1988	《高本汉以后汉语音韵学的进展》,《温州师院学报》第 2 期。
潘悟云 朱晓农	1982	《汉越语和"切韵"唇音字》,《中华文史论丛增刊:语言文字研究专辑(上)》,上海古籍出版社。
邵荣芬	1982	《切韵研究》,中国社会科学出版社。
王 力	1980	《汉语史稿》(修订本),上册,中华书局。
俞 敏	1984a	《等韵溯源》,《音韵学研究》第一辑,中华书局。
	1984b	《后汉三国梵汉对音谱》,《中国语文学论文选》,日本,光生馆。
余迺永	1993	《再论"切韵"音——释内外转新说》,《语言研究》第 2 期。
喻世长	1989	《"切韵"韵母拟音的新尝试》,《语言文字学术论文集:庆祝王力先生学术活动五十周年》,知识出版社。
郑张尚芳	1987	《上古韵母系统和四等、介音、声调的发源问题》,《温州师院学报》第 4 期。
	1996	《汉语介音的来源分析》,《语言研究》增刊。
周法高	1968	《论切韵音》,《中国文化研究所学报》第 1 卷。
	1983	On the Structure of the Rime Table in the *Yun-Ching*.《史语所集刊》第五十四本第一分。

Ian Maddieson 1984 *Patterns of Sounds*. The Cambridge University Press.

Samuel E. Martin 1953 The Phonemes of Ancient Chinese, *Supplement to the Journal of the American Oriental Society*, No. 16.

(原载《语言研究》1998 年增刊,此次发表略有修改)

东汉魏晋南北朝在语法史上的地位

魏培泉

一、前言

如果把无文字的远古时代及现代排除在外,[①]过去对汉语史的分期,大致可分为三派(以下引述并不包含只以语音的演变分期的):1.分作上古、中古、近代等三期(如王力 1958);2.分为上古、中古、近古、近代等四期(如太田辰夫 1988);3.分为古代和近代两期(如吕叔湘 1985)。

无论分作三期还是四期,各家上古的时段大致是相当的,即自殷商到汉代。分歧处是自魏晋以下要怎么划分众说纷纭。仅以持三分法者为例,对中古的分界点就有很大的出入。如王力(1958)为 4 世纪到 12 世纪;潘允中(1982)为两晋到隋唐五代,约当 3 世纪至 10 世纪;[②] Peyraube(1995)为 2 世纪到 13 世纪中期。总之,可能的上限约当 2 世纪到 4 世纪,而下限约当 10 世纪到 13 世纪。二分法则大约以隋末唐初或晚唐为界来划分古代和近代。[③]四分法的太田辰夫以魏晋南北朝为中古(可包括东汉),约当 3 世纪(或 1 世纪)到 6 世纪;其近古(唐代到明代)和近代(清)则大抵和二分法的近代相当。在以上的各种分法中我们看到一个特别严重的问题:魏晋南北朝的地位很暧昧,在四分法中和其他时期是等立的,在三分法中则和唐五代甚至宋代合并为一期,在二分法中则又归入古代,结果魏晋南北朝是从古还是就今,还是该独立出来,便成了颇令人困扰的问题。

不仅魏晋南北朝在语法史上的地位暧昧,东汉的地位也未必明确。东汉的归属问题过去受到的注意较少,传统上多归于上古,以笔者浅见,东汉和魏晋的语法颇难分别,应可合并为一。[④]

本文的目的就是要根据语法的标准来推断东汉魏晋南北朝在汉语语法史上的地位。

二、分期凭准的检讨

在第一节中所述的各种分期法立足点并不一定是平等的,如潘允中以语法为主,而在王力的分期中语音这个标准就承担了相当大的比重,他的中古和近代的区别就完全是以语音为据的。王力对各期特点的描述见表一。

表一 王力(1958)的分期(现代汉语省略不列)

上古(3世纪以前)	中古(4—12世纪)	近代(13—19世纪)
1.不用系词; 2.在疑问句中代词宾语放在动词前面; 3.入声有两类(其中一类到后代变去声)。	1.系词必用; 2.去声字的产生; 3.处置式的产生; 4.完整的"被"字被动式的普遍使用; 5.词尾"了""着"的产生。	1.全浊声母在北方话里的消失; 2.-m尾在北方话里的消失; 3.入声在北方话里的消失;

王力的分期特征有如下的问题:其一是混用语音和语法两类标准。如中古的变化除了一项"去声字的产生"外,其他都是语法项目,二者混用。又从中古到近代只有语音的变化(而且还仅限于北方话),好似两个时期间并无语法上的差别。如果以语法为重,那么中古和近代就没有分期的必要。其二,这些特征也不见得都是从各时期起始就有的,如他的中古从4世纪开始,但词尾"了""着"在六朝时尚未产生。

以过去的经验来看,混合语法和语音的标准来为汉语史分期是难度很高的挑战,因为各特征间的轻重大小是很难衡量的。本文的目的是想从语法的角度来衡量东汉魏晋南北朝的地位,因此本文的讨论并不考虑语音这个部分。只是浅见以为,汉语史分期要兼顾语音和语法,恐怕要等到语音和语法分别依据各自的标准分好期后,再来看可以达到怎样的归并。

以语法来分期,潘允中(1982)是相当具有代表性的一个。他是根据一些特征来分期的,也算是有一个客观标准的。他的分期标准见表二。

潘允中的分期问题如下:其一,前后期的区别有的不一定是演变的关系,而是文献有无或文体的问题。如文献上语气词到西周以后才逐渐出现,并不一定能反映语言的实际面貌,而可能和语料的多寡及文体有关。其二,有的标准有时代错置之嫌。如中古栏下有声调区别词性一项。在我们看来,这是过于拘泥于文献的记载。中古声调区别词性的例子有限,它应是上古或更早的构词法的残遗,在中古并不具有能产性。其三,不能如实反映语言的特殊现象跻身为一项分期的标准。如翻译产生新句法的"如是我闻"这一项。难免会有与当时语法不合的,但这并不代表实际语言中也存在,更何况这只是中古翻译时的一个套语罢了。其四,有的标准叙述模糊。如上古栏下有语序成为重要手段一项。我们不免要问:什么时候汉语的语序不是重要的手段?又如"著""了""地""底(的)"在中古使用,在近代普遍使用。这是从有到多,和其他的标准是以有无来判定不同,也不知是否可以量化。又如近代栏下有复句更繁复精密一项,也不知繁复精密的判定是否有个客观标准。

表二　潘允中(1982)的分期标准

上古(西元前16世纪到西元1世纪)	中古(西元3—10世纪)	近代
1. 词类还没有互相区别的标志； 2. 语气词到西周以后才逐渐出现； 3. 语序成为重要手段(齐师大败：大败齐师)； 4. 在否定句和疑问句中，代词宾语放在动词前面； 5. 判断句基本不用系词(可用准系词，系词在战国末才萌芽)； 6. 主被动最初基本上没有分别(庄公死：子般弑)。	1. 词头"阿""老"开始出现； 2. 名词词尾"子""头""儿"产生； 3. 动词词尾"着""了"出现； 4. 副词词尾"地"的使用； 5. 形容词词尾"底"("的")的使用； 6. 声调区别词性； 7. 在否定句和疑问句中，代词宾语到东汉以后不再放在动词前面； 8. 被动式进一步完善，如"被"字句流行； 9. 处置式的产生； 10. 产生表示复数的词尾"们"； 11. 翻译产生新句法如"如是我闻"。	1. 动词词尾"著""了"、副词词尾"地"、形容词词尾"底(的)"普遍使用； 2. 句末"么""吗""呢""哩""呀"广泛出现； 3. "连……也"结构产生； 4. 复句更繁复精密； 5. "得"字补语产生。

在王力与潘允中的分期中，各时期并不根据相同的一组特征来评量，各项特征并不对所有的时期一体适用。固然各项特征可由是否新产生来判定以前是否存在，但总不如在各时期中都列出醒目。分期不根据一组相同的特征来评量，在比较上就比较散漫，因此比较好的做法是每个时期都根据相同的一组特征来评量。表三是个可以参考的例子。这个表是合并 Norman (1988:11)和梅祖麟(1997)而成的。[5]

表三

	单音节	有声调	无复声母	少形态	量词必用	修饰语在中心语前	SVO
现代汉语	+	+	+	+	+	+	+
上古汉语	+	?	−	+	−	+	+
远古汉语	+	−	−	±	−	−	−

固然 Norman 和梅祖麟是用这七项特征来比较汉语不同时期的类型差异的,并非用来分期的,但是我们却也可以利用同样的方法来分期。他们的方法有三项优点:1.每一项特征都具有相当重要的类型意义;2.每个时期都根据一组相同的特征来评量;3.以正负值为参数,有无立判。

虽然使用这七项特征的目的并非用来分期,但其中部分特征用于分期也还有其价值。其中第一项因自古至今不变,因此在汉语的分期上不具意义。至于其他六项在区别现代汉语和远古汉语上固然很有用,但对上古以后以至现代的分期所能贡献的就相对有限,因为在这六项特征中上古汉语和现代汉语间只有两项是确定有别的。若仅采用这两项特征,上古以降的汉语史顶多也只能分为两期。我们认为,从上古到现代,汉语语法是经历过一些重大变动的,因此应该还可以更深入地探求有哪些特征可以用来分期。

当然,决定分期的关键并不一定在于特征项目的多寡,更重要的是这些特征在分期上是否都具有关键性的意义。本文即据此精神,选择一组特征来比较各个时段的异同。至于我们怎样选择特征,则是本文的旨趣所在,稍后再加以说明。

三、本文的材料与参考特征的选取

如上述,要决定东汉魏晋南北朝在语法史上的地位,目前较可行的办法恐怕还是选定一组具有分期意义的语法特征,并依其有无多寡来断定各时期在语法史上的地位(即视各时期在这些特征上的异同来决定其归属)。根据我们的标准,考察的结果大概如表四和表五所示。表四是以先秦汉语的特征来比较各阶段的异同,表五是以现代汉语的特征来比较各阶段的异同。由于看了表四和表五后,结论也就呼之欲出了,因此有必要对表四和表五编制的过程或理由做个交代。

首先说明何以分出表四和表五而不合为一表。其因和我们的特征来源有关。我们是把先秦汉语和现代汉语作为分期的参考点的,因此表中所列的特征基本上就是从先秦汉语和现代汉语中选取的。为什么以这两个时期作为参考点呢?最主要的原因其实是因为它们可算是汉语史的两个端点,彼此语法又有颇大的差异,过去对语法的分期可说都是有意无意的根据它的差异来决定的。事实上这两表本来并不是不能合为一表的,但我们以为分为两表会让人把事实看得更清楚一点。

其次说明为何不采用正负值来评量。我们认为语法的发展,往往并不是指出现象之有无就可以说清楚的。语法的演变常常会有一个过程,有时前后阶段只有程度上的差别,若仅以正负值来标示一种语法现象的有无,就难免会将这个过程遮盖住。因此我们这里的评量是采用0到3等四个数值而不采用正负值。这些数值大致依据我们现在对语法史上各项特征的认识决定的,将来或可随着新证据而有所改易。

对于表四和表五的编制,还有以下两个更重要的问题要说明:1.用以比较的时段与材料怎么选取?2.用以比较的特征根据什么原则来决定?

(一) 参考时段与语料

我们在表四和表五中并没有列出所有的时段,只列了先秦、东汉魏晋(这里的晋只限于西晋)、东晋南北朝、唐五代、宋、明清、现代等几个时段。东汉魏晋南北朝是本研究的对象,自然必须列入。我们又把它分为东汉魏晋和东晋南北朝两阶段,理由如下:东汉常被归入上古,因此必须把它列为评量的对象;又从文献上看,从东汉到西晋,语法既看不出有显著的变化,较口语化的语料也远不如东晋南北朝多,因此在制表时就把东汉魏晋和东晋南北朝分开来,而其分合自可视比较的结果来决定。先秦汉语和现代汉语是我们用来衡量中古汉语的两个主要参考点,因此必须列入。表中又列了唐五代和宋代两个阶段,主要的理由是中古的下限有主张是五代的,也有主张是宋代的。明清是近代汉语的典型,因此也是一个重要的参考点。

表四

特征 \ 分期	先秦	东汉魏晋	东晋南北朝	唐五代	宋	明清	现代
名词用为谓语	3	0	0	0	0	0	0
代词有格的对比	3	0	0	0	0	0	0
使用代词"之"	3	1	1	0	0	0	0
关系代词"所""者"	3	2	2	0	0	0	0
否定句代词宾语在动词前	3	0	0	0	0	0	0
疑问代词宾语在动词或介词前	3	0	0	0	0	0	0
代词兼可表事物及处所	3	0	0	0	0	0	0
名词表处所不以加方位词为条件	3	0	0	0	0	0	0
使动式(致动、意动)	3	1	1	0	0	0	0
副词"或""莫"	3	0	0	0	0	0	0
表工具的介词组可放在动词后	3	0	0	0	0	0	0
表所自的介词组可放在动词后	3	0	0	0	0	0	0
表所在的介词组一般在动词后	3	0	0	0	0	0	0
"V 而 V"	3	0	0	0	0	0	0
助断的"也"	3	1	1	0	0	0	0
"主—之—谓"	3	0	0	0	0	0	0

符号说明：3 常用而规则化或具能产性　　　0　消失或固化（如成为复合
　　　　　2 虽尚常见而显著衰降　　　　　　　　词的一部分）
　　　　　1 见频大幅降低（低于原先之三　　？　有无不明
　　　　　　分之一）

表五

特征 \ 分期	先秦	东汉魏晋	东晋南北朝	唐五代	宋	明清	现代
词尾"子"	0	2	2	3	3	3	3
表示复数或集体的依附词	?	3	3	3	3	3	3
专用的第三身代词	0	0	?	3	3	3	3
"数+量+名"结构	0	2	3	3	3	3	3
动量词	0	3	3	3	3	3	3
使成式	1	3	3	3	3	3	3
系词"是"	1	3	3	3	3	3	3
动词词尾"了"	0	0	0	1	3	3	3
全量指量词修饰名词	?	3	3	3	3	3	3
反身的"自"不限于用为副词	0	3	3	3	3	3	3
介词组的位置按时间序列排列	0	3	3	3	3	3	3
助词"底（的）"	0	0	0	3	3	3	3
趋向助词"来""去"	0	?	2	3	3	3	3
"被 AV"式被动式	0	1	2	3	3	3	3
以二元动词为主要动词的处置式	0	0	?	3	3	3	3
平比式的标准项在动词前	0	2	3	3	3	3	3
"V 得 S"	0	0	0	3	3	3	3

符号说明：3 常用而规则化或具能产性　　　0　无
　　　　　2 虽非少见而尚未普遍化　　　　？　有无不明
　　　　　1 萌芽

　　各时段实际的时距和主要材料如下："先秦"指秦以前，但所根据的事实上是以春秋战国之际到秦代的材料为主，主要是《论语》

以下到秦代的典籍；"东汉魏晋"时间为西元1世纪到西晋，但1世纪材料少，可根据的材料主要在2世纪以后，魏晋骈俪之风甚盛，即使是佛经口语化也不如东汉，因此这个时段的材料主要为东汉的注解和译经；"东晋南北朝"涵盖的时间为东晋到6世纪终，这个时期佛经骈俪色彩稍淡，相对的口语化程度较高，因此材料较大部分是来自佛经；"唐五代"涵盖的时间为7世纪到10世纪上半叶，但因唐代前半段的材料较缺乏，因此实际上材料主要根据的是晚唐五代的变文和《祖堂集》；"宋"大约是以金立国以前的材料为主；"明清"的材料则限于明代到18世纪。

有些时段不列作参考点，多半是因为材料上的问题。如西汉文献的文字有不少是先秦的承袭，材料的成立时间往往不明，把这些材料去掉后能用的就所剩无几了。因此尽管我们看到西汉的语法在某些方面异于先秦而同于中古，但因材料往往不足，所以表中只好从阙。《诗经》《书经》及甲金文因为有材料有限及解读不易的问题，而且语言现象也颇有些与《论语》以下的先秦材料不一致之处，因此我们暂不考虑。

材料的问题是本研究所面临的最大问题。以下略举两个问题：

有时分期的困扰是来自材料的不足。如东汉魏晋南北朝在语法史上的地位是本文所探讨的问题，但这个时期的两个端点与其相邻时段如东西汉之际（约当西元前后1世纪）以及唐代初中期（约当西元7—8世纪）的材料能反映当时语法的十分有限，连要描绘一个粗略的轮廓也不容易，这就难怪在定位上容易产生龃龉。因此像 Peyraube（1995）把西元前后1世纪列为过渡期以及学者对近代汉语是始于初唐还是晚唐见解多有不同便很容易理解了。

材料的文体也是语法史研究上应当注意的，材料别择的不同往往会影响结果的不同。有的材料接近口语，有的则不然。如果所根据的材料离口语不近,则判断难免就会背离实际。如下文所述,要研究两汉量词的发展,出土简帛看来是较好的材料。

(二)语法特征的选取原则

如上文,本文的语法特征是自先秦汉语和现代汉语中选取。如果有某项特征只见于中古而不见于近代或先秦,则自然被排除在外。[6]此外,南方方言也排除在外,一方面是因为历史文献大抵较偏于北方话系统(包括南方官话),一方面也是因为加入南方方言会使复杂度增加以及对系统性有所妨碍。在选取特征时,我们同时也考虑一项特征在参考时段中的普遍性。例如先秦的"唯"字虽曾有提前焦点的作用,但在战国时代已衰微,就不列为先秦的特征;现代则以普遍见于北方话者为选取对象。

那么各项特征的选取是依据什么原则呢?我们选取的原则如下:

如果一个特征的有无和语言的结构或规则的变异相关,就列为我们选取的对象。[7]其次,就个别的功能词而言,则以其变异是否造成功能之新生或重整作为选取的依据。如果大抵只是词汇的替换则不列入考虑。例如上古的"彼""此"和近代以后的"这""那"可说是词汇的替换关系,虽然在区别文献古今上的用途很大,我们也不予考虑。

我们所选取的这些特征个别来看都很重要,但彼此之间的轻重大小,可以进行怎样的分合,都不是容易回答的。这个问题且留待最后再说。

四、各项特征的说明

本节说明表四和表五中各项特征的重要性及其历史。至于这些特征彼此的关系以及其在整个语言结构具有怎样的意义当另文讨论。

(一) 构词

构新词的方式古今有明显的差异。上古原本以同形词或单音节词的衍生为构新词的主要手段（包括声母、元音和韵尾的变化），中古以后就以复合词为主要手段，这些复合词的语素可说多来自上古。复合词的增加有很长的历史，到中古时在总词数中的比例显然比起上古还要高很多。复合词的变化自是可以对上古和中古的区辨有所贡献，不过复合词的量化问题并不小，而且即使有了数据，要怎么和表四和表五中的各项凭准整合在一起也难免会涉及主观因素，因此在构词这一方面我们暂时不把复合词考虑在内。

上古汉语以音素的变化来构新词，有些手段可以同时区别词性，如利用复声母中的一个音缀或声母清浊的交替或四声的变化。[8]这种构词手段在上古或远古时期可能很活跃，但我们仅能从中古的文献或汉藏语比较来推知。在中古文献的记载中，还可以看到部分的遗存，但已不再具有能产性了。由于对上古这种构新词的手段能产性如何还不是很清楚，因此也不用作一项参考特征。

使用如"阿""老"的词头或如"子""儿"的词尾来构新词确是不见于上古的文献的，[9]它代表复音节化的一个极致，因此确可作为分期的凭准之一。但本文的凭准只列"子"而不列"阿""老""儿"，因为我们认为这几个词缀用作凭准有其限制。词头"老"仅限于有限的情况（动物、排行、姓名），"阿"在北方方言中不普遍。[10]词尾"儿"虽偏为北方方言，但在近代文献及北方方言中也不是很普遍的。因为这几个词缀在比较上的功用较有限制，所以我们只取中古以后使用较普遍的"子"作为参考特征。

1. 词尾"子"

作为词尾的"子"可能有两种来源：(1)尊称（如"男子""女

子");(2)儿子或种子。"子"用为小称可能是由后者来的,更进一步发展就不限于小称了。上古"子"作为词尾的例子罕见而且往往可疑,但是"子"作为词尾到中古时不但已经确立而且文献上已非少见。中古"儿"只限于有生,而且主要是狎昵轻贱之称。[11]中古"子"则不限于有生;如果是有生,也未必为狎昵轻贱之称。此时以"子"为词尾的名词已遍及动植物以及各种生活用品。如"蚊子""蚤子""蚁子""蛋子""果子""枣子""韭子""葱子""豆子""茄子""麦子""棘子""葵子""蒜子""麻子""稗子""谷子""刀子""石子""椀子""盌子""盆子""瓶子""瓮子""袋子""杷子""杓子""锯子""珠子""块子""砲子""棋子""局子""算子""屋子"等。[12]因此可以说在这个时候"子"的词汇意义已经丧失,只是作为构新词时填补音节之用。

2.表复数和集体的依附词[13]

现代汉语可以把"们"附加在代词之后表示复数或附加在名词之后表示集体。在上古汉语中表复数或集体并没有这样的手段,因此可以说这是汉语后来新生的语法手段。中古时"们"用来表示复数先见于南方,如北齐王郡《齐志》有"渠们底个,江左彼此之辞"的记载。因为中古文献"们"罕见,因此难以判断"们"实际上的使用状况。虽然如此,中古还有一个功能和"们"大略相当的"等"。"等"这种用法比较确定的最早时间是在西汉。[14]如:

(1) 吾恐其伤汝等。(《淮南子·氾论训》)
(2) 贯高、赵午等十余人皆相谓曰:"乃吾等非也。吾王长者,不倍德。且吾等义不辱,……"(《史记·张耳陈馀列传》)《汉书·张耳陈馀传》两"吾等"同。

"等"在西汉还不算常见,而且"等"虽可附加在代词之后表示复数,附加在名词之后却比较有限制,通常只限于专名而非通名,可以说当时"等"还没有指类的作用。到了中古才扩及通名,这时"等"才真正是表集体的记号。表复数和集体的用法中古相当常见。如：

(3) 佛告放牛人："亦非释梵诸神王等来听法也,乃是汝等所道恶牛,以见我故,命终生天,来供养我,是其光耳。"(吴·支谦《撰集百缘经》232)

（二）名词

1. 名词用为谓语

先秦常见名词用为谓语,[15]但在东汉以后这样的用法只能算是特殊的用法了。这多少可从东汉的注解看出来。如：

(4) 有恶寒之疾,不可以见风。(《孟子·公孙丑下》"有寒疾,不可以风"赵岐注)

(5) 义无所处而馈之,是以货财取我。(《孟子·公孙丑下》"无处而馈之,是货之"赵岐注)

（三）代词

先秦的代词在语法上有一些与名词不同的特征。在代词的表现上现代汉语和先秦汉语有如下明显的对比,而中古多数近于现代汉语。

1. 代词有格的对比

在上古汉语中,人称代词、指示代词、疑问代词都有一套形式的对比,有人认为是格对比,有人认为这种对比有其他的语音或语法因素（不过"之"与"其"的对比可确定为格的对比）。无论如何,这种对比确是上古汉语区别于近、现代汉语的重要特征。魏培泉(1990)指出,这种对比在东汉已经消失。

2. 代词"之"的使用

"之"是先秦极常见的代词,其功能主要为承指。魏培泉(1990:56—67)指出,自东汉以后,"之"的使用率呈现大幅的衰减。

193

"之"的衰微除了使得零代词的使用相对增长,以及导致"之"和"其"之间的对立关系(即领格和非领格)逐渐消失,也还连带的引起其他方面的语法变化。[16]

3. 关系代词"所""者"

"所""者"在上古汉语中是关系代词。据魏培泉(1990:328—345)的考察,从东汉以后,"所""者"的关系代词功能已逐渐褪色,可以说上古汉语的关系代词已开始走向衰颓。

4. 否定句代词宾语在动词前

在先秦,否定句的定指代词宾语位在动词前是普遍的现象(这里所说的代词包括人称代词及指示代词),虽然这条规则在当时已开始松动,但代词在动词后的例子仍然不多。魏培泉(1990)考察否定句的代词宾语的位置,发现置于动词后的例子在西汉时已颇有增长,到东汉则成为常律。

先秦指代词宾语移前其实并不限于否定句,早期连肯定句也常这么用。不过肯定句的代词宾语移前并不是先秦普遍的现象,因此虽可以用来给先秦汉语分期,却不必作为判定中古地位的一个准据。此外,先秦有的否定词在搭配动词时有一种共生限制,如"弗""勿"常搭配不带宾语的动词,而"不""毋"所搭配的大抵就与此是互补的。"弗""勿"可说是"不""毋"和移前的代词"之"拼合的结果。这种否定词的对比固然是先秦的一个重要语法现象,但我们认为这只是否定句代词宾语移前的诸面相之一,如果作为分期的凭准,实有婢作主人之嫌。

5. 疑问代词宾语在动词或介词前

疑问代词宾语在动词或介词前是先秦的通例。据魏培泉(1990:226—236),疑问代词宾语改置于动词或介词之后在西汉可能已经开始,而这种语序固定下来至晚当不超过东汉。

魏培泉(1999)指出,疑问代词宾语移位后的落点和否定句代词宾语不同,因此当视为不同的规则。在现代汉语中,疑问代词宾语如同名词一般,并不移位,因此疑问代词宾语移位的取消即意谓着汉语疑问句的移位开始转由逻辑形式来决定。

如果仅从其共性看,否定句代词宾语及疑问代词宾语移到动词后,所代表的意义是汉语的代词在位置上和名词趋于一同。

6.代词兼可表事物及处所

先秦代词兼可表事物及处所。如疑问代词"何"、关系代词"所"和指示代词"此"都兼表事物和处所。据李崇兴(1992),这种兼用的现象到中古还有所保留。但我们认为,中古文献的这种现象多半是书写的保守所致。中古常见的"何N""此N"大量地取代了上古的"何""此",这种复合结构其实才是比较能反映当时语言的,在这种形式中事物和处所的分际就比较清楚了,[12]因此我们认为中古是否还存在这种混用是很可疑的。

7.专用的第三身代词"他"

上古汉语本无专用的第三身代词,第三身的指称是借用指示词的。第三身代词的产生即意谓着汉语由二身对立转为三身对立,且不再用指示词来兼代第三身代词。

据魏培泉(1990:26—29),中古时"他"是否已真正用作第三身代词仍然难以确定,唐以后"他"用为第三身代词则可无疑。中古另有"伊""渠"可确定为第三身代词,但因属南方方言,依据本文特征的选取原则,我们可以不考虑拿它用作分期的准据。

(四)量词

在语言类型的区别上,量词是一个重要的项目。从上古到中古,名量词从没有到普遍(除非另加说明,本文的名量词都只指个体量词),由只用名量词到也使用动量词。量词的使用既是汉语的一项新生事物,因此它的发展不但是汉语演变史的重要课题,同时也可作为分期的准据之一。

1. "数+量+名"结构

本文的名量词并不包括集体量词、容器量词、度量衡量词,而只限于个体量词。集体量词、容器量词、度量衡量词的使用是普遍的语言现象,因为它是语义表达上所必要的,因此这些量词的发展在语法史上可说是无关紧要的。个体量词则不同,它的使用是由于语法上的需要,而非语义上的必要。

在书面上,个体量词的呈现往往和实际语言脱节,换句话说就是在表现上落后口语的发展很多。就书面表达而言,个体量词是非必要的,因为它可能因经济性及节律的因素而省略。所谓的经济性是说,在书面表达上,个体量词的有无往往不影响意义,因此除非是在十分口语化的材料中,个体量词是很容易省说的;所谓的节律是说,汉语偶数音节的节奏对书写影响很大(因此单音节名词直接搭配数词是很自然的,双音节以上的名词则就比较容易看出和个体量词的搭配情况)。因此不能以个体量词在一个时代的材料中的见频来直接断定该时代的使用实况,必须选择口语化程度较高的材料,同时也要对压抑其出现的可能因素多方考量,最后综合研判各项证据,才能断言其实际为何。

学者对个体量词的起源以及何时成为必用有不同的意见。根据刘世儒(1965)的考察,魏晋南北朝个体量词已十分普遍,因此可以说其时个体量词已是必用的。此外,根据黄盛璋(1961)、张丽君(1998),两汉的个体量词已是常见而尚非必用。不过考量到个体量词的呈现往往落后口语的发展很多这一点,我们大可以再深入探讨这个问题。

在西汉的个体量词中,有些量词会让人怀疑其词义可能还有相当的作用。如"两"和"乘"的分别可能是依车子的实际状况而定(如"两"一般用来称量两轮的牛车,"乘"则以称量轺车为主),"匹"

字用于称量马匹或许和马的配备有关,"头"用来称量牛羊可能和计数时实际指示的部位有关(有时用来称量奴仆可能是其地位如牛羊的缘故),"口"可能从其消耗的口粮上来着眼,"领"可能只限于称量有衣领的衣物。因此要确定个体量词什么时候成立及什么时候成为必用最好从通用量词着手,通用量词的普遍使用即代表量词这个新成分成为名词计数上的必要。最早的通用量词是"枚"还是"个"目前尚难断言,不过在中古以前"个"实际上罕见,因此我们把考察的对象限制在"枚"这个量词上。

"枚"字在《说文》的解释是"干也,可为杖",干可能是原义,因此作为量词原先只限于称量长条形的木器,进一步则用来称量长条形的物品,最后才成为通用量词。郑玄注《仪礼·特牲馈食礼》"俎释三个",说:"个犹枚也,今俗言物件云若干个者,此读然。"从郑玄注中可以看到一个事实,那就是在东汉时,"枚"在通语中用为名量词已是很普遍的,而且至少在某些方言中已常用"个"作通用量词。至于《仪礼》原文的"个"是否即名量词就不好断言。假如《墨子》的《备城门》以下诸篇确为先秦作品,那么以其"枚"的用法看来,可能在先秦的部分方言中"枚"已用作通用量词。如:

(6) 石重千钧以上者五百枚。(《墨子·备城门》)

(7) 五步积狗尸五百枚。(《墨子·备城门》)

到西汉时,"枚"用作名量词已非罕见。如:

(8) 乾骚(瘙)方一,以般服零,最(撮)取大者一枚,寿(捣)。寿(捣)之以𬂩(舂),……(马王堆汉墓帛书《五十二病方》)

西汉"枚"也可用来称量生物。如:

(9) 入狗一枚。(《居延汉简甲乙编》5.12)

(10) 入小畜鸡一、鸡子五枚。(《居延汉简甲乙编》10.12)

这两例都因其简中的注记而可确定为元康4年(西元前62年,元康是西汉宣帝的年号)所作,因此可以说"枚"在西汉已用作通用量词。[18]"枚"用为通用量词,应该就代表了在计数时名量词的不可或缺。[19]"枚"到了中古就很普遍了,东汉魏晋南北朝通用量词"枚"并不乏其例。如:

(11) 公子耻之,即使人多设罗,得鹳数十枚,责让以击鸠之罪。(《论衡·书虚》)

(12) 到颇那山上,取四方石一枚、六方石一枚。(东汉昙果共康孟详《中本起经》151)

根据这样的事实,我们认为中古的名量词在计数时也是必用的。

上文说名量词在西汉就已经是必用的,但以上所举的例子都是"名+数+量"结构,不能证明"数+量+名"结构的发展也是平行的。汉语在量词尚未发展以前,称数有"名+数"和"数+名"两种结构。在一般的散文中使用的是"数+名"结构,"名+数"结构多为清单列举之用,因此可以说"名+数"结构的数词是谓语,"名+数"并不是名词组,"数+名"才是名词组中数词和名词的正常语序。既然"数+名"和"名+数"可以同时并存而适用于不同的语境中,那有什么理由说"名+数+量"和"数+量+名"不会同时存在呢? 表面上看,这是合理的推论,不过实际上问题并不是这么单纯。的确在先秦就已有"数+量+名"的例子,但其中的量词并无可确定是个体量词的。在汉语中以集体量词、容器量词、度量衡量词为量词的"数+量+名"结构中,"数+量"和名词间可以插入"之"或"的",因此我们认为在"名+数+量"和"数+量+名"之间只是"数+量"作为谓语和作为定语之不同。但在以个体量词为量词的"数+量+名"结构中,"数+量"和名词间通常并不能插入"之"或"的",因此我们认为个体量词移到名词前并不只是从谓语转为定语那么简单。再从历史上看,中古以前的"名+数+量"结构中的量词应该还维持着名词的特征,数词则是这个名词的定语。

"数+量"移到名词前的过程也就代表量词由单词转为一个黏着性较强的语素的过程,因此当常见"名+数+量"结构之时,只能说数词作谓语时必须有量词陪伴,还不足以断定"数+量+名"结构在其时也已成立。而这个事实在古代语料中也如实地表现出来。

量词为个体量词的"数+量+名"结构在西汉已有而罕见。到了中古,虽就文献上看比例也不怎么高,但在检视各项证据之后,我们认为这样的语序在中古当已固定,至晚也不会晚过东晋。中古的"数+量"用于修饰名词而不是用作谓语时(即非清单),通常是在名词之前,如"枚"在这个位置的比例已高。例如:

(13) 顼王家女过,厥名瞿夷,挟水瓶持七枚青莲华。……贪其银宝,与五茎华,自留二枚。……菩萨得见佛,散五茎华,皆止空中,当佛上如根生,无堕地者。后散二华,又挟住佛两肩上。(吴支谦《瑞应本起经》472)

此例量词"枚""茎"交替使用,而且量词的使用与否看来和音节调配有关。其中的"二枚""二华"都是"七枚青莲华"中的两朵,前者略去中心名词,后者略去量词;后者承袭文言,连"枚""茎"都不用。

(14) 时四天王于颇那山上,得四枚青石之钵,欲于中食。(西晋竺法护《普曜经》526)

(15) 时达腻伽即便往诣作所求诸材木,见有五枚飞梯材,即便取二枚持归作屋。(东晋佛陀跋陀罗《摩诃僧祇律》238)

(16) 居士言:"我闻释子比丘能着弊纳衣,我欲试故,持大价氎裹八枚钱,是氎中有八枚钱,若不信我可数看。"数看已实有八枚钱。(后秦弗若多罗共罗什《十诵律》429)

(17) 园人言:"从今日给比丘尼人各五枚蒜。"(后秦佛佗耶舍共竺佛念《四分律》429)

(18) 譬如有人,因其饥故,食七枚煎饼,食六枚半已,便得饱满。(萧齐求那毗地《百喻经》549)

在某些方言中,"个"也用在"数+量+名"结构中。

(19) 顶礼于彼菩萨之足,见其四个所爱之女,各举两手,大声号哭。(隋阇那崛多《佛本行集经》775)

当这种不能增加实义的量词使用增多,也就意谓着"数+量+名"结构在语言中正式成立了。"数+量+名"的成立有一个重要意义:"名+数+量"的"数+量"具谓语性,因此其出现并不代表名词组内部结构的变动。"数+量+名"结构的出现才代表名词组内部结构的变动(名词组出现"共谐"(agreement)的需求)。

2. 动量词

在先秦汉语,表示动词的量就是直接在动词前或后加一个数词,因此当动量词出现时,无论"数+量"在动词前还是在动词后(中古这两种语序都常见),都代表一个新成分的产生。刘世儒(1965:261)指出,"下"虽在汉代中叶已萌芽,但真正形成一种范畴则是南北朝时代之事。我们认为,动量词的初起时间应还可上推到东汉。例如佛经的动量词常用"反(返)",也常用"过",[①]而这都已见于东汉。如:

(20) 若有善男子善女人当昼夜各当三过稽首。(东汉安世高《佛说舍利弗悔过经》1091)

(21) 于是迦叶如来便出广长舌相,以覆其面上及肉髻,并覆两耳,七过舐头,缩舌入口。(东汉康孟详《佛说兴起行经》173)

(22) 菩萨得是真本无如来名,地为六反震动。(东汉支娄迦谶《道行般若经》453)

(23) 目连受教,飞升虚空,出没七反。(东汉昙果共康孟详《中本起经》155)

(五)方位词

1.名词表处所不以加方位词为条件

现代汉语的名词除了处所词以外,通常要加方位词来表示处所。李崇兴(1992)指出:先秦汉语的名词表处所不以加方位词为条件。如:

(24) 尧崩,三年之丧毕,舜避尧之子于南河之南。天下诸侯朝觐者,不之尧之子而之舜;讼狱者,不之尧之子而之舜。(《孟子·万章上》)

到了《史记》时代,虽然还常见用名词表示处所,但人名和表人名词在这个时候已不大能直接表处所。如:

(25) 汉王乃西过梁地,至虞,使谒者随何之九江王布所。(《史记·高祖本纪》)

先秦汉语的方位词用在名词后头都有实在的方位意义,因此方位词的使用并非出于语法上的要求。在《史记》时代,名词后的方位词有了语法上的作用,后世用得最泛的"上"当时已有所虚化。到了南北朝时代,出现了一批泛向意义的方位词,尤其是"上",已虚化到了极端。如:

(26) 至江,江上有一渔父乘船。(《史记·伍子胥列传》)

(27) 魏明帝于宣武场上断虎爪牙,纵百姓观之。(《世说新语·雅量》)

我们认为,名词要加方位词来表示处所最早当不晚于东汉。以东汉的注解为例,原文没有方位词的往往要加上方位词,即使对文义的理解也没有多少帮助。

(28) 出门而待我于巷中。(《诗·郑风·丰》"俟我乎巷兮"郑笺)

(29) 聊出行于国中。(《诗·魏风·园有桃》"聊以行国"郑笺)

201

(30) 使死于林薄之中。(《楚辞•九章》"死林薄兮"王逸注)
(31) 浴乎沂水之上,风凉于舞雩之下。(《论语•先进》"浴乎沂,风乎舞雩"何晏集解引包咸说)

先秦还曾经有以"中谷"来表达"谷中"的历史,但这并非先秦的普遍现象,它主要见于像《诗经》这种较早期的作品中。据前述的特征选择原则,这项特征暂可不予考虑。

(六)动词

1. 使动式与使成式

先秦常用使动式,后来使成式才逐渐发达起来。前者如例(32),后者如例(33)。(借用潘允中(1982)的例子)

(32) 宁不亦淫从其欲,以怒叔父。(《左传•成公二年》)
(33) 乃激怒张仪,入之于秦。(《史记•苏秦列传》)

当使成式相当发达时,使动式就式微了。虽说使动式的式微未必就是使成式发展之因,但是由于功能相当,因此使成式的发达就难免会压缩使动式的空间。使成式取代使动式,可说代表了一个句法规则的改变。[21]如果不管使成式中心语何在的问题,不管使成式的第二个动词是否由不及物动词担任,[22]而以语义关系来加以判断(这难免受制于现代的语感),使成式当然在先秦就已经有了。使成式萌芽于先秦,西汉也不太多,到中古则较为常见。

2. 系词"是"

在我们所熟知的先秦文献中,判断句的结构通常是"NP,NP也",是不用系词的。[23]系词"是"的使用代表判断句在句法上与叙事句趋于一同。"是"从什么时候成为语法上的必然尚无定论。

系词"是"最早见于马王堆三号墓帛书彗星图。如:

(34) 是是帚彗,有内兵,年大孰(熟)。

在此之后一直到中古之前,系词"是"的出现是寥寥可数的,即使在中古文献中也还常见上古的判断句型,因此对于"是"的流行时间看法常因人而异。如潘允中(1982:199)就单凭帛书彗星图的证据说系词"是"完成而普遍于西汉,这似乎推得太快了些。但我们固然不能以寡概全,恐怕也不能完全以书面上的频率为据,尤其是长久以来我们的书写习惯常常摆脱不了文言的传统。系词"是"是否常用或必用,应该可以从系词"是"和副词的搭配上看出来。如果副词后的系词"是"仅具音节填补之效,就应可证明使用系词"是"已为常态。"非是"即是个显证,② 先秦的"非"本就相当"不是",因此"非"后加"是"大概主要是节律的作用。"非是"在东汉就不乏其例。如:

(35) 及见他鬼,非是所素知者,……(《论衡·订鬼》)
(36) 须菩提白佛言:"泥洹是限,非是诸法。"(东汉支娄迦谶《道行般若经》456)
(37) 祇域善能分别一切音声,即言语使回还:"此非死人。"……示其父母诸亲语言:"此是轮上嬉戏,使肠结如是,食饮不消,非是死也。"(东汉安世高《佛说㮈女祇域因缘经》898)

"不是"取代"非是"更是系词"是"的语法地位等同于其他动词的明证。上古原本一个"非"就可以表达否定判断,后来在"非"后加个"是",再后来因为系词被分析为动词的成员,没有必要另外搭配不同的否定词,因此"不"就取代了"非"。可能因书写因袭旧贯使然,"不是"的产生虽未必晚于"非是"多久,在东汉已见其例,但在中古文献中并不常见。例如:

(38) 为如佛教,不是愚痴食人施。……为如佛教,非是愚痴食人施。(东汉安世高《佛说禅行三十七品经》181)

3. 动词词尾"了"

动词词尾的产生代表了汉语的体貌改由一个专用的成分来表

203

达,这个新成分且占据了汉语句子中的一个新地位。由于词尾"着"在文献中的出现频率远不如"了",而且在历史文献中所出现的"着"的功能如何到现在还未见有清楚的描述,所以我们只把焦点放在"了"上。"了"作为体貌标记曾有放在句末的历史,因此要判断"了"是否词尾,当看它是在宾语之前还是之后。在宾语之前的"了"最早见于唐五代。如:

(39) 寻时缚了彩楼,集得千万个室女。(《敦煌变文集新书·悉达太子修道因缘》)

但是例子很少,到了宋代"了"才普遍多见于这个地位。例如:

(40) 读书须是件件读,理会了一件,方可换一件。(《朱子语类·训门人六》)

(七)副词

1. 全量指量词修饰名词

魏培泉(1990:300—317)指出,上古汉语表全量的"指量词"(quantifier)通常是位于状语位置的。因此如"每""各"作为定语以及"一切"兼作定语和名语,都是较晚的事。其中"各"作定语最早之例见于西汉,"一切"作定语或名语最早见于东汉。虽然先秦已有"每 N",但 N 以时间名词为主,而且"每 N"一般限于在状语位置。与时无关的"每 N"目前可信据的最早例子是在西汉。[⑤]指量词普遍用在状语以外的位置是在东汉以后,在指量词是否修饰名词上东汉与先秦形成明显的对比。指量词修饰名词既代表名词组内部结构的变动,同时也代表状语地位量化势力的削弱。

2. 副词"或""莫"

先秦"或""莫"只处于状语位置,语义上却是范围主语的,魏培泉(1999:278—281)把它归为指量词。魏培泉(1990:317—321,323—325)指出:"或"作为定语可能始于西汉而流行于东汉;此外到了东汉,原先的"NP+或+VP"式已为"有+NP+VP"所取代而且"或"也逐渐转用为选择连词。"莫"也在东汉以后失去原有的指量作用而转用为表禁诫的副词。

3.反身的"自"不限于用为副词

先秦"自"有表示自主和反身两种用法,都只在状语位置,因此可归作副词。魏培泉(1990:154—184)指出,"自"在中古已可用为定语或名语。

除了以上几项之外,在上古汉语和现代汉语之间副词的用法也不是没有其他的差异,但本文基于某些因素而没有采用为参考特征。如上古汉语表全量的副词可量化动词后的宾语(如"皆"),但现代汉语并无此用法。我们所以不考虑把这一项列作参考特征,是因为在近代汉语中还存在一些副词量化动词后宾语的例子(是否反映当时的语言还有待研究),因此这项特征在近代汉语内部的分期上或许有些用处,但未必可用来评量中古汉语的地位。

(八)介词

1.介词组的位置

先秦汉语的介词组常在动词后。如表示处所的"于"词组几乎总在动词后,其他如"自""以"等虽常在动词前,但在动词后的例子也不少。⑧魏培泉(1993)指出:到了中古,介词组的位置已演变到大抵如同现代汉语(可以说是遵守着时间序列的);与此相应的,留在动词后的名语变成只能是动词最小 V' 的一个宾补语了。

(九)连词

从上古到现代,连词固然有很多变化,但大皆为词汇的替换,还不能算是语法上的重要变化。目前我们想到的重要变化,就是上古"V 而 V"由有到无的这个演变。[②]

1."V 而 V"

先秦存在一种"V 而 V"的句式,这代表当时连结动词和连结名词的连词是有所区隔的,这种区隔就不见于现代汉语。

我们目前还难断言西汉的"V 而 V"是否有趋衰之势,不过在中古时"而"连结动词的功能可能已经失去。"而"在中古佛经虽还常见,但在词语的连结上往往逸出先秦的规范。"而"这种异于先秦的使用,可以说是基于节律或修辞的需要,从另一方面看也可以说当时的人已不大能了解"V 而 V"的"而"的作用了。

(十) 助词

先秦汉语与现代汉语的助词诚然有许多不同,如先秦常见的"乎""邪""与""也""矣"等都不见于现代汉语,而现代汉语的"么(吗)""呢""哩""呀"等也都不见于先秦汉语,不过其中除了"也"之外,先秦汉语的这些助词的功能几乎可说都由现代汉语的助词所承接了。如"矣"的功能大致和现代汉语的句末助词"了"相当;"乎""邪""与"虽不是与"么(吗)""呢"一一对应,但大抵也是在疑问句的类型间出入而已,功能也没有根本的差异。现代汉语的依附词"地"虽是一个新生的词,但功能及句法和先秦汉语的"然"也大抵相当,因此它在语法演变上的重要性没有表面上看来那么大。据我们的观察,先秦汉语到现代汉语语法的重要变化有如下数项:

1.助断的"也"

对于先秦助词"也"的功能究竟为何,诸家的看法出入很大。有的人认为它是判断句的记号,更甚的就说是系词;有的人认为它不只用于判断句,因此不能等同于系词的功能。无论何说为是,我们都得承认它的功用有相当部分和现代汉语判断句的"是"相当,因此由"NP 是 NP"取代"NP,NP 也"的地位不能不说是一个相当显著的演变(不论二者在演变上是否有直接的因果关系)。

在西汉时,"也"之为用还看不出与先秦有什么明显的差异。到了中古,"也"虽然也还常见,但见频显然还不如先秦,使用上也颇受局限。如上文,我们认为"NP 是 NP"判断句到中古已经成熟,再结合"也"比较常见于较文言的文体来推断,我们怀疑"NP,NP 也"在文献上的出现只是书写上的承袭。

2."主—之—谓"

先秦偏句中的主语和谓语间可插入助词"之",这个"之"可以将句子降为句子的一个成分,有人认为这是一个名语化记号。无论观点如何,功能与"之"有相当重叠的现代汉语"的"几乎已不大能这么使用,因此我们可以说这也是汉语语法史上的一个重要演变。

王洪君(1987)认为先秦这个"之"在南北朝初期已从口语中消失,且在西汉初期已大大衰落。魏培泉(1990:33;82—83)又进一步指出,在东汉末年时这个"之"已失去能产性。大西克也(1994)和魏培泉(2000)又都指出:在西汉之时,至少在宾句中这个"之"的比例已相当低,且颇受限于文体。

3.助词"底(的)"

现代汉语有名语化功能的助词"的"在近代汉语的前身是"底"。"底"的产生代表一个附加于词组来标示名语化的依附词的新生,因为过去的历史中并无功能相当的词。[28]"底"的产生也同时宣告上古关系句的表现方式正式走入历史(上古的关系代词"所"至此已呈固化,而"者"成为少数词的词尾)。

无疑的,近代汉语的助词"底"到唐代才产生。[29]

4.趋向助词"来""去"

汉语的趋向助词"来""去"有一个重要的类型学上的意义,[30]可以用来和表"时"(tense)的语言相区别。[31]它的功能是标示事件

207

与说话者的地位有所关连。这种趋向助词应为先秦汉语所无,[⑫]"来""去"的产生以及流行的时间往往因文献中的"来""去"不易判断是否仍具词义而难作论断。如"出去"西汉就有,中古常见,但我们颇难断定"出去"是否具有"出了某地以后离去"的意思。例如:

(41) 大子妻儿稽首拜退,宫内巨细靡不哽噎,出与百揆吏民哀诀,俱出城去。(吴康僧会《六度集经》8)

这个例子的"去"要用"离去"解也不是不可能的。[⑬]照我们看来,此例的"去"很可能就是趋向助词。下面这个例子可以用来对照:

(42) 见有比丘乞食还欲出城,妇人即问言:"阿阇梨欲何处去?"答言:"欲出城去。"(东晋佛陀跋陀罗共法显《摩诃僧祇律》381)

但对这种例子的判断多少有些涉及主观,所以如果有人不接受,却也很难反驳回去。因此趋向助词什么时候产生便难有定论。但我们认为趋向助词"来""去"至少在中古就已成立。在中古的小乘律典中这种对句义没有影响的"来""去"已非少见。例如:

(43) 便闭肆户还家去。比丘念言:"是估客见我,便闭户还家去,知我来乞不欲与"(东晋佛陀跋陀罗共法显《摩诃僧祇律》276)

(44) 行伴先至,语其家言:"入龙宫去。"父母谓儿已死,眷属宗亲聚在一处悲啼哭。(东晋佛陀跋陀罗共法显《摩诃僧祇律》489)

(45) 诸比丘尼报言:"我等受具足已,离和上去,不被教授故耳。"(后秦佛陀耶舍共竺佛念《四分律》760)

(46) 若比丘与比丘衣,后瞋恚不喜,若自夺若使人夺,作是言:"比丘还我衣来,不与汝。"得者尼萨耆波夜提。(东晋佛陀跋陀罗共法显《摩诃僧祇律》319)

(47) 尔时诸女裸形住,六群比丘往语言:"此食香美,过与

我来!此食复胜,亦与我来!"(后秦弗若多罗共罗什《十诵律》132)

(十一)句式

1."被 AV"式被动式

汉语被动式的句法与使用环境颇有异于西方语言,或者因为如此,汉语被动式的表达一直是学界关注的焦点。

在汉语历史上,被动式的不同句式间曾经历一场激烈的竞逐,有些由微而盛,有些则被取代。先秦汉语流行的被动式有"V 于 A""见 V""见 V 于 A""为 AV"等,㊳在秦汉之交又兴起"为 A 所 V"。"被"字被动式取代以上诸式,代表一个结构有异的新句式取代旧句式的过程。"被 V"在先秦不但已有而罕见,且其中的 V 可分析为已名语化。魏培泉(1994)指出:"被 V"和"被 AV"并不是平行发展的,后者的发展比前者还要落后。在两汉之时,"见 V"和"为 A 所 V"并行而进。到东晋时,其中的"见 V"才完全为"被 V"所取代。"被 AV"虽在东汉已经萌芽,但在六朝时这个句式并不发达。进入隋唐,其势才压倒"为 A 所 V"。也只有在"被 AV"兴盛之时,"被"字被动式的发展才算基本完全。

2.以二元动词为主要动词的处置式

处置式是汉语语法学中一个相当重要的课题,不论是共时的描写或历时的研究都不乏其人,因为它牵涉到汉语的语序问题。由于只有主要动词为二元动词的处置式才和类型学上的 SOV 语序密切相关,因此我们以为要考察处置式的历史,当把主要动词为三元动词的和二元动词的分开来。㊴以三元动词为主要动词的处置式可分作梅祖麟(1990)所谓的"处置给""处置到""处置作"。据魏培泉(1997)的考察,从上古到隋以前,几乎只存在以三元动词为主要动词的处置式,且其间还经历了次动词"以""用""持""将"

"把"相继而起的过程。次动词"将""把"初出现,并没有立刻造成以二元动词为主要动词的处置式的盛行,不过也就因为有了次动词"将""把"的出现,才促成以二元动词为主要动词的处置式正式成立,而这个时间是在隋唐。

3. 平比式的标准项在动词前

在比较句方面,汉语史上的差比句也经历过标准项移前的过程。如上古用"大于 NP",现代汉语用"比 NP 大"。但是本文并未把差比句列为分期的一项特征。最主要是因为尽管"比 NP 大"的句式在东汉注解中已出现,但不只是中古缺乏后继者,连在近代汉语的文献中也都不普遍。

汉语的平比句也有一段标准项移前的历史。如西汉以前用"大如 NP",中古后用"如 NP 大"。例如:

(48) 一,以月晦日日下餔时,取凷(块)大如鸡卵者,男子七,女子二七。(《五十二病方》)

(49) 以雄黄大蒜等分合捣,带一丸如鸡子大者亦善。(《抱朴子·登涉》)

魏培泉(1990:116)认为"如 NP 大"可能起于六朝,因为尚未发现两汉以前的例子。不过现在正视东汉张机的《金匮要略》及《伤寒论》,发现其中的"如 NP 大"比"大如 NP"多。此二书如无改窜的问题,则"如 NP 大"的历史可以更往前推一些。

4. "V 得 S"

"V 得 S"式的"得"具有紧缩复句的作用,功能和"而"有些相似但又有所不同。据王力(1958)、杨平(1990),"V 得 S"式当自唐代开始。如:

(50) 男女病来声喘喘,父娘啼得泪汪汪。(《敦煌变文集新书·故圆鉴大师二十四孝押座文》)

五、结论

根据表四和表五的数据,东汉魏晋和东晋南北朝两阶段差距极小,可以合并为一期。此期和先秦间的语法差距非常大,远大于此期和唐宋明清间的差距。因此如果要取消中古,而把东汉魏晋南北朝归并到其他时期,则与其归入上古,不如归入近代,作为与唐以后的时期(可包括现代)相对立的一个次期。

如果保留一个中古时期,那么宋代自不宜归入中古,因为这个时段的特征与明清以后完全相同。唐五代也以归入近代为宜,因为这个时段的特征与宋代以后差异极小。如此下来,由于东汉魏晋南北朝的语法特征和先秦差异极大,且和唐以后也有不算小的差距,就成为中古汉语的惟一候选者。

现在的问题是:如何决定是要三分还是二分?这些特征之间的轻重大小如何区分?我们觉得前者的答案多少决定于后者。

在表四中,有关介词组的那三项特征其实也可归并为"介词组可放在动词后"一项,而这一项又可视为表五中的"介词组的位置按时间序列排列"这一项的负值。我们没有合并这三项特征,一方面是这三项的发展未必完全平行,另一方面是因为现代汉语介词组也有可放在动词后的。不过我们觉得表中诸特征可以这样归并的并不多,真正的问题恐怕是在这些特征间是否有轻重大小之别。

我们或许可以用较宏观或类型学的角度来权衡这些特征的轻重,即把表三和表四能合并的特征尽可能合并起来,并尝试在其中挑选意义较重大的几项。例如我们或许可以用"代词的语法行为等同于名词"一项来取代表四中的代词有格的对比、否定句代词宾语在动词前、疑问代词宾语在动词或介词前等几项,把它列为重要的一项。此外,表四的"主—之—谓"以及表五中的词尾"子"(这是着眼在它在复音节化上是个重大里程碑)、专用的第三身代词、

"数+量+名"结构、系词"是"、动词词尾"了"、使成式、介词组的位置按时间序列排列、助词"底(的)"、趋向助词"来""去"、以二元动词为主要动词的处置式等诸项可能较具有类型学上的意义。若仅以这数项特征为准,东汉魏晋南北朝所处的地位大概近于先秦汉语和近代汉语间的中点(可能稍微偏近代汉语一点),有理由可以独立为一期。[41]

我们宁可把东汉魏晋南北朝这段历史的汉语称为中古汉语,也不愿把它视为古代汉语和近代汉语间的过渡阶段,因为它历时有五百多年,而且维持一套独特的语法特征时间也是相当长的。根据上文所述,西汉视为过渡阶段还有道理些。

附注:

① 在分期时有的学者又立现代汉语或远古汉语时期,在此文中暂时不考虑这个问题。

② Sun(1996)与此相近,为西元200年到1000年。

③ 吕叔湘的近代汉语和古代汉语以晚唐五代为界。胡明扬(1992)认为近代汉语上限不晚于隋末唐初(7世纪初),下限在18世纪以前(即曹雪芹以前);蒋绍愚(1994)则认为近代汉语是从唐初到清初的汉语。

④ 为便于以下的行文,从第三节起到结论之前,除非有必要指别,就以中古来称呼东汉魏晋南北朝这个时期。

⑤ Norman(1988:11)以七个类型特征来比较上古汉语与现代汉语的异同,梅祖麟(1997)又加入远古汉语来比较。

⑥ 我们在现代汉语中选取特征时也相当参考了明清的特征,在明清不够普遍的特征原则上也不采用,因为明清的语言足可代表近代汉语,而本文主要的目的就是要以上古和近代的特征来考较中古的地位。

⑦ 如果变异具有类型学上的重要意义当然更好。

⑧ 声调也是一个构词的手段,有时也具有区别词性的作用(所谓的"四声别义"主要就是指这种现象),如有不少去声字和平声字的词性不同。但声调可能源自词缀,如去声可能来自-s词尾(演变为声调的确切时间仍不清楚)。

⑨ "阿"的使用在上古文献中虽难以证实,但从现有语言的比较,这种构词方式在上古时有可能存在于与汉语邻近的语言中,而且部分的汉语方言或许已受其影响。

⑩ "阿"是冠于代词、亲属称谓还是名字上当有所分别。冠于名字上的在北方方言中应不普遍,在语言较偏北方方言的近代小说中也是如此。赵元任(1980)认为"阿"在口语或文章中都少见,是借自南方的。

⑪ 中古也可见附加于动物之后的"儿",如"白鸽儿""猕猴儿"。这里的"儿"可能是词尾,是否有贱视的意涵则无法确定。

⑫ "子"作为动物名词的词尾往往很难确定只是词尾还是动物的子辈。如无足够的上下文,如"豚子""羊子""牛子""狗子""猕猴子"到底是否非关子辈是难以断言的。

⑬ "依附词"(clitic)指的是连用但附缀于词组的功能词,可视为助词。"们""等"有时具依附词特征,但因一般都视"们"为词尾,姑且就放在这里处理。

⑭ 由通名转来的称呼是否该视如人称代词颇成疑问。如果可视如人称代词,则"等"表复数或许可推得再早一些。如下例中的"臣等":

唐且见春申君曰:"……今君相万乘之楚,御中国之难,所欲者不成,所求者不得,臣等少也。夫枭棋之所以能为者,以散棋佐之也。夫一枭之不如不胜五散,亦明矣。今君何为不为天下枭,而令臣等为散乎?"(《战国策·楚策三》)

⑮ 这里所指只限于无论用作谓语还是用作名语都是保持同形的,也就是语音不变的。

⑯ 如使动式的衰微,另参魏培泉(1998)。

⑰ 这里说的是代词中较普遍的现象。中古的"何所"在一定的语言环境中也可兼表事物及处所,但这只是个别词的现象。

⑱ 我们虽然说"枚"在汉代是通用量词,但其实也是有搭配上的限制的,如同现代汉语的通用量词。如牛、羊、马、车辆或者衣服是搭配其他的量词,并不用"枚"。

⑲ 但西汉以前的通用量词其实仍有语法地位的限制(罕见于"数+量+名"结构中),说详下文。

⑳ "反"常搭配动作有来回的动词,而"过"则搭配有周遍义的动词。

㉑ 即使在现代汉语中也还有一些动词有使动的用法,但情况和先秦不

213

同。先秦许多状态动词可以用作使动式,因此应算是一种句法规则,但在现代汉语中使动用法只成为个别动词的特点,当记在词汇中。

㉒ 魏培泉(1998)对使成式中心语何在的问题有所讨论,该文认为先秦使成式是状述结构(Huang 1995 已指出这一点),而由状述结构转为述补结构(使成动词的第二个动词由及物动词转为不及物动词)的时间当不晚于唐代,但这种转变在中古就已经有迹象了。如果使成式是由状述结构转为述补结构的假说为是,那么这也代表汉语的一个重要发展。不过一方面这个观点的接受度怎样还不能确定,另一方面要断言这个转变什么时候完成,也不是容易办到的,所以在本文中就不把它列为重要的发展之一。

㉓ 在先秦较早期的时候,"惟"可能也用作系词。虽然有些不同的意见,但有些情况不用系词来解释又很难说得通。这个"惟"和"是"的关系如何尚无定论。除了系词之外,先秦文献内部间是否还有其他的语法差异目前还不够明白,如果先秦汉语内部的不一致是相当明显的话,那么先秦汉语恐怕就不只是一个上古可以涵盖的,整个先秦的架构可能就得重新评估。

㉔ 唐钰明(1992)即认为东汉"是"可以加上否定副词来构成否定判断句是当时"是"字句走向成熟的证据。

㉕ 《周礼》有一个例外(如下例),但此书是否成立于先秦多少仍有疑问。

　　教官之属:……乡大夫每乡卿一人,州长每州中大夫一人,党正每党下大夫一人,族师每族上士一人,闾胥每闾中士一人。(《周礼·地官司徒》)

㉖ 这几个词的功能大致如下:"于"所引介的处所可以是所在、所自或所至(视动词而定),"自"引介动作的起点,"以"引介的是动作的工具。

㉗ 具有连词作用的句末助词的产生也是一个重要变化。这种句末助词如中古的"已"和近代的"时""的话"等。前者不见于现代汉语,后者在近代汉语中也不是很普遍的,因此可以不谈。

㉘ 上古的助词"之"虽如同"底"可以作为名词组内的连结词,但不能用于词组末。

㉙ 可参考吕叔湘(1984)、曹广顺(1986)、梅祖麟(1988)。

㉚ 这里暂时称作助词。句末的"来""去"有时有动词性,因此有时也被分析为补语。

㉛ 这个意见大抵是根据梅广师一个尚未正式发表的观点。

㉜ 先秦"来"也有附加于句末的,如:

子其有以语我来!(《庄子·人间世》)

我们认为这里的"来"是祈使句助词,和这里的讨论无关。

㉝ 因为与例 41 约当同时的文献还有"出城而去"的例子。

㉞ 这里的 A 为指涉施事者的名词组。

㉟ 这里的"元"指"论元"(argument),和传统的"向"或"值"大抵相当。

㊱ 唐以前"把"字式罕见,"将"字式也要到隋代才大量成长。

㊲ 在隋代之前,以二元动词为主要动词的处置式目前只见"将"字式寥寥数例,且不能保证没有问题。参魏培泉(1997:574)。

㊳ 近代汉语更常见用"大如(似)NP"的差比句。

㊴ 医书因其实用性,难免会使人怀疑其多少是有所增删改订的,所以我们过去的研究并不把它视为主要的语料。不过尽管有些学者认为较早的《内经》《难经》多少经过改窜,但其书如同《五十二病方》一样,也还是只有"大如NP"式。此外,《齐民要术》也有"如 NP 大"式,该书多搜集前代的材料,我们不能断定该式是否没有较早的来源。

㊵ 这里的 S 包括主语省言的 VP。

㊶ 上文指出唐代前半段的口语语料较缺乏,因此如果把东汉魏晋南北朝独立为中古期,唐代前半段要归入中古还是近代现在恐怕还难以决定。

参考文献

曹广顺 1986 《〈祖堂集〉中的"底(地)""却(了)""著"》,《中国语文》第 3 期,192—202 页。

胡明扬 1992 《近代汉语的上下限和分期问题》,胡竹安等《近代汉语研究》,3—12 页,商务印书馆。

黄盛璋 1961 《两汉时代的量词》,《中国语文》第 8 期,21—28 页。

黄载君 1964 《从甲文、金文量词的应用,考察汉语量词的起源与发展》,《中国语文》第 6 期,432—441 页。

蒋绍愚 1994 《近代汉语研究概况》,北京大学出版社。

李崇兴 1992 《处所词发展历史的初步考察》,胡竹安等《近代汉语研究》,243—263 页,商务印书馆。

刘世儒 1965 《魏晋南北朝量词研究》,中华书局。

吕叔湘 1984 《论"底""地"之辨及"底"的由来》,《汉语语法论文集》(增订本,该文原发表于 1943 年),122—131 页,商务印书馆。

    1985 《近代汉语指代词》,学林出版社。
梅祖麟 1988 《词尾"底""的"的来源》,《历史语言研究所集刊》第 59 本第 1 分,141—172 页。
    1990 《唐宋处置式的来源》,《中国语文》第 3 期,191—206 页。
    1997 《汉语七个类型特征的来源》,《中国境内语言暨语言学》第 4 期,81—103 页。
大西克也 1994 《秦汉以前古汉语语法中的"主之谓"结构及其历史演变》,《第一届国际先秦语法研讨会论文集》,岳麓书社。
太田辰夫 1988 《中国语史通考》,东京:白帝社。(又 1991《汉语史通考》,江蓝生、白维国译,重庆出版社)
潘允中 1982 《汉语语法史概要》,中州书画社。
唐钰明 1992 《中古"是"字判断句述要》,《中国语文》第 5 期,页 394—399。
王洪君 1987 《汉语表自指的名词化标记"之"的消失》,《语言学论丛》第 14 期,158—196 页。
王力 1958 《汉语史稿》,科学出版社。
魏培泉 1990 《汉魏六朝称代词研究》,国立台湾大学博士论文。
    1993 《古汉语介词"于"的演变略史》,《历史语言研究所集刊》第 62 本第 4 分,717—786 页。
    1994 《古汉语被动式的发展与演变机制》,《中国境内语言暨语言学》第 2 期,293—319 页。
    1997 《论古代汉语中几种处置式在发展中的分与合》,《中国境内语言暨语言学》第 4 期,555—594 页。
    1998 《说中古汉语的使成结构》(未刊稿),第三届国际古汉语语法会议,巴黎。
    1999 《论先秦汉语运符的位置》,in Alain Peyraube and Sun Chaofen, eds., *Studies on Chinese Historical Syntax and Morphology*. Ecole des Hautes Etudes en Sciences Sociales, Paris, France.
    2000 《先秦主谓间的助词"之"的分布与演变》,《历史语言研究所集刊》第 71 本第 3 分,619—679 页。
席泽宗 1978 《长沙马王堆汉墓帛书中的彗星图》,《文物》第 2 期,5—9 页。
杨平 1990 《带"得"的述补结构的产生和发展》,《古汉语研究》第 1 期,

56—63页。

张丽君 1998 《〈五十二病方〉物量词举隅》,《古汉语研究》第 1 期,73—76页。

赵元任 1980 《中国话的文法》,丁邦新译,香港:中文大学出版社。

Huang, James C.-T. 1995 "Historical syntax meets phrase structure theory: Two notes on the development of verb-complement constructions." Paper presented at ICCL 4/NACCL 7.

Norman, Jerry 1988 *Chinese*. Cambridge University press.

Peyraube, Alain 1995 "Recent issues in Chinese historical syntax." in C.-T.J. Huang and Y.-H. Li, eds., *New Horizons in Chinese Linguistics*, 161—213. Kluwer Academic Publishers.

Sun, Chaofen 1996 *Word-Order Change and Grammaticalization in the History of Chinese*. Stanford University Press, California.

(原载《汉学研究》第 18 卷特刊,2000 年)

"尔许"溯源

——兼论"是所""尔所""如所""如许"等指别代词

胡敕瑞

一

1.1 "尔许"是始见于中古,沿用于近代的一个代词,主要起指别作用,含有(往大里或往小里)强调的意味[①],意思相当于古代汉语的"如是"、现代汉语的"这样",与英语的"such/so"类似。这个词在汉文佛典和中土文献中都见用例,今按其用法示例如下:

a) 作定语

尊者答言:"彼时有善算者,计百年中用**尔许**油,用如是计故使至今。"(西晋·安法钦《阿育王传》2042,131,1)[②]

是诏曰:权前对浩周,自陈不敢自远,乐委质长为外臣;又前后辞旨,头尾击地,此鼠子自知,不能保**尔许**地也。(《三国志·吴书·孙权传》注引《魏略》)

书写如是甚深般若波罗蜜多能究竟者,应勤精进系念书写,经**尔许**时令得究竟。(唐·玄奘《大般若波罗蜜多经》220,221,3)

b) 作状语

吾亡后,儿孙乃**尔许**大。(《搜神记》卷十五)[③]

---

[*] 初稿写成以后,蒙蒋绍愚先生审正,吴福祥先生也提出了中肯的修改意见。在此谨致谢忱!

其月宫殿,十五日中,还**尔许**行。(隋·达摩笈多译《起世因本经》25,414,2)

c) 作宾语

取是,莫取是;取**尔许**,莫取**尔许**。(姚秦·佛陀耶舍等《四分律》1428,1000,1)

d) 作主语

是物,**尔许**属我与汝。(失译《大沙门百一羯磨法》1438,495,3)

e) 作谓语

有能算数彼声闻众**尔许**。(宋·法护等《大乘菩萨正法经》316,106,2)

f) 作补语

此肋大**尔许**,使地为震动。(托名后汉·康孟详《兴起行经》序197,164,1)

"尔许"虽有六种用法,但主要用作定语,其次是作状语,其他几种用法较少。在中古,这个词主要见于佛典,中土文献中除了上面举到的《三国志》及《搜神记》两例外,其他文献中很少见。那么,这个词有没有可能是从佛典翻译中产生的呢?如果没有可能,它又是从何而来的呢?

1.2 有关"尔许"的来源,专门的讨论虽不多见,但有些学者已有论及。柳士镇先生(1992)注意到"许"是魏晋南北朝时期新生的一个指代词,它除了自身具有"这/这个"、"这样/这般"的意思之外,"还可以用于'尔'字之后,说成'尔许',仍然表示近指,意为'这么、这些',但'许'字词义较虚,充任定语或状语。"冯春田先生(2000)持有相同的看法,他也注意到"'许'作为指示代词大概在晋、宋之间","到唐五代,也有'尔许''如许'。……'如(尔)许'是在'许'前加'如(尔)',还有另一证据,唐牛僧孺《玄怪录》'取许钱,不持一字,此帽安足信'。《广记》卷十六引作'取尔许钱'。"两家之说,简而言之,即都认为"尔许"是在指代词"许"产生后,再与"尔"组合而成。我们不太同意这一结论,是因为有如下两个疑点:a)究竟是"许"的指代义产生在前,还是"尔许"产生在前?如果"尔许"在指代词"许"产生以前就已存在,两家的结论自然就站不住脚。冯先生以为"尔许"、"如许"到唐五代才有,似乎认定"尔许"的形成是在"许"的指代义产生之后,这显然忽视了中古的语料,在前面我们举过的例中,就可以看到六朝已有不少"尔许"。b)如果认为"尔许"是源自"尔"和"许"的相加,那么如何解释与"尔许"类似的"尔所"?当然,要是"尔所"是与"尔许"同时或稍后出现,也许还可以解释说"尔所"是"尔许"的一种音变形式(即"尔所"是从"尔许"变来);可是,要是"尔所"出现在"尔许"之前,那倒应该承认"尔许"是"尔所"的一种音变形式(即"尔许"是从"尔所"变来),换句话说,"尔许"中的"许"就应该是由"尔所"中的"所"音变而来,而不可能是一个硬塞进来的指代词"许"。

二

2.1 事实证明,"尔所"的出现的确要早于"尔许"。根据我们的调查,"尔所"作为一个指别代词最早见于东汉译经(同期的中土文献中不见用例),且主要见于早期译人支谶等人的译品中,后世译经一直沿用,不乏其例。但是"尔许"在所有的东汉译经中概不见踪影,它的出现当是东汉以后的事。基于这个事实,有理由推断"尔所"是"尔许"的前身。"尔许"与"尔所"语音接近,"所"在中古是山母鱼部,"许"是晓母鱼部,两字韵部相同,声母虽然不同,但"山"、"晓"发音方法相同,都是不送气的清擦音;从谐声偏旁来看,"所"从"户"得声("户"是匣母鱼部),而"许"又作"浒"的谐声偏旁("浒"是晓母鱼部);从异文来看,"许"亦作"所",如《诗经·小雅·伐木》"伐木许许"。《说文·斤部》"所"字下引作"伐木所所"。段玉裁注云"此'许许'作'所所'者,声相似"。"尔所"不但与"尔许"语音相似,它们的用法也基本一致,如:

a) 作定语

阿难白佛言:"心所念恶,宁可得中悔不? 当乃却就**尔所**劫乎?"(后汉·支谶《道行般若经》224,464,2)

虽有乃**尔所**医王,不能愈外道及不信者。(后汉·支谶《遗日摩尼宝经》350,192,1)

诸过去菩萨作是辈行,乃作**尔所**功德,尚不能得阿耨多罗三耶三菩。(西晋·无罗叉《放光般若经》221,87,2)

b) 作状语

若不**尔所**依,品类既无有,所说名言则不得立。(陈·真谛《三无性论》1617,871,1)

c) 作宾语

若言取此物,从此中取,取**尔所**,从此人取,持来持去。(后秦·弗若多罗等《十诵律》1435,51,3)

d) 作主语

持衣出界作是念:已作尔所,**尔所**未作。徐徐作,未舍迦缔那衣。(后秦·弗若多罗等《十诵律》1435,209,1)

e) 作谓语

譬如蠹虫食芥子空,罗汉辟支佛智**尔所**耳。(支谶《遗日摩尼宝经》350,191,2)

f) 作补语

佛以母分饭饱**尔所**。(梁·宝唱等《经律异相》2021,1,3)

"尔所"的六类用法正好与"尔许"的用法相对应,而且也以作定语最为常见。由于两个词语音相近、用法相似,因此认为"尔许"来源于佛典中的"尔所",应该是可以成立的。然而,"尔所"为何会

221

转变成"尔许"？这个转变又为何会发生在中古？

2.2 要解释"尔所"向"尔许"的转变，关键就是要弄清其中的"所"为什么会变成"许"。我们推测，"所"向"许"的转变大概是受了某个方音的影响，"许"最初可能只是某个方音的用字，由于"所""许"音似的关系（当然还得加上这个方言区域政治、经济、文化具有独特的地位这样一个先决条件），后来这个方音中的"许"逐渐渗透到通语中来，进而取代了通语中一些"所"的形式。我们认为"许"或许就是南方吴越一带的一个方音字，理由如次：a) 较早出现"许"代"所"的中土文献多是南方文人所作，譬如"何许"代替"何所"最早的用例就见于会稽王充的《论衡》（下面会举到这个例子）。b) 出现"许"代"所"较早、较多用例的佛典，也多是由活动在南方吴越一带的僧侣所出，其中不少译人就是土生土长的吴越人，比如东汉佛典中"许"代"所"的例子就只见于晚期译人严佛调等南人的译品中，而东汉时活动在洛阳一带的安世高、支谶等早期译人所出的译品中还没有见到有"许"代"所"的例子。c)"许"的指代用法主要出现在南朝区域的民歌中，所以柳士镇先生（1992）认为"许"具有地域与方言的特色；如果不承认"许"是南朝区域的一个方言音，确实不好解释它的出现为什么会如此集中在同一个区域。d) 与"尔许"相似的"宁馨""尔馨""如馨"等形式也主要见于吴越方言，从古至今不少学者曾论述其为吴越方音词[①]。

粗略考察，可以发现"许"取代"所"的现象并非局限于个别词语，而是具有普遍性的一种现象，下面约举几种情况：a) 表方所的"所"代以"许"，如"何所"作"何许"，《论衡·道虚》有"如武帝之时，有李少君，……人皆以为不治产业而饶给，又不知其何许人，愈争事之"。《史记·孝武本纪》及《封禅书》也有类似的记载，但是"何许"皆作"何所"。《论衡》中的"何许"是我们见到的最早代替"何所"的例子。b) 表约数的"所"代以"许"，如表长度的，《礼记·檀弓》有"高二尺所"。《伤寒论·阳明全篇》有"长二寸许"。表人数的,《史记·滑稽列传》有"从弟子女十人所"。《后汉书·皇甫嵩传》有"赴河死者万许人"。此外还有表容量、时间、物数、距离等约数的"所"代以"许"的例子,限于篇幅,此不赘举。c)佛典中一种特殊的"所"代以"许",如"三者自念身非我所,万物皆非我所"。(后汉·安世高《大安般守意经》602,171,1)句中"所"大概是"所有"的缩略,所以"所"含"所有"之义⑤。这种"所"偶尔也有代以"许"的,如"身不我有,财物非我许"。(后汉·支曜《成具光明定意经》630,453,1)此例中的前一分句"身不我有"和上例前一分句中的"身非我所"相似,可见"所"的意义与"有"同;此例中的后一分句"财物非我许"与上例后一分句"万物皆非我所"相似,只是"所"被"许"代替了。值得注意的是,上面列举的这些"所"代以"许"的例子,都集中出现在东汉及魏晋南北朝时期,而在东汉以前的上古汉语中很少见到。这是由于东汉以后,南方政治、经济、文化的地位日显重要,特别是士庶过江以后,吴越一带文人会聚、商贾辐辏,在这种条件下,南方某些方音词渗透到通语中来应该是情理中的事。众所周知,语音的演变往往采取扩散的方式,一个语音形式发生了变化,它同时会波及到具有相同语音形式的其他很多词形。方音词的渗透替用,有似于语音的演变,中古时期"所"被"许"替代犹如一股潮流,在这股潮流的推动下,"尔所"随波逐流,于是自然会不早不迟地在中古这一时期转成"尔许"的形式⑥。

2.3 "尔所"转成"尔许"以后,"尔许"在中古文献(主要是佛典)中的使用日渐增多。"尔许"作为一种固定的组合形式主要起指代的作用,其构成语素"尔"也起指代作用,而另一个构成语素"许"(和"尔所"的"所"一样)原本并没有实在的意义⑦,但是因为"许"和"尔"经常结合在一起以"尔许"的面貌出现,久而久之,"许"也就染上了"尔"的指代义,我们把这种词义产生的方式称为感染⑧。感染生义的基本条件是,先要具备某个习用而固定的组合形式,然后才能在这种固定的组合形式中,由其不同的成分相互感染而产生新义。"许"受"尔"的感染产生出指代的意义符合这个基本条件,因为据我们的调查,"尔许"的出现绝对不会比"许"的指代义产生晚,只会比它早。虽然东汉佛典尚未见到"尔许"的用例,但是魏、晋已经出现,例如:

"大德僧听,今有**尔许**比丘集。"(曹魏·昙谛《昙无德羯磨》1433,1052,2)

尊者答言:"彼时有善算者,计百年中用**尔许**油,用如是计故使至今。"(西晋·安法钦《阿育王传》2042,131,1)

良师答言:"但食**尔许**,消已更食。若顿食不消,或能杀人。"(东晋·法显《大般泥洹经》376,898,1)

按照冯春田先生(2000)的说法,"'许'作为指示代词大概在晋、宋之间"。魏、晋出现的"尔许"正好要早一步,所以"许"完全有可能在晋、宋之间通过感染而产生出类似下列例中的指代用法:

"甘菊吐黄华,非无杯觞用,当奈**许**寒何。"(《晋诗》卷十九《清商曲辞·节折杨柳歌》)

"可怜无有比,恐**许**直千金。"(梁·简文帝《遥望》)

"**许**处胜地多,何时肯相厌。"(南朝·徐陵《鸳鸯赋》)

2.4 由此看来,"尔许"不应当是由表指代的"许"直接加附"尔"而形成的。恰恰相反,"许"的指代义倒是在"尔许"习用以后,通过感染才产生的。坚持"尔许"是由表指代的"许"加"尔"而形成的看法,不但颠倒了事理的因果,而且还留下了一个漏洞,即无法解释"许"的指代义又是从何而来。所以,对"尔许"来源合理的解释应该是,"尔许"来自最早出现在佛典中的"尔所","尔所"变成"尔许"乃是由于方音影响的结果。

问题到此似乎有了答案,然而追根究底的心理或许还会促使人们再次提问:"尔许"来源于"尔所",那"尔所"又是怎么来的呢?

三

我们认为"尔所"的形成有两种可能。

3.1 首先来看"尔所"中的"所"。"尔所"的词义主要体现在"尔"上,"所"当是一个音节助词。不少学者(如蒋冀骋 1994)已经注意到"汉译佛典中'所'还可用作音节助词,……这些'所'用在名词或名词词组的前面,没有什么意义"。其实在佛典中,这种音节助词"所"不仅可以放在名词或名词词组前,还可以放在动词或动词词组前[⑧],在东汉佛典中就可以检出不少例子,如:

持**是所**念故,得沤和拘舍罗,不中道取证。(支谶《道行般若经》224,458,29)

无所供养,人无作者,为何等**所**人作摩诃僧那僧涅。(同上224,427,3)

一切**所**法不住想,是为非身想。(安世高《阴持入经》603,177,3)

以上是放在名词(或名词词组)前的例子,下面举放在动词(或动词词组)前的例子:

本何**所**学,自致得佛。(支谶《阿阇世王经》626,391,3)

佛言:"当**所**灭者,宁可使不灭不?"(支谶《道行般若经》224,457,2)

还自见七尺光,自在**所**变化。(同上 224,459,2)

这些例中所用的"所"字都不太合传统语法规则。上古汉语罕见这种把"所"放在名词(或名词词组)前的用法;"所"在上古汉语中虽可放在动词(或动词词组)前、与其后附的成分构成"所"字结构,但"所"是个具有指代意义的特殊代词,这种"所"可以和动词(或动词词组)构成一个"小读",而这里动词(或动词词组)前的

"所"完全是个没有意义的羡余成分,并非特殊的代词,这些例中的"所"与后面的动词(或动词词组)联系并不紧密,不必连读。上举"持是所念故"一例,在昙摩蜱共竺佛念的同经异译本《摩诃般若钞经》中对译为"持是念故",名词"念"前没有用"所"(即:是所念＝是念)[⑩];上举"本何所学,自致得佛"一例,在竺法护的同经异译本《文殊师利普超三昧经》中对译为"本何学,自致得佛",动词"学"前的"所"也没有(即:何所学＝何学)。可见,佛典中类似的这些"所"字是可有可无的。佛典中"所"字这种特别的用法,是译者不谙汉语的误用呢？还是受了原典语法的影响？这个问题还有待于继续研究。但是不管怎么说,佛典中存在不少音节助词"所"的用法是一个事实。"尔所"和上例中的"是所""何等所""一切所"等结构很相像,"尔所"中的"所"也和这些成分的中的"所"一样没有实义,而且"尔所"出现的位置正好也主要是放在名词或名词词组前(作定语),及动词或动词词组前(作状语)。由此看来,"尔所"形式只是佛典中"所"字这种特别用法的一个缩影,换句话说,"尔所"的产生乃是佛典译者在指代词"尔"后平添了一个音节助词"所"的结果。

不过,这只是"尔所"形成的一种可能,我们认为"尔所"可能还有一个来源。

3.2 如上所云,"尔所"与"尔许"一样同是指别代词,古汉语中和"尔所"最接近的一个词莫过于"如是",这一点从佛典同经异译的对译中可以看得更清楚,譬如支谶所译《遗日摩尼宝经》有"譬如蠹虫食芥子空,罗汉、辟支佛智尔所耳"。句中的"尔所"在流志的《大宝积经》中就对译为"如是";又如竺法护所译《正法华经》有"从古以来,未曾闻见,乃有尔所菩萨之众,从地踊出,住世尊前,供奉归命"。句中的"尔所"在鸠摩罗什的《妙法莲华经》中也对译为"如是"。因为"尔所"的"所"只是一个音节助词,所以实际上只是"尔"和"如是"对应。而"如是"既可缩略为"是"、也可缩略为"如",这同样可以用佛典对译来证明,限于篇幅各举一例,先举"如是"缩为"是"的例子,如支谶所译《道行般若经》有"如是,天中天,萨芸若、怛萨阿竭阿罗呵三耶三佛从般若波罗蜜中出生"。句中的"如是"在昙摩蜱共竺佛念合译的《摩诃般若钞经》中就对译为"是";"如是"缩为"如"的例子,如支谶所译《道行般若经》有"须菩提言:'如,怛萨阿竭所说法悉空。'"句中"如"支谦的《大明度经》正对译为"如是"[11]。这样看来,"尔"与"如是""是""如"都是词义相同的一组词。凑巧的是,它们不但词义相同,而且还能出现在相似句型中的同一位置,这说明它们在组合功能上也具有一致性,仅以《道行般若经》中的句子为例:

尔,天中天,幻与色无异也。(224,427,1)

如是,天中天,昼夜人民欲得是因致是。(224,462,3)

如,天中天,极安隐人民。欲得是因致是。(224,462,9)

是,天中天,四十一于诸法亦无自然故。(224,444,2)

"尔"与"如是""是""如"在语义和功能上都有相同点,而语言往往是有规律可寻的,既然"尔"可以后缀一个音节助词"所"构成"尔所",那么是否也有"如是所""如所""是所"的形式呢?无独有偶,在佛典中我们果然发现了例子,如:

如是所说如慧。(支谶《阿闍世王经》626,392,2)[12]

上至三十三天,一小国土,**如是所**部,凡有十亿小国土,合为一佛刹,名为蔡呵祇。(支谶《兜沙经》280,446,2)

应时便有**如所**念。(东汉·失译《伅真陀罗所问如来三昧经》624,356,1)

说是法时,其三藏者各得**如所**行。(支谶《阿闍世王经》626,398,2)

佛**如所**说道,本无无有异。(吴·支谦《大明度经》225,494,2)[13]

227

已行足名为最贤者,**是所**贤者,后意心识。(东汉·安世高《普法义经》98,924,3)

佛言:"如是,须菩提,无所有相得般若波罗蜜,**是所**相得诸法。"(支谶《道行般若经》224,462,1)[14]

悉念萨和萨,不用是相住,亦不用余住,**是所**须菩提,菩萨摩诃萨其智极大明。(同上 224,462,3)[15]

因为"如是"可以缩略为"如""是",所以"如所"和"是所"也可以看成是从"如是所"而出的两种形式,意思都相当于"如是""这样"。这种情况有点像"自在"可以缩略为"在"[16],因而"在所"也可认为是"自在所"的从出形式[17]。如:

从是定,**自在**坐、**自在**起。(东汉·安世高《长阿含十报法经》13,235,2)

犹若净缯,**在**作何色。(吴·康僧会《六度集经》152,39,2)

自在所作,无有与等者。(支谶《道行般若经》224,431,3)

其人语病者言:"安意莫恐,我自相扶持,**在所**至到,义不中道相弃。"(支谶《道行般若经》224,452,1)

"自在""在""自在所""在所"意思都是"自在""随意"[18],都在句中作状语。如果不明了"在"是"自在"的缩略,而"在所"与"自在所"有关,就会觉得"在所"的结构很奇怪。同样如果不明了"如是"可以缩略为"如""是",也容易忽略"如所""是所"两个形式。

随着中古"所"向"许"的转变,"如所"后来有"如许"的形式。关于"如许"的来源,学界有一种比较普遍的看法,即认为"如许"是由"尔许"音变而来,"如许"只是"尔许"的一种音变形式[19]。这无疑是把"尔许"看成了"如许"的源头,我们认为这是误认了"如许"的祖宗。"如许"不一定是"尔许"音变的产物,"如许"的前身应该是"如所",而"如所"在"尔许"之前就早已出现,只是我们往往忽略了它。

"如所"后来演变而有"如许"的形式②,可是"是所"后来并没有"是许"这样一个转身再现。"是所"最早见于东汉支谶、安世高等早期译人的译品中,后世译经很少见到,这个"是所"到哪里去了呢?后世倒是有一个"尔许",但是前面已论证"尔许"的前身是"尔所",那么"是所"会不会又是"尔所"的一个源词呢?我们认为"是所"很有可能是"尔所"的又一个来源,换句话说,"是所"是被"尔所"替代了(即"尔"代替了"是")。王力先生(1958)曾指出"'尔'字用于定语,在上古还没有见到过,但在南北朝的时候,'尔'字就已经有这种用法了"。说"尔"上古未见虽然过于绝对,但王先生认为"尔"字作定语的用法主要是在中古,这个看法是正确的。我们注意到上古很多"是~"形式,到中古有了"尔~"形式,略举数例:

是时→尔时

是时孔子当厄,主司城贞子,为陈侯周臣。(《孟子・万章上》)

尔 **尔时**憔悴,今更光泽。(东汉・昙果共康孟详中本起经196,148,1)

是故→尔故

其言不让,**是故**哂之。(《论语・先进》)

是无所着,**尔故**字为摩诃萨。(支谶《道行般若经》224,427,21)

是后→尔后

是后魏王畏公子之贤能,不敢任公子以国政。(《史记・魏公子列传》)

尔后坟籍,略不可看。(《颜氏家训・杂艺》)

是夕→尔夕

是夕也,星果三徙舍。(《淮南子・道应训》)

尔夕忽极,于此病笃,遂不起。(《世说新语・文学》)

从这类例子可以看到中古发生了一次规模不小的词汇替换。

不但作定语的指代词"是"可被"尔"替代,作谓语和宾语等的指代词"然"也可被"尔"替代[①],这样中古一个指代词"尔"实际上兼具了上古"是""然"两个指代词的用法,虽然指代词"是""然"在中古并没有被"尔"完全排除出局,但数量较之上古已有明显的减少,而上古还很少见的指代词"尔",到中古突然间却涌现出许多[②]。"是所"在东汉早期译经中刚一出现,就正好遇上了"是"向"尔"转变的这场词汇大替换,由于风气所使,加之词汇替换(即词汇变化)总要比方音渗透(即语音变化)快,所以在"是所"还没来得及(和"如所"变成"如许"一样)变成"是许"的时候,它已经先转为"尔所"了。

3.3 至此,我们可以说"尔所"的来源除了有可能是由"尔"直接加助词"所"形成外,东汉早期译经中出现的"是所"很有可能是它的又一个来源。由于受"尔"代替"是"这场词汇大替换的影响,"是所"出现不久就被"尔所"替代了,这样它就没有机会遇上比词汇替换来得慢的那场"所"向"许"的方音渗透,因而最终没有产生出"是许"的形式。也正因为此,所以同出一源的"如所"和"是所"出现了不平行的发展:"如所"直接演化出后来的"如许"(即"如所"→"如许");而"是所"则与"尔所"合流,最后演变为"尔许"(即"是所"→"尔所"→"尔许")。

四

综上所述,小结如下:

a)"尔许"并非是由指示代词"许"直接加上"尔"而形成的,"许"的指代义反而是在"尔许"产生以后,通过"尔"的感染才产生的。

b)"尔许"来源于佛典中的"尔所","尔所"变成"尔许",是受了"所"向"许"演变那场方音渗透的影响。"尔所"的形成可能是由"尔"加上音节助词"所"而来,因为好用音节助词"所"是佛典用语的一个特点,"尔所"形式只是这个特点的一个反映;早期佛典中的"是所"可能是"尔所"的另一个来源,"是所"变成"尔所",是受了"是"向"尔"转变那场词汇替换的影响。从"是所"转变为"尔所"、从"尔所"演变为"尔许"正好分别经历了发生在中古时期的两场不同凡响的词汇革命。

c)与"尔许"相关的指别代词除了其源词"是所""尔所"等外,还有"如所""如许"等,这些指别代词都是在中古产生的。关于"如所"的起源,以前也有误解。其实,正如"尔许"的源头可以追溯到"是所"一样,"如许"的源头也可以追溯到"如所"。"是所""如所"同出一源,但是它们的发展却不平行,"是所"并没有像"如所"产生出"如许"那样也产生出一个"是许",规律之中出现了例外,例外的原因则是由于"尔"代"是"的那场词汇替换的影响。

d)如果不是早期佛典中还保存了"是所""尔所"的线索,我们就无法上溯"尔许"的源头。佛典是中古乃至近代许多新生语言现象的源头,加强对佛典材料的研究,需要研究者花费精力去描写其中那些富有特色的语言事实,更需要研究者利用这些材料来解决语言中的一些实际问题。

附注:

① 刘淇《助字辨略》云"尔许,少辞也"。实际上,"尔许"并不限于往小里强调,主要还是往大里强调。

② 括号中的数字分别代表《大正藏》的编号、页码及栏位,下同。

③《后汉书·五行志五》李贤注引作"吾亡后,尔孙乃尔许人"。"人"当是"大"字误。

④ 志村良治(1984)曾引用宋代马永卿的《嬾真子》、明代方以智的《通雅》来论证"宁馨""尔馨""如馨"等其实就是现代吴语的"那行";周法高先生(1959)也曾把"馨"看作是吴语的一个语末助词。而"那行"中的"行","宁馨""尔馨""如馨"中的"馨"与"尔许"中的"许"具有千丝万缕的关系。

⑤ 太田辰夫(1988),李维琦先生(1999)也持同样的看法。江蓝生先生(1999)则把佛典中的这种"所"看作结构助词。

⑥ "尔许"形式出现以后,并非就完全替代了"尔所"。从中古到近代,在佛典中"尔所"、"尔许"还一直并存。这或许是后世译者恪守译经传统的结果。

⑦ 俞理明先生(1993)认为"尔所"的"所"是表示约数的"所",由此看来他似乎认为"尔许"的"许"也应该是表示约数的;志村良治(1984)认为"许(所)"只是一个助词,我们倾向于他的这种看法。下面我们还会专门讨论这个助词"所"。

⑧ 朱庆之先生(1992)称之为沾染,感染(contaminations)是我们借用布龙菲尔德的一个术语。感染生义是中古一种比较常见的词义变化方式,譬如"何所"中的"所"受"何"的感染而有"何"义,"若何"中的"若"受"何"的感染而具"何"义,参胡敕瑞(1999)文。

⑨ 蒋礼鸿先生(1988)注意到变文中有一种"所"作语助词,"放在及物动词前头,没有意义"。其实这并不是变文独有的现象,变文中的这种现象只不过是继承了早期佛典译经的用法而已。

⑩ "持是所念故"中的"是所"应该连读,这句话译成现代汉语是"因为这些念的缘故"。佛典中与"是所"类似的还有一个"是者",如《道行般若经》:"是者法之所法,我代劝助之,是为劝助。"又"色为不可见,痛痒思想生死识亦不可见,是者般若波罗蜜示现持世间"。"是者"即"是",其中的"者"是个助词;同样,"是所"中的"所"也应该是个助词,而不是特殊代词"所",或表约数的那个"所"。

⑪ 或许有人会怀疑《道行般若经》中的"如"后是否漏脱了一个"是"字,然而大量对译的事实可以消除这种疑虑,就在《道行般若经》中还可见到他例,如:"如,天中天,极安隐人民,欲得是因致是,勤苦无有休息时。"句中"如"支谦本也对译为"如是"。又如:"如是天中天,空。"句中"如是"支谦本也对译为"如"。

⑫《道行般若经》有"如是说昼夜七日"。"如是所说"相当于"如是说",不同的是一者后附了一个助词"所"。

⑬ 此句《道行般若经》对译为"佛为如是说道,本无无有异。""如所"对译为"如是",犹"尔所"对译为"如是"。

⑭ "是所相得诸法" 昙摩蜱共竺佛念合译的《摩诃般若钞经》对译为"如

是相者为得诸法","是所"对译为"如是"犹"尔所"对译为"如是"。

⑮《大正藏》"是所"属上读,缘不明其义所致。此句昙摩蜱共竺佛念合译的《摩诃般若钞经》对译为"是者须菩提,即菩萨摩诃萨之大明""是者"与"是所"义同。

⑯ 李维琦(1999)、辛岛静志(2001)也注意到"在"有"任、任凭""at will, as one likes"的意思,但是他们没有明确指出"在"乃是"自在"的缩略,而"在所"是"自在所"的简式。

⑰ "自在所"和"如是所"结构相似,其中的"所"也是没有实义的音节助词,比如上面曾举过的《道行般若经》"还自见七尺光,自在所变化"。在同经异译的《大明度经》中对译为"还自见七尺光,自在变化"。一作"自在所"、一作"自在",意思完全一样,可见"所"并无实义。

⑱ 上举最后一例中的"在所至到"在鸠摩罗什的同经异译本《摩诃般若波罗蜜经》中对译作"随意所至",又如《道行般若经》"我当精进得阿惟三佛,使我刹中终无谷贵;令我刹中人在所愿"。句中的"在所愿"在《摩诃般若波罗蜜经》中对译作"随意所须","在所"常对译为"随意",可见它们同义。

⑲ 如魏培泉先生(1990)即认为"如许"是"尔许"的一种音变形式。冯春田先生(2000)把"如许"和"尔许"放在一起来谈他们的来源,他似乎也认为这两个词只是语音形式不同;不过他又把"如许"的形成看成和"尔许"一样,是加指代词"许"而成。

⑳ "如所"演变而有"如许"的形式后,"如所"并没有消失,从中古到近代"如所"一直在用。

㉑ 俞理明先生(1993)对"尔""然"的对应用法有详细的举例说明,可以参看。

㉒ 据张万起先生(1998)统计,《世说》中的"尔"作指代词见 51 次,"是"7 次,"然"只有 1 次。

参考文献

冯春田　2001　《近代汉语语法研究》,山东教育出版社。
胡敕瑞　1999　《〈论衡〉与东汉佛典词语比较研究》,北京大学博士论文。
董志翘　蔡镜浩　1994　《中古虚词语法例释》,吉林教育出版社。
江蓝生　1999　《处所词的领格用法与结构助词"底"的由来》,《中国语文》第 2 期。

蒋冀骋　1994　《隋以前汉译佛经虚词笺识》,《古汉语研究》第2期。
蒋礼鸿　1988　《敦煌变文字义通释》(第四次增订本),上海古籍出版社。
李维琦　1999　《佛经续释词》,岳麓书社。
柳士镇　1992　《魏晋南北朝历史语法》,南京大学出版社。
太田辰夫　1988　《汉语史通考》(中译本,江蓝生、白维国译),重庆出版社,1991。
汪维辉　1996　《〈世说新语〉"如馨地"再讨论》,《古汉语研究》第4期。
王　力　1958　《汉语史稿》(中册),中华书局,1980。
魏培泉　1990　《汉魏六朝称代词研究》,台湾大学博士论文。
辛岛静志　2001　《妙法莲花经词典》*The international research institute for advanced buddholgy*, *Soka university*, *Tokyo*.
俞理明　1993　《佛经文献语言》,巴蜀书社。
张万起　1998　《世说新语词典》,商务印书馆。
志村良治　1984　《中国中世语法史研究》(中译本,江蓝生、白维国译),中华书局,1995。
周法高　1959　《中国古代语法·称代篇》,台湾中研院历史语言研究所。
朱庆之　1992　《佛典与中古汉语词汇研究》,台湾文津出版社。

《齐民要术》中所见的使成式 Vt＋令＋Vi

〔日〕古屋昭弘

1 前言

汉语历史语法中最令人感兴趣的一个题目是动补结构的历史发展问题。当然,研究论著也很多,这里先就与本稿论点直接相关的动词连用发展为动补结构的过程问题,对太田辰夫、志村良治、蒋绍愚、梅祖麟、曹广顺诸氏的看法进行一下个人概括。

先秦至汉存在着动词连用,但还是并列性质的连用。当伴随受事宾语(O)时,是两个及物动词性质的要素(Vt＋Vt)的连用(如"射中 O")。即使第二个要素是不及物动词性质的(如"激怒 O"),一般也是使动用法(如"怒楚",使楚国怒),应将其当作及物动词看待。只有在主语(S)是受事时,可以有第一个要素是及物动词、第二个要素是不及物动词的连用。汉魏以后,出现了主语是施事而第二个要素为不及物动词性质(Vt＋Vi)的新结构,并且能带宾语(Vt＋Vi＋O)。第二个动词(或形容词)表示的是第一个动词表示的动作的结果。一般情况下,出现这种结构的文献中已经看不到(或几乎看不到)不及物动词、形容词的使动用法了。

上述内容主要按照梅祖麟的说法表示如下:

	S	V	O
(1)	施	Vt＋Vt	受
(2)	受	Vt＋Vi	
(3)	施	Vt＋Vi	
(4)	施	Vt＋Vi	受

235

其中,(4)即 Vt + Vi + O 的出现一般认为是魏晋以后。另一方面,汉魏以后还出现了 Vt + O + Vi(如"煮米熟")结构。Vt + Vi + O 和 Vt + O + Vi 的共同特点是第二个不及物动词(或形容词)必须理解为使令性质(不是使动用法)。王力称 Vt + Vi + O 结构为使成式,例如把"辩明"解释为"辩之使明"之意。当然先秦汉语(以及继承先秦汉语的历代古文)中无论不及物动词还是形容词都允许有使动用法,因而也可以解释为"辩而明之",但在没有(或几乎没有)"明之"这种句法的文献中,无论如何也只能解释为使令即"使明"。以南北朝开始出现的"打死"为例,只因为及物动词"打"与不及物动词"死"并列,后者便被赋予了使令意义(即"使死"→杀)。用王力的话来说,就是"打之使死"或"打之令死"。

令人感兴趣的是,与这种解释相同的、出现使令要素的结构,即 Vt + 令 + Vi 和 Vt + 使 + Vi 形式正好始见于不及物动词和形容词的使动用法减少的汉代。刘承慧 1999 称这种结构为一种"使成词组"(使成式)即"使令词组",并列举了从东汉到南北朝的例子。例如:

东汉刘熙《释名》:拨使开　　拭其上使明

东汉《中本起经》:断水令住

齐《百喻经》:蹋地令坚　　磨刀令利

确实,这些是明确标示不及物动词及形容词使令化的例子。如上述数例,一般情况下宾语置于及物动词之后。刘承慧 1999 说这些结构废于隋以后,实际上从西汉直到元明都能找到用例(后述)。正如刘承慧 1999 和古屋昭弘 1999 所指出的那样,频繁出现这种用法的文献有北魏贾思勰的《齐民要术》。其中,多使用下述使成式。

Vt + 令 + Vi(如"煮令熟",也有"煮熟")

Vt + O + 令 + Vi("煮人尿令熟")

Vt + 使 + Vi("摊使冷",也有"摊冷")

Vt + O + 使 + Vi("摊黍使冷")

本稿打算对《齐民要术》的这些用例进行更为详细全面的分析。[①]

2 《齐民要术》的 Vt + 令 + Vi 和 Vt + 使 + Vi

众所周知,《齐民要术》是6世纪前半期北魏(～东魏)贾思勰所撰的农书。全书10卷,92篇。贾思勰不见于《魏书》、《北史》,从《齐民要术》自身来看,只知是山东人,担任过高阳太守。吴承仕考证或许与《魏书》有传的山东益都人贾思伯及其弟贾思同有关,栾调甫进一步提出可能贾思勰与贾思同为同一人。由于贾思同所仕的彭城王名勰,故贾思勰改名为贾思同。这一主张很有说服力。[②]

关于现在所能见到的版本在多大程度上保留了原来的面貌,也有不少争议,但这里除去卷首的"杂说"和与引用《汉书》相伴的颜师古注,只能认为大体上还是保留了贾思勰自身及贾氏引用文章的旧貌。[③]经考证,即使被认为出于后人之手的部分,其多数在宋代以前也已存在。不过,由于以宋版为首的诸版本之间在个别字句上颇有异同,在孤例上展开讨论是很危险的。又,下面用例的译文大体根据西山、熊代 1957、1959*。关于诸本字句的异同,详见该书及缪 1998。

对于《齐民要术》的语言,贾思勰在其自序最后说道:"鄙意晓示家童,未敢闻之有识,故丁宁周至,言提其耳,每事指斥,不尚浮辞,览者无或嗤焉。"可以窥见其文章平易、不饰修辞的特点。这似乎与《齐民要术》以难解出名相矛盾,事体、术语之难和版本上的混乱也确实如此,不过或者也正因为以接近当时口语的书面语写成,

---

* 译者注:此处"译文"指用例后所附的日语译文,因与本文主旨无关,今删。

才使今天的我们感到阅读困难吧。实际上,其中可以看到与近代汉语有关联的词汇和语法结构。例如带处所宾语的 V 著 O 和 V 在 O,以授予对象为宾语的 V 乞 O,与近代动补结构类似的 Vt 不 Vi、V 去、V 却、V 取等等(古屋 1999)。

而本文的最大特点是使用了很多表使令的"令"与"使",特别是前者。其用法也多种多样,仅是与 Vt + 令 + Vi、Vt + 使 + Vi 相关的就可以看到非常多的类型。这些与当时口语有什么关系也是很重要的问题,这里先举例看一下各种类型各有多少。又,Vt 表示及物动词,Vi 表示不及物动词、形容词,副表示副词。[①]

	用例数	例
Vt + 令 + Vi	154	曝令干
Vt + 使 + Vi	21	曝使干
Vt + 令 + 副 + Vi	35	曝令极干
Vt + 使 + 副 + Vi	7	曝使极干
Vt + 之 + 令 + Vi	29	曝之令干
Vt + 之 + 使 + Vi	8	曝之使干
Vt + 之 + 令 + 副 + Vi	6	曝之令极燥
Vt + O + 令 + Vi	60	曝芥子令干
Vt + 令 + O + Vi	9	摘令血出
Vt + O + 使 + Vi	6	蒸瓮使热
Vt + O + 令 + 副 + Vi	6	煮瓶令极热
Vt + O + 使 + 副 + Vi	1	捣滓使极熟

《齐民要术》亦以引书多而知名,据栾调甫,其数多达 180 余种。因此有必要先讨论一下上面的使成式在这些引书中以何种状态出现。上述全 342 例中见于引用部分的有 96 例。这一数字应该说还是很多的,但令人感兴趣的是它们集中在如下所示的极为有限的范围内。

	Vt + 令 + Vi 等	Vt + 使 + Vi 等
氾胜之书	4	1
食经	61	7
食次	21	0
笔方	1	0
风土记注	1	0

很明显，引用多来自《食经》和《食次》。这两部书是成于南朝人之手的烹调书。《氾胜之书》是西汉末有名的农书。《笔方》为三国时魏韦仲将之作。《风土记注》是西晋周处给自己著作所作的注。各个具体例子请参照资料。

除此之外的就是出现在贾思勰本人的文章中的。由于引用部分的认定在某些地方也有困难，可以说多少存在着误差，但使成式（Vt + 令 + Vi 等）的绝大多数出现在贾思勰文中，这一大趋势还是不可动摇的。

3 对使成式的分析

从语法方面来看，首先成问题的是这些形式成熟到了什么程度。例如 Vt + 令 + Vi 就有不少问题，到底仅仅是"曝，令干"这样的松散的结合呢，还是"令""使"像后代助词"得"一样与前面的动词关系紧密、使全体近于动补结构呢？这里有一个线索，就是看否定词和助动词性质的成分前置的例子。译文（按：已删）后的数字，顺次表示卷数、篇数、缪1998的页数，下同。

勿顿涂令遍(6-57-439)

勿刺令穿(9-82-635)

必须日曝令干(2-10-127)

宜晒之令燥(2-4-102)

宜以手向盆旁接使极薄(9-82-635)

239

从这些例子来看,可以确定"勿""必须""宜"管辖 Vt+(之)+令+Vi 和 Vt+使+副+Vi 整体,即 Vt+令+Vi 等在相当程度上已经成为一个整体了。与此相联系,Vt+令+Vi 的"令"已彻底具备使后面的不及物动词、形容词使令化的作用。而与及物动词的主体即施事主语没有直接关系。这一点也可以从下面的例子得到证明。

  欲令牛马履践令净(4-33-263)

这里没有出现施事主语,最前面的"令"是使牛马做"履践令净"这一动作的意思,从这里也可以证实 Vt+令+Vi 已成为一体。本来《齐民要术》中 Vt+令+Vi 等就几乎不出现施事主语。因为这是一本传授技术、方法的农书,并不关心谁是动作的主体,而是进行淡淡的记述,把重点放在何时、何地、如何进行动作上。⑤如果勉强寻找动作的主体,大概就是包括家中年轻人在内的不特定的读者吧。

正如刘承慧 1999 所指出的那样,《齐民要术》Vt+令+Vi 中的 Vi 绝大多数是形容词。这或许正因为形容词的使动用法已经失去了生产性,因而当其置于及物动词之后时,有必要明确其使动性吧。

不过,要说 Vt+令+Vi 等是否就像动补结构那样连接紧密,有些地方还很难说。因为也有"令"前面附副词等的例子。例如,Vt+令+Vi 的例子中,除"数浇令润泽"(5-50-356)外,还有"水浇常令润泽"(4-41-304)、"旱辄浇之常令润泽"(4-43-309)等例,因而在只对"数浇令润泽"给予特别待遇时,让人颇为犹豫。"择置甚令精好"(7-64-478)和"以麴末和之极令调均"(7-66-512)等也一样。

《齐民要术》中与 Vt+令+Vi 等结构相伴的动作手段的表示方法中,既有带介词"以"也有不带的情况。例如,

  以脚蹉令破作两段(3-24-207)

足蹑令坚(2-15-167)

以木石镇压令没(5-53-374)

大木连之令平正(9-81-630)

以水洗令净(7-65-501)

水煮令熟(9-81-628)

以杷平豆令渐薄(8-72-561)

杷耧地令起(3-17-176)

以手搦令坚实(8-75-569)

手挼令碎(8-72-565)

以火烧之令黄(9-80-628)

火烧令赤(8-70-540)

无论是否使用"以",第一动词(蹉,蹑,洗,煮,搦,挼,烧等)的意思已经能使人预料到其手段,也就是说很多例子中表示手段的词(脚,足,水,手,火等)似乎已经成为多余的成分。这也是表明《齐民要术》的文章的口语性特点的地方吧。其他例子请参照资料。

4　Vt + 令 + Vi 与 Vt + Vi 的并存

如前所述,《齐民要术》中也颇有不少 Vt + Vi 词组。例如,

曝干,曝死,晒燥,擘破,剪遍,耕熟,捣破,捣末,打碎,打破,拭干,研熟,研碎,染青,染赤,斩齐,洗净,煮沸,煮熟,椎破,捶破,炊熟,摊冷,搅和,搅成,酘足,搦破,蒸干,蒸熟,澄清,掐软,穿破,穿败,浇满,拨平,渝黑等

这些例子中有不少和 Vt + 令 + Vi 形式成分相同,两者并存。例如,

曝干(2-10-127 等)　　　曝令干(5-52-364 等)

拭干(5-52-367)　　　　拭令干(6-56-410 等)

洗净(6-56-411)　　　　洗令净(7-65-501 等)

241

研熟(6-57-433)	研令熟(6-56-412)
煮沸(6-57-433 等)	煮令沸(9-87-653)
炊熟(7-66-506)	炊令熟(8-71-557)
摊冷(7-66-513)	摊令冷(7-66-512 等)
搅和(7-66-519)	搅令和(8-71-548)
酘足(7-67-526)	酘令足(7-67-526)
搦破(8-71-549)	搦令破(7-66-511)
澄清(8-71-554 等)	澄令清(8-78-605)

看几个例子的上下文,如下所示。

夜煮细糠汤净洗面,拭干

汤洗疥,拭令干

若多作五瓮以上者,每炊熟,即须均分熟黍,令诸瓮遍得

小麦三斗,炊令熟,著瓮中,以布密封其口

就这样比较来看,或者考虑到上下文,很难找出两者在意义上的不同。勉强说来,"炊熟"既能译作"炊之使熟"也能译作"炊之而熟"。可以看出,Vt + Vi 或许比 Vt + 令 + Vi 在及物性上要稍弱一点。与此相联系,可以认为两者的大差别就表现在宾语上。值得注意的是,带宾语(O)时,极少使用 Vt + Vi + O,而主要使用 Vt + O + 令 + Vi 等(参照资料)。Vt + O + 令 + Vi 以及 Vt + O + 使 + Vi,包括宾语为"之"的情况在内,总计 103 例,Vi(含形容词)的种类也很丰富。与此相对,典型的 Vt + Vi + O 却只有下面的 V 破和 V 满。[6]

踏破地皮 3-17-181

搦破块 7-66-509(另见 8-70-536,8-71-555)

搦破小块 8-71-548

擘破块 7-66-512(另见 7-66-513)

擘破饭块 8-71-549

打破鸡子四枚 8-78-605

填满瓮 7-66-514

Vt + Vi + 之也仅有以下数例。

曝干之 5-45-318(另见 7-67-526《食经》,10-槟榔-737《南方草物状》)

搦破之 7-64-492

坼破之 9-90-680

这些例子中的"干""破"也许应该解释为及物动词用法(或不及物动词的使动用法)。实际上,还有"干之"(8-68-532)、"破生鸡子"(8-78-605,引自《食经》)等及物动词用例与之并存。当然,"曝干""搦破"之外还可以看到"曝令干""搦令破"的例子,这一事实只能说明"干""破"等动词尚在及物动词和不及物动词之间摇摆。[1]

如果把上述例子看作是较为特殊的用例,则 Vt + 令 + Vi 和 Vt + Vi 出现方式的大趋势,大体上可归纳如下:

①无宾语时:Vt + 令 + Vi/Vt + Vi

②有宾语时:Vt + O + 令 + Vi(极少数为 Vt + 令 + O + Vi)

前者指不直接带宾语的情况,并非从上下文中找不到相当于宾语的成分即受事的对象。如前文所述,Vt + Vi 给人一种及物性较弱的印象。例如,"日曝死者,虽白而薄脆"(5-45-333),由于"曝"不直接带宾语,故既可以理解为"(茧)日光曝晒杀死的(白而薄脆)",也可以理解为"日光曝晒而死的"。

5 《齐民要术》后的发展

如前文所述,刘承慧 1999 的结论认为出现"令""使"的使成式废于隋以后,实际上唐宋时代也并非没有出现。例如,

唐《四时纂要》:熬令干

唐《南海寄归内法传》:手搅令和

>唐《游仙窟》：倾使尽[⑧]

甚至直至南宋《朱子语类》依然有生产性。例如，

>此不可不与百姓说令分晓（卷35）
>
>逐项次第写令分明（卷106）

这些"令"很像导出表示程度与结果的要素的助词"得"，多用于表示未然的上下文（说谕、愿望、命令、当为等）。回过头来再看《齐民要术》，也是一本向人传授知识的书籍，使成式一般也出现在表示未然的上下文中。

Vt+令+Vi 在元王祯《农书》《饮膳正要》，明李时珍《本草纲目》中也出现了。《农书》有不少地方是引用《齐民要术》。

总而言之，Vt+令+Vi 和农书、医书关系密切。如果再往上溯，西汉马王堆出土的医书《五十二病方》中也可见同样的结构，这一点很值得注意。例如，

>熬令焦黑
>
>熬盐令黄[⑨]
>
>煮之令沸

亦见于东汉张仲景《伤寒杂病论》。例如，

>微煮令沸（调胃承气汤方）
>
>搅令相得（黄连阿胶汤方）
>
>煮米令熟（桃花汤方）

如前所述，《齐民要术》所引的《氾胜之书》中可见"曝令燥"等结构，这也是西汉末的农书。

这样一来，Vt+令+Vi 和 Vt+使+Vi 尤其是前者从西汉（《五十二病方》的成立在此之前）直至近代都能找到用例。只是，可能是从唐代开始，出现了以相同的结构 Vt+教+Vi 逐渐取代 Vt+令+Vi 和 Vt+使+Vi 的趋势。虽然为数极少，但在白居易的诗中这3种结构都能见到。例如，

Vt+使+Vi 削使科条简(卷24)

Vt+令+Vi 摊令赋役均(上例之对句)

Vt+教+Vi 愁因暮雨留教住(卷33⑩)

到《朱子语类》时,Vt+教+Vi 的使用占了压倒性多数。宾语的位置一般在"教"之后。关于宋代以后的 Vt+教+(O)+Vi,请参照古屋1985。

6　结语

把这次讨论的 Vt+令+Vi 等和 Vt+教+Vi 等放在一起,用图表简单表示如下。箭头表示至少直到该时代都可找到用例。

	汉魏	南北朝	唐	宋元明	现代
Vt+令+Vi	→	→	→		
Vt+O+令+Vi	→				
Vt+令+O+Vi		→	→		
Vt+使+Vi	→	→			
Vt+O+使+Vi	→				
Vt+使+O+Vi			→		
Vt+教+Vi			→	→	
Vt+教+O+Vi			→		

在分析现代语的典型的动词、结果补语结构时,常常会做如下的分析。

$[S_1+Vt+O]$CAUSE$[S_2+Vi]$但 $O=S_2$

S 是主语。CAUSE 是表示使令性的要素。也有研究者将其看作零形态素⑪。无论看作什么,在分析动补结构时都不能缺少使令性的观点。具体举例来说,如"烧地面使之暖"这一意思在现代普通话里说成"烧暖地面"(或"把地面烧暖")。根据上面的分析法,就成了

[(人)+烧+地面]CAUSE[地面+暖]

245

现代语中,表面上 CAUSE 以零形式出现,而在语序上则进行了重新组合。这一分析法也原封不动地适用于《齐民要术》这样的历史文献。上一句在《齐民要术》中以"烧地令暖"的形式出现,将其和现代语进行同样的分析,则如下所示。

[(人)+烧+地] CAUSE [地+暖]

CAUSE 以"令"的形式出现,语序上省略了重复的"地",除此之外两者完全一样。现代语法研究中理论上假设出来的要素 CAUSE,似乎和自西汉马王堆出土医书以来的使成式中出现的"令""使""教"遥相呼应,实在是令人很感兴趣的现象。有些方言中现在还在使用着类似的成分[12]。如果我们不局限于医书、农书的特殊文体这一问题,在考虑汉语从动词连用到动补结构的发展过程、不及物动词、及物动词问题以及不及物动词、形容词使动用法历史时,可以说这些都很富有启发性。

附注:

① 古屋 1999 把这些用例看作是 V 令 C(C 为补语)等,即一种动补结构。本稿则仿刘氏称为使成式。

② 据栾 1994 所收《〈齐民要术〉作者考》。

③ 关于卷头"杂说"为后人增补之说,请参照柳 1989。多数研究者认为增补时期在唐中期左右。但也有如米田 1989 等见解认为"去汉未远,至迟较《齐民要术》为古"(p.115)。

④ 用例数为总计例数。不区别本文与小字注(下同)。此外,有一些类似的词组由于意义难以理解而未采用。例如"下蜜令甜"(8-76-585),似乎"下"与"令甜"只表示时间上的先后关系,因此暂未收录。另外还有"炊饭令冷"(7-66-520)等等。本来,汉语中能否简单区分及物动词和不及物动词本身就是一个很大的问题,这里在最低程度上把置于使成式"令""使"之后的动词(含形容词)看作 Vi。下面引用的"刺令穿"例中的"穿"看上去也像及物动词,但该位置的"穿"作"穿过"之义。又,也有数例的 Vi 部分是句子。如"春令沫起"(8-73-568)等。和 Vt+令+O+Vi 的区别颇成问题。又,Vt+之+

使+Vi形式在一般的文言(特别是注、疏等)中也出现一些。例如《周礼》郑玄注"土化之法,化之使美",《尚书正义》"扑之使灭"等。

⑤ 这一特点与所谓的"烹调文"相同。请参照山崎1991。

⑥ 和典型的Vt+Vi相比,后置成分虚化程度甚高的V去、V取、V却、V著、V在、V得、V出、V为、V作等排除在外。如果包括这些在内,带宾语的用例数就会相当可观。又,Vt+副词+Vi也有数例。晒极干(3-30-240),水煮极熟(6-56-421),煮极熟(9-87-652,引自食次),摊极冷(7-66-509),曝极燥(8-71-557,引自食经),日曝小燥(9-90-678,2例,引自食次),微火炙半熟(9-80-620,引自食经)。像"研之极咸"(6-57-439)这样的形式也可以看作是一般的文言。也有Vi+Vi的结合。例如"冻死""瘦死""醉死"。此外还有Vt+O+Vi,但为数极少。搦块破(7-66-509,也有版本作搦破块),擘饭破(8-71-548),压糟极燥(8-71-554),手捻其皮破(8-72-565),拨火开(9-80-616),炊饭熟烂(9-86-651)。

⑦ 此外,还有必要看一下如"净洗""熟煮"等带状语的动词词组。

⑧ 据江1996。又见于宋词,如葛胜仲《蝶恋花》"莫厌烧令短"等。

⑨ 严格地说,"熬"当是火旁加"器"之字。又,关于《五十二病方》"令"的用法,详见大西1994。

⑩ 与这一句相对的是"春被残莺唤遣归"。尽管Vt+遣+Vi和Vt+倩+Vi的例子极少,但必须留心该例"遣"以及其他如"倩"等动词表示使令的用法。又,从这些诗句可知"令"和"教"是平声。

⑪ 公式是基于笔者个人的理解。关于CAUSE,请参照中川1992、石村1998等。零形态素请参照LIN1998等。

⑫ 据贺1983,河南省获嘉方言使用V叫C,如"让太阳晒干"说成"晒叫干些儿"。这种表使令的"叫"读为轻声,本调不明。据江1996和小松1998,闽南语中有V互C结构。"互"虽是表示GIVE意的动词,但从其也能表示被动、使令来看,可以说与使令的"令"和"教"有相似之处。使用闽语的明代戏曲中有"乞"的表记。

参考文献

[原典、译著]

《齐民要术》四部丛刊初编子部。
缪启愉 1998 《齐民要术校释》(第二版),中国农业出版社。

247

石声汉　1961　《齐民要术选读本》(1981 年第二次印刷版),农业出版社。
西山武一、熊代幸雄合译《齐民要术》(上,东京大学出版会,1957 年,下,农林省农业综合研究所,1959 年)。
栾调甫　1994　《齐民要术考证》,文史哲出版社,台北。
缪启愉　1994　《东鲁王氏农书译注》,上海古籍出版社。
马王堆汉墓帛书整理小组　1979　《五十二病方》,文物出版社。
朱佑武　1982　《宋本伤寒论校注》,湖南科学技术出版社。

[研究论著]

曹广顺　1999　《试论汉语动态助词的形成过程》,梅祖麟先生 65 岁诞辰寿庆论文集。
古屋昭弘　1985　《宋代的动补结构"V 教(O)C"》,《中国文学研究》第 11 期,早稻田大学。
古屋昭弘　1994　《关于白居易诗中所见的 V 教(O)C》,《中国语学开篇》12,好文出版。
古屋昭弘　1999　《关于〈齐民要术〉的"V 令 C""V 著 O"等》,《中国语学开篇》19,好文出版。
贺　魏　1983　《获嘉方言的一种变韵》,《中国语言学报》第 1 期。
石村广　1998　《动补动词的认知性视点》,《中国文化》56。
江蓝生　1996　《游仙窟漫笔》,《中国语学开篇》14,好文出版。
蒋绍愚　1999　《汉语动结式产生的时代》,《国学研究》第六卷,北京大学。
小松岚　1998　《闽南方言的"V 互 OC"动补结构小议》,《中国语学开篇》17,好文出版。
刘承慧　1999　《试论使成式的来源及其成因》,《国学研究》第六卷,北京大学。
柳士镇　1989　《从语言角度看〈齐民要术〉卷前杂说非贾氏所作》,《中国语文》第 2 期。
梅祖麟　1991　《从汉代的"动杀"和"动死"来看动补结构的发展》,《语言学论丛》16,北京大学。
中川裕三　1992　《关于 CR 及物动词句——从认知语言学的角度来看》,《中国语学》239,中国语学会。
大西克也　1994　《帛书〈五十二病方〉的语法特点》,《马王堆汉墓研究文集》湖南出版社。

太田辰夫 1958 《中国语历史文法》江南书院。

志村良治 1984 《中国中世语法史研究》三冬社。

王 力 1958 《汉语史稿（中册）》科学出版社。

山崎直树 1991 《汉语中的烹调句的研究——特别是及物性，谈话的中心/从与周边的关联来看——》，《中国文学研究》第17期，早稻田大学。

杨 平 1989 《"动词+得+宾语"结构的产生和发展》，《中国语文》1989-2。

米田贤次郎 1989 《中国古代农业技术史研究》同朋社。

LIN, HUEI-LING 1998 *THE SYNTAX-MORPHOLOGY INTERFACE OF VERBCOMPLEMENT COMPOUNDS IN MANDARIN CHINESE*, UNIVERSITY OF ILLINOIS.

资料

(按照各种类型，根据第一动词出现的先后顺序排列。)

Vt+令+Vi

晒　晒令燥 1-2-55 合盐晒令萎 4-35-277 日晒令干 4-39-298 晒令干 5-47-346

挠　挠令洞洞如稠粥 1-3-81（右氾胜之书）

曝　日曝令干 2-10-127；4-33-264；5-52-371；7-63-477 曝令燥 5-45-326（氾胜之书）；5-48-347；7-64-486；7-66-511；7-67-526（食经）；8-72-565（食经）；9-86-650（食经）；9-88-664（食次）；曝令干 5-52-364；7-65-501；7-66-514；7-67-526（食经）；7-67-528；9-86-651（食经）；日中曝令皱 9-88-664（食次）日曝令皱 9-88-664（食次）曝令干燸 10-杨梅730（食经）日中曝令成盐 8-69-534 排曝令燥 8-72-565（食经）

裹　裹令开口 2-12-147

蹹　足蹹令坚 2-15-167（氾胜之书）蹹令坚实 8-72-562

践　足践令保泽 2-16-172（氾胜之书）

履践　欲令牛马履践令净 4-33-263

蹉　以脚蹉令破作两段 3-24-207

劳　劳令平 3-24-207；3-24-210；3-24-210

拔　间拔令稀 3-24-209 拔令去 5-50-354

捣　捣令熟 3-30-233；7-65-501；8-75-578；捣令均 5-52-366；捣令碎 7-64-

249

	479；捣令可团 7-64-491；捣令碎末 7-66-519(食经)
挼	挼令圆平 3-30-233；挼令调均 7-66-513；痛挼令相杂 7-66-514；痛令均如胡豆 9-82-635；手挼令坚 8-70-536；手挼令碎 8-72-565；挼令薄如韭叶 9-82-635
搅	搅令匀 3-30-239；以匙痛搅令散 6-57-433；搅令均调 6-57-433；7-64-492；8-70-536；搅令和解 7-66-519(食经)；搅令均调 8-70-543(食经)；痛搅令和 8-71-548
舒展	急舒展令匀 3-30-240
焙	火焙令干 4-40-301
煮	煮令熟 4-42-307(食经)；8-76-583(食经)；8-76-584(食经)；8-76-585(食经)；合煮令熟 8-70-543(食经)；8-77-600；水煮令熟 9-81-628；煮令烂 8-76-584(食经)；纯煮令熟 8-76-585(食经)；煮令沸 9-87-653(食次)；肉须别煮令熟 9-87-655
薅	常薅令净 5-45-317
薅治	薅治令净 5-53-374
淘汰	以水淘汰令净 5-45-324
耕	秋耕令熟 5-46-338；5-46-344
浇	熟浇令润泽 5-50-356
镇压	以木石镇压令没 5-53-374
拭	拭令干 6-56-410；8-70-541
研	研令熟 6-56-412；葱白研令碎 9-80-616
涂	勿顿涂令遍 6-57-439
洗	以水洗令净 7-65-501 洗令净 8-74-576(食经)
梳洗	梳洗令净 8-77-599
治	治令净 7-66-505 净治令白 8-76-593(食经)
磨治	釜必磨治令白净 9-89-675
摊	薄摊令冷 7-66-505；9-82-635；摊令温温暖於人体 7-66-511；摊令冷 7-66-512；8-68-532；8-71-547；8-71-548；摊令厚二寸许 8-68-532
搦	搦令破 7-66-511；搦令散 7-67-525；数以手搦令坚实 8-75-579
济	济令清 7-66-519(食经)
酘	二月中即酘令足 7-67-526(食经)
筑	周筑令硬如石 7-67-526

调和	调和令均 8-70-540
和	和令调均 8-70-541;和令均调 8-70-540;8-70-541
烧	火烧令赤 8-70-540;烧令黄 8-71-558(食经)
蒸	著甑上蒸令热 8-70-543(食经);蒸令暖 8-78-606(食经);蒸令软 9-81-630(食次);蒸令气馏 9-87-655
掸	掸令冷如人体 8-71-552
渍	渍令泽 8-71-557(食经);汤渍令释 8-76-592(食经);冷水渍令释 9-88-665(食次)
炊	炊令熟 8-71-557(食经)
浸	以水浸令湿 8-72-565(食经);水浸令液 9-82-636
舂	舂令熟 8-73-568;舂令相得 8-73-569;下盐复舂令沫起 8-73-568
按	手按令坚实 8-74-577;按令均平 9-80-623(食次)
揉	手揉令彻 8-75-579;揉令熟 9-82-635
打	以木棒轻打令坚实 8-75-579
截	邪截令薄 8-76-593(食经)
系	绳系令坚坚 8-76-593
揩	揩令热彻 5-49-349;揩令净 8-77-603(食次)
澄	澄令清 8-78-605(食经)
擘	擘令细 8-78-606(食经)
炙	火炙令熟 8-79-610(食经);重炙令暖 9-80-624(食次)
蹙	痛蹙令聚 9-80-616
挽	挽令舒申 9-80-616
刬	刬令调 9-80-619(食经)
盐	盐令咸淡适口 9-80-620(食经)
削刮	削刮令净 9-81-628
熬	熬令熟 9-82-632(食经);熬令香 9-87-655
刺	勿刺令穿 9-82-635
折	折令精 9-85-645(相当于"淅")
焦	焦令熟 9-87-655;9-87-655
拃	手拃令解 9-88-664(食次)
料理	料理令直 9-88-665(食次)

251

Vt + 令 + 副 + Vi
薅　薅令常净 3-22-203
研　研令极熟 3-30-227；8-73-571
茹　茹令极热 6-57-433
舒　舒令极冷 7-64-489
摊　摊令绝冷 7-65-501；薄摊令极冷 7-66-509；摊令极冷 7-66-511；8-70-536；摊令小冷 7-67-526
晒　反复日晒令极干 7-66-505
糅　合糅令甚熟 7-67-526（食经）
揉　以手痛揉令极软熟 9-82-635
揉和　揉和令极熟 7-67-526（食经）
掸　掸令小暖如人体 8-71-551
洗　洗令极净 8-76-585（食经）
煮　煮令极熟 8-76-592（食经）；9-85-645；煮令不能半熟 8-77-598（食经）；煮令半熟 8-77-598（食经）；9-80-619（食经）
蒸　蒸令极熟 8-77-599（食经）；蒸令小熟 8-77-603（食次）
炒　炒令极熟 8-78-606
揩　以茅蒿叶揩令极白净 8-79-611
刮削　刀刮削令极净 8-79-611；刮削令极净 9-80-616
溲　溲令极泽铄铄然 9-82-635
抑　杓抑令偏著一边 9-84-642（食次）
曝　曝令极干 9-85-645；曝令极燥 9-90-678（食次）
温　温令微热 6-56-420；温令少热 9-88-666（食次）
卷　卷令极圆 9-91-683（笔方）

Vt + 之 + 令 + Vi
晒　黍宜晒之令燥 2-4-102
耧　铁齿杷耧之令熟 3-17-176
捻　手捻之令褊 4-35-277
熏　于突上熏之令干 4-36-281
筑　以土筑之令没 4-37-287
埋　埋之令没 5-50-351

252

镇	以板石镇之令扁 5-54-377
曝	曝之令萎 7-66-505；出曝之令干 8-68-532；8-72-562；曝之令浥浥然 8-72-565（食经）
摊	摊之令冷 7-66-510；7-66-514
砲	别砲之令细 7-67-528
拭	冷水湿手拭之令遍 7-67-528
浇	以前盐蓼汁浇之令没 8-70-545
掸	掸之令冷 8-72-565
洒溲	以豆汁洒溲之令调 8-72-565（食经）
熬	膏油熬之令赤 8-78-606（食经）
摩	摩之令调 9-80-619（食经）
炙	炙之令熟 9-80-620（食经）
按	按之令拗 9-80-623（食次）
烧	以火烧之令黄 9-80-628
迮	大木迮之令平正 9-81-630（食次）
煮	煮之令三沸 9-81-630（食经）；以淳浓灰汁煮之令烂熟 9-83-640（风土记注）
搅	搅之令杀菜 9-88-659（食经）
盐	盐之令咸 9-88-662（食经）
炒	炒之令黄 9-88-662（食经）

Vt + 之 + 令 + 副 + Vi
劳	劳之令甚平 2-14-156
曝	曝之令极燥 7-67-525
煮	煮之令极烂 8-70-540；煮之令半熟 8-76-585（食经）
熬	熬之令小熟 8-78-606（食经）
蒸	复蒸之令极烂熟 9-81-630（食次）

Vt + O + 令 + Vi
曝	曝根令坚 2-11-138；曝蒸者令干 7-64-490；曝芥子令干 8-73-571
炒	炒沙令燥 2-13-149；著麻油炒葱令熟 8-70-541；炒米麴饭令熟 8-71-558（食经）

253

耧	杷耧地令起 3-17-176；铁耧耧土令起 3-29-224
劚	劚地令起 3-17-181；5-45-318；劚地令熟 5-50-350
蹉	蹉子令破 3-24-210
踏	踏其苗令死 3-28-220
磨	水磨雌黄令熟 3-30-227
浸	以水浸绢令没 3-30-233；浸米令液 7-66-513；以热汤浸菜令柔软 9-88-657
捣	碓捣地黄根令熟 3-30-239
治	治地令净 4-33-263
耕	耕地令熟 5-45-324
调	调火令冷热得所 5-45-333
散	散蚕令遍 5-45-333
胁	胁槐令长 5-50-350
拭	拭盐令尽 5-51-361（食经）；以布拭水令尽 6-56-411
温	温酒令暖 5-52-367
啮	常啮蒜令破 5-52-367
烧	烧梨令熟 5-52-367；烧坎中令热 8-72-565（食经）
揩	以砖揩疥令赤 6-56-410
煮	煮人尿令沸 6-56-411；煮菌令沸 8-76-592（食经）
渍	尿渍羊粪令液 6-56-412
研	研盐令消 6-56-412
捋	以手痛捋乳核令破 6-57-431；以手捋核令破 6-57-431
茹	茹瓶令暖 6-57-433；以茅茹腹令满 9-80-616
刮	以砖瓦刮疥令赤 6-57-439
刷	净扫刷麹令净 7-64-491
搦	搦黍令破 7-64-497；7-66-510；搦黍令散 7-67-525
酘	偏酘一瓮令足 7-66-506
和	合米和令调 7-66-520
晒	晒麹令燥 8-70-540
辣	用石硙子辣谷令破 8-71-554
拨	小拨峰头令平 8-72-561
蹑	以脚蹑豆令坚实 8-72-562

浇	用汤浇黍穄穬令暖润 8-72-562	
盖	以物盖瓮头令密 8-72-569(食经)	
漉	漉汁令尽 8-74-576(食经)	
捶	捶牛羊骨令碎 8-75-579	
㷉	㷉豚令净 8-79-611	
养	养宿猪令肥 9-81-628	
斩	斩两头令齐 9-85-645	
洗	背洗米令净 9-86-651	
熬	熬油令香 9-87-655	
覆	以被覆盆瓮令暖 9-89-675	

Vt + O + 令 + 副 + Vi

烧	烧铁令微热 6-57-440	
摊	于席上摊黍饭令极冷 7-64-492	
煮	于釜汤中煮瓶令极热 7-64-498 汤煮空瓶令极热 8-70-540	
平	以杷平豆令渐薄 8-72-561	
斗擞	急斗擞筐令极净 8-72-561	

Vt + 令 + O + Vi

晒	日中晒令粟肉焦躁 4-38-293(食经)	
摘	刀子摘令血出 6-56-411	
搅	搅令黄白相杂 6-59-450;搅令糁著鱼 8-74-574	
和搅	和搅令饭散 7-65-501	
椎	椎令骨碎 9-80-623(食次)	
煮	煮令肉离骨 9-81-630(食经)	
屈	屈令两头相就 9-82-633(食次)	
烧	烧令皮著底 9-90-679	

Vt + 使 + Vi

踏	足踏使坚平 3-17-176	
转	数回转使匀 3-30-239	
曝	日曝使干 4-33-264;曝使干 4-35-277;6-57-433;各须一曝使干 5-49-	

255

349

捣	碓捣使熟 5-52-366；捣使熟 8-70-540
铺	薄铺使干 6-57-426
搅	以杓搅使均调 6-57-433；搅使调和 8-71-558（食经）；搅使冷 9-86-650（食经）
煎	和盐煎使熟 6-57-440
抨	抨使均柔（令相著）7-66-512
摊	摊使冷 7-67-525 薄摊使冷 8-71-548
煮	合煮使熟 8-76-583（食经）；煮使熟 8-76-584（食经）
烧	火烧使赤 8-77-600
拌	拌使均调 9-82-636
燃	干燃使热 9-85-645

Vt + 使 + 副 + Vi

曝	曝曝极燥 1-2-57（氾胜之书）；曝使极干 7-64-496
舒	舒使极冷 7-64-480
摊	摊使极冷 7-66-519；7-67-525
授	宜以手向盆旁授使极薄 9-82-635

Vt + 之 + 使 + Vi

曝	曝之使干 5-49-349
摊	于席上摊之使冷 7-64-497
酘	酘之使和调 7-66-519（食经）
煮	合煮之使烂 7-67-528
抨	以杷急抨之使净 8-72-561
炙	急火急炙之使焦 9-80-619（食经）
溃	溃之使释 9-82-640（食经）
和	和之使均调 9-89-675

Vt + O + 使 + Vi

筑	筑孔使坚 4-35-274
浸	浸豉使液 6-56-410

摊	摊黍使冷 7-64-493
蒸	蒸瓮使热 7-66-511
捣	捣栗饭使熟 8-73-568
煮	以冷水和煮豚面浆使暖 8-79-611

Vt＋O＋使＋副＋Vi
| 捣 | 捣淬使极熟 3-30-239 |

（原载日本中国学会报，52，2000）

几组常用词历史演变的考察

汪维辉

常用词演变的研究应该成为汉语词汇史学科的核心内容。虽然王力先生早在 20 世纪 40 年代就已经提出这一课题,50 年代又在《汉语史稿》中对若干常用词在历史上的更替作了勾勒,但此后嗣响乏人,这方面的研究并未真正展开。今天我们面临着让这项工作重新起步的问题。常用词演变研究是一项十分繁重和难度很大的工作,如果加上古今方言的因素,问题就更加复杂。我们在《关于汉语词汇史研究的一点思考》一文中曾经说过,"这项工作也许需要几代人的共同努力",经过实践,我深切地感到这并非危言耸听。常用词的演变更替每个时代都在发生。我们的初步设想是分段分组进行研究。按照目前的一般看法,可以先粗略地分为上古汉语、中古汉语、近代汉语三大段,每一段选取若干组有变化的常用词,弄清它们在这一时期的发展变化情况。在目前起步阶段,有必要强调"个案研究"(case study)的重要性,即把一组一组词的新旧递嬗关系和演变交替过程扎扎实实地描写清楚。只有把这项基础工作做好了,才有可能撰写汉语常用词演变通史,也才谈得上探索隐藏在变化背后的规律。

下面所论列的几组常用词都是汉语史学界曾经或多或少讨论过的,但以往的研究偏重于对新词新义的溯源,即寻找更早的始见书证,而对演变交替的过程注意不够。本文试图从两个方面来重新探讨这几组词:一、更替从何时开始发生,大概在何时完成? 二、交替的过程是怎样的？由于问题复杂，加上本人水平有限，这里的描写未必准确，只能说是一种探索。其中"足/脚"组曾在《思考》中谈过，这次又作了较大的改写。

一、足/脚[①]

王力先生指出："《说文》：'脚，胫也'；《释名》：'脚，却也，以其坐时却在后也'。可见'脚'的本义是小腿。……但是，到了中古，'脚'在基本词汇中已经代替了'足'，这里有一个典型的例子：'潜无履，王弘顾左右为之造履。左右请履度，潜便于坐伸脚令度焉。'（《晋书·陶潜传》）"[②]其实王先生所举的这个例子并不算典型，"伸脚"也可以解释成"伸腿"，因为光一个脚掌是无法"伸"的。今天吴方言大部分地区仍管腿叫脚，如宁波话让人把腿伸直就说"脚伸直"，人死了可以说成"脚一伸去了"。而且从当时的语言习惯来看，此例"伸脚"的"脚"恐怕解释成"腿"才符合原意。不过，"脚"有"足"义的始见时代，后来经过学者们的考订，已经把它提前到了三国[③]。

我们考察了汉魏六朝时期的文献用例，发现"脚"取代"足"的过程相当复杂，现有的看法有必要修正。

从东汉开始，"脚"在文献中的出现日趋增多[④]，这里酌引部分用例：

(1) 高脚疾步，受肩善趋。日走千里，贾市有得。（《易林》卷9"晋之泰"）比较：大足长股，利出行道。（又卷12"困之豫"）

(2) 问曰："阳病十八，何谓也？"师曰："头痛，项腰脊臂脚掣痛。"（《金匮要略论》卷1"脏腑经络先后病脉证"，11a）

(3) 坐而下一脚者，腰痛也。（《伤寒杂病论》卷1"平脉法"，213b）

(4) 其索手脚者,欢喜与之;其欲取头者,其心倍悦。(支娄迦谶译《阿阇世王经》卷上,15/390b)比较:若有施诸比丘衣被饮食者,当断汝手足。(东汉失译《大方便佛报恩经》卷2,3/147b)

(5) 游行阿鼻狱,刀轮为脚足。(东汉失译《受十善戒经》,24/1028a)

(6) 前有燥地,目视而两脚不随。(马第伯《封禅仪记》,《全后汉文》卷29,633a)

(7) 便斗,或伤头,或截头;或伤臂,或截臂;或伤脚,或截脚。(支谶译《释摩男经》,1/848c)"脚"跟"臂"或"手"相对,可见是指整条腿。

(8) 俱柱杖翘一脚,向宫门立。……稽首接足,慰劳之曰:"所由来乎?苦体如何?欲所求索,以一脚住乎?"(康僧会译《六度集经》卷2,3/8a)

(9) 谧望见王,交脚卧不起。(《三国志·魏书·曹爽传》注引《魏略》,1/289)

(10) 君欲堕车折脚,宜戒慎之。……祭祀既讫,则乌狗为车所轹,故中梦当堕车折脚也。(同上《周宣传》,3/811)

从上述引例中不难看出,"脚"在汉魏时期除一部分仍用作原义指"小腿"外,最常见的用法是统指下肢。所谓挡(槌)折脚""曲脚"等,都应该是就整条腿而言。关于人腿部的病痛,东汉魏晋南北朝几乎都用"脚"而很少用"足",如跛脚、损脚、患脚、脚患、脚跛、脚疾、脚弱、脚痛、脚酸、脚挛、脚风挛、脚气、脚上气、脚无力、脚偏小等,这些"脚"字都是统指整条腿或腿上的某一部位,而不是专指脚掌。这一点在以下几个例子中看得很清楚:

(11) 修之后坠车折脚,辞尚书,领崇宪太仆,仍加特进、金紫光禄大夫。以脚疾不堪独行,特给扶待。(《宋书·朱修之

传》,7/1971)比较:高祖还彭城,与共登城,泰有足疾,特命乘舆。(《宋书·范泰传》,6/1616)⑤

(12) 后以脚疾,遂废于里巷。……又以其蹇疾,与诸镇书;……(《晋书·习凿齿传》,7/2154)可见"脚疾"即指瘸腿,"脚"是整条腿。

这一时期"脚"的出现频率很高,对象广泛。在用于动物和器具时,"脚"基本上都是指整条腿⑥,如:

(13) 黑脚,牷。(《尔雅·释畜〔牛属〕》)

(14) 毕方鸟在其东,青水西。其为鸟,人面,一脚。(《山海经·海外南经》)

(15) 飞鸟铩羽,走兽废脚。(《淮南子·俶真》,又《览冥》)

(16) 比丘挽索,蹋其手得(三本作"节"),系著床脚。(支谦译《撰集百缘经》卷3,4/216c)

(17) 天方明,河欲清;鼎折脚,金乃生。(黄武中产儿语,《魏诗》卷12,541)

(18) 木牛者,方腹曲头,一脚四足,……曲者为牛头,双者为牛脚,横者为牛领,转者为牛足。(《三国志·蜀书·诸葛亮传》注引《诸葛亮集》载其作木牛流马法,4/928)

由此例可见"脚"和"足"的区别:"脚"指整条腿,"足"才是脚掌。

(19) 太原人夜失火,出物,欲出铜枪,误出熨斗,便大惊愣,语其儿曰:"异事!火未至,枪已被烧失脚。"(《类聚》卷73引《笑林》,1/1255;《钩沉》185)

(20) 有蟹焉,筐大如笠,脚长三尺。(《御览》卷942引《述异记》,4/4186a;《钩沉》282)

(21) 取蜘蛛,生断去脚,吞之即愈。(《御览》卷743等引《幽明录》,4/3296a;《钩沉》385)

(22) 后晓去,女衣裙开,见龟尾及龟脚。(《广记》卷469引

《续异记》,3865;《钩沉》519)

(23) 牛筋狗骨之木,鸡头鸭脚之草。(《洛阳伽蓝记》卷1"瑶光寺",46)

只有个别例子看来是指脚掌,但笼统地看作下肢也未尝不可:

(24) 马脚触尘,皆成金沙。(昙果共竺大力译《修行本起经》卷上,3/463a)

(25) 骞特自念言:"今当足踏(元本、三本作"蹋")地,感动中外人。"四神接举足,令脚不著地。(又卷下,468a)

(26) 时流离王即以酒饮五百黑象,极令奔醉,脚著铁甲,鼻系利剑。(东汉失译《大方便佛报恩经》卷5,3/151c)

(27) 牛脚比丘者,……此比丘脚似牛甲。(又《分别功德论》卷4,25/40c)

(28) 时有一大龟,以脚蹋船,船破没海。(慧觉等译《贤愚经》卷4,4/378b)

随着时间的推移,"脚"专指脚掌的例子有缓慢增多的趋势;但一直到隋末,"脚"主要用以统指下肢的局面并无明显改变。例如:

(29) 庾玉台常因人,脚短三寸,当复能作贼否?(《世说新语·贤媛》22)[①]比较:长股之国在雄常北,被发。一曰长脚。(《山海经·海外西经》)

(30) 脚不支身,喘不绪气。(《南齐书·虞玩之传》载其上表,2/610)

(31) 崇乃伤腰,融至损脚。时人为之语曰:"陈留、章武,伤腰折股。贪人败类,秽我明主。"(《魏书·宣武灵皇后胡氏传》,2/339)"脚"等于"股"。

(32) 昔荷圣王眄识,今又蒙旌贲,甚愿诣阙谢恩;但比腰脚大恶,此心不遂耳。(《梁书·何胤传》载胤语,3/738)

也就是说,在整个东汉魏晋南北朝时期,至少百分之九十以上的

"脚"是指整条腿或小腿,真正可以确认是指脚掌的"脚"字相对数量不多⑧。不妨把我们所收集到的一般认为确指脚掌的例子列举部分在这里⑨:

(33) 右一味,以浆水一斗五升煎三五沸,浸脚,良。(《金匮要略论》卷5"中风历节",49b)⑩

(34) 六者,地有热沙,走行其上烂人脚。……六者热沙剥(三本作"泺")烂其脚。(东汉失译《杂譬喻经》卷下,4/510a)

(35) 救卒死而壮热者,矾石半斤,水一斗半,煮消以渍脚,令没踝。(《肘后备急方》卷1"救卒中恶死方第一",369a)

(36) 此塔前有佛脚迹⑪,起精舍,户北向塔。(《法显传·摩竭提国巴连弗邑》,104)

(37) 今人形小,缘梯上,正得至昔人一脚所蹑处。(《法显传·达嚫国》,138)

(38) 或濯脚于稠众,或溲便于人前。(《抱朴子·外篇·刺骄》)

(39) 羲之脚不践地,十五年无由奉展。(王羲之《杂帖》,《全晋文》卷24,1597b)

(40) 羊了不眄,唯委脚几上,咏瞩自若。(《世说新语·雅量》42)

(41) 长者唾时,左右侍人以脚蹋却。……于是长者正欲咳唾,时此愚人即便举脚蹋长者口,破唇折齿。……以是之故,唾欲出口,举脚先蹋,望得汝意。(求那毗地译《百喻经》卷3"蹋长者口喻",4/551b)

(42) 高祖奋怒,命左右录来,欲斩之。藩不受命,顾曰:"藩宁前死耳!"以刀头穿岸,劣容脚指,于是径上,随之者稍多。(《宋书·胡藩传》,5/1444)

(43) 小雪,晷长一丈一尺八分。当至不至,来年蚕麦不成,多病脚腕痛。(《后汉书·律历志下》"大雪"梁刘昭注,11/

263

3080)

(44) 迦叶又言:"汝与佛叠僧伽梨衣,以足蹈上。是汝之罪!"阿难言:"尔时大风卒起,无人助我,风吹来堕我脚下,非不恭敬故蹈佛衣。"(《出三藏记集》卷1引《大智度论》,7)

(45) 乃自起以左脚䟽室西石壁,壁陷没指,既拔足,水从中出。(《高僧传》卷10"诃罗竭",380)

(46) 赞者曰"履着脚",坚亦曰"履着脚"也。(《御览》卷499引《笑林》,3/2281b;《钩沉》182)

(47) 因仰头视屋,俯指帝脚,忽然不见。……仰头看屋,而复俯指陛下脚者,脚(据《御览》卷1引补),足也,愿陛下宫室足于此也。(《广记》卷118等引《幽明录》,822—823;又见《祖台之志怪》;《钩沉》321)

(48) 左右巧者潜以脚画神形,神怒曰:"速去!"(《殷芸小说》卷1)

(49) 乃入海四十里,见海神,左右莫动手,工人潜以脚画其状。神怒曰:"帝负约,速去!"始皇转马还,前脚犹立,后脚随崩,仅得登岸。(《水经注》卷14"濡水"引《三齐略记》,1264)

(50) 便投水就之,体既浮涌,脚似履地。(《广记》卷110等引《冥祥记》,752;《钩沉》600)

(51) 于夜梦一沙门以脚蹈之[12],曰:"咄咄,可起!"(《珠林》卷17引《冥祥记》,53/410c;《钩沉》614)

(52) 袜,脚衣。(《玉篇·衣部》)[13]

(53) 脚著花文履,耳穿明月珠。(高允《罗敷行》,《北魏诗》卷1,2201)

(54) 头去项,脚根齐。驱上树,不须梯。(《魏书·尔朱彦伯传》载洛中谣,5/1666)

(55) 火笼恒暖脚，行障镇床头。(阴铿《秋闺愁诗》，《陈诗》卷1,2457)

(56) 河神巨灵，以手擘开其上，以足蹋离其下，中分为两，以利河流。今观手迹于华岳上，脚迹在首阳山下，至今犹存。(《搜神记》卷13,320/159)

(57) 发棺视之，女体已生肉，姿颜如故，右脚有履，左脚无也。(《搜神后记》卷4,46/27)

(58) 至河，无舟楫，后乃负帝以济河，河流迅急，惟觉脚下如有乘践，则神物之助焉。(《拾遗记》卷6"后汉",148)

(59) 会稽人吴详，见一女子溪边洗脚，呼详共宿。(《御览》卷716引《志怪》,3/3176a;《钩沉》535)

(60) 尔夜岸下大暗，纯是刺棘，不得下脚。(《系观世音应验记》59,《应验记》56)

(61) 忖留乃出首，班于是以脚画地，忖留觉之，便还没水。(《水经注》卷19"渭水下",1581)

(62) 此像每夜行绕其坐，四面脚迹，隐地成文。(《洛阳伽蓝记》卷4"永明寺",238)

(63) 凡瓜所以早烂者，皆由脚蹑及摘时不慎，翻动其蔓故也。(《齐民要术》卷2"种瓜第十四",112)《要术》中此类例子多见。

(64) 辉推主堕床，手脚殴蹋，主遂伤胎。(《魏书·刘昶传》,4/1312)

(65) 时婆罗门嫌王头臭，即便掷地，脚蹋而去。(慧觉等译《贤愚经》卷6,390a)[14]

这一时期"脚"和"足"是一种什么关系呢？随着"脚"的大量使用，"足"的出现频率明显降低，这说明一部分"足"被"脚"替代了。"足"除了指脚掌外，也可以用来统指下肢[15]，比如：

(66)〔留〕赞一足被创,遂屈不伸。……因呼诸近亲谓曰:"……而我屈躄在闾巷之间,存亡无以异。今欲割引吾足,幸不死而足申,几复见用;死则已矣。"亲戚皆难之。有顷,赞乃以刀自割其筋,血流滂沱,气绝良久。家人惊怖,亦以既尔,遂引申其足。足申创愈,以得蹉步。(《三国志·吴书·孙峻传》注引《吴书》,5/1445)这个"足"就是指腿而不是脚掌。

(67)夜四更中,惠遥唤向暂来。往视,祥仰眠,交手胸上,足胮(欶鼎切)直,云:"可解我手足绳。"曰:"上并无绳也。"祥因得转动,云:"向有人众,以我手足,鞭捶交下,问'何故啮虱?'……"(《御览》卷951引《宣验记》,4/4223a;《钩沉》549)此例中的诸"足"字也是指整条腿。

指动物的四肢和器物的脚时,既可用"足",也可用"脚",虽有文白之别,但指的都是整条腿,如:

(68)有兽焉,其状如鹿而白尾,马足(一作脚)人手而四角。(《山海经·西山经》)"足""脚"异文。

(69)四人各捉马一足,倏然便到河上。……遂复捉马脚涉河而渡。(《广记》卷320引《续搜神记》,2536)"足""脚"同义。

这一时期"脚"所替代的除了少部分指脚掌的"足"外,主要就是统指下肢的那部分"足"。在特指脚掌时,往往仍用"足",如:

(70)叔谓胡曰:"汝既已知善之可修,何宜在家?白足阿练,戒行精高,可师事也。"长安道人足白,故时人谓为"白足阿练"也。(《珠林》卷6引《冥报记》,53/315a;《钩沉》630)这是时人给长安道人取的绰号,应该是用的当时口语。

(71)逊下床送之,始蹑履而还暗,见炳脚间有光,可尺许,亦

266

得照其两足,余地犹皆暗云。(《广记》卷 326 引《冥祥记》,2585;《钩沉》638)此例上用"脚",下用"足",意义上似有所区别:前者指腿(主要当是小腿),后者指脚掌。

《说文·肉部》:"脚,胫也。"这一义项虽然在先秦文献中能得到证明[16],但也并不是绝对的,如"膑脚"的"脚"就是指膝盖骨而不是小腿[17]。因此从先秦起"脚"可能就存在着一种混指的倾向。到了汉魏时期,"脚"就不再限于专指小腿,而可以泛指整条腿了。王力先生曾以《说文》的说解和《释名》"脚,却也,以其坐时却在后也"为据,认为"'脚'的本义是小腿"[18],可是在《释名》中还有这样的例子:

(72)两脚进曰行。行,抗也,抗足而前也。(《释姿容》)
(73)超,卓也,举脚有所卓越也。(同上)
(74)骑,支也,两脚枝别也。(同上)
(75)裈,贯也,贯两脚上系要中也。(《释衣服》)

可见在刘熙的语言里,"脚"已经可以统指下肢了。《释名》中"脚"指下肢(有时也指小腿),"足"指脚掌,分得很清楚。这一义项在魏晋南北朝被广泛地使用,使"脚"跟"足"在指下肢这一点上成为同义词。可能正是由于"脚"和"足"的这种部分同义关系,加上有时候并不需要那么清楚地区分腿和脚掌[19],使得人们容易含混地认为"脚"就是"足"的同义词,于是在一部分方言里,"脚"就成了"足"的等义词并取而代之。从现代方言的情况来看,大部分地方"脚"是专指脚掌,但在吴方言里,"脚"却泛指整条腿或腿的某一部分(属于同一个义项)[20],这跟汉魏六朝时期"脚"的用法是完全一致的[21]。据此我们推测,"脚"取代"足"可能经历了两个阶段:第一阶段是代替了"足"统指腿和特指脚掌的用法,在六朝完成。这里的关键是"足"确实具有这两种功能。现代吴方言口语不说"足"而只说"脚",不管是整个下肢还是脚丫子,都可以用"脚"一个词来指称,这说明统指的"脚"完全可以取代"足"。第二阶段是"脚"再缩小范围专指脚掌,而其他部位由"腿"(大腿、小腿)来指称,这就是现代汉语普通话和大部分方言今天所具有的情形。"脚"在一定的上下文中专指"脚掌",开始时可能只是作为"整条腿"的一个义位变体而出现的,在汉魏六朝时期,情形大概就是如此,当时"脚掌"并没有成为"脚"的一个独立义位。后来这个义位变体用得多了,就渐渐地独立为一个固定的义位,而统指下肢的义位反而消失了。这个过程的最终完成,是要在"腿"取代了"股""胫"以后,这时候原先由"股、胫、足"三个词构成的一个最小子语义场就变成了由"腿(大腿、小腿)"和"脚"两个词构成了。据我们的初步考察,这一阶段的完成大约在元代以后[②]。

《汉语大词典》"脚"字条云：

①人与动物腿的下端,接触地面、支持身体和行走的部分。《墨子·明鬼下》:"羊起而触之,折其脚。"汉邹阳《狱中上书自明》:"昔司马喜膑脚于宋,卒相中山。"……⑤器具的支撑;东西的下端。《南史·宋纪上·武帝》:"宋台建,有司奏东西堂施局脚床,金涂钉,上不许。便用直脚床,钉用铁。"(6/1271)

这里的两个义项都存在问题。义项①犯了以今义释古义的毛病。如果"折其脚"的"脚"是指脚掌,那就讲不通了。《墨子》的"脚"还是指"小腿"。从"脚"字的历史发展着眼,比较妥当的办法也许是把"小腿""下肢"和"脚掌"区分为独立的三个义项。义项⑤则引例太晚,指器物的支撑的"脚"早就有了,详上文。

小结："脚"的词义发展和取代"足"的过程颇为复杂。从先秦起,"脚"就存在着泛指人体及动物下肢的倾向,在东汉魏晋南北朝时期,这一用法得到空前的发展,并取代了相应的文言词"足",当时"脚"的词义和今天的吴方言类似。这是"脚"字历史发展的第一阶段。"脚"进一步发展成为专指脚掌,是唐以后的事(但在六朝后期的北方话中已经可以看出端倪),是它的第二阶段。这一阶段并未在所有的方言里都完成,直到今天,吴方言仍停留在第一阶段的状态。现有大型历史性语文辞书对"脚"字的释义有待补充修正。

二、还、返(反)、归/回(迴、廻)[22]

王力先生说:"'回'在上古是'转弯'的意思,引申为'环绕',为'运转',为'旋转'。……最后才变为'归'的意义,那大约是唐代了。例如:谁道山公醉,犹能骑马回。(孟浩然诗)古来征战几人回?(王翰诗)"[23]王先生所下的结论今天看来无疑需要修正,但他首次把这些问题提出来,独具慧眼,功不可没。

张永言先生据《水经注》卷 1"河水"引康泰《扶南传》"今去何时可到?几年可迴?"一例,认为"'返,归'义的'回'至迟在三国时代已经见于文献,时当公元 3 世纪初,早于唐朝开国约四百年",并引用两晋南北朝时期"回(迴、廻)"当"返,归"讲的书证十余条,对王力先生的说法作了修正[24]。

根据我们目前所掌握的材料,"回"当"返,归"讲的时代尚可提前到东汉,例如:

(1) 执辔西朝,回还故处。麦秀伤心,叔父有忧。(《易林》卷11"益之晋")"回还"同义连文。

(2) 怀,回也,本有去意,回来就已也。亦言归也,来归已也。(《释名·释姿容》)[25]

这种"回"(开始多写作"迴"[26])字出现较多的早期著作是晋代干宝(?—336)的《搜神记》[27];在南北朝文献中用例也不算少见。现将我们收集到的唐以前的部分用例列在下面:

(3) 还、复,返也。(《尔雅·释言》)郭璞注:"皆迴返也。"[28]

(4) 后将弟子回豫章,江水大急,人不得渡。(《搜神记》卷1, 26/13)《搜神记》中此类例子多见,不备引。

(5) 行至昨所应处,过溪。其夜大水暴溢,深不可涉。乃迴向女家,都不见昨处,但有一冢尔。(《搜神后记》卷6,59/37)

(6) 既风转急,浪猛,诸人皆喧动不坐,公徐云:"如此,将无归?"众人即承响而回。(世说·雅量28)"归""回"同义。《世说》中"回"多见,不备引。

(7) 一人户外白:"平固黄苗,上愿猪酒,遁回家,教录,今到。"(《广记》卷296引《述异记》,2355;《钩沉》289)

(8) 羡之回还西州,乘内人问讯车出郭,步走至新林,入陶灶中自到死。(《宋书·徐羡之传》,5/1334)《宋书》中"回还"屡见③。

(9) 乃夜渡湖口,至鹊头,因复回下疑之。(又1454)

(10) 上戒之曰:"贼若可及,便尽力殄之。若度已回,可过河耀威而反。"(又《薛安都传》,8/2218)《宋书》中"回"多见。

(11) 锵命驾将入,复回还内与母陆太妃别,日暮不成行。(《南齐书·鄱阳王萧锵传》,2/628)

(12) 须待军回,更论所阙,权可付外施行。(《魏书·高祖纪》载诏书,1/172)

(13) 当伯遂经七年不返,整疑已死亡不迴。(任昉《奏弹刘整》)

(14) 和遣携送涵回家。(《洛阳伽蓝记》卷3"菩提寺",174)③

(15) 非直奸人惭笑而返,狐狼亦自息望而迴。(《齐民要术》卷4"园篱第三十一",178)

(16) 窦行台,去不回。(《北齐书·窦泰传》载谣,1/194)

(17) 黄鹄参天飞,凝翮争风回。(《黄鹄曲四首》之三,《晋诗》卷19,中/1054)

(18) 百度不一回,千书信不归。春风吹杨柳,华艳空徘徊。

(《读曲歌八十九首》之三十七,《宋诗》卷11,中/1342)"回""归"同义。

(19) 红妆随泪尽,荡子何时廻(《类聚》作"当来")。(萧纪《晓思诗》,《梁诗》卷19,下/1899)

(20) 出门车轴折,吾王不复回。(庾信《拟咏怀诗二十七首》之二十七,《北周诗》卷3,2370)庾信诗中"回"多见。

(21) 自对孤鸾向影绝,终无一雁带书回。(张正见《赋得佳期竟不归诗》,《陈诗》卷3,2499)

(22) 飞来进□□,但为失双回。(陈后主叔宝《飞来双白鹤》,又卷4,2503)

(23) 蔼蔼东都晚,群公骖御回。(阮卓《长安道》,又卷6,2561)

(24) 鹿塞鸿旗驻,龙庭翠辇回。(隋炀帝杨广《云中受突厥主朝宴席赋诗》,《隋诗》卷3,2667)

(25) 安得义男儿,烂此无主尸。引其孤魂回,负其白骨归。(《海山记》载炀帝幸江南时闻民歌,又卷8,2742)

此外,在唐修《晋书》中当"返还"讲的"回"字很常见,多出现在叙述语中,未必可以看作晋代的用例,姑且引录几例以供参考:

(26) 方至华阴,颙闻二王兵盛,乃加长史李含龙骧将军,领督护席薳等追方军迴,以应二王。义兵至潼关,而伦、秀已诛,天子反正,含、方各率众还。(《河间王颙传》,5/1620)前用"迴",后用"还",同义。

(27) 侃乃遣督护龚登率众赴峤,而又追迴。(《陶侃传》,6/1774)

(28) 曜阴欲引归,声言要先取陇西,然后迴灭桑壁。(《张轨传》,7/2232)

上引例子见于小说、诗歌、史书、杂著等文体中。"回"可以带目的宾语,如回家、回豫章、回营;前面可以加副词或词组修饰,表示"回"的方式或状态,如急回、徐回、乘舆回、带书回、失双回、驾御回、未肯回;"回"可带趋向动词,如回去、回至半路、回向女家;本身也可以作趋向动词,如"追回"[38];有时候是作趋向动词同时又带目的宾语,如"遁回家"。这表明"回"的用法已经相当成熟。在唐代王梵志诗里,就基本上只用"回"了[39]。结合这些事实可以推断:"回"在口语中取代"还、返、归"早在唐以前就完成了。

如上文所引,"回还"连用早在东汉初崔篆所作的《易林》里就已经出现了;在汉魏佛经中也有一些"迴还"连用的例子。这可能就是"回"用作"归"义的来源,如:

(29) 于是太子与诸官属即迴还宫。(昙果共竺大力译《修行本起经》卷上,3/465b)[40]

(30) 诸婆罗门既得象已,便共累骑迴还而去,忽尔之间,已到本国。(支谦译《菩萨本缘经》卷上,3/58b)

(31) 若安隐还,当以所得珍宝之半奉施彼佛。……大获珍宝,安隐迴还。(又《撰集百缘经》卷1,4/204c)

(32) 有顷迴还,稽首长跪,如事启焉。(康僧会译《六度集经》卷3,3/16b)

这些"迴还"看作同义连文当无问题,不过汉魏译经中尚未看到"迴"单用作此义的例子,跟这种同义连文出现在同样语境中的仍是"还"[41],比较例(60):安稳还—安稳回还。但是"回"由"旋转"等义引申为指"还、归、反(返)"可能正是在"回还"连用这种语境中发生的:开始时"回"指转身,"还"指返回,合起来是"转过身往回走"的意思;由于经常连用,"回"慢慢就成了"还"的同义词,"回还"变成了同义连文。有时可以说成"还迴",说明"迴"的词义演变已经完成,如:共入大海,船破还迴。(支谦译《撰集百缘经》卷1,4/204b)常用词历时更替过程中,在新词和旧词并存的阶段,一般都会出现新旧成分的同义连文,而且词序是比较自由的。

小结:"回(迴、廻)"当"还,返"讲的始见时代不会晚于东汉初期,而不是一般所认为的唐代。在南北朝时期这种"回"字用例不少,也常见于文人诗歌中,而且用法多样,已经相当成熟。据此推测,"回"在口语里取代"还、返(反)、归"应该是唐以前的事。"回"由"旋转"等义引申为"返还"义,可能是在"回还"连用的语境中完成的。

三、误、谬、讹、舛/错[⑨]

"错误"的"错",上古汉语可以用很多词表示,如"误、谬、讹、舛"等[⑩],现代汉语口语则说"错"。"错误"是新旧合璧词。

关于"错"字什么时候开始当"错误"讲,学者们曾经有过讨论[⑧]。王力先生说:"'错'字具有'错误'的新义,是唐代和以后的事。"[⑨]张永言先生引《郑志》记赵商问:"《族师》之职,邻比相坐;《康诰》之云,门内尚宽。不知《书》《礼》孰错?"(皮锡瑞《郑志疏证》《师伏堂丛书》本)卷4,页9)[⑩]说:"可见在东汉末口语里'错'已经用为'误,错误'的意义。"[⑪]吴金华先生(1989)看法一致。现在看来"错"当"错误"讲至迟不会晚于晚汉[⑫],这里再补充一些东汉的用例:

(1) 投饭于钵,错注于地。(东汉失译《分别功德论》卷2,25/33/c)

(2) 咎在臣不详省案,使参以亡为存,衍以存为亡,错奏谬录,不可行。(蔡邕《表贺录换误上章谢罪》,《全后汉文》卷71,861a)

(3) 郡政有错,争之不从,即解绶去。(又《陈寔碑》,又卷78,892b)

(4) 示所著《易传》,自商瞿以来,舛错多矣。(孔融《答虞仲翔

273

书》,又卷83,921b)

(5) 难曰:"社祭土,主阴气,正所谓句龙土行之官,为社则主阴明矣。不与《记》说有违错也。"答曰:"今《记》之言社,辄与郊连,体有本末,辞有上下,谓之不错不可得。"(仲长统《答邓义社主难》,又卷87,946a)

(6) 有张伯偕、仲偕兄弟,形貌绝相类。仲偕妻新妆竟,忽见伯偕,乃戏问曰:"今日妆饰好不?"伯偕应之曰:"我伯偕也。"妻乃趋避之。须臾,又见伯偕,犹以为仲偕,告云:"向大错误。"伯偕曰:"我故伯偕也。"(《类聚》卷32引《风俗通》,562;又见《全后汉文》卷38,683b小注)[43]

魏晋以后,"错"字行用渐广,如[44]:

(7) 然玄道广远,淹废历载,师读断绝,难可一备,故往往有违本错误。(陆绩《述玄》,《全三国文》卷68,1423a)

(8) 此久远之书,年数错误,未可详也。(《史记·仲尼弟子列传》"回年二十九,发尽白,蚤死"句《索隐》引"王肃云",7/2188)

(9) 其有疑错,则备论而阙之。(杜预《春秋左氏传序》)

(10) 若使采访近世之事,苟有虚错,愿与先贤前儒分其讥谤。(干宝《搜神记序》)

(11) 其年数则错,未知邢史失其数耶?将年代久远,注记者传而有谬也?(《搜神记》卷8,234/113;《三国志·魏志·文帝纪》注引《搜神记》,1/76)

(12) 或有录所作之本也,以比较之,无一字错。(葛洪《抱朴子·外篇·弹祢》)

(13) 祢家不知是必,谓为文然等,错应曰:"王长史已死乎?卿曹事立矣!"(《三国志·魏志·武帝纪》注引《三辅决录注》,1/50)

(14) 术遣策攻康,谓曰:"前错用陈纪,每恨本意不遂。今若得康,庐江真卿有也。"(又《孙策传》,1102)卢弼《三国志集解》引胡三省曰:错,误也。按,《三国志》中例子多见,不备引。

(15) 佛般泥洹后百年,有毗舍离比丘错行戒律,十事证言佛说如是。(法显传·毗舍离国,94)

(16) 祠物当治护,信到便遣来,忽忽善错也。(王羲之《杂帖》,《全晋文》卷26,1608a)

(17) 臣掌著作,又知秘书,今覆校错误,十万余卷书,不可仓卒。(荀勖《让乐事表》,又卷31,1634b)

(18) 吾昔得《大露精比丘尼戒》,而错得其药方一匣,持之自随二十余年,无人传译。(《出三藏记集》卷11载《比丘尼戒本所出本末序》⑤,411)

(19) 共道蜀中事,亦有所遗忘,友皆名列,曾无错漏。(《世说新语·任诞》41)

(20) 时人语言:"人命难知,计算喜错。设七日头或能不死,何为豫哭?"……咸皆叹言:"真是智者,所言不错。"(南齐求那毗地译《百喻经》卷1"婆罗门杀子喻",4/554c)

(21) 或失其引统,错徵其事,巧辞辩伪,以为经体。(《出三藏记集》卷8载支道林《大小品对比要抄序》,302)

(22) 敬德欸觉,起坐缘⑥之,了无参错。(《三宝感通录》卷2引《旌异记》,《钩沉》656)

(23) 余考诸地记,并无渊水,但"渊""洞"字相似,时有错为"渊"也。(《水经注》卷16"穀水",1371)

(24) 经阎罗王检阅,以错名放免。(《洛阳伽蓝记》卷2"崇真寺",79)

(25) 沙门法抚,三齐称其聪悟,常与显宗校试,抄百余人名,

275

各读一遍,随即覆呼,法抚犹有一二舛谬,显宗了无误错。(《魏书·韩麒麟传附韩显宗传》,4/1337—1338)

(26)"顼"当为"许录反",错作"许缘反"。(《颜氏家训·勉学》,207)

(27)曰:"何为六斤半?"曰:"向请侯秀才题之,当是错矣。"即召白至,谓曰:"卿何为错题人姓名?"对云:"不错。"(《广记》卷248"侯白"条引侯白《启颜录》)

《隋书·经籍志》著录《错误字》一卷,张揖撰,中华书局点校本《校勘记》谓"其名当是《错误字诰》"(4/942),这是三国时口语的反映。

这一时期"错"有如下的句法功能:

a. 充当谓语。这是最常见的用法。
b. 作动词带宾语。如"错名、错行"⑰。
c. 充当主语和宾语,如"舛错多矣""郡政有错"。
d. 作状语,如"错注于地、错奏谬录、错用陈纪、错应曰"。这种用法在中古和近代汉语中很常见,如王力先生所引的5个例子中,有4个出自杜甫诗,都是作状语;现代汉语则已经不常用。

但是没有作定语(如错字、错话、错事)和补语(如做错了事)的例子。

"错"字和其他成分组成同义连文十分常见,如错谬、谬错、乖错、舛错、差错、参错、错违、违错、错误(忤)、误错,等等,但是没有见到跟反义词连用的例子⑱。

这些情况说明,"错"在当时的用法还有一定的局限。结合下面这样的例子来看,这一阶段口语中"错"和"误"可能仍处于竞争中,"错"尚未完全取代"误":

(28)故时人谣曰:"曲有误,周郎顾。"(《三国志·吴书·周瑜

传》,5/1265)

这是魏晋口语的反映。虽然可能有押韵的因素,但至少说明"误"在当时的口语里是说的。至于"谬、讹、舛"这几个词,可能已经只用于书面语了[49]。

王力先生认为"错"的"错误"义是从"交错"义引申而来,这个说法还有待补充完善。更确切地说,从"交错"引申为"错误"还应该经历过"错杂;错乱"这一个中间环节,引申的步骤是:交错—错杂、错乱—错误。错杂、错乱也是一种交错,不过是一种不好的、本不应该有的交错,从这里再引申为"错误"就是极其自然的了。事实上,"错乱"和"错误"这两个义位只有很细微的差别,有时是难以区分的。我们在两汉文献中看到很多"错乱、错谬、谬错、乖错、舛错、错违、违错"等同义连文的例子,这些"错"字最初可能确实还是指"错杂;错乱",但由于本来"错乱"和"错误"就只有一步之遥,加之经常连用,受到另一个成分的"沾染",慢慢地"错"的"错误"义也就诞生了。下面结合文献用例试对这一引申过程作个分析。

早期的这些连文多用于对天时、节候、阴阳等的描述,如:

(29)《传》曰:国无道则飘风厉疾,暴雨折木,阴阳错氛,夏寒冬温,春热秋荣,日月无光,星辰错行,民多疾病。(《韩诗外传》卷2)

(30) 云蒸雨降兮,错谬相纷。(《史记·屈原贾生列传》载贾谊《鵩鸟赋》,8/2498)

(31) 今五星失晷,天时谬错。(苏竟《与刘龚书》,《全后汉文》卷16/555b)

(32) 意有邪僻,则晷度错违。(爰延《星变上封事》,又卷63,820a)

有时也单说"错":

(33) 天下祸乱,阴阳相错。(《史记·龟策列传》[50],10/3232)

277

(34) 顷季夏大暑,而消息不协,寒气错时,水涌为变。(陈忠《清盗源疏》,《全后汉文》卷3)

(35) 今玄象错度,日月不明。(刘陶《上疏陈事》,又卷65,830a)

以上这些例子中的"错"都是指天时、阴阳、节候等不按正常的次序运行,前后错乱颠倒。这在几个单用的例子中看得很清楚。相对于正常的顺序来说,这也就是一种不正确,一种错误。由此扩大为指人事安排的位置错乱:

(36) 选举乖错,害及元元。(东汉顺帝皇后梁妠《严选举诏》,《全后汉文》卷9,521a)

(37) 昔大庭尚矣,赫胥罔识,淳朴散离,人物错乖,高辛攸降,厥趣各违。(崔骃《达旨》,又卷44,712b)

(38) 今官位错乱,小人谄进。(李云《露布上书移副三府》,又卷66,834a)

也可单说"错":

(39) 方今选举,贤佞朱紫错用。(东汉光武帝刘秀《四科取士诏》,《全后汉文》卷2,483a)

(40) 襃艳用权,七子党进,贤愚错绪,深谷为陵。(左雄《上疏陈事》,又卷59,796b)

"贤佞朱紫错用"是说"贤佞""朱紫"用得颠倒了位置,已经完全可以理解成"用错了人";假如没有比较的对象,就成了"错用陈纪"的"错",那就是真正的"错误"义了。看来从有比较的对象到没有比较的对象是"错"从"错乱"义过渡到"错误"义的关键一步:错乱往往是就两个以上相对应的事物位置或次序不对而言,错误则没有这种限制。再进一步扩大为指人的理解、思想、言论、学说等跟客观事实不相符合,那就是不对头,错了:

(41) 世有是非错缪之言,亦有审误纷乱之事。(《论衡·定

贤》）

(42) 术用乖错，首尾相违，故以为非。（又《薄葬》）

(43) 推建武以来，俱得三百二十七食，其十五食错。案其官素注天见食九十八，与两术相应，其错辟二千一百。……今诚术未有差错之谬，恂术未有独中之异。（陈耽《平议冯恂宗诚历术》，又卷 81，908b）

(44) 非为先存其事，而微倖史官推术错谬，故不豫废朝礼也。（《三国志·魏书·刘劭传》注引王彪之与殷浩书，3/618）

在汉末三国以后的文献里，我们看到的上述那些连文形式大多已是"错误"义了，例子很多，不备引。

小结：跟"误"同义的"错"始见于东汉，在魏晋南北朝时期用例多见，但用法还有一定的局限，不能作定语和补语，反映出口语中"错"取代"误"的过程可能尚未彻底完成。"错"从"交错"义引申出"错误"义，中间经历了"错杂；错乱"这个环节，"错"跟其他同义成分的经常连用可能为"错误"义的产生提供了一定的条件。本条结合文献用例对这一引申过程作了较为细致的描写。

附注：

① 参看洪诚（1984）页 101；王凤阳（1993）"股 胫 腓 脚 足 腿"条（页127）；黄金贵（1995）"106. 趾（止）·足·脚（脚）"条（页 553—556）。江蓝生（1988）也曾论及"脚"的词义变化（98—99 页）。

② 《汉语史稿》下册，500 页。

③ 参看董志翘《"脚"有"足"义始于何时？》，《中国语文》1985 年第 5 期；吴金华《"脚"有"足"义始于汉末》，《中国语文》1986 年第 4 期（又收入《古文献研究丛稿》，59—60 页）。吴文所举后汉康孟详译《兴起行经》实际译者和时代均不详（参看吕澂《新编汉文大藏经目录》，68 页），因此只能根据他所引的《汉书》如淳注及三国支谦译《撰集百缘经》二例，把始见书证的时代暂时定在三国。又参看吴金华《佛经译文中的汉魏六朝语词零拾》"脚"字条，《语言研究集刊》第 2 辑，江苏教育出版社，1988；又收入《古文献研究丛稿》，42 页。

④ 在早期医籍《灵枢经》中有一些"脚"的用例,究竟是指哪一部分不易断定,姑且引在这里以供进一步研究:项、背、腰、尻、腘、踹、脚皆痛。(卷3"经脉第十",7a)其病,足中指、支胫转筋,脚跳坚,伏兔转筋。(卷4"经脉第十三",3a)邪在肝,则两胁中痛,寒中,恶血在内,行善掣节,时脚肿。(卷5"五邪第二十",1a)《素问》中也有这样的例子:脾病者,身重、善肌、肉痿,足不收,行善瘈,脚下痛。(卷7"藏气法时论篇第二十二",354)"脚下痛"又见《素问》卷20"气交变大论篇第六十九"(下/231,242)。肾雍,脚下至少腹满,胫有大小,髀䯒大跛,易偏枯。(卷13"大奇论篇第四十八",上/677)伏菟上各二行行五者,此肾之街也,三阴之所交结于脚也。(卷16"水热穴论篇第六十一",100)

⑤ 《宋书》几乎一律用"脚疾",像此例这样用"足疾"的罕见。

⑥ "脚"指动物腿的用法战国已有:马前不得进,后不得退,遂避而逸。因下抽刀而刎其脚。(韩非子·外储说右下)东汉佛经中常说到"象脚"。指器物的"脚"则似乎是魏晋时期产生的新用法,最常见的是"床脚",还有"车脚""鼎脚""楼脚""箭脚"等。《齐民要术》中还有了"雨脚"(指密集落地的雨点)"山脚"等说法:截雨脚即种者,地湿,麻生瘦。(卷2"种麻第八",86;"胡麻第十三",108)汉道士从外国来,将子于山西脚下种,极高大。(卷10"五谷、果蓏、菜茹非中国物产者·檠多——四",705)盆中浸小麦,即倾去水,日曝之。一日一度著水,即去之。脚生,布麦于席上,厚二寸许。(卷8"黄衣、黄蒸及糵第六十八",408)缪启愉校释:"'脚生',指小麦种子萌发时最初长出的幼根。"说明这一时期"脚"字由于使用频繁而产生了许多新用法。

⑦ 《世说新语辞典》释此"脚"字为"小腿"(212页),《世说新语词典》"脚"字条未出此例,但从各义项下所注的次数可以看出,是把此例归入"脚丫子"义下的(443页)。恐怕都欠确当。"脚短三寸"是说整条腿比别人短三寸,未必是"小腿"短三寸,更不应该是"脚丫子"短三寸。比较:周张元一腹粗而脚短,项缩而眼跌,吉顼目为"逆流虾蟆"。(《广记》卷254"吉顼"条引《朝野佥载》,1979)又,《世说新语·品藻67》:"嵇公勤著脚,裁可得去耳。"上引两本词典都释此"脚"字为"脚丫子",也可商。"勤著脚"犹今言"腿上使劲儿","脚"正是指整条腿,而不单是脚丫子。徐震堮《世说新语校笺》云:"〔嵇公二句〕《高僧传》作'嵇努力裁得去耳'。'努力'正是'勤著脚'注脚。"

⑧ 黄金贵(1995)谓脚"大量用为今义(引者按,即指脚掌),是在唐代,多用于语体作品"(555页),是对的。

⑨ 董志翘(1985)和吴金华(1986、1988)已经引过的例子从略。

⑩ 此"脚"似当指脚掌。如此则"脚"字今义的产生时间可再上推到东汉。

⑪ 章巽校注:丽本作"佛迹"。《水经·河水注》各本引文亦作"佛迹"。(109)

⑫ 《广记》卷110作"以足蹴之"(757)。

⑬ 《集韵·月韵》"韈"字下云:"《说文》:'足衣也。'"

⑭ 李宗江先生认为,上引这些"确指脚掌"的例子"不是很可靠,这些例顶多能算是在从'小腿'到'脚掌'过渡中的现象,所指比较模糊。我认为要证明'脚'确有'脚掌'义最有说服力的例子是'脚'与'胫'或'腿'出现在相区别的上下文中"(1997年9月13日致笔者信),这个看法很有道理。

⑮ "足"可以泛称下肢,黄金贵(1995)有详细论证(554—555页),可参看。

⑯ 参看王力上引书。"脚"和"胫"应该存在音转关系,是一对同源词。

⑰ 王凤阳先生(1993)云:"'膑脚'就是剔去膝盖骨,使小腿无法活动。"(127页)这也是一种解释。

⑱ 参看王力上引书。

⑲ 这种现象在指人或动物肢体的一类词中是普遍存在的,如"手"既可指手掌,也可指整条手臂。在人体部位和肢体名称中,常有用上位词指称下位词的现象,即可用表全体(总称)的词来指部分,如"眼"既可指整个"眼睛",也可指"眼球","头痛"不一定是整个头部都痛,等等。参看蒋绍愚先生(1989)对"肱"的分析(121页)。

⑳ 徽州方言许多地方仍管膝盖叫"脚膝头",参看平田昌司主编《徽州方言研究》第三章"词汇",194页,好文出版,1998。说明在这种场合"脚"字仍保留了六朝时期的古义。

㉑ "脚"统指下肢的例子唐以后仍多见,如王梵志诗《他家笑吾贫》:"吾无呼唤处,吃饱常展脚。"项楚先生注:展脚:伸开两腿。《景德传灯录》卷五"台山隐峰禅师":"师一日推土车次,马大师展脚在路上坐。师云:'请师收足。'大师云:'已展不收。'师云:'已进不退。'乃推车碾过,大师脚损。"(29、33页。着重号为引者所加。)王梵志诗中也有"赤脚"的说法(《双盲不识鬼》,64页),"脚"肯定是指脚掌。但在当时人的语言意识里,恐怕并未把它分作两个义项。

㉒ 王力先生(1958/1980)曾引用《玉篇》"腿,腿胫也",并举了唐人诗文

中用"腿"字的三个例子(574页)。据目前所知,"腿"字见于文献的时代还可以提前:或当风卧湿,为冷所中,不速治,流入腿膝,为偏枯。(《肘后备急方》卷4,453a)〔决〕鼻断领牛,杖打过腿膊。(《王梵志诗·贮积千年调》,571)另据董志翘(1997)研究,圆仁《入唐求法巡礼行记》中"表示'足'义的凡7处,一律用'脚',也就是说,在晚唐时代的口语中,'脚'在与'足'的竞争中已取得绝对优势。"(123页)王凤阳(1993)则认为:"正式用'腿'来表示'胫'、'股'之合是明代以后的事。"(127页)

㉓ 参看王凤阳(1993)"归 还 回 溯 復 返 来"条(727页)。

㉔《汉语史稿》下册,558页。"二典""回"字此义下均首引唐诗。

㉕ 张永言《词义琐记·(三)回》,《中国语文》1982年第1期;又收入《语文学论集(增补本)·词语杂记》(234—235页)。

㉖ 这个"回"字应该就是"回来"的"回",与下文的"归"同义。此例任学良(1987)已引,但他认为《释名》的"回来"就是今天的"回来"(132页),恐不妥。这里的"回来"还应该看作是两个词,"来就己"与下文"来归己"句法相同。此外任书还引了《素问》和《左传》的两个例子,都不甚确,这里不采用。

㉗《汉语大字典》和《汉语大词典》"迴"字条都列有"掉转;返回"一义,而实际上所引的书证都是"掉转"义,而没有当"返回"讲的(6/3828、10/769页)。本书所引的例证可以补这方面的不足。

㉘ 现在见到的《搜神记》是后人的辑本,掺入了许多后代的材料。汪绍楹先生的校注本对每一条正文都有详细考证,我们在甄别此书语料时主要依据他的考订成果。

㉙ 据汲古阁毛本《尔雅注疏》、邵晋涵《尔雅正义》、郝懿行《尔雅义疏》,不从阮元《尔雅注疏校勘记》之说。此例转引自张永言先生上引文。

㉚《柳元景传》:"季明进达高门木城,值永昌王入弘农,乃回还卢氏,据险自固。"(7/1982)标点本于"回"后逗开,似不妥。

㉛ 吴琯本、《汉魏丛书》本、《法苑珠林》引"回"作"向"。今按,作"向"似不可通。

㉜ 据魏丽君研究,动趋式产生于两汉,多见于南北朝。参看魏丽君《也谈动趋式的产生》,《古汉语研究》1996年第4期,43—44页。

㉝ 共6见,字多写作"迴"。"回来"连用屡见。

㉞ 此例也有可能是"迴"后脱了"车"字。比较:于是太子,即迴车还。(同经卷下,466c)"即迴车还"为此经中惯用语。

㉟ 这一时期跟"回"相当的文言词最常用的是"还",所以"回还"连文常见而"回"与"返""归"连用的很难见到;其次是"返";"归"则主要用作"归顺;归依"义,当"回"讲的相对较少。

㊱ 参看王凤阳(1993)"差 忒 爽 误 谬 讹 错"条(491—492页)。

㊲ 王力先生所举的"错"在上古的对应词是"过"(《汉语史稿》下册,575页),我认为欠妥。"过"在上古的词性是动词和名词,中古以后则基本上只作名词,偶尔作动词,但几乎从来不作形容词;"错"则主要作形容词。两者在词性和用法上都对不上号。

㊳ 最先提出这个问题的是王力先生(1958),先后参加讨论的文章有:张永言《"错"字在唐以前就有了"错误"义》(《中国语文》1961年第1期),吴金华《〈三国志〉解诂》(《南京师院学报》1981年第3期;又收入《三国志校诂》,231—232页),张永言《词义琐记·(四)错》(《中国语文》1982年第2期;又收入《语文学论集(增补本)·词语杂记》),赵德新《"错"字的"错误"义不始于唐》(《中国语文》1987年第3期),吴金华《"错"有"错误"义不晚于汉末》(《中国语文》1989年第2期;又收入《古文献研究丛稿》)。本条撰写过程中参考了上述论著。

㊴ 见王力上引书。

㊵ 在讨论"错"字的文章中,张先生最先引用此例,此后的《汉语大字典》也以此例为"错"字"错误"义的始见书证。

㊶ 张永言《词义琐记·(四)错》,《中国语文》1982年第2期;又收入《语文学论集(增补本)·词语杂记》。

㊷ 《汉语大词典》首引《墨子·非命上》:"今虽毋求执有命者之言,必不可得,不亦错乎?"张纯一集解:"错,舛也,误也。"(11/1310)今按,此例可商。孙诒让《墨子间诂》原文作"不必得,不亦可错乎",注云:"错与废义同。"(4/165)就词义发展的一般规律而言,"错"在《墨子》时代还不可能有"错误"义。

㊸ 此例吴金华先生(1989)已引。今按,"向大错误"句《御览》卷396、491两引皆作"今旦大误"(卷491"旦"误作"且")(分见2/1830b、3/2248a)。据此看来,作"向大错误"很可能是唐人编类书时所改。

㊹ 张、吴两位先生的文章中已经引用的从略。

㊺ 原注云:"出戒本前。晋孝武帝世出。"点校者云:"此序不记撰人名,疑是释道安所撰。"

㊻ "缘"似指追思、回想。

㊼《晋书·范粲传附范乔传》:"友人刘彦秋夙有声誉,尝谓人曰:'范伯孙体应纯和,理思周密,吾每欲错其一事而终不能。'"(8/2432)这个"错"字也用作动词。

㊽现代汉语书面语有"正误",口语有"对错"。这一时期这种"对"字还没有产生。

㊾仿古的文章在当用"误"的地方有时故意改用"谬",反而显得别扭。如:尝有它舍鸡谬入园中,姑盗杀而食之。(《后汉书·列女传·乐羊子妻》,10/2793)禹之治水土也,迷而失途,谬之一国,滨北海之北。(《列子·汤问》,56)

㊿此为褚少孙所补。

参考文献

董志翘　1997　《〈入唐求法巡礼行记〉词汇研究》,四川大学博士论文。
洪　诚　1984　《训诂学》,江苏古籍出版社。
黄金贵　1995　《古代文化词义集类辨考》,上海教育出版社。
江蓝生　1988　《魏晋南北朝小说词语汇释》,语文出版社。
蒋绍愚　1989　《古汉语词汇纲要》,北京大学出版社。
吕　澂　1980　《新编汉文大藏经目录》,齐鲁书社。
任学良　1987　《〈古代汉语·常用词〉订正》,浙江大学出版社。
王凤阳　1993　《古辞辨》,吉林文史出版社。
王　力　1958、1980　《汉语史稿》(下册),科学出版社/中华书局。
吴金华　1990　《三国志校诂》,江苏古籍出版社。
　　　　1995　《古文献研究丛稿》,江苏教育出版社。
张万起　1993　《世说新语词典》,商务印书馆。
张永言　1982　《词汇学简论》,华中工学院出版社。
　　　　1991　《从词汇史看〈列子〉的撰写时代》,《季羡林教授八十华诞纪念论文集》(上卷),江西人民出版社。
　　　　1992　《世说新语辞典》,四川人民出版社。
　　　　1999　《语文学论集》(增补本),语文出版社。
张永言　汪维辉　1995　《关于汉语词汇史研究的一点思考》,《中国语文》第6期。
朱庆之　1992　《佛典与中古汉语词汇研究》,台湾文津出版社。

〔附记〕本文是作者博士学位论文《东汉魏晋南北朝常用词演变研究》(出版时改题为《东汉—隋常用词演变研究》,南京大学出版社,2000)的一部分。该论文的选题和撰写得到了导师张永言先生的悉心指导,谨致深切的谢忱。

〔作者补记〕此文原载《汉语史研究集刊》第1辑(四川大学汉语史研究所编,巴蜀书社1998),收入本书时作者作了一些修订,主要是为篇幅所限,删去了不少例句,读者如果对例子有兴趣,可参看原文或拙著;补上了"参考文献";对个别字句作了改动。特此说明。

谈谈词缀在古汉语构词法中的地位

王云路

汉语词汇由单音节向复音节发展,是一个重要的趋势。许多学者探讨过复音词的分类问题。比如王力先生曾指出:"汉语复音词的构成,可以分为三大类:(一)联绵字;(二)词根加词头、词尾;(三)仂语的凝固化。"[1]如此分法,则词根加词头、词尾(也就是通常所说的词缀)是复音词中重要的一部分,处于鼎足而立、三分天下的位置、数量应当不少。但从王力先生《汉语史稿》等专著的论述来看,只有"老""阿""子""儿"等少数几个,显得事实与结论不甚吻合。

也有更为细致的分法。如赵克勤先生就曾把古汉语的复音词分为单纯词和合成词两大类,单纯词包括联绵词和一部分重言词,合成词包括并列复音词、主从复音词和一部分重言词。赵先生分析主从复音词有四种类型,其中"附加式,名词、动词、形容词加前缀或后缀"是第四种类型[2]。

以上分析归类都是很科学的。毫无疑问,附加词缀构成双音词是汉语由单音节向双音节发展的途径之一。那么附加词缀构成的双音词在汉语复音词中究竟占有多大地位呢?

我们先看学者们的研究。

向熹先生把这种由词根和词缀合成的词称为"派生词"。向先生说:派生词也叫附加式合成词。上古汉语里,这类合成词数量不多,主要是名词、形容词或副词。构成附加式合成词的词缀有"有"

"然""如""若""焉""尔"等,并列举了"有夏""有众""反而""莞尔""翕如""沃若""勃然""忽焉"等词③。

孙锡信先生《汉语历史语法要略》把这种附加式复音词简称为"附加",指出动词上古时期没有附加成分,中古以后附加成分(按:孙先生指的是宋元以来的近代汉语)有"着""在""看""来"。形容词部分则与向熹先生的说法相近。④

程湘清先生曾详细分析了《论衡》中的附加式复音词,指出"共有63个,占复音词总数的2.74%"。其中主要是由后缀"然"构成的形容词、副词及"子"等构成的名词⑤。

柳士镇先生《魏晋南北朝历史语法》一书中比较集中地谈到了中古一段的词缀。如第八章名词部分谈到前缀"阿"、后缀"子""头""儿";第十一章谈到后缀"的""地""馨";在量词部分把"牲口""马匹""书本""荆株"等看作派生式合成词,认为"口""匹""本""株"是量词转为名词后缀;在副词部分指出"自""复""尔""然"等为副词后缀⑥。

以上只是举例性谈到了几位学者对不同时代的词缀类型及其分布状况的分析,所说都是有一定道理的。但总起来说,词缀的研究还未尽如人意,要做的工作还很多。

比如,词缀的称呼繁多,不够统一。有人称为"虚语素"(称所附之词为"实语素"),有人称为"构形成分",有人称为"附加成分"(具体分为"前附加"与"后附加"),有人称为"派生",传统上则称为词缀(具体称为"前缀""后缀"或"词头""词尾")。说法名称可以不同,但似乎统一为好。比如王力先生《汉语史稿》中把"有""阿""老"称为词头,把"子""儿""头""家""者"等称为词尾,但在早期的《中国语法理论》中则称之为"记号",并强调说:我们所以不把"儿""子""么"等字认为词尾,也不把"第"字之类认为词头者,一是因为它们都是表示性质的记号,不必多立名称;二是因为西洋词头词尾的意义较实,中国的"儿""子""第"等字意义太虚了,若也称为词尾,恐怕令人发生误会①。随着时代的变化,王力先生对词缀的认识也有所改变,显然《汉语史稿》中的提法更恰当些。

这里牵涉到对词缀定义的理解和范畴的限定问题。一般认为词缀是不表意的,只能显示词性,但事实上并非含义完全虚化,可以具体表示某一类别的含义,如"阿""儿""老"等较为公认的词缀大多含有亲昵、随便或小的意味。

王力先生曾说:"词头'老'字来源于形容词'老'字,最初是表示年老或年长的意思。后来由这种形容词'老'字逐渐虚化成词头。"⑧"老"字本为形容词,表示年长、辈尊义,如果与人或动物名词相结合而不表此义,似乎就可以看作词缀了。比如王力先生曾举白居易诗"常被老元偷格律",认为"老"是词缀,"老元"即指元稹。笔者以为这个"老"字即含有随意、无拘束之义。杜甫诗中多自称"老夫"。如《题李尊师松树障子歌》:"老夫清晨梳白头,玄都道士来相访。"又《北征》诗:"老夫情怀恶,呕泄卧数日。"宋孙光宪《北梦琐言》卷四:"掌武笑曰:'吴校书诚是艺士,每有见请,自是吴家文字,非干老夫。'"这些"老夫"都用于自称,也含有自嘲、随意的意思。其中的"老"是否可看作词缀?

作为名词前缀的"阿"大约产生于汉代,顾炎武《日知录》卷三十二"阿"条即云:"《隶释·汉殽坑碑阴》云:其间四十人,皆字其名而系以阿字,如刘兴——阿兴、潘京——阿京之类。"六朝时期则兴盛起来,用途十分广泛。这些称谓中的"阿"字,多含有亲切、随便或者轻蔑的意味。为省篇幅,不展开讨论。

王力先生曾告诉我们如何辨认"记号"(实际上就是词缀):"我们所谓记号是很容易辨认的,只须看它和实词或仂语黏附得紧不紧。名词的记号'儿''子',复数的记号'们',序数的记号'第'等,都是和实词黏附得很紧的,因为它们就和实词合成一体,算是一个单词,如'花儿''桌子''他们''第五'等。"王力先生认为"的"与"所"本身是单词,"不把它们认为和实词合成一体,因为它们所黏附的不一定是单词,有时候却是句子形式或仂语,如'我买的书'和'我所不欲'等。"⑨由此看来,我们是不是可以这样理解词缀:词缀是与中心词(或曰"词根",或曰"实语素")结合紧密的构形成分,构成一个合成词,一般为双音节,这些词缀有较强的黏附力和活跃性(指的是这样两个条件:(一)二者合成一词而不能分开;(二)能与某类词语广泛结合),其本义较为虚化。

按照这种观点看,我们对词缀的研究还有过宽或过严两种倾向。比如有人把附于整个句子之后的语气词"看""来"视为词缀;有人把在句子中表示动作进行过程或引进方式等的"着""在"视为词缀;有人把连接词语构成句子的助词"的""所"等视为词缀,显然过于宽泛了,因为以上词语所起的作用属于句法问题而非词法问题。

我们说词缀具有活跃性,是说它能普遍地与某类词语广泛结合。比如朱庆之先生曾列举与"行"结合的双音词:行照、行起、行作、行求、行乞、行盗、行孕、行哭、行寻、行诛等,朱先生分析说:这些词语中的"行"都不是表意所必需的语素,其作用只在于帮助单音节动词双音化。⑩此说很有道理,词缀应有很强的构词能力,从而成为一类词语由单音节变为双音节时离不开的"拐杖"。因此,那些使用频率不高的,也就是说不能与众多同类词语组合的不应看作词缀,如"马匹"的"匹","书本"的"本",似乎不看作词缀为好。

说词缀研究过严,是指研究范围不够广泛,似乎只注意名词或形容词词缀,而忽视了动词、副词中照样可以有词缀;对材料的利用也有些局限,一般多注意上古的词缀,中古或近代考虑较少。朱庆之、柳士镇先生的著作对中古一段有所突破,孙锡信先生分析了许多宋元以来的词缀,都值得提倡。

词缀研究进展不大,是因为人们对词缀含义的认识不充分,对词缀在汉语复音词中的地位认识不充分,觉得汉语不像英语那样有一望而知的词头、词尾。王力先生曾说:"词头、词尾在汉语中是不多的,在构词法上不占很重要的位置。"[①]事实上,如果我们排除英语词头、词尾模式的束缚,认真从汉语词汇本身探究,就可以发现,汉语的词缀很有规律,且不仅仅局限于名词、形容词,在动词、副词中均很活跃,从而成为汉语双音化进程中的一个重要手段。以下各例可为明证。

名词中不仅有"老""阿""子"等表人与物的词缀,也有表示时间、方位等的词缀。我们以"来"为例。刘宋颜延之《还至梁城作》诗:"眇默轨路长,憔悴征戍勤。昔迈先祖师,今来后归军。""昔迈"与"今来"相对,谓过去与现在。"今来"即今。北魏孝庄帝元子攸《临终诗》:"昔来闻死苦,何言身自当。""昔来"即昔,谓过去、以往。《北齐书·高祖十一王·永安简平王浚传》:"文宣末年多酒,浚谓亲近曰:'二兄旧来不甚了了,自登祚以后,识解顿进。'""旧来"谓过去、以往。《晋书·王羲之传附王徽之》:"徽之初不酬答,直高视,以手版柱颊云:'西山朝来致有爽气耳。'""朝来"即朝,谓清晨。

"来"与表示时间、季节的单音节名词相结合,构成表示时间的复音词,在唐宋诗词中颇多。如《寒山诗》第四十九首:"昨来访亲友,太半入黄泉。""昨来"即昨天或近来。韦应物《滁州西涧》:"春潮带雨晚来急,野渡无人舟自横。""晚来"即傍晚。白居易《观刈麦》:"夜来南风起,小麦复陇黄。""夜来"即夜晚。黄巢《不第后赋菊》:"待到秋来九月八,我花开后百花杀。""秋来"即秋天。

"来"还可附于其他表示时间的单音词之后。如北周庾信《咏画屏风》诗:"比来多射猎,唯有上林中。""比来"即"比",犹言"近来",表示最近一段时间。《晋书·王羲之传附王徽之》:"又问:'马比来死多少?'"此句谓马近来死了多少。"比来"与"比"同。

"顷"表示最近、刚刚义。《三国志·魏书·王粲传附吴质》裴松之注引《魏略》："顷何以自娱？颇复有所造述不？"即其例。故又可称"顷来"。《三国志·魏书·乐陵王茂传》："诏曰：'……如闻茂顷来少知悔昔之非，欲修善将来。'""顷来"即"顷"。

古汉语中的许多动词语素，其含义逐渐虚化，已基本不表义，只作为一个活跃的双音节动词的构形成分而存在。

比如《水经注》中多见"取悉"一词，意思是知晓、明白。《汝水》："余以永平中，蒙除鲁阳太守，会上台下列山川图，以方志参差，遂令寻其源流，此等既非学徒，难以取悉；既在遘见，不容不述。"又《江水》："但东南地卑，万流所凑，涛湖泛决，触地成川，枝津交渠，世家分伙，难以取悉，虽粗依悬地，缉综所缠，亦夫必一得其实也。"又《沔水》："魏事已（按：王国维校："已"下当有"久"字）难以取悉，推旧访新，略究如此。""取悉"犹今言获悉，获知。《诸病源候论》卷七《伤寒取吐候》："有痰实者，便宜取吐。"谓设法吐出来。刘宋何承天《鼓吹铙歌·上陵者》："生必死，亦何怨，取乐今日展情欢。""取乐"即欢乐、纵乐。朱庆之先生谈到"取"字时亦曾引佛典中的"取会""取闹""取决""取杀"等[12]，均为同类构词方式。这些双音节中的"取"字的含义已很虚弱，不能与"悉""吐""决"等语素平列看待。

"取"还可附于动词性语素之后，构成双音节动词，这是诗、词中习见的构词方式。如晋乐府民歌《清商曲辞·子夜四时歌·夏歌》："高堂不作壁，招取四面风。""招取"犹招来，招致。又《青骢白马》："问君可怜六萌车，迎取窈窕西曲娘。""迎取"谓迎接。唐诗中此类结构逐渐增多。如《寒山诗》第二四三首《上人》："看取开眼贼，闹市集人决。""看取"犹看见。又第二八五首《劝你》："勉你信余言，识取衣中宝。"《敦煌曲子词·何满子》："胡言汉语真难会，听取胡歌甚可怜。"李贺《南园》："男儿何不带吴钩，收取关山五十州。"又《昌谷北园新笋》:"斫取青光写楚辞,腻香春粉黑离离。"李白《长相思》:"不信妾肠断,归来看取明镜前。"杜甫《客至》:"肯与邻翁相对饮,隔篱呼取尽余杯。"杜秋娘《金缕衣》:"劝君莫惜金缕衣,劝君惜取少年时。"以上诸例中"识取""听取""收取""斫取""看取""呼取"主要含义在前一个语素,而后一语素"取"则主要有凑足音节的作用,当然有的例证也可体会出"得"之义,如"识取""斫取"犹识得、斫得。因为"取"字本身即有得到、获取或招致义。

"得"字与"取"有相同的作用,常与动词性语素相结合,构成双音节动词。不同之处是"得"一般只附于动词性语素之后。晋乐府民歌《清商曲辞·青阳度》:"隐机倚不织,寻得烂漫丝。"又《青骢白马》:"汝忽千里去无常,愿得到头还故乡。"又《月节折杨柳歌》:"作得九子粽,思想劳欢手。"又《杂曲歌辞·休洗红》:"不惜故缝衣,记得初按茜。"又《杂歌谣辞·长安为苻坚语》:"欲得必存,当举烟。"在魏晋南北朝诗歌中最常见的是能愿动词"愿得"和"欲得",其他则较少见。

到了唐宋时期,这种构词方式就十分流行了,已由民间口语扩大到文人诗作中。如唐胡令能《咏绣障》:"绣成安向春园里,引得黄莺下柳条。"又《小儿垂钓》:"路人借问遥招手,怕得鱼惊不应人。"白居易《邯郸冬至》:"想得家中夜深坐,还应说着远行人。"罗隐《金钱花》:"占得佳名绕树芳,依依相伴向秋光。"宋曾巩《咏柳》:"乱条犹未变初黄,倚得东风势便狂。"曾几《三衢道中》:"绿阴不减来时路,添得黄鹂四五声。"以上诸例中"得"字的动词含义已减弱或虚化,如"引得"即招引,"怕得"即害怕,"想得"即想象,"占得"即占有,"倚得"即倚凭,"添得"即增添。"得"作为构词语素,其含义远不能与前一个语素相并提,它的主要功能是使单音节动词双音化。动词双音化而其含义又不发生变化,其主要途径是"同义平列",即把经常连言的同义词组合成一词,如"思想"。而一时找不到合适的同义语素时,简便的方法是附加"得""取"等构形成分,使之双音化。

再如"试"常附在动词性语素之前,其"尝试"的意思已变得很微弱。晋杨羲《右英夫人所喻》:"一静安足苦,试去视沧浪。""试去"犹前去。梁萧子范《后堂听蝉》:"试逐微风起,聊随夏叶繁。""试逐"即追逐。陈谢燮《陇头水》:"试听铙歌曲,唯吟君马黄。""试听"即听。唐张继《闾门即事》:"试上吴门窥郡郭,清明几处有新烟?""试上"犹言登上。李白《金陵酒肆留别》:"请君试问东流水,别意与之谁短长。""试问"就是问,与之同类的是"借问",例略。宋朱熹《水口行舟》:"昨夜扁舟雨一蓑,满江风浪夜如何?今朝试卷孤篷看,依旧青山绿树多。""试卷"即卷起。李清照《如梦令》:"昨夜雨疏风骤,浓睡不消残酒。试问卷帘人,却道海棠依旧。""试问"即询问。以上诸例双音节动词中"试"作为动词构形成分已基本不表义,"尝试"的意思已较为虚化,因而似可看作附加于动词语素之前的虚语素,二者结合十分紧密,构成双音词。

有些诗句中常用"试"作为凑足音节的衬字。如陈阴铿《登武昌岸望》:"游人试历览,旧迹已丘墟。"又傅缟《采桑》:"罗敷试采桑,出入城南傍。"以上二诗的头两句分别是游人历览,罗敷采桑,"试"字只是衬字,凑足音节而已[13]。在句子中称为衬字,在词语中则大概应归于词缀或曰虚语素吧,因为它们既不属于复音词中的平列、偏正结构,又不属于重言词或联绵词,更不属于短语的凝固。

我们再举几个在双音节副词中极为活跃的构形成分。

先看"当"。有"行当"。齐谢朓《落日怅望》:"寒槐渐如束,秋菊行当把。"梁元帝萧绎《后临荆州》:"所翼方留犊,行当息饮羊。""行当"就是行,将要的意思。有"唯当"。梁宣帝萧詧《迎舍利》:"唯当千劫后,方成无价珠。"又刘令娴《题甘蕉叶示人》:"唯当夜枕知,过此无人觉。""唯当"即唯有。有"终当"。晋陶渊明《归园田居》："人生似幻化，终当归空无。"梁吴均《边城将》："轻躯如未殡，终当厚报君。""终当"犹终究、终归。有"长当"。汉《李陵录别诗》："风波一失所，各在天一隅。长当从此别，且复立斯须。""长当"谓长久，全句谓从此要长久分别。梁简文帝萧纲《望同泰寺浮图》："愿能同四忍，长当出九居。"亦其例。有"方当"。刘宋鲍照《和王羲兴七夕》："宵月向掩扉，夜雾方当白。"梁王台卿《奉和往虎窟山寺》："承恩奉教义，方当弘受持。""方当"即方、将要的意思。有"还当"。北周王褒《轻举篇》："谁能揽六博，还当访井公。"陈阴铿《咏石》："还当谷城下。别自解兵书。""还当"即还、还要的意思。有"定当"。梁王训《应令咏舞》："将持比飞燕，定当谁可怜。""定当"即定、究竟的意思。有"得当"。刘宋乐府《清商曲辞·寿阳乐》："长淮何烂漫，路悠悠，得当乐忘忧。""得当"犹可以，应当。有"甫当"。魏吴质《思慕》："念蒙圣主恩，荣爵与众殊。自谓永终身，志气甫当舒。何意中见弃，弃我就黄墟。""甫当"即刚刚。有"比当"。北周无名氏《三徒五苦辞》："比当披幽迹，倏欻年已老。""比当"犹言刚刚，形容短时间。

综观以上各例双音节副词，其含义主要在前一个语素上，"当"则附于其后，基本不表义。当然有的例证看成同义副词似乎也可以。

再看"自"。有"定自"。刘宋谢灵运《北亭与吏民别》："定自惩伐檀，亦已验帷尘。"又鲍照《吴歌》："人言荆江狭，荆江定自阔。"有"空自"。梁简文帝萧纲《咏蜂》："知君不留盱，衔花空自飞。"隋杨素《赠薛内史》："朝朝唯落花，夜夜空明月。明月徒流光，落花空自芳。"有"本自"。梁元帝萧绎《燕歌行》："燕赵佳人本自多，辽东少妇学春歌。"北齐魏收《美女篇》："擅宠无论贱，人爱不嫌微。智琼非俗物，罗敷本自稀。"有"会自"。北魏温子昇《结袜子》："谁能防故剑，会自逐前鱼。"陈阴铿《游始兴道馆》："徒教斧柯烂，会自不凌虚。"有"徒自"。梁简文帝萧纲《登城》:"远瞩既濡翰,徒自劳心目。"又庾肩吾《同萧左丞咏摘梅花》:"远道终难寄,馨香徒自饶。"有"信自"。晋乐府《清商曲辞·翳乐》:"人言扬州乐,扬州信自乐。总角诸少年,歌舞自相逐。"有"真自"。梁刘孝威《郗县遇见人织率尔寄妇》:"梦啼渍花枕,觉泪湿罗巾。独眠真自难,重衾犹觉寒。"有"长自"。齐丘巨源《听邻妓》:"蓬门长自寂,虚席视生埃。"北齐高延宗《经墓兴感》:"夜台长自寂,泉门无复明。"有"行自"。北周王褒《送观宁侯葬》:"挽铎已流唱,歌童行自喧。"隋王胄《酬陆常侍》:"沾襟行自念,哀哉亦已矣。"有"诚自"。梁刘孝绰《侍宴饯张惠绍应诏》:"沧池诚自广,蓬山一何峻。"有"犹自"。梁刘孝绰《奉和湘东王应令·春宵》:"春宵犹自长,春心非一伤。"有"聊自"。刘宋颜延之《秋胡行》:"南金岂不重,聊自意所轻。"有"恒自"。梁鲍泉《秋日》:"旅情恒自苦,秋夜渐应长。"

以上与"自"结合构成的双音节副词,其含义均在前一语素上,如"定自"即定,犹终究;"本自"即本,犹本来;"会自"即会,犹终将;"徒自""空自"即徒、空,犹徒劳、白白地;"信自"即信,犹确实。"自"作为后附加成分,基本不表义。

另外,"复"常与副词语素相结合,构成双音节副词,如"犹复""行复""方复""况复""非复""无复""当复""且复""殊复"等,为省篇幅,例略。

"已"常与副词语素相结合,构成双音节副词,如"既已""行已""忽已""稍已""良已""渐已""空已""日已"等,例略。

我们以上诸例多取自诗歌,但并不是此类构词法仅限于诗歌等有韵之文,下面举一个见于其他类型文体中的例子。"手"作为虚语素,常附于表示时间的形容词或副词之后,构成双音词。

有"急手",就是急、迅速之义。《葛洪肘后备急方》卷六《治面疱发秃身臭心惛鄙丑方第五十二》:"比见诸人水取石子,研丁香汁，拔讫，急手傅，孔中亦即生黑毛。""急手傅"谓赶紧敷上。《齐民要术》卷五《种蓝》："率十石瓮，著石灰一斗五升，急手抨之，一食顷止。"又卷八《作豉法》："扬簸讫，以大瓮盛半瓮水，内豆著瓮中，以杷急抨之使净。若初煮豆伤熟者，急手抨净即漉出。""急手抨"与"急抨"同。《洛阳伽蓝记》卷三《菩提寺》："谓曰：'汝不须来，吾非汝父，汝非吾子，急手速去，可得无殃！'""急手"与"速"同义，此句犹言快快离开。《诸病源候论》卷十四《淋病诸候·诸淋候》："蹲踞，高一尺许，以两手从外屈膝内入，至足趺上，急手握足五指，极力一通，令内曲入，利腰髋，治淋。""急手握足五指"谓迅速握住五个脚趾头。⑲

有"寻手"，即寻，是随即的意思。北魏贾思勰《齐民要术》卷一《耕田》："春耕寻手劳，秋耕待白背劳。春既多风，若不寻劳，地必虚燥。""劳"即耢，是一种农具，用来平整、压实土地，这里作动词用。"寻手劳"谓立即平整土地。前言"寻手劳"，后言"寻劳"，其义相同，可证"寻手"即"寻"。又卷三《种葱》："葱中亦种胡荽，寻手供食。"言随即供食。考《正字通·寸部》："寻，俄也。"刘淇《助字辨略》卷二："寻，旋也，随也。凡相因而及曰寻，犹今云随即如何也。"故"寻手"为时间副词，"手"不为义。

有"随手"，犹寻手，随即义。《三国志·魏书·华佗传》："太祖苦头风，每发，心乱目眩，佗针鬲，随手而差。"谓随即而愈。《齐民要术》卷三《种蒜》："此物繁息，一种永生。蔓延滋漫，年年稍广。间区斫取，随手还合。"言即还合拢。

有"应手"，即应，立即、马上之义。《宋书·孟怀玉传附弟龙符》："军达临朐，与贼争水，龙符单骑冲突，应手破散。"《南齐书·文惠太子传》："宜须郭蔽，须臾成立；若应毁撤，应手迁徙。""应手"谓立即，与"须臾"同义相应。

以上各例中"手"的本义几乎不存在了，只是附于"急""寻"

"随""应"等表示时间含义的语素之后,构成双音词。《寒山诗》第一二五首《我见》:"我见一痴汉,仍居三两妇。养得八九儿,总是随宜手。"谓总是很随便,"手"字已是语尾助词,凑足音节而已。

以上我们讨论了在双音节动词中处于附加地位的"取""得""试"等语素,在双音节副词中处于附加地位的"当""自""复"等语素,以及比较少见的"手"等构形成分,它们在这些双音节词中含义都比较虚化,它们都能与某类词广泛结合,且结合紧密而不松散,所以似乎应当看作词缀。由此也想说明:汉语构词法中词缀是一重要组成部分;词缀在中古及近代汉语中担任了日趋重要的角色,成为汉语双音化进程中不可或缺的手段之一;词缀不仅存在于名词、形容词中,在动词、副词中也广泛存在,只要我们将同类形构词法的词语加以系统归类,就可以发现和证明这一点。

就目前汉语史研究状况而言,构词法的研究还较为薄弱,词缀的研究也有很大局限,有鉴于此,笔者不揣浅陋,写下这很不成熟的小文,希望能起到抛砖引玉的作用。文中的观点和例证一定会有不少错误,敬请方家赐教。

附注:

① 王力《汉语史稿》第三章"语法的发展"中第四十节"构词法的发展",见《王力文集》第九卷第453页,山东教育出版社1988年版。

② 赵克勤《古代汉语词汇学》中"复音词"一章,第40页,商务印书馆1994年6月版。

③ 向熹《简明汉语史》第412页,高等教育出版社1993年5月版。

④ 参孙锡信《汉语历史语法要略》"实词篇"有关内容,复旦大学出版社1992年12月版。孙先生名词部分的分析很精确,量词部分也谈到附加,如元代出现的"一对儿""两件儿"等,认为是附加词缀的合成词,不知儿化的用法是否应归于附加。

⑤ 见程湘清主编《两汉汉语研究》第324页,山东教育出版社1984年版。

⑥ 参柳士镇《魏晋南北朝历史语法》,南京大学出版社,1992年8月版。
⑦ 王力《中国语法理论》第三章《语法成分》,见《王力文集》第一卷第187—188页。
⑧ 王力《汉语史稿》第三章《语法的发展》。
⑨ 同注⑦第187页。
⑩ 参朱庆之《佛典与中古汉语词汇研究》第141页,台湾文津出版社1992年版。
⑪ 王力《汉语史稿》,见《王力文集》第453页。
⑫ 同注⑩第142页。
⑬ "试"的位置也往往可用"来""去"等衬字代替。
⑭ "急手"一词在敦煌歌辞、王梵志诗以及其他敦煌变文中多次出现,又作"急守""急首",蒋礼鸿师《敦煌变文字义通释》已有释,可参看。

(原载《汉语史研究集刊》第一辑,
巴蜀书社,1998年)

民族语对中古汉语浊声母演变的影响

陈其光

中古汉语有 19 个浊声母,其中並、奉、定、从、邪、澄、崇、船、禅、群、匣 11 个是全浊声母,明、微、泥、来、日、疑、云、以 8 个是次浊声母。这些声母的读音,在现代方言里,有的基本未变,如明母;有的变化很大,如匣母。本文以《汉语方音字汇》(简称《字汇》)的语料[①]为基础,加上笔者的母语——湖南沅江方言,观察浊声母演变的趋势,探讨演变的某些外因。

一、全浊声母的清化

中古的全浊声母在现代方言里,有的发音部位发生了变化。例如:牙音中的"茄"字在湖南双峰现在读舌头音 do^{23}。有的受阻方式发生了变化。例如:塞音中的"浊"字,苏州现在读擦音 $zoʔ^{23}$。有的加大了气流。例如:不送气的"艇"字,北京现在读作送气的 $thiŋ^{214}$。有的完全消失了。例如:匣母字"缓",苏州现在读作元音起头的 $uø^{52}$。

从《字汇》所收 679 个全浊字[②]来看,发音部位、气流受阻方式、气流强弱的变化和整个声母的消失都是局部的,不是演变的主流。主流是由浊变清,但是发展很不平衡。

首先,从分布地域看。汉语方言分南北两大部分。北京、济南、西安、太原、武汉、成都、合肥、扬州 8 个点属北部方言。苏州、温州、长沙、沅江、双峰、南昌、梅县、广州、阳江、厦门、潮州、福州、建瓯13个点属南部方言。北部方言的全浊声母,除个别点少数字已消失外,全都变成了清音。南部方言中长沙、南昌、梅县、广州、阳江、厦门、潮州、福州、建瓯这9个点的全浊声母,除个别点的少数字已消失外,③也都变成了清音;而沅江、双峰、苏州、温州这4个点还不同程度地保存着。

沅江属新湘语区,在那里,11个全浊声母中的6个现在有一部分字读浊音,而且全读z。例如从母字zo²¹"坐",邪母字zia²¹"谢",澄母字zō²¹"丈",崇母字zɿ²¹"事",船母字za¹³"蛇",禅母字zəu²¹"寿"。另一部分字读清音。例如:从母字tsi⁵⁵"荠",邪母字sie⁵⁵"羡",澄母字tsō¹³"仗",崇母字tɕy¹³"厨",船母字tɕyē¹³"船",禅母字tɕy²¹"树"。11个全浊声母中的并、奉、定、群、匣5母,除在少数字里已消失外,现在都读清音。例如:并母字po¹³"婆",奉母字pau¹³"浮",定母字ti²¹"地",群母字tɕi¹³"骑",匣母字tɕiē²¹"县"。可见全浊声母在新湘语里已大部分清化。

双峰属老湘语区,在那里,中古每个全浊声母大多数字仍是浊音。老湘语的全浊音是众所周知的,这里不举例。但有少数字变成了清音。例如:并母字po³⁵"爸",奉母字xuan³⁵"愤",定母字tiɤ³⁵"调",从母字tɕi³⁵"剂",邪母字ɕiu³⁵"袖",澄母字toŋ³⁵"仗",崇母字tshe³⁵"骤",船母字ʂɿ³⁵"实",禅母字ɕioŋ²¹"偿",群母字khui²¹"跪",匣母字xæ̃²¹"很"。可见全浊声母清化在老湘语里也已全面开始。

苏州属吴语区,在那里,中古全浊声母一般读清音浊流。苏州的清音浊流也是众所周知的,这里也不举例。只有部分声母有个别字读清音。例如:并母字pɔ⁴⁴"爸",定母字thin⁵²"艇",从母字tsɛ⁴¹²"载",邪母字soŋ⁴⁴"松",澄母字tsaŋ⁴¹²"仗",群母字tɕhiaŋ⁵²"强",匣母字hua²²³"辖"。可见全浊声母清化在北部吴语里也已部分开始。

温州也属吴语区,那里的中古全浊声母都读浊音,只有少数声母有个别字读清音。例如:並母字 pa^{44} "爸",定母字 ti^{323} "跌",匣母字 $khai^{42}$ "愧"。可见全浊声母清化在南部吴语里还只有苗头。

总观全局,第一,汉语的广大北方,西南和岭南,全浊声母都已清化,只有中部的吴语和湘语还不同程度地保存着。

第二,从发音部位看,全浊声母清化也是不平衡的。在清浊并存的方言中,沅江的並、奉、定、群、匣5母,即唇、舌头、牙、喉音现在全部读清音;而从、邪、澄、崇、船、禅6母,即齿头、正齿、舌上音现在部分读清音,部分读浊音。

温州的並、定、匣3母,即重唇、舌头、喉音,现在一般读浊音,个别字读清音;而奉、从、邪、澄、崇、船、禅、群8母,即轻唇、齿头、正齿、舌上、牙音现在全读浊音。

苏州的並、定、从、邪、群、匣6母,即重唇、舌头、齿头、牙、喉音现在一般读浊音,个别字读清音;而奉、澄、崇、船、禅5母,即轻唇、舌上音现在全读浊音。

从上面的读音可以看出,並、定、群、匣4母,即重唇、牙、喉、舌头音清化得较早;奉、从、邪、澄、崇、船、禅7母,即齿、舌上、轻唇音清化得较晚。

从发音方法看,並、定、群是塞音,清化得较早;从、邪、崇、船、禅是塞擦音或擦音,清化得较晚。值得注意的是匣母属塞音一类,奉母和澄母属塞擦音一类。

第三,从相拼调类看。湘方言的沅江和双峰,全浊声母与平、上、去三声相拼时,如上所述,有清有浊;而与入声相拼时,则全部是清音。下面是《字汇》中入声字在湘方言中的声母读音。

沅江　　　　　　　　双峰

並母 ph 鼻[①]辟仆薄白拔别勃瀑　**並母** ph 拔勃别仆薄雹

	p	白（文读）		p	白
奉母	ph	伏	奉母	x	乏伐罚佛服复缚
	ɸ	佛服伐罚复乏			
定母	th	碟牒蝶谍特笛独读跌	定母	th	特跌叠蝶碟谍狄笛独读牍毒
	t	达夺敌毒滴		t	达夺滴敌
从母	tsh	捷截绝凿贼寂族	从母	tsh	昨捷截绝集族凿
				ts	杂
邪母	ts	杂集疾嚼籍	邪母	tɕh	疾籍寂嚼
	s	习袭夕席俗续		ɕ	夕习席续
				s	袭俗
澄母	tsh	秩着浊直值泽择逐轴	澄母	tsh	择泽浊
	ts	侄		tʂh	侄直值
				tɕh	逐轴
				t	着
崇母	ts	闸炸铡	崇母	tsh	铡
	tsh	镯		ts	闸炸
				tɕ	镯
船母	s	舌实食蚀赎	船母	ɕ	舌赎术述
	ɕ	术述		ʂ	实食蚀
禅母	s	涉十拾什勺石熟属	禅母	ɕ	涉熟属蜀勺
	ts	折		ʂ	十拾石
	tsh	植殖		tʂh	植
	ts	蜀			
群母	tɕh	及杰竭	群母	tɕh	及极
	tɕ	掘剧局极		kh	杰竭
				t	局剧掘

匣母	ɕ	狭匣协辖穴学	匣母	x	狭辖合盒核鹤活获或
	tɕh	洽		ɕ	协学
	x	活鹤核获合盒或		th	穴

浊音清化,王力认为是"自然的变化,……不受任何条件的制约。"⑤同一个声母在同一个点的变化不同步是词汇扩散论的基本观点,但是没有进一步指出为什么不同步。如果我们把语言接触史考虑在内,汉语全浊声母清化的不平衡性就可以找到一些外部条件。

汉语北部方言的全浊声母清化,除了自身的演变规律起作用外,与蒙古语族和满—通古斯语族语言的影响有关。唐以后,辽、金、元、清相继崛起,长期统治中国的东北、华北甚至全国,元、清还建都于北京。以契丹语、女真语、蒙古语、满语为母语的民族大批内迁,广布东北、华北,其中许多人后来汉化,转操汉语或兼通汉语。契丹语、女真语、蒙古语、满语分属蒙古语族或满—通古斯语族。这两个语族诸语言的辅音音位中,塞音、塞擦音都是清不送气与清送气对立,缺少浊音;擦音一般也是有清无浊。我们知道,母语的发音习惯是很顽强的。人们自发学习另一种语言时,对于母语中没有的音,往往用自己熟悉的近似的音代替,或者干脆取消。例如汉族学生初学英语时,往往把英语的 b 读成汉语的 p。维吾尔族学生初学汉语时,往往没有声调区别。操蒙古语族语言和满—通古斯语族语言的人转操汉语时,很容易把並母和帮母、从母和精母、邪母和心母等合并为一个音。这样,中古的全浊声母就在这些人的口语中合并到清音中去了。因为他们人数不少,是统治民族,长期与汉人杂居,汉人也学习他们的语言,他们的发音也会影响汉人,因此北方汉语,包括汉人和内迁的少数民族说的汉语,中古以后全浊声母就清化了。

南方汉语全浊声母清化也可以从语言接触史找到解释。广东、广西、海南、福建等省古代是越人分布区,那里的汉人是从北方迁入的。由于汉人逐渐增加,原来的越人有许多汉化,转操汉语,因此这些地方主要成了汉语分布区。越人的后代现在是壮、侗、傣、布依、黎、水、仫佬、毛南等少数民族。这些民族的语言现在属侗台语族。侗台诸语言的声母古代跟汉语一样,也是全清、次清、浊音三分的。但是塞音、塞擦音早已演变为清不送气与清送气对立,浊音已转化为清音,①只在声调的阳调中留有遗迹。越人在转操汉语时,像北方少数民族一样,母语中缺少浊音的特点,也会带到汉语中来。迁来的汉人也不可避免地会受当地人语言底层的影响。因此南方汉语的全浊声母也清化了。然而侗台语与蒙古语和满一通古斯语不同,音系中的擦音一般是清浊两分的。因此南方汉语中,阳江、广州、梅县3个点,一些匣母字的声母现在读擦音,不过摩擦很轻,成了高元音的变体。

那么夹在南北之间的湘语和吴语为什么反而保留了全浊声母呢?首先看湘语。它分布的地区是湖南中部、南部和广西东北角。这些地方至今是古蛮人后代分布区。古蛮人后代都操苗瑶语。苗瑶语族诸语言的声母不仅古代全清、次清、浊音对立,现代也不同程度地保存了全浊音,他们转用汉语或兼用汉语时,当然是清对清、浊对浊,那么湘语的全浊声母,就失去了清化的外来影响,因此老湘语全浊声母清化较少。但是偏北的新湘语,与北方汉语接近,而脱离苗瑶语的影响较早,因此大多数已经清化了。

再看吴语。它主要分布在苏南和浙江。这里上古时代也是越人分布区,但是到中古时已完全汉化,中古以后浊音清化的越语已远离这里,其直接影响已经没有了。而南下的北方少数民族,除了几个上层官吏外,下层人民始终未到达这里。因此这里汉语的全浊声母,中古以后,缺少南北两方面的外来影响,基本上保留了浊音。

前面已经说到,无论新湘语还是老湘语,全浊音都只保存在平、上、去3个声调的字里,在入声字里已全部清化,而且大多数读送气清音或清擦音,即全浊已与次清合并。这也是苗瑶语影响的结果。上面已经概括地指出,现代苗瑶语不同程度地保存了全浊声母。换句话说,苗瑶语的全浊声母也有所清化,其中平声、入声多,上声、去声少。⑦ 入声字的全浊声母清化时,有一些点变成了送气清音。例如:

湖南隆回毛坳巴哼语的

pha⁸　　见　　tha⁸　　咬　　khu⁸　　十

广西全州双龙勉语的

phɔ⁸　　萝卜　　thət⁸　　豆子　　that⁸　　十

贵州凯里舟溪苗语的

phɛ⁸　　见　　tha⁸　　口袋　　tɕhau⁸　　十

隆回、全州都在湘语区里,凯里也相距不远。这些点的阳平、阳上、阳去字的声母都不送气,而阳入字的却送气,即全浊、次清合并。全浊入声字的声母并入次清,湘语与苗瑶语一致,这显然不是偶合。

二、次浊声母的消失

中古次浊声母的演变也表现在几个方面。有的是发音部位变了。例如:牙音中的"凝"字现在北京读舌音 niŋ³⁵。有的是音流外泄的通道发生了变化。例如:鼻音"男"字现在沅江读边音 lã¹³。有的是已经清化。例如:以母字"熊"现在北京读作清擦音 ɕiuŋ³⁵。有的发音部位和发音方法都发生了变化。例如:喉音以母字"铅"现在北京读作舌面清塞擦音 tɕhian⁵⁵。

从《字汇》所收 607 个次浊字⑧来看,发音部位、发音方法、音流通道的变化和清化都只出现在少数字上,不是演变的主流。主流是消失。[9]跟全浊声母清化一样,次浊声母的消失也不平衡。

明母最稳定,各地都保存着,只有个别点的个别字消失了。例如:济南的"芒"字,白读是 uaŋ^{42},而文读仍然是 maŋ^{42}。

泥母也很稳定,各地也都保存着,只有个别点的个别字消失了。例如:武汉的"女"字,白读是 y^{42},而文读仍然是 ny^{42}。

来母也相当稳定,消失了的只有武汉的个别字。如"吕"白读是 y^{42},文读仍是 ly^{42}。合肥的少数字。如"离"读 l^{55},"李"读 l^{24}。

日母不稳定,除苏州、温州外,各地都有部分字消失。特别是"儿""而""耳""二"诸字现在许多方言都没有辅音声母,其余的字,虽然有的读作 ʐ̩(北京、济南、西安),或者读作 j、w(广州、阳江),但摩擦轻微,是半元音,接近消失。

微母也不稳定,各点虽有一些字保存着,但是许多点的一些字已经消失。消失的数目大体上是越往北方越多,越往南方越少,而广州、阳江、厦门、潮州、梅县、温州还全部保存着。

疑母的消失可分 3 类。第一类是北京、济南、太原、合肥、扬州,基本上消失了,只有个别字还有声母,但是不读舌根鼻音。[10]例如:北京的"牛"字声母是 n,济南的"蚁"字声母是 m,太原的"崖"字声母是 n,合肥的"额"字声母是 ʐ̩,扬州的"疟"字声母是 l。第二类是西安、武汉、成都、长沙、沅江、双峰、南昌,一部分字的声母消失了;另一部分保存着,音值一般是舌根鼻音。第三类是苏州、温州、厦门、福州、潮州、建瓯、广州、阳江、梅县,基本上保存着,而且是舌根鼻音,[11]只有个别字消失了。因此疑母的消失也是越往北方越多,越往南方越少。

云母和以母,除个别字[12]外,在北方已普遍消失,在南方,除苏州、温州、广州、阳江外,也保存得很少。保存下来的,也一般读半元音 j、w。所以中古的云、以两母,可以说在现代汉语里已只有残存痕迹了。

总观次浊8母,在分布区域方面,越往北消失得越多,越往南保存得越多。在发音部位方面,部位越前保存得越多,部位越后消失得越多。

发音部位偏后的次浊声母趋于消失,主要是内因起作用。因为人的发音器官,越是偏前的部分越灵活,在说话时能指挥自如,因此这些部位发出的音容易保存。那些偏后的部位灵活性差一些,为了省力,这些部位发出的音就容易弱化而趋于消失。

至于南北差异的形成,看来外因起了很大的作用。具体地说,是蒙古语和满—通古斯语的影响,使北部方言里鼻音中的疑母普遍趋于消失,日母也消失了许多。上一节已经提到,北方少数民族南下时,主要分布在我国北方。在这些民族的语音系统里,鼻辅音一般只有 m、n、ŋ 3 个,缺少 ȵ。3 个鼻音中 m 和 n 可以出现于词首,而 ŋ 不能出现于词首,只能出现于词末。这些民族学习或转用汉语时,居于音节首的疑母,因为不合母语的发音习惯,容易被忽略而失落。或者虽然注意到了,但模仿得不到位,而把发音部位移前而成了 n,就像北京的"牛"和"虐"那样。少数民族人数不少,与汉人长期杂居,他们的发音必然影响汉人,所以渐渐地疑母就消失了。至于音节末的 ŋ,因为这些语言都有,所以汉语里的韵尾 ŋ 都保存了。

那么,疑母和日母的消失为什么不像全浊声母清化那样,形成南北都多而中间少的局面呢?这是因为汉语的南邻苗瑶语和侗台语跟北邻的蒙古语和满—通古斯语不同。苗瑶语族和侗台语族诸语言,除了 m 和 n 外,普遍有 ȵ 和 ŋ 这两个声母,因此,日母和疑母,在其他语言的影响下,在北方有的消失了,有的变成了半元音;在南方仍然基本上保存着,而且多数是鼻音。

附注：

① 北京大学中国语言文学系语言学教研室编,文字改革出版社,1989年。全书收中古浊音字1286个。

② 其中并87,奉37,定116,从55,邪42,澄59,崇19,船16,禅50,群61,匣137。

③ 少数匣母字的读音,《字汇》在梅县标作v,广州和阳江标作w或j,但v、w不与u对立,j与i也不对立,实际上已不是声母。

④ "鼻"字《广韵》收在去声,但它应是入声字。

⑤ 王力《汉语语音史》,中国社会科学出版社,1985年,第535页。

⑥ 侗台语族的一些语言现在有b、d或ʔb、ʔd声母,但它们是从古全清声母,而不是从古全浊声母变来的。参见Fang Kuei Li, A Handbook of Comparative Tai。

⑦ 参见马学良主编《汉藏语概论》,北京大学出版社,1991年,第660页。

⑧ 其中明111,微23,泥46,来177,日37,疑73,云50,以90。

⑨ 本文所说消失是指音节没有辅音声母了,保存是指还有辅音声母,而不是指音值变未变。

⑩ 济南有几个字读舌根鼻音。

⑪ 厦门、潮州有的变成了g。

⑫ 如云母字"慧""铅",以母字"熊""雄"。

（原载《民族语文》1999年第1期）

《世说新语》《齐民要术》《洛阳伽蓝记》《贤愚经》《百喻经》中的"已""竟""讫""毕"

蒋绍愚

在谈到动词语缀"了"的来源时,人们常常说到"已""竟""讫""毕",认为它们都是完成动词,可以构成 V + (O) + CV(完成动词)的格式,后来被"了"代替,成为"V + (O) + 了"。但是,"已"、"竟"、"讫"、"毕"的性质是否完全一样?本文根据《世说新语》《齐民要术》《洛阳伽蓝记》《贤愚经》《百喻经》五部书中的材料来讨论这个问题。

(一)"已""竟""讫""毕"的不同

(1)出现频率的不同。在上述五部书中,这四个词出现的频率很不一样。见下表:(只统计处在"V + (O) + X"格式中的次数)

	已	竟	讫	毕
世说新语	0	15	5	21
齐民要术	0	3	102	13
洛阳伽蓝记	0	0	3	0
贤愚经	296	70	90	4
百喻经	43	4	1	0

(《贤愚经》中的296次"已"包括"竟已"1次,"讫已"5次,"毕已"2次。70次"竟"包括"毕竟"2次,"讫竟"2次。90次"讫"包括"毕讫"15次,"讫已"5次,"讫竟"2次。《百喻经》的统计方法同,数字不一一说明。)

显然,在汉译佛典中"已"用得很多,在中土文献中"已"用得很少。在我们调查过的三部中土文献中,《世说新语》这样比较接近口语的作品中没有"已",《齐民要术》这样篇幅较大的作品中没有"已",《洛阳伽蓝记》是一部关于佛教的书,但不是佛典的翻译,而是中土人士的著作,其中也没有"已"。这是一个很明显的差别。

(2) 更重要的是用法的差别。

(A)"竟""讫""毕"前面可以加时间副词,这说明它们在句中是作谓语的动词。如:

1) 尔乃水出,咸得洗手。洗手既竟,次当咒愿。(贤二 14)
2) 作愿适竟,余处悉断。唯雨宫里,七日七夜。(贤十三 64)
3) 行食与佛并僧遍讫,食乃还下,各在其前。(贤二 14)

"已"前面一般不能加副词("不已"是"不停止"的意思,不是这里讨论的"已"),如果有副词必须放在"已"前面的动词之前。这说明"已"的性质已经不是作谓语的动词。如:

4) 既闻是已,复心念难。(贤十二 57)

又如下面所引例 23)、32)、33)、36)。(也有少数例外,见下文例 48)。)

(B)"竟""讫""毕"可以用在一个句子的终了,后面不再接另一小句。如:

一人观瓶,而作是言:"待我看讫。"如是渐冉,乃至日没,观瓶不已。(百 50)

"已"或是用在一个小句之末,后面再接另一小句,或者用在句中,后面再跟一个动词词组。(例见下。)而未见用在一个句子的终了,后面不再接另一小句的用法。

(C)"竟""讫""毕"前面的动词必须是可持续的动词;如果前面是一个动词词组,则是表示一个持续的动作。如:

5) 言誓已竟,身即平复。(贤一 7)
6) 洗手既竟,次当咒愿。(贤二 14)
7) 众僧食讫,重为其蛇广为说法。(贤三 18)
8) 发言已讫,合境皆获自然之食。(贤八 39)
9) 到作礼毕,共白之言。(贤一 1)

也有少数例外,详见下文例 49)—56)。

"已"前面的动词也可以是可持续的动词(见下文例 43)—48),但也有很多是不可持续的瞬间动词、状态动词。用得最多的是"见(O)已"、"闻(O)已"。其他如:

10) 夜叉得已,于高座上众会之中取而食之。(贤一 1)
11) 得王教已,忧愁愦愦,无复方计。(贤三 15)
12) 觉已惊怖,向王说之。(贤一 2)
13) 蒙佛可已,于时金财即剃须发,身着袈裟,便成沙弥。(贤二 9)
14) 其儿生已,家内自然天雨众华,积满舍内。(贤二 10)
15) 其一山上,有柔软之草,肥瘦甘美,以俟畜生。须者往啖,饱已情欢。(贤二 14)
16) 散阇起已,泣泪而言。(贤三 21)
17) 我成佛已,自调其心,亦当调伏一切众生。(贤三 21)
18) 城南泉水,取用作墼。其墼成已,皆成黄金。(贤十一 52)
19) 城西泉水,取用作墼。墼成就已,变成为银。(贤十一 52)
20) 急疾还家,到已问婢大家所在。(贤四 22)
21) 到竹林已,问诸比丘。(贤四 23)
22) 至佛所已,即言:"瞿昙沙门及诸弟子,当受我请,明日舍食。"(贤四 22)
23) 既取肉已,合诸药草,煮以为腝,送疾比丘。(贤四 22)
24) 欲求善法,除佛法已,更无胜故。(贤四 23)

25) 舍此头已,檀便满具。(贤六 31)
26) 施七宝床,让之令坐。坐已具食,种种美味。(贤八 40)
27) 值一木工口衔斲斤,褰衣垂越。时檀腻羁问彼人曰:"何处可渡?"应声答处,其口开已,斲斤堕水。(贤十一 53)
28) 是王舍城王大健斗将。以猛勇故,身处前锋,或以刀剑矛矟伤克物命,故受此报。于是死已,堕大地狱,受苦长久。(贤四 23)
29) 阿难灭已,此耶贳羁奉持佛法,游化世间。(贤十三 67)
30) 我灭度已,一百岁中,此婆罗门,而当深化。(贤十三 67)
31) 舍是身已,当生梵天,长受快乐。(百 29)
32) 驼既死已,即剥其皮。(百 42)
33) 彼既来已,恣其如是,复捉其人所按之脚,寻复打折。(百 53)
34) 时树上人至天明已,见此群贼死在树下,诈以刀箭斫射死尸,收其鞍马,驱向彼国。(百 65)
35) 尔时远人既受敕已,坚强其意,向师子所。(百 65)
36) 既捉之已,老母即便舍熊而走。(百 93)

"已"和"讫"、"竟"、"毕"的这种差别很值得注意。"讫"、"竟"、"毕"都是"完成动词",表示一个动作过程的结束,它们前面必须是持续动词,这是由它们的语义特点所决定的;"V/讫/竟/毕"都可以翻译成现代汉语的"V完"。"已"本来和"讫""竟""毕"一样,根据它的语义特点,前面也应该是持续动词。但是在上述例句中,我们看到有"死已""觉已""成已""至天明已"等说法,"已"前面不是持续动词,"死已""觉已""成已""至天明已"不能读作为"死完""觉完""成完""至天明完",这说明这种"已"的性质已经和"讫""竟""毕"不一样了,也和用在持续动词后的"已"不一样了。

(二)这样,我们必须考虑"已"的性质。

有的学者如张洪年(1977)早已说过,"V+O+了"中的"了"是受梵文的影响而产生的。何莫邪(1989)也说,"V+O+已"中的"已"是受梵文的影响而产生的。辛岛静志(2000)说得更清楚,他说:在汉译佛典里,在句末用"已"的例子十分常见。这种用法相当于现代汉语"看见了他就开始哭"的"了",是一种时态助词。例如:西晋竺法护译《正法华经》"五百亿百千梵天……适见佛已,寻时即往"(大正藏第九卷90b16);"贤者阿难……心念此已,发愿乙密,即从座起,稽首佛足。"(同97c29);"比丘尼见说此颂已,白世尊曰:'唯然,大圣!'"(同106c13)等等不胜枚举。但在佛典文献以外的中土文献里这种"已"的用例极为罕见,这一事实就使人联想到与原典有直接关系。在梵汉对比时,我们就发现这种"已"大多数与梵语的绝对分词(或叫独立式;Absolutive, Gerund)相对应。上面所举的"适见(佛)已"与梵语 dṛṣṭvā (H. Kern and B. Nanjio, *Sanddharmapuṇḍarīka*, St, Pertersburg 1908-12[*Bibliotheca.-Budaahica X*],第169页,第3行)相对应;"念(此)已"与 cintayitvā(同215.2)相对应;"说(此颂)已"与 bhāṣitvā(同270.5)相对应。在梵语里绝对分词一般表示同一行为者所做的两个行为的第一个("……了以后"),相当于汉译佛典的"已"。

这种看法用来解释"死已""觉已""成已""至天明已"的"已"很合适。既然这种"已"是用来翻译梵语的绝对分词的,而"绝对分词"是表示同一行为者所做的两个行为的第一个("……了以后"),那么,用"死已""觉已""成已""至天明已"来表示"死了以后""醒了以后""成了以后""到天亮了以后"就很顺理成章;也就是说,这种"已"前面的动词可以是非持续动词。"已"的另两个特点也可以由此得到说明:这种"已"是用来翻译梵语的绝对分词的,所以后面必须再跟一个动词词组或一个小句;它不是汉语中原有的完成动词,所以前面不能加副词。只是辛岛说"已"是"一种时态助词",似乎不妥。不过当时的佛典译者也不会用汉语中一个毫不相干的词来翻译梵文的"绝对分词"的。梅祖麟先生(1999)曾指出战国末期就有"V(O)已",如《战国纵横家书》中的"攻齐已,魏为□国,重楚为□□□□重不在梁(梁)西矣。"是个完成动词。他还举出西汉的若干例子,如《史记·龟策列传》:"钻中已,又灼龟首。"钟兆华(1995)还举出《墨子·号令》中的一例:"开门已,辄复上龠。"我们检查这些例句,看到"已"前面的动词都是持续动词。关于东汉到魏晋南北朝的完成动词,梅先生说,东汉多用"已",用"讫、毕、竟"的不多,南北朝"已、讫、毕、竟"并用。文中都举了一些例子。我们看到,这些例子中的"已"前面绝大多数也是持续动词,这些"已"和"讫、毕、竟"是可以通用的。也有一些例子(东汉5例,南北朝1例)中"已"前是非持续动词,但都是在佛典译文中。现将这6例抄录在下面:

37) 是菩萨摩诃萨于梦中觉已,若见城郭火起时,便作是念。(支娄迦谶译《道行般若经》)

38) 成就作佛已,当度脱十方天下人。(同上)

39) 既闻经已,无有狐疑大如毛发。(同上)

40) 闻是言已,恍惚不知其处。(支娄迦谶译《文殊师利问菩萨署经》)

41) 佛饭去已,迦叶念曰……(竺昙果共康孟详译《中本起经》)

42) 诸比丘从如来闻已,便当受持。(僧迦菩提译《增壹阿含经》)

在本文所调查的《贤愚经》、《百喻经》中,也有一些"已"前面是持续动词,"已"可以和"讫、毕、竟"通用,如:

43) 作是语已,寻时平复。(贤一1)
    作是语竟,飞还山中。(贤十一52)

44) 佛说此已,诸在会者,信敬欢喜,顶受奉行。(贤一6)

佛说法讫,举国男女得度者众,不可称计。(贤六 34)

45) 语已辞还所止。(贤四 22)

　　导师语竟,气绝命终。(贤九 42)

46) 供养已,即便过去。(贤六 34)

　　供养毕讫,即时过去。(贤六 34)

47) 食已,徐问所以来意。(贤八 40)

　　食讫,谈叙行路恤耗。(贤八 40)

"已"前有副词的在《贤愚经》中仅有 1 例,这一例的"已"前就是持续动词:

48) 告下遍已,七日头到。(贤八 40)

这种完成动词"已"是和战国末期、西汉的"已"一脉相承的,是汉语原有的。它和梵文的"绝对分词"有相似之处:汉语原有的"V(O)已"的"已"表示动作的完成,梵文的"绝对分词"表示做完一事再做另一事,或某一情况出现后再出现另一情况。所以佛典译者用这个"已"来翻译梵文的"绝对分词"。但两者毕竟不完全一样:"觉已""成已""死已""至天明已"等的"已"原来在汉语中是不会有的。证据是:"攻齐已""钻中已"的"已"完全可以换成"竟""讫""毕",而"觉已""成已""死已""至天明已"等的"已"不能换成"竟""讫""毕"。所以,东汉魏晋南北朝的"V(O)已"的"已"应分为两部分:(A)一部分是"V1＋(O)＋已"中的"已 1"(V1 是持续动词),这种"已"是在佛教传入前就已存在的、汉语中原有的"已"。(B)另一部分是"V2＋(O)＋已"中的"已 2"(V2 是非持续动词),这种"已"是用来翻译梵文的"绝对分词"的。在佛典译文中,"已 2"用得比"已 1"多。在《贤愚经》中 296 个"已"中有 161 个"已 2",占 54.3%。在《百喻经》中,43 个"已"中有 40 个"已 2",占 93.0%。

这两种"已"在语法上应作不同的分析。从句子成分来说,两者都是补语,而且都是指动补语。从性质来说,"已1"是动词(完成动词),"已2"已高度虚化,只起语法作用,已经不能看作动词。从作用来说,"已1"表示动作的完结;"已2"本是梵文的"绝对分词"的翻译,表示做了一事再做另一事,或某一情况出现后再出现另一情况,进入汉语后,也可以表示动作的完成。"完结"和"完成"仅一字之差,但在语法作用上是不一样的。"完结"表示一个过程的结束,所以前面必须是持续动词(吃完)。"完成"是一种体貌,表示动作或状态的实现,前面可以是非持续动词(死了),也可以是持续动词(吃了);在后一种情况下,正如梅祖麟先生(1994)所说,是"把这些动作动词的时间幅度压缩成一个点"。所以,"吃完"和"吃了"的"吃"不一样,"吃完"的"吃"表示一个时段,"吃了"的"吃"表示一个时点。

这样,我们可以看到,"V＋O＋已"中的"已",在佛典传入并且有了汉译以后,有了一个很重要的变化。这种"已"原来是汉语固有的,它只能放在持续动词(或持续动词组成的词组)后面,表示动作的完结(即"已1")。佛典传入后,译经者用它来翻译梵文的"绝对分词"。"绝对分词"既可以放在持续动词后面(表示动作的完结),也可以放在非持续动词后面(表示动作的完成或实现)。由于"完结"和"完成"相近,所以人们可以用汉语中固有的"已"("已1")来翻译梵文的绝对分词。但"完结"和"完成"毕竟还是有区别的,所以,在佛典译文中用"已"("已1")来翻译梵文的绝对分词之后,"已"的性质就起了变化,它产生了一种新的语法功能:表示动作的完成(或实现)。换句话说,就是产生了"已2"。这种功能是原来汉语所没有的,是受梵文的影响而产生的。但由于"已2"的频繁使用,它逐渐地"汉化"了,不但在佛典译文中使用,而且在口语中也使用。"已2"在口语中使用的历史情况还有待于进一步考察。据初步的印象,应该说初唐时期"已"已经是口语词了(见下)。

在《贤愚经》、《百喻经》中,"竟""讫"也有少数放在非持续动词后面("毕"没有放在非持续动词后面的)。现将全部例句列在下面:

49) 余妇语曰:"汝不须言。汝夫状貌,正似株杌。若汝昼见,足使汝惊。"株杌妇闻,忆之在心。豫掩一灯,藏著屏处。伺夫卧讫,发灯来看。见其形体,甚用恐怖。(贤二 14)

50) 食饱已讫,便命令坐,为其说法。(贤七 37)

51) 王与夫人相可已讫,俱共来前。(贤九 42)

52) 时驳足王即许之,言:"当取诸王,令满一千,与汝曹辈,以为宴会。"许之已讫,一一往取,闭著深山。(贤十一 52)

53) 王博戏已,问诸臣言:"向者罪人。今何所在?我欲断决。"臣白王言:"随国法治,今已杀竟。"(贤五 23)

54) 自伺大家一切卧竟,密开其户,于户曲内,敷净草座。(贤五 27)

55) 尔时树神语太子言:"波婆伽梨是汝之贼,刺汝眼竟,持汝珠去。"(贤九 42)

56) 太子闻语,而答之言:"若有此事,我能为之。"共相可竟,即往为守。(贤九 42)

《百喻经》中的"讫""竟""毕"没有用在非持续动词后面的。

上述八个例句,有几个例句单看"讫"前面的动词,应该说是非持续动词。但联系上下文看,说的还是一个持续的动作过程。如例 49)、例 54)的"卧讫""卧竟",相当于"睡着",指一个入睡过程的完成。例 51)、例 56)的"相可已讫""共相可竟",相当于"商量完毕"。例 52)的"许之已讫"指答应他的一番话说完了。真正特殊的用法只有 50)、53)、55)三例。即使把八例都算上,也只占《贤愚

317

经》160个"讫""竟"的5%。这和《贤愚经》中用于非持续动词之后的"已"占50%以上是大不相同的。这些"讫""竟"的特殊用法可以认为是受了"已"的影响。这不妨碍我们前面对"已"和"讫""竟""毕"的区别的论断。

（三）魏晋南北朝的"已"和后来的"了"有很密切的关系。所以，上述对"已"的看法，也会影响到对"了"的分析。

魏晋南北朝时期"已""竟""讫""毕"的分布大概持续到唐代。《游仙窟》中还是没有"已"，只有"竟"（1例）、"讫"（3例）、"毕"（2例）。也没有"了"。而《六祖坛经》中的"已"有7次，其中前面是非持续动词的4次："闻已"（2次）、"悔已"、"得教授已"。已有"VO了"和"V了"，其中1例是"闻了原自除迷"。这里有两点值得注意：(1)《六祖坛经》虽然是宣讲佛教教义的，但不是佛典译文，而是惠能讲说的记录，可见其中的"已2"已经是口语中用的词。（《游仙窟》中没有"已"，可能和作者的个人风格有关。)(2)其中既有"闻已"，又有"闻了"。"了"已经开始逐步代替"已"。

到晚唐，和佛教有关的文献中还有"已"，但更多的是被"了"代替。"V(O)了"中的"了"怎样分析？梅祖麟先生（1994）说：《敦煌变文集》中"V了"的"了"有两种。在下列句子中，"了"处在动作动词（偿、食、祭等）后面，是状态补语：

我是天女，见君行孝，天遣我借君偿债。今既偿了，不得久住。（变,887）

兵马既至江头，便须宴设兵士。官军食了，便即渡江。（变,20）

子胥祭了，发声大哭。（变,21）

在下列句子中，"了"处在成就动词（知、见、迷等）后面，是完成貌词尾：

王陵只是不知，若或王陵知了，星夜倍程入楚救其慈母。（变,44）

> 迷了,菩提多谏断。(变,521)

> 圣君才见了,流泪两三行。(变,772)

他说:动作动词是有时间幅度的,后面的"了""意义上跟现代的状态补语'完'相当",所以是状态补语。"'知''见''迷'是没有时间幅度的成就动词,后面的'了'不能读作'完'义的状态补语,只能读作表示完成貌的词尾。"

他的术语和本文不同,但应该说,这两种"了"的区分和性质与本文所说的"已1"和"已2"是一脉相承的。据此,也可以把"了"分为"了1"和"了2"。[注意:本文所说的"了1"是指持续动词后面的"了","了2"是指非持续动词后面的"了",和通常所说的现代汉语中的"了1"(即完成貌词尾)和"了2"(即句末语气词)不是一回事。]

把"V了2"中的"了2"看作完成貌词尾毫无问题。但是问题在于,这种"了2"有时出现在宾语后面。如《祖堂集》卷十:"又上大树望见江西了,云:'奈是许你婆。'"如果说"圣君才见了"的"了"是完成貌词尾,那么"望见江西了"的"了"又如何分析呢?这种"了2"在性质上是和"已2"完全相同的。梅祖麟先生上述对"见了"的"了"的分析,完全可以用在"见已"的"已"上。那么,也就可以把"见已"的"已"看作完成貌词尾。但这遇到一个很大的困难:如果前面的动词带宾语,"已"永远是出现在宾语之后的。因此,尽管"已2"不能读作"完"义的状态补语,但不能说"已2"是表示完成貌的词尾。反过来说,在分析"了"的时候,似乎也不能仅仅根据它"不能读作'完'义的状态补语",就断定它是完成貌的词尾。

吴福祥(1998)把"食了"的"了"叫做"结果补语",把"迷了""死了"的"了"叫做动相补语。他有他的术语。但这两种"了"都是指动的,根据赵元任(1970)的定义,应该都属于动相补语(phase complement)。我认为动相补语可以分两种:(A)表示完结。前面是持续动词。就是我前面所说的"已1"和"了1"。(B)表示完成。前面是非持续动词。就是我前面所说的"已2"和"了2"。

(B)类动相补语离完成貌词尾已经很近了,但它要发展成完成貌词尾还必须再跨进一步:紧贴在动词后面,即使出现宾语,也不被宾语隔开。所以,"见了"的"了",只有到《敦煌变文集·难陀出家缘起》:"见了师兄便入来"这样的句子里才是完成貌词尾。"迷了""死了"一般不带宾语(宋代才有"万秀娘死了丈夫"这样的例句),无法用这个方法检验。但语法发展是有规律性的,既然晚唐已出现了完成貌词尾"了",我们可以认为,同时期和以后的"迷了""死了"的"了"也发展成了完成貌词尾,而在此以前的"死了"还是动相补语。"死了"在《贤愚经》中有一例:

57) 王语彼人:"二俱不是。卿父已死,以檀腻羁与汝作公。"其人白王:"父已死了,我终不用此婆罗门以为父也。"(贤十一—53,檀腻羁品第四十六)

这个"了"显然也是不能读作"完"义的状态补语,但如果据此就认为是完成貌词尾,说完成貌词尾在北魏时已经出现,那大概时间太早了吧。

在追溯完成貌词尾"了"的来源时,人们常常说,"了"的前身是"已""讫""竟""毕"。但是根据上面的分析,更准确地说,"了"的前身只是"已"。所谓"完成貌词尾",第一是说它表完成貌,第二是说它紧贴在动词后面。表完成这种语法功能不是从"了"才开始有的,我们所说的"已2"就具备这种功能了(而"讫""竟""毕"却不具备这种功能),梅祖麟先生(1999)所举的东汉支娄迦谶等译经中的例句,也许是我们目前看到的最早的"已2"。

后来"了"兴起并逐渐取代"已","了2"也具备表完成貌的功能。但"V+O+已2"和"V+O+了2"中的"已2"和"了2"还都是被宾语隔开的,还不是词尾;只有到"了2"移到宾语前,出现了

"V+了2+O"的格式后,汉语中才产生了完成貌词尾。

参考文献

梅祖麟 1981 现代汉语完成貌句式和词尾的来源,《语言研究》第1期。

1994 唐代、宋代共同于的语法和现代方言的语法,《中国境内语言暨语言学》第二辑。

1999 先秦两汉的一种完成貌句式,《中国语文》第4期。

吴福祥 1998 重谈"动+了+宾"格式的来源和完成体助词"了"的产生,《中国语文》第6期。

辛岛静志 2000 汉译佛典的语言研究,《文化的馈赠——汉学研究国际会议论文集》,北京大学出版社。

钟兆华 1995 近代汉语完成态动词的历史沿革,《语言研究》第1期。

Chao Yuan-ren 1970 *A Grammar of Spoken Chinese*, Berkeley: University of California Press. Second Printing.《汉语口语语法》,吕叔湘译,商务印书馆,1979。

Cheung, Samuel Hung-nin 1977 Perfective particles in the Bian wen language, *Journal of Chinese Linguistics*. 5,1.55-74.

Harbsmeier, Christoph 1989 The Classical Chinese modal particle yi, Proceedings of the Second International Conference on Sinology, *Section on Linguistics and Paleography*, Taipei, Academie Sinica, 475-504.

(原载《语言研究》2001年第1期)

从契丹文推测汉语"爷"的来源

刘凤翥

根据学界近年对契丹文字的最新解读成果,契丹大字⟨⟩和契丹小字⟨⟩都有"年"和"父"两个意思。这是由于在契丹语中"年"和"父"同音而契丹大字和契丹小字都是表音字所致。于义为"父"的契丹小字也出现在音译汉字"开"的合成字⟨⟩之中,是"开"的韵母。因此,原字⟨⟩的读音被构拟为[ai][1]。我青年时学习日本语时,日语元音假名え e 很难学,有时听着像汉语中的"挨",又有时听着像汉语中的"耶"。从而使我联想到契丹语中于义为"年"或"父"的单词的发音也可能类此。北京辽金城垣博物馆收藏的契丹小字《耶律迪烈墓志》第1行音译汉字"开"的契丹小字作⟨⟩。说明⟨⟩与⟨⟩同音。而⟨⟩被用来翻译契丹国姓"耶律"的"耶",与之同音的⟨⟩当然也音"耶"。因此,⟨⟩义为"父"其音类似"爷"。在汉语中"爷娘"即"父母"。

在现代汉语中,"爷"这个单词使用得非常广泛。如"老爷""少爷""大爷""老太爷""爷爷""老天爷""阎王爷"等。上述单词有的有不同含义。例如"大爷"既指"伯父"又可表示对老年人的尊称。现在北京又流行什么"款爷""倒爷"之类的俗语。然而细究起来,"爷"这个单词并不是汉语所固有,而是一个鲜卑语借词。

《十三经索引》中无"爷"字,足见先秦古籍中无"爷"字。东汉人许慎撰写的《说文解字》是我国流传至今的最早的一部字典。它成书于永和十二年(公元100年),共收9353字之多。"六艺群书之诂,皆训其意,而天地、鬼神、山川、草木、鸟兽、昆虫、杂物、奇怪、王制礼仪、世间人事、莫不毕载。"[②] 就是这么一部包罗万象的字典竟然没有现在最常用的"爷"字。这就充分说明,直到两汉时期,汉语中还没有"爷"这个单词,因而也就没有记录这个单词的汉字。

魏晋南北朝时期是我国民族大迁徙、大融合的时代。各民族之间,包括语言在内的文化进行了充分的大交流。各民族的语言中都混入了其他民族语言的单词,汉语也不例外。北魏和北周都是鲜卑人建立的政权。北魏迁都洛阳之后,鲜卑人迅速汉化的同时,汉语中也混入了一些鲜卑语单词,例如"可寒(皇帝)""可敦(皇后)"等。刻于太平真君四年(公元443年)的嘎仙洞石刻祝文有"以皇祖先可寒配,皇妣先可敦配。"[③] "可寒"后来作"可汗"。于义为"父"的鲜卑语单词"爷"也在北魏时期被借入汉语之中。有名的北朝民歌《木兰诗》中即有"可汗大点兵,阿爷无大儿""不闻爷娘唤女声"等句子。到了唐代,"爷"这个单词使用得就更为普遍了。例如杜甫的《兵车行》中有"爷娘妻子走相送,尘埃不见咸阳桥"的句子。

"爷"这个单词最初被借入汉语时,由于汉字中无"爷"字,只好用同音的"耶"字来记录这一借词。例如《古文苑》卷九收录的《木兰诗》中的"爷"全部作"耶"。然而很快就根据六书中的形声原则造出了"爷"字。上半部分表义,下半部分表音。我国字书中首次收录"爷"字者当推南朝萧梁时期的顾野王于大同九年(534)撰就的《玉篇》。该书卷三父部有"爷"字,其读音为"以遮切",其字义"俗为父"[④]。即使在造出"爷"字之后,仍有以"耶"来记录这一单词的情况。例如杜甫的诗《北征》中有"见耶背面啼,垢腻脚不袜"的句子。其中的"耶"即指"父"义的"爷"。甚至直到辽代还有把"爷爷"写作"耶耶"的情况。例如《陈万墓志铭》有"统和贰拾柒年选定大通,合葬尊翁耶〈娘〈灰骨,于十一月三日迁殡后立。"[⑤] 〈

323

为重复符号,"耶く"即"耶耶"亦即"爷爷"。内蒙古巴林左旗博物馆的展品中,有一件辽代的木制骨灰盒,上面有"尊耶く娘く"的墨书。

"爷"的原义为"父"。直到明代小说《金瓶梅词话》第五十五回西门庆认蔡太师为干爷,西门庆口口声声地称蔡太师为"爷爷"。这些地方的"爷"均为"父"之义。"爷爷"犹如"爹爹"或"爸爸"。而不是"祖父"之义。"爷爷"为"祖父"之义是后来才有的,它不会晚于辽宋。在现代汉语中"爷"字虽然用得很广泛,其"父"义却很少用了。

我们说汉语中的"爷"是鲜卑语借词是根据汉语中这个单词出现的历史背景和对契丹文字的解读成果得出来的。《辽史·世表》明确记载契丹族是鲜卑族的后裔。鲜卑语也就必然是契丹语的祖语。记录契丹语的契丹大字和契丹小字虽然都是死文字,但近年在解读方面都取得了一定进展。正如本文开头所述,契丹大字和契丹小字中的"父"均音〔ai〕,近于汉字"爷"。由于两种契丹文字的现在读音都是现代学者构拟的,只能接近于契丹语的发音,不可能与契丹语的实际发音完全相同。再说汉语从其他语言借入借词时,如果汉语中没有所借语言的音位,只能用汉语中所有的相近的音位来代替。因此,我认为契丹语中"父"的读音就是"爷"。它是从其祖语鲜卑语那里继承来的。从而可以溯推鲜卑语中有这个单词,并在北魏时期被借入汉语之中。

从上述的探讨中足以窥见在民族大融合时期,祖国各兄弟民族之间包括语言在内的文化交流之一斑。

附注:

① 清格尔泰、刘凤翥等《契丹小字研究》,中国社会科学出版社,1985年,第152页。

② 《说文解字》卷十五下,中华书局影印清朝陈昌治刻本,1963年,第320页。
③ 据自存拓本。
④ 《宋本玉篇》,中国书店,1983年,第61页。
⑤ 阎万章《辽"陈万墓志铭"考释》所附的《陈万墓志铭》,载《辽金史论集》第五辑,文津出版社,1991年,第49页。

(原载《内蒙古大学学报》1998年第4期)

"姗隅"探源

黄树先

汉语是古老的。古老的汉语并非一朝一夕而形成的。在漫长的岁月里,汉语在其形成发展的过程中,不断吸收外来成分,以此来丰富自己。有学者甚至说汉语是综合了不同语言而形成的一个"综合语"[①],这话在一定程度上是对的。汉语形成以后,在与周边民族交往中,又不断从这些语言中吸收新的语言成分。汉语中的这些新成员,大致可以分为两个类型:第一,有一部分词融合到汉语中,成为汉语的基本成分,如"世界"一类的词;还有一部分词,保存在文献中,即便偶有文人一用,但并未通行全民,如"吉量"[②]。不管属于哪种情况,挖掘研究汉语文献中的这些外来成分,对研究汉语史,释读汉语文献有重要的意义。同时,周边民族语言,大多缺乏古老的文献,我们可以借助古老的汉语文献,为民族语文的研究提供宝贵的材料。本文对中古时期的"姗隅"这个词的来源提出我们的看法。

东晋时的汉语文献中记载了当时南方的一个"蛮语"词"姗隅":《世说新语·排调》:"郝隆为桓公南蛮参军,三月三日会,作诗。不能者,罚酒三升。隆初以不能受罚,既饮,揽笔便作一句云:姗隅跃青池。桓问:姗隅是何物?答曰:蛮名鱼为姗隅。桓公曰:做诗何以作蛮语?隆曰:千里投公,始得蛮府参军,那得不作蛮语也!"[③]据此,则"姗隅"为南蛮语,其义为鱼。现依据汉藏比较语言学最新研究成果试作解释如下。

据《世说新语》刘孝标注:"《征西寮属名》曰:隆字佐臣,汲郡人。仕(吴)至征西参军。"④桓公即桓温,晋明帝婿,曾任荆州刺史,《晋书》卷 99 有传。东晋时荆州大体辖今湖北湖南地区⑤,其治所在江陵。

依据史书记载,晋时荆州一带居住着为数不少的少数民族,依东夷南蛮西戎北狄之例,当时概称之为"蛮"。《后汉书·南蛮传》诸书对这一带的民族情况有详尽的记载⑥。当时荆州一带,少数民族名目颇多⑦,除部分融入汉民族外,大部分为今操苗瑶语和侗台语的先祖。

民族弄清楚了,我们来分析"姚隅"一词就便利得多了。对照文献记载,我们可以判断"姚隅"为东晋时蛮人所操的蛮语⑧,是"鱼"的译音。"姚隅"这一语音形式在现代苗瑶语中仍保存着。

现代苗瑶语"鱼":黔东苗语 $nε^4$,湘西苗语 $mɤɯ^{48}$,川黔滇苗语 $ndʐe^4$,滇东北苗语 $mpə^4$,布努 $ntse^4$,王辅世、毛宗武先生 1995 年提供的材料有:养蒿 ze^{11},吉卫 $mzɯ^{33}$,先进 $ɳtʂe^{31}$,宗地 $mpʐe^{11}$,枫香 $ntsei^{13}$,瑶里 $mptsi^{44}$。现代苗瑶语的这些形式和《世说新语》的"姚隅"语音面貌很相似:姚,古音精组侯部,依周法高构拟为 *tsjew;隅,疑纽侯部, *ngjew。"姚"可能就是 tse\tsi 的音译,这样理解大概问题不大。"隅"字颇费解:"姚隅" *tsjew ngjew 和上述苗瑶语形式相反,苗瑶语鼻冠音 N-在 ts-之前。笔者思索有年,觉得有以下几种可能:

第一,"姚隅" *tsjew ngjew 就是当时"鱼"的记音。和苗瑶语有亲属关系的贵琼话(藏缅语)"鱼" $tʃə^{55}ni^{55}$,这和"姚隅"语音面貌相同。可是现代贵琼话只是一个孤证,我们还不清楚它是怎么来的。

第二,"姚隅" *sjew ngjew 是某个鱼的名字(即"姚隅"是小名,而不是大名)。苗瑶语是大名冠小名,有如先秦汉语的"鱼鲔"⑨。如果是这样的话,那么"媭"就是蛮语"鱼"的音译,"隅"就是蛮语某个鱼的私名。可是这又和《世说新语》"蛮名鱼为媭隅"的记载不合⑩。

尽管这几个假设我们一时还难以断定谁是谁非,不过从以上的分析,我们可以看出,"媭隅"是蛮语"鱼"的音译。"媭隅"这条材料,对于研究民族语言,有十分重要的意义。

现代苗瑶语"鱼"的齿音形式是后起的。张琨把原始苗瑶语"鱼"的声母构拟为 *N-br-(张谢蓓蒂 张琨 1976)⑪。这个构拟是有依据的。在整个汉藏语,乃至阿尔泰语,"鱼"的早期面貌都是相同的⑫。苗瑶语的 *N-br-在发展中发生语音变化,*br-演变成现在的 ts-。汉藏语的 *br-*gr-演变成现在的 ts-是很普遍的,汉语也有这样的音变,潘悟云先生 1987 年、1990 年有很好的论述。最近郑张尚芳教授(1999)也证明汉语以及亲属语言的塞擦音是后起的。从"媭隅"一词,我们可以推断,现代苗瑶语"鱼"ts-一类的读音至迟在东晋已出现,距今已有一千六百余年⑬。

附注:

①陈其光(1996)认为,汉语的前身雅言是由羌夷蛮等语言的不同成分聚合而成的。这些看法是符合实际的。

②"吉量"见于《山海经》等文献,是来自古羌语的一个词,参见黄树先 1994。

③后世诗人亦有以"媭隅"入诗者:宋沈与求《龟谿集》卷二《还憩湖光亭复次江元寿韵诗》:"江湖随俗语媭隅。"据此,则"媭隅"属上文所说的第二类型。

④"郝隆七月七日"条注。余嘉锡《笺疏》引李铭慈说谓"吴"字疑衍,徐震堮《校笺》亦谓不当有"吴"字。

⑤参《中国历史地图集》第四册,3—4 页。

⑥详细情况可参阅白翠琴 1996,422—464 页。这些蛮人有许多后来融合到汉民族中,参见徐杰舜 1992,246—260 页。

⑦时下出版的南方少数民族史志书,大多持此说。如吴永章1993即主此说,并谓《世说新语》"媼隅"为盘瓠蛮语。

⑧我们通常认为"蛮"是个贬义词,实际上是"名从主人","蛮"是蛮人的译音,其义为"人",参见李永燧1983。

⑨"鱼鲔"见《礼记·礼运》,参见俞樾《古书疑义举例》卷三"以大名冠小名例"。这种大名冠小名在先秦是很常见的,王念孙《读书杂志》四《汉书第四》"蝗虫"条;王引之《经义述闻》卷十四"蝗虫"条论之颇详。

⑩当然还有一种可能:"媼隅"当作"隅媼","隅媼"是蛮语"鱼"的译音。"隅"是鼻冠音,"媼"是tse\tsi的记音。如果是"隅媼"的话,就和现代大多数南方民族语吻合。可是这种假设没有版本依据。

⑪英国学者唐纳1982把原始苗瑶语的"鱼"构拟为 *nbrau,和张琨的构拟差不多;王辅世、毛宗武1995把原始苗瑶语"鱼"构拟为 *mbdʐau,是欠妥的。

⑫侗台语"鱼":壮语 pla¹,布依语 pja¹,临高话 bai¹,傣语 pa¹,毛南语 mbjai³。-j-当是 *-l-演变而成,毛南语保存早期侗台语,即古越语的语音面貌。藏缅语族"鱼":羌语 ʁdzə³³,普米语 dʒə⁵⁵,嘉绒语 tʃeu jo,尔苏语 zu⁵⁵,纳木义语 zu⁵⁵,阿昌语 ŋa³¹ ʂua³¹,载瓦语 ŋo²¹ tso²¹,浪速语 ŋətseu,独龙语 ŋɯ⁵⁵ tɕi⁵⁵。藏文"鱼"是 ɲa,缅文 ŋah,和汉语的"鱼"一样,保存了鼻冠音 *N。白保罗把原始藏缅语"鱼"构拟为 *nya(白保罗 1972:189),把原始汉藏语"鱼"构拟为 *(s-)nya。这个构拟是有问题的,上面列举的现代藏缅语"鱼"的形式难以解释。原始藏缅语"鱼"的声母也应该是 *mbl-\ *mbr-。现代独龙语保存了藏缅语的早期形式。藏文、汉语仅保留了早期的鼻冠音。阿尔泰语的突厥语族"鱼",其语音形式和上面所讲的相同:哈卡语 paləx,绍语 paləq,楚语 pulu(李增祥 1992,212页);柯尔克孜语 baləq(胡振华 1986,220页),撒拉语 balux(林莲云 1985,121页)。一份早期回纥文献"鱼"是 balïqlï(冯家昇《回鹘文写本〈菩萨大唐三藏法师传〉研究报告》,载《冯家昇论著辑粹》390页,中华书局1987年)。

⑬永和元年(345)桓温充任荆州刺史,那么郝隆就任蛮府参军亦在此时。参见萧艾《世说探微》下篇《为桓温说几句话》,湖南出版社,1992。

参考文献

白保罗　　1972　　*Sino-Tibetan*: *A Conspectus*;乐赛月、罗美珍译《汉藏语言

概论》中国社会科学院民族研究所语言室，1984。

　　　　　1976　《再论汉藏语系》，《汉语言概论》附录五。

白翠琴　1996　《魏晋南北朝民族史》，四川民族出版社。

陈其光　1996　《汉语源流设想》，《民族语文》第5期。

胡振华　1986　《柯尔克孜语简志》，民族出版社。

黄布凡　1992　《藏缅语族语言词汇》，中央民族学院出版社。

黄树先　1994　《汉文古籍中的藏缅语借词"吉量"》，《民族语文》第2期。

李方桂　1977　*A Handbook of Comparative Tai*，The University Press of Hawaii。

李增祥　1992　《突厥语概论》，中央民族出版社。

李永燧　1983　《关于苗瑶族的自称——兼说"蛮"》，《民族语文》第6期。

林莲云　1985　《撒拉语简志》，民族出版社。

潘悟云　1987　《汉、藏语历史比较中的几个声母问题》，复旦大学中国文学语言研究所《语言研究集刊》第一辑，复旦大学出版社。

　　　　　1990　《中古汉语擦音的上古来源》，《温州师范学院学报》第4期。

王辅世　毛宗武　1995　《苗瑶语古音构拟》，中国社会科学出版社。

吴永章　1993　《瑶族史》，四川民族出版社。

徐杰舜　1992　《汉民族发展史》，四川民族出版社。

《藏缅语语音和词汇》编写组　1991　《藏缅语语音和词汇》，中国社会科学出版社。

张谢蓓蒂　张琨　1976　*The Prenasalized Stop Initials of Miao-Yao, Tibeto-Burman, and Chinese* 史语所集刊；王辅世译：苗瑶语，藏缅语，汉语的鼻冠塞音声母，载《汉藏语系语言学论文选译》，中国社会科学院民族研究所语言研究室，1980。

郑张尚芳　1999　汉语塞擦音声母的来源，载《汉语现状与历史的研究》，中国社会科学出版社

中央民族学院苗瑶语研究室　1987　《苗瑶语方言词汇集》，中央民族出版社。

中央民族学院少数民族语言研究所第五室　1985　《壮侗语族语言词汇集》，中央民院出版社。

（原载《南阳教育学院学报》2001年第1期）

读江蓝生《魏晋南北朝小说词语汇释》

郭在贻

关于汉语词汇史的研究,魏晋南北朝这一阶段向来是最薄弱的环节。唐宋以还的历代笔记中,偶尔涉及这一时期个别词语的考辨,但不过一鳞半爪而已,谈不上认真的研究。清人郝懿行算是在这方面做得比较好的,他的《晋宋书故》考释了大约四十来个六朝时期的特殊词语(《晋宋书故》有五十多条,但有十来条不是考释词汇的),他的另一部著作《证俗文》,也考释了一些魏晋六朝词语,其中对某些词的考释,相当精辟(如释"宁馨""阿堵"等),似已接近今天的研究水平,诚属难能可贵。但从数量上看,还是很有限的。近人余嘉锡、今人徐震堮、周一良、徐仁甫诸先生,在魏晋南北朝词语的考释方面成就卓著。余氏所撰《世说新语笺疏》一书,广引时贤之说,间下己意,对《世说新语》的若干词语作了致密精微的探讨,功力湛深。徐震堮先生的《世说新语校笺》一书,着重进行语言方面的校释工作,书末附《世说新语词语简释》一文,考释词语140条,有导夫先路之功。周一良先生的《魏晋南北朝史札记》一书,有大约近一百个条目是专门考释词语的,且详征博辨,类皆精核。徐仁甫先生的《广释词》一书,据书名看是广《经传释词》之意,似乎是专门研究文言虚词的,但书中却收有不少的俗语词,对六朝词语搜罗尤夥。另外,蔡镜浩同志近年来发表了若干篇有关六朝词语的研究文章,成绩可喜。以上是我们对过去研究工作的简略回顾。总的看来,还没有人能够从汉语词汇史的角度对这一时期的词汇进行大规模的比较全面系统的研究。笔者早就听说江蓝生同志有《魏晋南北朝小说词语汇释》一书将要问世,今得获读其书,欣快无似。总计全书列词目三百三十多条,加上附论词目约有四百条,另有"待质词语"十多条。就魏晋南北朝断代词语的研究而言,应该说这是一部空前之作,吕叔湘先生在本书的序言中说:"我觉得她这个工作很有意义,填补了汉语词汇史上的一个空白。"笔者认为这个评价是持平的、公允的。

笔者反复研读此书,觉得书中三百多个词条,就其内容和质量而论,大体上可以分为四大类:第一类是能够抉发出某些词语的过去不为人所知的新的义项,或指出某些词语在魏晋南北朝时期所特有的义训。这一类属于作者的发明创见,是全书精华所在。第二类是所释义训已见于辞书或前贤时人的论著,但作者能补充以较早的书证。这一类虽较第一类为逊色,但对于词汇史的研究仍有一定的价值。第三类是所释词语没有什么难度,不必要训释的;或辞书已收,而本书又没有提出新的义项的。以笔者之见,这一类完全可以割爱。第四类是释义明显有误,或虽不能确指其误,但总觉得不够稳妥的。据笔者粗略的统计,前二类约占全书的五分之三强。现在,首先让我们就第一类词语作一些举例性的介绍分析,关于后二类,我们留待下文再向作者提一些商榷性的意见。

1. 道人、道士(40页) 自清人钱大昕指出"六朝以道人为沙门之称,道人与道士较然有别"以来(钱说见《十驾斋养新录》卷19,持类似看法的尚有赵翼《陔余丛考》卷38"僧称"条,文廷式《纯常子枝语》卷28"道士道人"条),大家都确信这个结论而不暇深究。本书则综辑排比了大量语言材料,指出问题并不如此简单,"道人亦用以称巫师,道士也可指释氏门徒"云云,从而破除了钱氏那种简单化的结论。(按:周一良先生《魏晋南北朝史札记·晋书札记》也指出"早期所译佛经中,菩萨修行尚未得道时,亦称道士。东晋桓玄与慧远书中称沙门为道士"云云。)

2.狼狈(120页) 本书指出"在六朝小说中,狼狈作匆遽、慌忙讲"。按:"狼狈"在六朝时期的这一特有的义项,一般辞书均未及,本书指出这一点,可谓一个发明。验之六朝文献,作者的结论是可靠的。本书所举例证均见于六朝小说,现在再补充两条史书中的例子:

《南史》卷49《刘怀珍传》附刘歊:"奉母兄以孝悌称,寝食不离左右。母意有所须,口未及言,歊已先知,手自营办,狼狈供奉。"(中华书局标点本《南史》第4册,1225页)

《晋书》卷72《葛洪传》:"洪博闻深洽,江左绝伦。……后忽与狱疏云:当远行寻师,克期便发。狱得疏,狼狈往别。"(中华书局标点本《晋书》第6册,1913页。按:以上二书,作者虽为唐人,但所反映的史实和所采用的原始材料,都是六朝时期的,故笔者认为可以看作六朝文献。)

3.劫(101页) 本书指出"劫本为动词夺取义,六朝时用为名词,作盗贼讲,甚为普遍"。按:尽管"劫"作名词用在六朝时甚为普遍,却没有哪一本辞书能够指出来,可见对魏晋六朝词语研究薄弱这一点,在辞书编纂工作中也反映出来。

4.己(88页) 本书指出"六朝小说中屡见己字用如第三人称代词,值得注意"。按:这也是一般辞书所未及的。

5.叛(151页) 本书指出"叛,辞书一般均释为背叛,但六朝文献中有与此义相关而不相同者,作逃跑讲"。按:这一发现很有意义,《辞海》《辞源》均释"叛亡"一词为"背叛而逃亡",恐皆未确,"叛亡"当为同义复词,叛亦亡也。

6.言(242页) 本书指出"'言'为'以为'义,与'谓'同"。此亦辞书所未及。

7.言功(242页) 本书释云:"言功指口才。"按:此词《辞源》《辞海》均未收。

8. 哭 啼（115页）本书指出哭与啼有别,哭用在有凶丧灾难的场合,而啼用于一般场合。按：这一区别一般辞书均未能指出,考《说文》丧字篆书作 𠷔,释云:"亡也,从哭从亡会意,亡亦声。"(此据大徐本,段玉裁改作"从哭亡,亡亦声"。)可见从字形结构上看(此就小篆而言),哭与丧的关系亦极密切。

9. 逍遥（226页）本书指出"逍遥"除常见义训外,尚有如下三个义项:(一)从容漫步、散步,(二)逗留、驻足,(三)玩味、斟酌。此亦辞书所未及。

10. 仿佛（61页）本书指出"仿佛在六朝时期有一特殊用法,作名词,义为踪迹、影像"。此一义训亦为各类辞书所不载。

由上十例,可以看出作者对于某些词语的考释确实下了一番烛幽阐微的功夫,有发明有创见。当然,这样的条目远不止十条,举此十例,借窥一斑而已。另外,需要特别指出的是,本书讨论虚词的条目,大都写得认真、踏实,于各个虚词的语法结构、语法功能论列亟详,诸如：阿（8页）、都（46页）、独（49页）、方便（58页）、何等（76页）、见（93页）、将[1]（95页）、将[2]（96页）、可[3]（112页）、略（134页）、目（145页）、那（146页）、头（198页）、为（202页）、下（216页）、向[2]（224页）、许（235页）、以（248页）、正（267页）、著（282页）、子（286页）、目（288页）,等等。

笔者有一个想法,就是词语考释一类的工作,必须具备四个程序,方能称得上是高层次的研究。这四个程序是：求证、溯源、祛惑、通文。所谓求证,就是从浩如烟海的文献中寻求证据。有了确凿而又充分的证据,词义的考释才能立于不败之地,没有证据,或证据不足,单靠涵泳文意、玩味章法那一套文学赏析的功夫,所得的结论往往不甚可靠。证据又有本证（或曰内证）、旁证（或曰外证）之分,比如研究《世说新语》的词汇,《世说新语》本身的材料便是本证,从另外地方所得的材料便是旁证。所谓溯源,就是要从历时语言学的角度,搞清楚某一词语的来龙去脉及其所以得义之由。(由于种种原因,不可能每个词都做到这一点。)所谓祛惑,就是要指出前贤时人(包括各种辞书)的某些谬解误见,使读者恍然悟到过去所传承下来的某一解释原来是错误的。所谓通文,就是用你考释所得的结论,去畅通无阻地解释其他一些作品中的同类词语,做到如清儒王引之所说的"揆之本文而协,验之他卷而通"。如果这四个程序(惑曰标准)可以成立,我们不妨用它来验证语词考释一类的著作,看它在这四点上做得怎么样,做得好的或比较好的,就应该承认它是具有高质量或较高质量的著作。我读江蓝生同志的《魏晋南北朝小说词语汇释》一书,觉得它在求证、祛惑、通文三方面都做得比较好,溯源方面,虽较其他三方面略为逊色,但也付出了一定的努力。现在就求证、祛惑、通文三方面各举若干例子加以分析,至于溯源方面,拟留待下文讲本书缺点的时候再予讨论。

求证。本书在求证方面做出了很大的努力,学风踏实,基本上能做到信而有征,不为无根之谈。书末所附"引书目录"凡139种,已能说明一些问题,其实本书所征引资料尚不止这一些。大抵每条词目下所引书证,少则五、六条,多则十数条,取足说明问题而后止。比如73页"规贵"条,引7条书证,88页"已"条,引8条书证,101页"劫"条,引6条书证,104"经"条,引9条书证,120页"狼狈"条,引6条书证,159页"颇"条,引21条书证,178页"驶"条,引12条书证,等等。本书中单文孤证的条目不是没有,但极少见,如144页"莫"条,训为"推度副词,相当于'莫非'、'莫不是'。"只引了《幽明录》一条书证,但作者跟着即声明:"在六朝时期的其他文献中,尚未发现莫作推度副词用的例子,因此单凭《幽明录》一例,还不能说六朝莫字已可作推度副词用。"这一补充说明,足见作者治学态度之审慎。谨按:"莫"作推度副词用,在六朝文献中虽不是很多,但也并非仅见。笔者可以补充一例:《世说新语·言语第二》:

"谢胡儿语庾道季：'诸人莫当就卿谈，可坚城垒。'庾曰：'若文度来，我以偏师待之；康伯来，济河焚舟。'"余嘉锡《世说新语笺疏》引文廷式《纯常子枝语》卷 14 云："莫字揣摩之词，意与或近。"文氏所谓揣摩之词，亦即推度之词。

祛惑。祛惑方面，本书做得比较好，有许多条目下指出前贤或时人之误，颇具精识玄解。如 28 页指出颜师古和李贤将联绵词"储偫"拆开解释的错误。（按：朱起凤《辞通》收有此词，并备列其各种书写变体，其为联绵词无疑。）32 页指出辞书将"促装"之促训为急速义是错的，促装即整装，并无急速义。71 页指出《两汉文学史参考资料》将《古诗为焦仲卿妻作》中"鸡鸣入机织，夜夜不得息。三日断五匹，大人故嫌迟"的"故"字训为"故意"，是错的，此"故"字应训为"仍、还"。73 页指出注家每每将当作"欲"解的"觊"字训以常见义"可贵"，37 页"单急"条、111 页、112 页"可^2"条、152 页"叛"条均指出徐震堮先生《世说新语校笺》之错误或不确，66 页"禊"条、256 页"欲"条均指出《敦煌变文字义通释》之偶疏，118 页"来"条纠正《敦煌变文集》标点之误，172 页"容"条指出有的注家因不晓"容"有"可能"义，而将"岂容酬报"释为"岂容不酬报"，增字为释，显然错误，125 页"梁、梁间"条、163 页"跂"条均指出《古小说钩沉》标点之误，276 页"周旋"条指出《淳化阁帖》标点之误，等等。

通文。通文就是要做到"揆之本文而协，验之他卷而通"。用这一点来衡量，本书的释文大多是确切的，举例来看：

规（73 页）本书释为"打算，想要，与欲相当"。用这一释义来训解陶渊明《桃花源记》中的下面一段话，便有冰释理顺之妙："南阳刘子骥，高尚士也。闻之，欣然规往。""欣然规往"即"欣然欲往"，有不少的注本都释"规"字为"计划"，不甚贴切。

亲（164 页）本书谓亲字有"分明、真切"之意，其说甚确，这个意思一直延用到后代。往时读《儒林外史》第 3 回范进中举的一段文章:"邻居内一个人道:'胡老爹方才这个嘴巴打得亲切,少顷范老爷洗脸,还要洗下半盆猪油来'。"总觉得文中的"亲切"一词有点别扭,今用"分明、真切"一义释之,便能畅通无碍,这个"亲切"并非什么亲热之意,而是指打得切切实实、毫不含糊,所以才能洗下半盆猪油来。(这当然是夸张的说法)

并地(157页) 本书指出"并地"之"并"为"屏"之音借,"并地"即"屏地",亦即屏处,乃背后之意。执此以读敦煌写本《燕子赋》中"人前并地"一语,便能豁然通解。

守(181页) 本书谓"守"字有求请之意,执此以读《游仙窟》"千思千肠热,一念一心焦。若为求守得,暂借可怜腰"。便觉得"求守"一词并不费解了。

经(104页) 本书释义云:"经作副词,义与'曾'相当。"用这个释义来训解嵇康《与山巨源绝交书》中"经怪此意"一句,便知"经怪"即曾怪、尝怪之意,唐人李善和宋人王楙均训此"经"字为"常",未妥。(李说见《文选》注,王说见《野客丛书》卷12"经怪二字"条。)

来(118页) 本书释义云:"来作时态助词,表示已然。"按:用这个释义解释嵇康《与山巨源绝交书》中"又纵逸来久,情意傲散"一句中之"来久",即已久之意,往时读此文,于"来"字殊觉费解,盖即由于不晓得"来"有"已"义之故。

以上着重谈了本书的优点,下面试就本书的不足之处,谈一点个人的看法,供作者参考。

1. 本书有个别条目,释义未确,或举例不当,如:

手力(181页) 释为"奴仆、差役",这是对的。但又谓"手力又可称独力",引《搜神记》"盘瓠将女上南山,草木茂盛,无人行踪。于是女解去衣裳,为仆竖之结,著独力之衣,随盘瓠升山入谷,止于石室之中"。然后谓"为仆竖之结,著独力之衣,言其发式穿着一依奴仆之装"。按:上引《搜神记》文也见于《后汉书·南蛮传》,其中

"仆竖"之"竖",《后汉书》作"鉴"。《搜神记》虽为晋人作品,但今天所见者已非原书,文字不尽可靠,倒是《后汉书》比较的可以信赖。今疑《搜》文"竖"字有讹,实当为"鉴"。《后汉书》"仆鉴""独力"二词,向称费解,李贤注云:"未详。"至近人始考定为少数民族语言之汉译对音,大抵有二说:1)张永言先生《训诂学简论》(39 页)引刘咸说,谓仆鉴、独力为泰语,前者义为"束发为结,辫发为髻",后者义为"一种羊毛布"。2)又有人认为仆鉴、独力为壮语,仆鉴义为"居于岩洞中之人",独力义为"小儿"。(见《文史》第 23 辑 126 页《仆鉴、独力解》)要之,单就这两个词的字面意义去索解,是不能得其真义的。

方王(60 页)释义云:"方王即方皇、仿皇、傍偟等,一语而异形。"引例为《世说·雅量》中的下面一段话:"谢太傅盘桓东山时,与孙兴公诸人泛海戏,风起浪涌,孙、王诸人色并遽,便唱使还。太傅神情方王,吟啸不言。舟人以公貌闲意悦,犹去不止。"按:这段话中的"方王"之"王",义同《庄子·养生主》"神虽王"之王,犹言旺也。《释文》:"王,于况反。"正读去声。旺字不见于《说文》盖后起字。"太傅神情方王",殆言其情绪高昂,游兴正浓,故下文云"貌闲意悦"。倘释"方王"为仿偟,则与原义大相径庭。也许作者已觉察到这一点,故又云"方王在这里应释为从容、闲适",但既然释"方王"为"仿偟",何以"仿偟"又能解释为"从容、闲适",则无从证明。

揭躠(101 页)释为叠韵联绵词,亦即踐蹀、蹀躩等,引例为:"时积雨大水,懿前望浩然,不知何处为浅,可得揭躠。"(冥祥,钩沉 594)按:此即《诗·邶风·匏有苦叶》"深则厉,浅则揭"之意,"揭"即提起衣服涉水,躠者,《说文》云:"蹈也。"本书释之为联绵词,似求之过深。

要(245 页)本条义项(三):"要与当、须连用,作助动词。要当、要须义为须要、应当。"但所举四条例证中,前二条均与此释义不符,原因在于"要"字还可作转折连词用,前二条例证中的"要"

字即均应解为转折连词,犹言"但""然而"。据此,"要"字条应该增添一个义项:"作转折连词用,相当于但、然而。"(《三国志》卷8《张鲁传》裴注:"臣松之以为张鲁虽有善心,要为败而后降,今乃宠以万户,五子皆封侯,过矣。"文中"要"字即是但义,可证"要"作转折连词用,已见于魏晋六朝。)

存想(34页)释义云:"存想本为动词,义为存于心,思于怀。"按:观此释文,是训"存"字为存在之意,似未妥。窃谓"存想"乃同义复词,存亦想也。此义自古已然。《诗·郑风·出其东门》:"出其东门,有女如云。虽则如云,非我思存。"存即思也,思存同义连文。(毛传、郑笺释存为存在之意,未确。)

孤露(134页)释义云:"父母丧亡,失去庇荫,故称孤露。"举例有《北齐书·赵彦深传》:"及彦深拜太常卿,还,不脱朝服,先入见母,跪陈幼小孤露,蒙训得至此。母子相泣久之,然后改服。"按:幼时丧父即称孤露,不必父母双亡。上引《北齐书》一例,即只丧父而未丧母者。故孤露又称偏露、偏孤。偏者,单也,非双也。

挑达(195页)释义云:"挑通佻,义为轻浮,不持重,达为畅达,无所拘束之义。"按:"挑达"乃联绵词,又作佻达、恌达、夌达、条达、跳脱、佻旦、踢达、倜傥、跌宕。联绵词中的两个字各代表一个音节,一般情况下不能拆开来各自为释。

2. 本书在溯源方面,虽在许多条目下指出其最早或较早的出处,但也有些条目在先秦两汉的常见书中早已出现,本书却未能指出,不无遗憾。如195页"挑达"条,见于《诗·郑风·子衿》,178页"室家、家室"条,见于《诗·周南·桃夭》,207页"无可无不可"条,见于《论语·微子》,93页"间"条,释义为"疾病减轻将愈",此义早已见于先秦,《论语·子罕》"病间",注:"少差曰间。"97页"交关"条,仅指出交关"在六朝前后的文献中,多作往来、交往讲",其实"交关"在魏晋六朝时期已有交易、买卖之义(参拙著《训诂丛稿》72

页），270页"自"条义项（五），谓自有虽然、纵然义，举例为《颜氏家训》，实则自字此义汉时已见（见杨树达《汉书窥管》，又《古书疑义举例续补》"自作虽义用例"条），193页"傥"条义项（二）："表示行为或动作不常发生，相当于偶然、偶或。"按此义先秦已见，《荀子·天论》"怪星之党见"，王念孙谓"党，古傥字，党者或然之词，谓怪星之或见也。"（《读书杂志·荀子第五》）219页"嫌"条谓嫌有怀疑义，按此义先秦亦习见之，《墨子·小取》《荀子·解蔽》《楚辞·九章·惜往日》均有"嫌疑"一词，即其证。

3. 本书有些条目，没有什么难度，无需乎解释。如108页"坎"条，释义为"洞穴、土坑"，114页"空"条，释为"只、单、平白"，176页"时行病"条，释义为"时疫，犹今言传染病"。184页"数四"条，释义为"一般泛言行为、动作次数较多"。207页"无可无不可"条，释义为"既不表示同意，也不表示不同意"，219页"下声"条，释义为"小声"，247页"伊"条，释义为"第三身代词，相当于他"。263页"丈夫"条，释义为"泛指成年男子"，265页"诊视"条，释义为"视、看、察看。"等等。这些词一望而知其含意，有的现代口语中还经常使用，似不必立专条解释，可以割爱。

4. 本书有些条目，辞书已收，作者所释又没有提出新的义项，因而也以割爱为宜。如：睢盱（186页）、屏营（158页）、跳梁（196页）、空（114页）、货（85页）、急（86页）、扶（67页）、笃老（50页）、伍佰（210页）、谐贾（228页）、严（241页）、钦迟（275页）、诪张（276页）、并当（17页）、童蒙（197页）、周旋（275页），等等。

归总一句话，这部书不失为研究魏晋南北朝断代词汇的填补空白之作，虽有某些可商可补之处，但小疵不掩大醇，其优点和成绩是主要的。我们期待着学术界有同类优秀的著作问世。

（原载《中国语文》1989年第3期）

区分中古汉语俗语言中字和词的界限的重要性
——从对寒山诗的译注看世界汉学界的弊端*

〔美〕梅维恒（Victor H. Mair）著

张子开 译 朱庆之 校

纵观罗伯特·亨里克斯对寒山全部诗歌的译注，可见译注者几乎全然无视准确地理解这些诗歌的毋庸置疑的门径，即用于写作的语言中频繁出现的口语及俗语言成分。这种对于中古汉语俗语言的区别性词汇和语法特征的不以为意，部分源于对俗语言的全然陌生，但亦由于以割裂词作为代价而过分强调了字。固恋于汉字，不仅导致实际上不可避免地妨碍正确判读中古汉语俗语言的原典，还常常严重干扰了对即便是用文言文写成的文献的汉学阐释——中古汉语俗语言本身，与文言文特有的单音节语是相去甚远的。汉字形式上连写的、所占空间相同的语符列，仅仅给人以这种表面印象：汉字记录的语言

---

* 原注：被评论之作：《寒山诗全注全译》（*The Poetry of Han-shan*: *A Complete, Annotated Translation of Cold Mountain*）。罗伯特 G. 亨里克斯（Robert G. Henricks）译注。见于《SUNY 佛教研究丛书》（*SUNY Series in Buddhist Studies*）。奥尔巴尼（Albany）：纽约州立大学出版社（STATE UNIVERSITY OF NEW YORK PRESS），1990 年。附页 10 页，正文 486 页（Pp. x + 486）。

译者按，本文翻译自 *Journal of the American Oriental Society* 112.2（1992）（《美国东方学会会刊》1992 年 2 期，总第 112 期）。原名 *Script and Word in Medieval Vernacular Sinitic*，译名稍作了改变；副标题则是在征得作者同意的情况之下而添加的。文中的"按"字，为翻译者所加。

全然由单音节词构成。再没有什么比这更远离汉语语言实际的了。

不熟悉中古汉语俗语言（Medieval Vernacular Sinitic）的细微差别、对之麻木不仁者，绝不应该试图去翻译寒山诗。因为，如果说这本诗集有什么特别之处的话，那就是诗歌中蕴涵着触目可见的大量俗语。所以很奇怪，罗伯特·亨里克斯（Robert Henricks）居然会着手于寒山集子的全译。亨里克斯不仅处处显示出自己对于中古汉语俗语言特性的毫无素养，他还以根本否认寒山诗是俗语言的方法，积极地尽力去抢先阻止对其修养不足这一点的批评。在其整本译著里，他对俗语言问题仅有的泛泛而谈的评价如下（p.12）："……寒山是一个很奇特的诗人。首先，众所周知，他间或在其诗作中使用口语词汇和短语，而在'符合标准'的诗体中是很少会这么干的。（尽管照我看来，人们太重视他对口语的使用了；他的许多——我要说是绝大多数——诗歌，是用标准的文言文写成的。）"这完全不正确。寒山诗**不是**用"标准的文言文（good, classical Chinese）"写成的，亨里克斯不能认识到这一点，是他这个全译本最为突出的缺陷。

在其注释之中，亨里克斯只提到两个最明显的唐代俗语言用例。第63首诗的注释1中，他〔依照入谷（Iritani）和松村（Matsumura）的说法〕指出，"第一莫"是一种严厉的禁令，但却笨拙地将此错译成 the first thing is never...。第183首诗的注释4中，依照马瑞志（Richard Mather）的观点对"阿堵物"作了注释：源于《世说新语》的、对钱的著名的委婉称呼。除去这两条注释，绝未再提及寒山的口语或者俗语言用例。当然了，只要能提供准确的翻译，亨里克斯本没有必要去强调每一次出现的中古汉语俗语言。问题出于，他并没有识别出这些诗歌中数以百计的非文言用法，因而如此频繁地错译,以至于使这个译本作为理解和欣赏寒山指南的价值,受到了严重的损伤。

以下是亨里克斯不能够理解中古汉语俗语言特质的典型例子。

第111首,1.8:"活取"to revive and retrieve。按,"取"是动词后缀,在普通话中与"着"起的作用相同。参看张相《诗词曲语辞汇释》,300—301。故而正确的翻译应为 to revive。

第138首,1.1:"个是谁家子?"This is the son of what clan? 按,"家"是代词性后缀(张相,pp. 342 - 344),"子"意为 person。故应译为 who is this fellow?

第148首,1.7:"何等色"what type or sort? 按,"何等"是中古汉语俗语言中一个相当普遍的疑问词(张相,p. 108)。因而,"何等色"的恰当译法为 what sort?

第158首,1.1:"可可贫"poor, with just enough to get by。按,"可可"为副词,意谓 quite〔入矢义高(Iriya Yoshitaka), p.33〕或者 precisely(张相,p.74)。故"可可贫"的正确翻译应为 rather poor。

第161首,11.7 - 8:
任你千圣现
我有天真佛
I'll let you have your one thousand sages appear,
For I have the true Buddha inside.

按,I'll, your 和 inside 多余。"任你"为"任他"(let)的罕见异文;这类表达中,"你""他"的作用很弱(入矢义高,p.131)。伯顿·沃森(Burton Watson)的翻译(第89首,11.7 - 8)更为可取:

Let a thousand saints appear before me—
I have the Buddha of Heavenly Truth!

第 165 首,1.1:"闲自"at my leisure, in person。按,亨里克斯一定是将修饰性后缀"自"和反身代词"自"弄混了。参看入矢义高,p.146;雷德·派恩(Red Pine),第 165 首,1.1;伯顿·沃森,第 88 首,1.1。"闲自"的正确翻译应为 idle 或者 aimless(ly)。

第 184 首,1.2:

头颊底絷涩

Head and cheeks drooping down like a timid, stuttering bumpkin.

按,此行中最过分的错误,是将"底"译为 drooping down。"底"的意思既不是 drooping 也不是 down,而是 somewhat 或者 how(表示程度疑问;张相,pp.101-103)。"头颊"只指 cheeks,且在目前的语境中含有 appearance 之意。参看"头颈"(neck),"头项"(nape),"头发"(hair),等等。"絷涩"为状态动词,含有 rough 或者 doltish 的意思,而不是像亨里克斯所翻译的那样为两个形容词和一个名词。我将再多举几个这种错误的例子,在这些例子中,单个的中古汉语俗语或文言词汇被割裂开来,再一个音节一个音节地加以翻译,好像它是两个或者更多个词儿似的。

第 247 首,11.5-6:

余问神仙术

云道若为比

I asked about the method for becoming an immortal;

He replied, "The way—to what does it compare?"

按,这一联的第一行没有什么大的问题,但在第二行中却有两个。动词性后缀"道"在中古汉语俗语言中极为常见,接在表示说和听的动词之后,在现代汉语中仍然是这样——只是有点儿不那么经常罢了。参看第 33 首,1.1,在那儿,亨里克斯误解"闻道"为 I've heard it said,而不是 I've heard。"若为"是一个中古汉语俗语疑问词,意思是 how?〔梅维恒(Mair),《敦煌通俗说唱文学》*Tunhuang popular Narratives*, 27-28〕。所以,第二行应当译为 He replied,'How can it be compared with anything else?'——英语译句中加入最后三个词,是为了保持句法的清楚。亨里克斯令人不快地羼进 The Way,是他缺乏对付中古汉语俗语言的经验的直接结果。

第273首,1.1:"常闻"I've often heard。按,就像在现代汉语中一样,"常"在这儿同于"尝",仅为过去时态的一个标志罢了。因而正确的翻译是 I've heard。

第289首,1.9:"可中作得主"In this way you can, inside, produce and attain the true lord。按,亨里克斯的翻译不通,与寒山想要表达的意思不相干;而且,与他自己下面这行文字直接冲突:This is knowledge that has *no inside* or out(斜体字是笔者加的)。"可中"是一个表假设的、标准的中古汉语俗语词儿(蒋礼鸿,pp.396-397;张相,p.84)。"得"为可能补语,恰如在现代汉语中一样。True 则是亨里克斯发挥想像力而虚构出的意义。因此,这行诗的正确翻译是 if one can be independent;或者,更切合原文一些,if one can be his own master。从本诗的整个语境来看,这指形成对佛经内容有自己的看法的那种能力。

以上是亨里克斯由于无视中古汉语俗语语法和词汇,而在其翻译中经常出现的问题的不同种类的例子。这个单子还可以增加许多倍,但是,以顽固地执着于单个汉字的表面意思为代价而忽视俗语言所产生的危险性,现在应该是很清楚了。然而,这还导致了亨里克斯翻译中如下一种类型的欠缺,即强制性地将多音节词(polysyllabic words)的每个音节割裂开来翻译。不加夸张地说,这样误译的例子有数以百计,散布于这个译本的书页之间。这儿举几个有代表性的:

第 23 首,1.6:"留连"linger and tarry。按,随便挑一个就可以了;雷德・派恩,伯顿・沃森,还有吴都把这个词恰当地译为 stay。

第 49 首,11.1-2:

一向寒山坐

淹留三十年

Once I sat down facing Han-shan;

And I've lingered and tarried here now thirty years.

按,亨里克斯又一次同样用了三个英语单词(虽然时态各异)来翻译一个中文词。他对这联的翻译还有其他的问题,"一向"很可能并不是 Once …facing 的意思,而是指 all along 或者 a period of time that seems to pass quietly (蒋礼鸿,pp. 369—370;张相,pp. 374—375)。"坐"并不像亨里克斯在注释中指出的那样,特指坐禅,而是指在某地定居或者安顿下来。比较加里・斯莱德(Gary Snyder)(第 10 首)言简意赅的翻译:I have lived at Cold Mountain/These thirty long years。亨里克斯翻译的下一行,"昨来"不是 Yesterday I came 的意思,而是简简单单的 yesterday。

第 168 首,1.2:"无阑隔"Neither railings nor screens。按,参看雷德・派恩第167首,1.2,他恰当地仅译为 no partitions。亨里克斯误译的倾向,在这首诗的第 15 行里也很明显:Carefully, carefully—think it over real well "好好善思量"。如果亨里克斯坚持用 carefully 来译"好好",他至少也应该避免乏味的重复啊。此外,他译的 real,是完全不必要和缺乏美感的。我更喜欢雷德・派恩直截了当的翻译:think about this well。

第 186 首,1.6:"疏阔"vague, distant, and imprecise! 按,够了!通过多语症巫术,亨里克斯能够在汉文只需要一个词儿的地方,从他的同义词典中像变戏法似地祭出三个几乎是同义的英语单词。我建议用 obtuse。

第245首,11.1,3:"慵懒"lazy and lax;"事业"trade or career。按,每个汉语词儿,请挑一个英语单词来翻译吧。

把每一个汉字都当成一个词儿似的加以翻译的冲动,应该在现代汉语的启蒙教育阶段的每一个步骤上,由语言教师严厉地加以禁止。不幸的是,年近学问的成熟期而仍然根深蒂固地带有这个坏习惯,亨里克斯并不是唯一的。这实际上是汉学家中的通病,我称之为"字素固恋情结"(graphemic fixation)。学者们不是试图去理解汉语词汇和句子的含义,而是沉溺于汉字外形中胡思乱想。他们头脑中涌泻出的阐释,与其公开声称要加以解释或者翻译的原典绝少扯得上边儿,这种情况是太普遍了。

甚至在文言文中,也有成千的多音节词——包括叠韵和双声——必须作为单个词来对待,而不该在不知不觉之中沦落到只注意到构成它们的汉字的独立意义。对此有疑虑者,可一览朱起凤出版于1934年的《辞通》(上海:开明书店)。此书囊括了数以千计的习见文言词汇的用例,这些词汇被写成多达十个甚至更多个不同的汉字形式。这无可辩驳地表明,汉语的字和词是没有共同外延的。阿克塞尔·许斯勒(Axel Schuessler)的《周初语言词典》(*A Dictionary of Early Zhou Chinese*,火奴鲁鲁:夏威夷大学出版社,1987年)的最大优点之一,是它对词有一个区别于字的、明确的概念,尽管实际上它只涉及汉语书面语言的一个原始阶段而已。如果铜器铭文和贯穿于整个历史的文言文典籍富含多音节词的话,俗语言和准俗语言典籍当中又会有多少呢?——正是从后者中产生了如此众多的多音节语汇。当然,正如胡适在其著名的《白话文学史》中所论证的,大量的中古汉语俗语进入了唐代大家的作品之中,因而我们即便在阅读"标准的文言文(good, classical Chinese)"——寒山不是!——时,应该留心的是**词**而不仅仅是**字**。

347

严谨的文献学家应该总是力求把握住**语言**的寓意,此寓意隐藏于用来记录语言的**书写符号**的后面。

寒山诗不是用纯粹的俗语言写作的。其实,我相信用汉字实际上是不可能写出任何纯粹的、通俗的汉语。这可由如下事实加以证明:倘如不借助于某种语音学上的支持,想把粤语、台语甚至北京话转写成书面形式是极为困难的。而且,寒山诗俗语言因素的百分比,比几乎所有其他唐代诗人都要高得多,——也许他的心灵伙伴和初唐的先辈王梵志是个例外。鉴于其许多作品是在禅的氛围中写作的,寒山和王梵志诗作中相对高的俗语言出现率,是不奇怪的。我们可以回想一下中古汉语典籍中俗语言最为密集的禅宗语录的情形。

令人诧异的是,这些年来,寒山引起了如此多的关注。现在有他全部诗作的两个英语全译本(雷德·派恩1983年译本和亨里克斯1990年译本)。他引起了诸如阿瑟·韦利(Arthur Waley),加里·斯莱德,还有伯顿·沃森这些名人的注意。还有法语、荷兰语、德语、日语和其他语言的译本(参看亨里克斯,p.459之参考文献索引)。王梵志诗作至少有一个英语全译本的时机,现在也已经成熟(参看梅维恒,《敦煌通俗汉文文学研究现状》,第五节末所指出的原因)。寒山和王梵志所引起的关注,与他们诗作的文学价值毫不相称;而且,在两种情况下,我们十之八九关注的都是诗体的一个类别,而不是一个可资识别的诗人的作品。无论如何,他们诗作中所含的生平信息表现出明显的不一致,暗示着其作者不止一个人〔参看斯坦伯格(Stalberg)〕;而且,极少有另外的信息可以用来采取任何进一步的措施,以重新找出那些创作这些诗歌的人。

拟议的寒山子的生卒年代,彼此之间差异很大:从六世纪末到八世纪末,或者到九世纪初。甚至创建有关寒山的最初传说的闾丘胤的著名前言,也是这样充满着矛盾和不一致(参看胡适,pp.

173-178;伯顿·沃森,pp.8-9;吴,pp.397-398;亨里克斯,pp. 4-5),以至我们完全不能信赖之。就我们所知,寒山和其密友拾得可能是虚构的。依照传说,后者名义上是庙里的伙夫,而前者至多是此庙中的一个疯疯颠颠的食客。据称,寒山将他的诗歌——计约300首——题写在树木岩石上和官邸、住家的墙上,而拾得据说则在土地庙的神龛上涂写了一些诗偈。

我怀疑归于寒山名下的诗歌篇数有300。这个数字,立刻让我想起了《诗经》所收诗歌的篇数也为300。更奇特的是这个事实:两个300都不过是一个约整数。寒山集子和《诗经》二者中诗歌的**准确**篇数都是311。难以置信,寒山会游荡在天台山国清寺、直到创作满311首,然后撒手而去。更确切地说,编者一定是想让这311首不合传统的道家和禅宗诗歌,作为典型的儒家诗歌宝库的陪衬。他或许是从一些奇怪的地方——包括庙里的伙夫和食客们的嘴巴里,以及从前未流传的当地诗人的集子里——挑选了这些诗歌的一部分。但为了恰好凑足311首,这位编者或者后来的某位辑录者可能还不得不自己创作很多篇。也许,并非完全偶然地,归于王梵志名下的诗歌篇数也超过了300一点儿;并且唐朝诗歌精华的最著名的选本《唐诗三百首》显然也是坚持用这个同样的驱邪数字,尽管它是由清朝一个自称为道教徒的人所编。

我同样怀疑寒山所谓的能读善写。显然,他那种身份的人即使写作这些完全称不上精良的诗歌,也似乎不可能。而且,尽管诗中有一些受过教育的迹象,但同样也清楚地存在着一种鄙弃学问的矛盾的证据(如第80,129,207首——为方便起见,我用亨里克斯提供的诗歌编号,尽管其译文需要认真地加以商榷)。当然得有人写下这些诗歌,但无论会是谁,我都很怀疑是寒山。

据我的判断,寒山大多数诗的最为可信的作者候选人为其编辑者道翘,一个显然迄今还未被假定为可以认可的作者的名字。

在闾丘胤的序中,道翘作为诗歌的编者而被提及。考虑到诗歌和序言都乏文笔的优雅,道翘——看来并没有完全掌握文言文的一个普普通通的和尚——当是干这项工作的适宜的一类人选。由于没有完全精通文言文,寒山诗的编者/作者(?)也许会有一种依赖中古汉语俗语言的自然性偏好。在第286首中,他乐于承认他不了解韵律基本的、正式的规则,承认采用通俗语言。寒山组诗中的几首诗,实际上确实近于纯粹的中古汉语俗语,今天全然不熟悉文言文,而只懂现代汉语书面语的人,也可以理解。这类诗的最好的一个例子,是第212首。

为了给其集子提供某种正当的理由,道翘可能臆造了寒山、拾得,还有丰干——据称是他介绍了寒山、拾得给闾丘胤,来作为富有诗意的传说中的人物。他甚至可能借了被猜测为台州刺史的闾丘胤之名,来赋予其低贱事业以合法性。

再回头来看为什么寒山和王梵志今天得到这么多关注的问题。似乎有两个主要因素。其一,是禅宗对于过去一代的许多西方知识分子和艺术家们所具有的魅力。既然寒山子和王梵志是能在中国找到的近于禅宗诗僧的骚客,当然西方和日本的禅迷们会向他们致以敬意。敦煌遗书中王梵志全部作品的侥幸发现,也是令欣赏王梵志价值的人兴高采烈的原因。

寒山子、王梵志"热"(boom)的第二个因素,也是我自己对这些诗歌深感兴趣的原因,是其诗歌保存了唐代标准口语的俗语言成分。考虑到(中古)汉语俗语在第二个千年开始以前就几乎从中国的书面记载中无情地消失了的事实,这绝不是一桩小的财富。就像那些在传统上被认为才华出众的诗人一样,寒山子和王梵志的社会地位远远低于数百位其他著名的唐朝人物。所以,亨里克斯忽视了处于如此醒目的时尚中的寒山诗的俗语言外表,是具有讽刺意味的。亨里克斯对俗语言的忽视,也许应该被形容为太过分了,因为入矢义高——可能是研究唐代俗语言的最大权威——在 30 多年以前已经致力于这些诗歌了。亨里克斯知晓入矢的寒山子研究,但却令人费解地没有在其注释中特别加以参考。这是很遗憾的,因为虚心向入矢的《寒山》(Kanzan)讨教,本来会使他免于犯在本书评开始时描述过的错误之中的许多条。亨里克斯确实向寒山诗中的禅意致以了充分的敬意(他在其序开头的几句中,明确而坦率地宣称,这种敬意是他承担这项庞大的翻译课题的重要动力)。不幸的是,他似乎并未注意寒山诗在语言学方面的真实意义。

既然我们现在有幸看到寒山诗的两种全译本,通过比较的方式来说点儿什么,鄙人便义不容辞了。对照原文仔细地读过两书中的所有诗歌之后,我可以毫不犹豫地断言,作为诗歌来讲,雷德·派恩的翻译要远优於亨里克斯的。甚至更没有料到的是,雷德·派恩大体上要比亨里克斯更为准确。鉴于亨里克斯是一位著名的汉学家,而雷德·派恩自称既非诗人又非汉学专家的事实,这便不寻常了。雷德·派恩从(他曾经呆过十年的台湾苗栗)狮头山下来在台北呆的那几天,我曾与他邂逅相遇一次。显然,现在他正住在内华达山脉(The Sierra Nevada)某处他为自己修建的一所小屋中——至少这是他去年告诉我在台湾呆了近 20 年后他打算去干的事儿。

雷德·派恩的寒山子翻译不可思议地杰出,也许应归于这一事实:他的汉语知识,主要是通过以寒山子本人的那种方式和当今的山地人交谈而得到的,所以,他更适应于汉语俗语言。从另一方面来讲,亨里克斯致命地为汉字所诱惑,所以他最终漏掉了在诗歌中真正起作用的许多东西。颇让人惊异的是,纵然在他以前有像阿瑟·韦利、加里·斯莱德、伯顿·沃森以及吴其昱这样杰出的前辈已经研究过这些诗歌了,相较之下,亨里克斯的译本依然苍白无力。

这个评价几乎适用于每首诗歌,但我以下仅仅随便举几例罢了。

第 15 首:

父母续经多
田园不羡他
妇摇机轧轧
儿弄口哇哇
拍手催花舞
搘颐听鸟歌
谁当来叹贺
樵客屡经过

Father and mother left me plenty of books,
Fields and gardens—I long now for nothing more.

My wife works the shuttle—her loom goes creak! creak!
Our son is at play—his mouth babbles wa! wa!

Clapping my hands, I urge the flowers to dance;
Propping my chin, I listen to the birds sing.

Who can come and admire[this scene]?
The woodcutters always pass by.

按,"续经"无疑是一个晦涩的词儿,然而在这种田园至乐的背景之下译成 books,是没有什么道理的。我想,"经"在这儿有某种它在"经营"([to carry on] an occupation or trade)或者"经世"(to manage affairs 或 to develop the land)中的意味。第 3 行中,无论是 loom 还是 shuttle 都应删掉。第 4 行中,"弄"和"口"连起来翻译,似乎破坏了通常的主要停顿模式,就像前一行中将"摇"和"机"连起来一样。亨里克斯或许根据"当"而译出了第 7 行的 can,但这是一个不能接受的译法,因为"-当"是表疑问的非重读后接成分,正如入矢在 p.25 所正确地指出的那样。同一行中,如果亨里克斯希望其翻译被认可为文学作品而不是汉学性的诠释的话,括号本应去掉。最后一行的"屡",意为 frequently, often,而不是 always。

我们现在可将亨里克斯的翻译和其他几人的译本作一对比。首先,韦利,第 1 首:

From my father and mother I inherited land enough,
And need not envy other's orchards and fields.
Creak, creak goes the sound of my wife's loom;
Back and forth my children prattle at their play.
They clap their hands to make the flowers dance;
Then chin on palm listen to the birds' song.
Does anyone ever come to pay his respects?
Yes, there is a woodcutter who often comes this way.

其次,沃森,第 1 首:

My father and mother left me a good living;
I need not envy the fields of other men.
Clack—clack—my wife works her loom,
Jabber, jabber, goes my son at play.
I clap hands, urging on the swirling petals,
Chin in hand, I listen to singing birds.
Who comes to commend me on my way of life?
Well, the woodcutter sometimes passes by.

最后,雷德·派恩,第 21 首:

353

my parents' endeavors were many
I don't covet others' fields and groves
my wife works her loom clack clack
our baby his mouth gu gu
I clap and urge the flowers to dance
Prop up my chin and listen to birds
but who comes to commend me
woodcutters often come by

第36首：
东家一老婆
当来三五年
昔日贫于我
今笑我无钱
渠笑我在后
我笑渠在前
相笑倘不止
东边复西边

In the house to the east there lives an old broad,
Who's been wealthy now four or five years.

In former days she was poorer than me;
Now she laughs at my lack of coins.

She laughs at me for being behind;
While I laugh at her for being ahead.

If we don't stop laughing at each other,

The east will again be the west.

按,old broad 无疑是第 1 行中"老婆"的误译。将第 4 行中的"无钱"译作 lack of coins,亦误。第 2 行中的"三五",不需要亨里克斯所加之注释,既因为这是一个汉语中标准的惯用语,也由于像 three or five 这样的直译不符合英语语言习惯。(译文)第 3 行末尾,第一人称代词作宾格是糟糕的英语语法。最后一行,"复"的意思不是 again,而是 in turn。将这段翻译与沃森第 23 首加以比较:

In the house east of here lives an old woman.

Three or four years ago, she got rich.

In the old days she was poorer than I;

Now she laughs at me for not having a penny.

She laughs at me for being behind;

I laugh at her for getting ahead.

We laugh as though we'd never stop;

She from the east and I from the west!

再与雷德·派恩第 40 首比较:

an old lady to the east

got rich a few years ago

before poorer than me

she laughs that I'm broke

she laughs that I'm behind

I laugh that she's ahead

we laugh like we won't stop

from the east and from the west

第 39 首,11.7-8:
却归旧来巢
妻子不相识

He retreated, returned to the nest from whence he had come,

But his wife and his child no longer recognized him.

按,修改极其罗嗦冗长、没有诗意的这一联时,作为第一步,应删掉 returned。亨里克斯在本应从其英语翻译删去 come 时,却误删了 old,因为"来"并不是一个独立的词,而是"旧"的词尾〔参看诸桥 (Morohashi)《大汉和辞典》,30249.327〕。最末一行,"妻子"要么译为 wife and children,要么译为 wife。将这段翻译与沃森第 83 首,11.7-8 作一对比:

But when he hurried home to his nest,

He found that his wife no longer knew him.

再与雷德·派恩第43首,11.7-8 比较:

returning to his old nest

his wife and children don't know him

第 43 首,1.4:"一种好面首"And of the same kind their good looks。按,"一种"为修饰语,意谓 similar(ly)(张相,pp. 378-379;参看现代汉语"一样");根本没有必要羼入 kind。亨里克斯特别指出,他译"好面首"为 good looks;然而这种译法令这一行诗处于没有动词的尴尬境地。"好"(to like)显然是动词。因此,雷德·派恩第47首,1.4 译为:their love of face the same。

第 70 首,11.3-4,7-8:
猪不嫌人臭

人反道猪香

……

彼此莫相啖

莲花生沸汤

Pigs don't seem to mind human stench,
And men—to the contrary—say pig meat smells sweet.
...
If they never ate one another,
Lotus blossoms would sprout in water that bubbles and boils.

按,亨里克斯所译 to the contrary,与前一行在逻辑上矛盾。然而,寒山子原文并不捍格,因为"反"在这儿意谓 in turn 或者 for their part。第 8 行属于误译,特别是 water that bubbles and boils 这一部分。亨里克斯对此行的评论〔"我想,这是寒山子说此事绝不可能发生的方式"(I assume this is Han-shan's way of saying this is never going to happen)〕,低估了佛教徒誓言的真诚。莲花绽放,象征着在弥陀净土(the paradise of Amitābha)中的再生,寒山子显然希望它会取代沸汤(译按:沸汤即沸水,作者理解为 scalding broth,误)。将这段译文与雷德·派恩第72首,11.3-4,7-8 加以比较:

pigs don't mind that humans stink

humans says pigs smell fine

...

when neither eats the other

lilies will bloom in boiling soup

第82首,11.1,8:

我今有一襦

357

……

长年只者是

At present I have but one coat;

…

Throughout the whole year I've just got this one.
按,用 at present 译"今",语意过于强烈;最多译作 now。"者"是指示代词,等同于现代汉语中的"这"。比较雷德·派恩第82首,11.1,8:

I have a coat

…

Year long only this

第95首,1.1:"唝唝买鱼肉"Midst the clamor and din, you buy fish and meat。按,"唝唝"之义难以确定,而亨里克斯对此词加的注释,只使之更为艰涩难懂:"入谷和松村(《寒山诗》*Kanzanshi*, p. 133〔应为 p.134〕)依 Irida〔原文如此(译按:当为 Iriya,即入矢)〕,而释'唝唝'为 power 或 authority(威势)。我弄不懂这种解释。'唝'单独来讲意谓 singing;'唝唝'表示中国集市上买卖双方发出的嘈杂声。"由于这条注释存在着如此多的错误和误解,我不得不来纠正其中的一些。首先,如果亨里克斯曾经逛过中国的集市、曾经目击那儿一直存在着的闹哄哄的讨价还价声的话,他本来应该容易理解入矢的意思。入谷和松村也引用过入矢的观点,提出用"御机嫌"(哄骗)作为"唝唝"的一种解释。在《寒山》(*Kanzan*)第178页里,入矢进一步提议将"鼻声"作为另一种可能的选择。亨里克斯说"唝"单独来讲意谓 singing,误。许是"啰唝"这个词儿——一种曲牌名——促使他斗胆提这种猜测的。据我自己揣测,"唝唝"可能与"唝嗝"有某种联系。诸桥4058.1和

《汉语大词典》3.454b,都把此词释为一个表示欺骗他人(旧中国集市上常有的事儿——买卖双方皆然)的佛道术语。将亨里克斯译本与雷德·派恩第95首,1.1作一比较:they haggle over fish and meat.

第96首,11.5,8:
弃金却担草
……
成团也大难
They throw away gold—to the contrary, shoulder off weeds;
...
You'll still have trouble turning it into one unified lump.
按,to the contrary 是"却"的误译;"却"仅为一表示轻微提示的连接性语助词而已,紧接后一个动词(张相,pp.66以下)。倘不反覆回味或者查看汉语原文,shoulder off 难于理解。试图用英语中的 still 去复述"也",既不和谐,又笨拙难看;"也"的语意实际上相当轻微。末尾的 one unified lump 显得如此单调乏味,以至于让读者泄气和沮丧。比较雷德·派恩第96首,11.5,8:

they abandon gold and shoulder straw
...
it's hard to make a ball

第120首,11.1-3:
个是何措大
时来省南院
年可三十余

359

This is what poor scribe?
Who repeatedly comes to be tested at Southern Court?
Years? Possibly thirty or more...

按，第1行和第3行不自然的句法，源于这样的错误观念：依照汉语词序，会在某种程度上使翻译听上去更具诗意。亨里克斯显然将"时来"理解为"时时来"(comes all the time)，然而"来"似乎与"时"联系得更密切一些。在文言用法里，"时来"意味 when the right moment arrives (《中文大辞典》，14222.124—126)，而在口语用法里，它可以是 all along 之意(比较现代汉语中的"一来")。入谷和松村在页167，将之理解为指(吏部)职官司公布新任命时刻的到来，职官司位于南院。同行中的"省"，不指检查，而指焦虑的候补官员们拜访南院(刘坚，p.23，13行)。比较雷德·派恩第119首，11.1-3：

who's this would-be great
always coming to check South Hall
surely over thirty

第158首，1.6："坐社频腹痛"Sitting with village friends, stomach always painful and sore。按，入谷和松村在页225，对"坐社"有精妙的注释，——此注释包括一条出自敦煌遗书S5813号的确切引文，表明"坐社"指一种按月在村中庙社值勤的个人义务。我不明白，亨里克斯怎么(或者为什么)会根据"痛"而译出 painful sore。比较雷德·派恩第161首，1.6：my belly aches at the shrine.

第161首，11.1-2：
余家有一窟

窟中无一物

In my house there is one cave;

In the cave there is not one thing.

按,这是一种直白的事物描写方式,其空灵程度可与寒山对心性的比喻相媲美(比较第 168 首,11.1-2)。在两行中呆板地重复句首的 in、虚词 there,特别是重复最重要的数字 one,导致亨里克斯的译文不可思议地单调乏味。把数目字看得太实是亨里克斯的一个坏习惯(他的索引中,ten thousand 之下有 14 项;有 tears flow down in *two* steams〔第 49 首,1.8〕;有大海中的 *one* drop of water〔第 258 首,1.3〕;等等)。对比雷德·派恩第163 首,11.1—2:

I have a cave of my own

a cave with nothing inside

译技笨拙的这张单子,还可以随意地加以延长。实际上,你在整本书中很难看到一行有灵感的诗。所以,如果让我向人——此人不能自己阅读中古汉语俗语,但却企望一领唐诗的这类异乎寻常的风味——推荐或者是亨里克斯的《寒山》或者是雷德·派恩的《寒山》的话,我肯定会选择后者。

亨里克斯胜出雷德·派恩的唯一方面,在于有更为详尽的学术性参考资料。亨里克斯提供了一篇内容充实的引言〔尽管约翰·布洛菲尔德(John Blofeld)的引言和雷德·派恩的前序也有其自己方式的吸引力和深刻见解〕,并对寒山的诗歌作了更为全面的注释和评价(尽管在这方面,雷德·派恩在必须处亦加有简洁的、提供了大量信息的注释)。另外,亨里克斯的书包括了四个附录(关于寒山子生活时代的非结论性的内在证据;以前斯莱德、韦利、沃森以及吴其昱英译本的清单,外加在《全唐诗》中的查找表;一种新的主题索引,外加很有用处的(汉梵)佛教术语、比喻和故事的索引;以及与特定原文相关联的28个比喻/故事清单)。这本译著还有一个参考书目和一个有用的总索引。不过,这个总索引并非无懈可击,比如,形、名结构总是列在形容词之下而不是名词之下,因而便有了 beautiful brow, beautiful maid, beautiful men, beautiful pearls, beautiful sing—song girls, beautiful woman/women, beautiful youth。

对于一个被辑录到的作品只占了《全唐诗》不到50页篇幅的诗人来说,这是一册沉甸甸的译本。亨里克斯译著的庞大体积,给人以某种他给寒山诗本身添进了不少东西的迹象。不过,体积的大小有点儿靠不住,因为译本约三分之一是空白。我们可以将亨里克斯厚笨的大册子与雷德·派恩算起来不到200页、未编页码的细长的小译本比较一下,后者出色的设计,使译者有可能与其注释一起,在正页上提供所有诗歌的中文原文。

我胪列了相当大数量的例子(找出更多亦非难事),在这些例子中,亨里克斯的翻译不是使人失望的不准确,就是令人悲哀的不完善。将这些缺陷加以分门别类毫无乐趣,然而我却这么作了,因为我相信,在一位拥有为其带来荣誉的许多出版物的著名学者的著述中,这些错误的普遍存在,表明在当前美国汉学家们佶屈聱牙的翻译语言之中,存在着一种严重缺陷,即过分注意作为语素音节(morphosyllabic)的汉字的表面意义,而不是去注意汉字所代表的词和词所传达的真实意义。在许多完全不能区分字和词的汉学家们中间,这个问题的严重性显而易见。本来不该过分强调的是,汉字既不等同于汉语,也不与汉语同时代,它只不过是一种传递汉语的音、义的可能的载体而已。

无疑,当我们试图理解中古汉语俗语言时,必须极其仔细地留意词的概念。即便在阅读像《道德经》这样的古代文言文原典时,我们也得小心不要被有引诱力的汉字所蛊惑,以至于对隐藏于汉字背后的词儿视而不见。否则,我们可能终究只会丢掉了西瓜,而拣到一大堆复杂难懂、冗长罗嗦、令人困惑和假汉学的碎芝麻。

参考文献

张　相　1962　《诗词曲语辞汇释》,台北:中华书局。

蒋礼鸿　1988　《敦煌变文字义通释》,第四次修订本,上海古籍出版社。

胡　适　1934　《白话文学史》上卷,商务印书馆。

入谷仙介(Iritani Sensuke)　松村昂(Matsumura Takashi)　1970　《寒山诗》(*Kanzan Shi*),《禅语录》(Zen no goroku),第 13 种,东京:筑摩书房(Tokyo:Chikuma)。

入矢义高　(Iriya Yoshitaka)　1961　《寒山》(*Kanzan*),《中国诗人选集》之五,东京:岩波书店(Tokyo:Iwanami),1958;第二次印刷。

刘坚编　1985　《近代汉语读本》,上海教育出版社。

梅维恒(Mair, Victor H.)　1983　《敦煌通俗说唱文学》(*Tun-huang Popular Narratives*),剑桥大学出版社(Cambridge: Cambridge University Press)。

1992　《敦煌通俗汉文文学研究现状(1980—1990)》〔*Chinese Popular Literature from Tun-huang*:*The State of the Field* (1980—1990)〕,威尼斯东方史料,见于《敦煌吐鲁番文书》(Turfan and Tun-huang:The Texts),佛罗伦萨:利奥·圣威尼斯出版公司(Florence: Leo S. Olschki)。

雷德·派恩(Pine, Red)　1983　《寒山诗全集》(*The Collected Songs of cold Mountain*),汤森港:科波·坎农出版社(Port Townsend: Copper Canyon)。

加里·斯莱德(Snyder, Gary)　1966　《乱石和寒山诗》(*Riprap & Cold Mountain poems*),著作第 7 种。旧金山:四季基金会(San Francisco: Four seasons Foundation)。

罗伯塔·斯坦伯格(Stalberg, Roberta)　1977　《寒山诗集》(*The Poems of the Han-shan Collection*),博士论文(Ph. D. Diss.),俄亥俄州立大学(Ohio State University)。

阿瑟·韦利(Waley, Arthur)　1954　《寒山诗二十七首》(*27 poems by Han-*

shan)，《邂逅》(Encounter)第 3 卷第 3 期(九月)：3—8。

伯顿·沃森(Watson，Burton) 1962 《寒山：唐朝诗人寒山诗 100 首》(Cold Mountain：100 poems by the T'ang poet Han-shan)，纽约：格罗夫出版社(NewYork：Grove)。

吴其昱 1957 《寒山研究》(A Study of Han-shan)，《通报》(T'oung Pao)第 45 卷 4—5 合期：392—450。

(中译文原载《新国学》第 1 卷，巴蜀书社 1999 年 12 月，收入时编者根据原文重新校过)

附　录

中国内地中古汉语研究论文目录
(1997—2002)

帅志嵩　刘爱菊　玄盛峻

说　明

一、本目录的"中古汉语"的时限为东汉——中唐。但是,所收录的论文可能有所突破。一方面对上限东汉可能标准偏严,主要是考虑到东汉时期的文献如《说文》、《释名》等文献,尽管成书于东汉,但是其中材料主要是针对上古的材料,所以这方面的研究文章一般不录;另一方面,对下限中唐则标准有所放宽,尤其是音韵学方面的研究文章,如《广韵》方面的研究文章也收录。

二、本目录只收录1997年至2002年间发表的有关中古汉语方面的研究论文,以学术期刊上公开发表的单篇文章为主,同时也酌收论文集里的论文以及我们所能见到的在国外刊物上发表的研究文章。专著不收,一般谈标点、校勘及辞书失误的文章也不收。

三、本目录按照作者姓氏音序先后顺序排列。目录体例,先作者名,次篇名,再列刊物名和发表年份、期数(论文集出版社及出版年代)。

四、本目录在编制过程中主要参考了人大复印资料、张渭毅先生的《1994—2001年上半年音韵学论著目录》和孙力平先生的《古汉语语法研究论文索引》等研究成果,在此一并致谢。

作者	篇名	刊物	出版社 发表年份期号
B			
白冰	从《说文》与《广韵》语词训诂看东汉至北宋的语言发展	五邑大学学报	2002.3
白振有	《列子》疑问代词讨论	延安大学学报	2001.2
白兆麟	《方言》双音词探析	古籍整理研究学刊	1999.2
〔法〕贝罗贝	上古、中古汉语量词的历史发展	《语言学论丛》第二十一辑	商务印书馆 1998
鲍善淳	《水经注》"乱流"考	古汉语研究	2001.3
C			
曹广顺	《佛本行集经》中的"许"和"者"	中国语文	1999.6
	试论汉语动态助词的形成过程	《汉语史研究集刊》第二辑	巴蜀书社 2000
曹广顺 遇笑容	也从语言上看《六度集经》与《旧杂譬喻经》的译者问题	古汉语研究	1998.2
	中古译经中的处置式	中国语文	2000.6
	从语言的角度看某些早期译经的翻译年代问题——以《旧杂譬喻经》为例	《汉语史研究集刊》第三辑	巴蜀书社 2000
曹小云	《论衡》被动句式研究	古汉语研究	1999.2
	略论中古前期的几个介词	淮北煤炭师院学报	2000.1
	《论衡》疑问句式研究	安徽师大学报	2000.2
	《六度集经》语词札记	语言研究	2001.4
陈宝勤	东汉佛经和《世说新语》中"都"的用法	《语言研究论丛》第七辑	天津人民出版社 1997
陈重瑜	《广韵》"末、未"谐声系统及其间九对"双胞胎"	语言研究	2001.3

陈贵麟	中古韵书研究的两个方向	《中国音韵学研究会第11届学术讨论会汉语音韵学第6届国际学术研讨会论文集》	香港文化教育出版社有限公司2000
陈海伦	中古音韵对现代方言声韵母对应规律性程度的测定	语言研究	1997.1
陈焕良 王君霞	论《释名》含声训字复音词	中山大学学报	1998.2
陈建裕	也谈《世说新语》中的"复"字	南都学坛	1997.4
	《玉篇》研究二题	平顶山师专学报	2002.3
陈立中	论扬雄《方言》中南楚方言与楚方言的关系	浙江大学学报	2002.1
	从扬雄《方言》看汉代南岭地区的方言状况	韶关学院学报	2002.4
陈其光	民族语对中古汉语浊声母演变的影响	民族语文	1999.1
陈顺智	沈约"四声"说本于传统文化之四象理论	武汉大学学报	2000.5
陈文杰	早期佛典词语杂俎	宗教学研究	1999.2
	从早期汉译佛典看中古表方所的指示代词	古汉语研究	1999.4
	《贤愚经》词语考	钦州师专学报	2000.1
	"作茧自缚"的词源	《汉语史研究集刊》第二辑	巴蜀书社 2000
	"瞎子点灯自费蜡"的语源	语文建设	2001.2
	佛典词语札记	古籍整理研究学刊	2001.3
	汉语佛源释例	古籍整理研究学刊	2002.1
	《生经》词语考释四则	语言研究	2002.2
	佛典词语零札	古汉语研究	2002.2

陈秀兰	对许理和教授《最早的佛经译文中的东汉口语成分》一文的几点补充	古汉语研究	1997.2
	也谈连词"所以"产生的时代	古汉语研究	1998.3
	也考"岚风"	中国语文	1999.4
陈燕	论南北朝的"卿"字	古汉语研究	1998.2
	《玉篇零卷》年代释疑	天津师大学报	1999.3
	《玉篇》的音韵地位	《中国音韵学研究会第11届学术讨论会汉语音韵学第6届国际学术研讨会论文集》	香港文化教育出版社有限公司2000
	从《玉篇》反切比较论中古时期的标准音	天津师大学报	2001.5
陈玉冬	隋唐五代量词的语义特征	古汉语研究	1998.2
程章灿	六朝碑别字新考:读《六朝别字记新编》札记四则	中国语文	2000.3
褚良才	中古汉语的又一力作:读方一新《东汉魏晋南北朝史书词语笺释》	浙江学刊	2000.3
储泰松	梵汉对音与中古音研究	古汉语研究	1998.1
	鸠摩罗什译音研究(声母部分)	语言研究	1998增刊
	鸠摩罗什译音的韵母研究	安徽师大学报	1999.1
	梵汉对音与上古音研究:兼评后汉三国梵汉对音研究	南京师大学报	1999.1
	唐代的吴音和秦音	第七届国际粤方言研讨会论文集	商务印书馆2000
	"毗岚"的流变及其相关问题	《汉语史学报》第二辑	上海教育出版社2002

	"和尚"的语源及其形义演变	语言研究	2002.1
	隋唐音义反切研究的观念与方法之检讨	复旦学报	2002.4
崔枢华	《说文解字》声训的几种形式	古汉语研究	1998.3
崔雪梅	《世说新语》的数量词语与主观量	成都大学学报	2002.1
崔泳隼 苏杰	《三国志》重言词略说	南京师大文学院学报	2002.2

D

邓军 李萍	郑玄《礼记注》随文释义的语境研究	云梦学刊	2000.4
邓声国	郑玄《仪礼注》训诂术语释义刍议	古籍整理研究学刊	2002.3
邓志强	《幽明录》复音词构词方式举隅	株洲师范高专学报	2001.3
丁邦新	重建汉语中古音系的一些想法	《庆祝中国社会科学院语言研究所建所45周年学术论文集》	商务印书馆 1997
丁治民	沈约诗文用韵概况	镇江师专学报	1998.2
	《广韵》引书考	语言研究	1998增刊
	《汉魏六朝韵谱》沈约之部补校	古籍整理研究学刊	2000.3
	唐五代燕幽方音考	《第七届国际粤方言研讨会论文集》	商务印书馆 2000
董达武	南北朝人的正音观念及其他	《语文论丛》（五）	上海教育出版社 1997
董琨	"同经异译"与佛经语言特点管窥	中国语文	2002.6

董秀芳	动词性并列复合词的历时发展特点与词化程度的等级	河北师大学报	2000.1
董玉芝	《抱朴子》语词札记	新疆教育学院学报	1997.1
董志翘	试论《洛阳伽蓝记》在中古汉语词汇史研究上的语料价值	古汉语研究	1998.2
	也论中古汉语词汇研究中的推源问题	《汉语史研究集刊》第一辑	巴蜀书社 1998
	《切韵》音系性质诸家说之我见	川东学刊	1999.1
	不知老将至,五年成双璧——读李维琦先生近作《佛经续释词》	古汉语研究	1999.2
	《高僧传》词语通释(一)——兼谈汉译佛典口语词向中土文献的扩散	《汉语史研究集刊》第二辑	巴蜀书社 2000
	《高僧传》词语通释(二)	《汉语史研究集刊》第三辑	巴蜀书社 2000
	《太平广记》词语辑释	《中古近代汉语研究》第一辑	上海教育出版社 2000
	《高僧传》词语通释(二)	《汉语史研究集刊》第三辑	巴蜀书社 2000
	唐五代词语考释五则	中国语文	2000.2
	试论《观世音应验记三种》在中古汉语研究方面的语料价值	《汉语史研究集刊》第五辑	巴蜀书社 2002
	汉译佛典的今注今译与中古汉语词汇研究	古籍整理研究学刊	2002.1
	《观世音应验记三种》俗字、俗语零札	苏州教育学院学报	2002.2

作者	篇名	刊物	时间
董志翘 陈文杰	读李维琪先生近作《佛经续释词》	古汉语研究	1999.4
董志翘 王东	中古汉语语法研究概述	南京师大文学院学报	2002.2
杜爱贤	谈谈佛经翻译对汉语的影响	世界宗教文化	2000.2
段业辉	《世说新语》疑问句分析	南京师大学报	1998.3
	中古汉语助动词句法结构论	南京师大学报	2002.3
顿嵩元	郭璞《尔雅注》之我见	黄河科技大学学报	2000.1
多洛肯	《经典释文》成书时间考	枣庄师专学报	2000.3

F

范新干	刘昌宗音切的声母系统	语言研究	1998增刊
	浊上变去发端于三国时代考	《汉语史研究集刊》第二辑	巴蜀书社 2000
	东晋刘昌宗音切三论	华东师大学报	2002.2
方文一	《论衡》中同义词运用的特色	汕头大学学报	2001.1
方向东	《水经注》词语举隅	语文研究	2002.4
方一新	东汉魏晋南北朝史书语词札记	《古典文献与文化论丛》	中华书局 1997
	读《世说新语考释》	古籍整理研究学刊	1997.2
	从《汉语大辞典》看大型历史性语文词典取证举例方面的若干问题	《汉语史研究集刊》第一辑	巴蜀书社 1998
	关于中古汉语词汇研究的几个问题	《汉语现状与历史的研究——首届汉语语言学国际研讨会论文集》	中国社会科学出版社 1999
	《抱朴子·内篇》词义琐记	浙江大学学报	1999.4
	《异苑》词语校释琐记	古籍整理研究学刊	2000.1

	《兴起行经》语词札记	福州大学学报	2000.1
	东汉六朝佛经词语札记	语言研究	2000.2
	《高僧传》词语考释	《中古近代汉语研究》第一辑	上海教育出版社 2000
	南朝人撰三种《观世音应验记》词义琐记六则	中国语文	2001.2
	《大方便佛报恩经》词汇研究	浙江大学学报	2001.5
	六朝语词考释漫记	古汉语研究	2002.1
	中古汉语词义求证法论略	浙江大学学报	2002.5
方一新 王云路	谈六朝史书与词汇研究	《庆祝中国社会科学院语言研究所建所45周年学术论文集》	商务印书馆 1997
	评《佛经续释词》	语言研究	1999.2
	《高僧传》词语考释	《中古近代汉语研究》第一辑	上海教育出版社 2000
冯 方	《原本玉篇残卷》引《说文》与二徐所异考	古籍整理研究学刊	2000.2
冯凌宇	《论衡》中的平列式选择问句	襄樊学院学报	2001.3
	《论衡》中的特指式反问句	武汉大学学报	2001.4
	《论衡》中的特指式询问句	湖北大学学报	2002.4
冯瑞生	汉后隋前有此家——龚自珍的"中古"情结	《汉语史学报》第二辑	上海教育出版社 2002
冯胜利	汉语动补结构来源的句法分析	《语言学论丛》第二十六辑	商务印书馆 2002
冯玉涛	《史记》三家注"直音"作用浅析	宁夏大学学报	1998.4
冯 蒸	论《切韵》的分韵原则:按主要元音分韵,不按介音分韵——《切韵》一/三等韵、二/三等韵、三/四等韵不同主要元音说	语言研究	1998 增刊

	《广韵》反切上字分等分类并说明——为研究《广韵》反切"类相关"理论而作	《外国语言学及应用语言学研究》	中央编译出版社2002
付海波 刘冠才 刘文敏	论脂微两部在两汉时代的关系	辽宁工程技术大学学报	2002.2

G

高列过	中古佛经词语二则	南京师大文学院学报	2002.2
高 明	简论《太平经》在中古汉语词汇研究中的价值	古汉语研究	2000.1
	读《魏晋六朝诗歌语言论稿》	古汉语研究	2001.1
	中古史书词汇研究述评	西藏民族学院学报	2001.3
高庆华	佛经翻译中的归化和异化	绵阳师专学报	2002.1
邰晓芹	从李白近体诗用韵看《切韵》系韵书的发展	淮北煤炭师范学院学报	1999.4
高云海	"自"和"复"非词尾说质疑	中国语文	1998.4
高永奇	从刘知几《史通》看作者的语言观	殷都学刊	1999.4
	试论陆法言的语言观及《切韵》音系之性质	殷都学刊	2000.3
高育花	《论衡》中的疑问代词	渭南师专学报	1998.4
	《论衡》中的指示代词	唐都学刊	1999.1
	中古汉语副词"故"探微	唐都学刊	2002.1
	中古汉语副词"定"探微	西北师大学报	2002.2
高育花 祖生利	中古汉语副词"都"的用法及语义指向初探	西北师大学报	1999.6
葛佳才	汉译佛经中的特殊副词"适"	渝州大学学报	2002.6
古敬恒	《太平广记》中的简、复式同义表达	古汉语研究	2002.2

顾满林	试论东汉佛经翻译不同译者对音译或意译的偏好	《汉语史研究集刊》第五辑	巴蜀书社 2002
郭锡良	介词"以"的起源和发展	古汉语研究	1998.3
郭小春	王氏父子书帖中的一组同义词	黔东南民族师专学报	2002.2
郭在贻	六朝俗语词杂释	《中古汉语研究》第一辑	商务印书馆 2000

H

何昆益	李登《声类》音韵现象试探	语言研究	1998增刊
何乐士	《世说新语》的语言特色——《世说新语》与《史记》名词作状语比较	湖北大学学报	2000.6
何亚南	《后汉书》词语拾诂	《语言研究集刊》第五辑	江苏教育出版社1997
	中古汉语词汇通释两则	中国语文	1997.6
	汉译佛经与后汉词语例释	古汉语研究	1998.1
	"搜牢"索解	中国语文	1998.3
	《后汉书》词语校释	古籍整理研究学刊	1999.3
	释"岚"	中国语文	1999.4
	汉译佛经与传统文献词语通释二则	古汉语研究	2000.4
	汉语处置式探源	南京师大学报	2001.5
	中古汉语词汇考释三则	中国语文	2001.6
韩升	《隋书·倭国传》考释	《中华文史论丛》第六十一辑	上海古籍出版社2000
洪丽娣	郑玄对汉语语法史学的贡献	蒲峪学刊	1997.2
	试谈郑玄笺注中"因声求义"方法的运用	沈阳师范学院学报	1998.2
胡敕瑞	从《论衡》与东汉佛典三音词语的比较看词汇的发展	《语言学论丛》第二十五辑	商务印书馆 2002

	从概念出发的词语比较研究——以《论衡》与东汉佛典词语比较为例	《汉语史研究集刊》第五辑	巴蜀书社 2002
	"尔许"溯源——兼论"是所""尔所""如所""如许"等指别代词	《汉语史学报》第二辑	上海教育出版社 2002
	《论衡》词语札记	江西师大学报	2002.2
胡继明	《汉书》应劭注双音词研究	河南师范大学学报	2002.3
胡先泽	《诗经》"三颂"注唐代吴音考	语言研究	1998增刊
华学诚	论《尔雅》方言词的词汇特点	古汉语研究	1999.4
	《方言校笺》拾补	扬州大学学报	1997.4
	论《尔雅》方言词的考鉴	徐州师大学报	1999.4
	论《尔雅》方言词的地理分布	华东师大学报	2000.1
	论《尔雅》方言词的训释方法	钦州师专学报	2000.1
	扬雄《方言》"奇字"考——兼析《方言》"奇字"的表词特点	钦州师专学报（连载）	2000.4 2001.1
	论《通俗文》的方俗语词研究	《汉语史学报》第二辑	上海教育出版社 2002
	论高诱的方言研究	长沙电力学院学报	2002.3
化振红	从《洛阳伽蓝记》看佛教词语的中土化	西南民族学院学报（藏学论文专辑）	2001增刊
黄艾榕 张盛如	从回鹘文《玄奘传》看西北方言入声的演化	武汉教育学院学报	1999.1
黄炳辉	泉州方音与唐诗吟咏	华侨大学学报	1997.1
黄建宁	《太平经》中的同素异序词	四川师大学报	2001.1
黄坤尧	裴松之《三国志注》的注音	《李新魁教授纪念文集》	中华书局 1998

黄灵庚	《三国志》语词札记	古籍整理研究学刊	1997.1
	《太平广记》语词札记	浙江师大学报	1997.5
	释"信宿"	古汉语研究	1997.4
	唐诗语词拾诂	浙江师大学报	1998.6
	《太平广记》语词札记	古籍整理研究学刊	1999.3
	六朝隋唐史书俗语词札记	《文史》第一辑	中华书局 2000
	杜诗释词六例	浙江师范大学学报	2002.1
黄平之	《太平经》——东汉语言研究的重要典籍	文史杂志	2000.4
黄先义	中古佛经词语选释	台州师专学报	1997.4
黄笑山	《切韵》于母独立试析	古汉语研究	1997.3
	中古音研究的回顾与展望	古汉语研究	1998.4
	汉语中古语音研究述评	古汉语研究	1999.3
	方块壮字的声旁和汉语中古韵母	《中古近代汉语研究》第一辑	上海教育出版社 2000
	《切韵》元音分韵的假设和音位化构拟	古汉语研究	2002.3

J

季 琴	《三国志》的范围副词系统	泰安师专学报	2002.4
季云起	汉魏南北朝时脂之微用韵的几个问题	语言研究	1998 增刊
	汉魏南北朝时脂之微用韵的几个问题	《语言研究论丛》第九辑	天津人民出版社 2002
简启贤	《字林》音注声类考	《汉语史研究集刊》第一辑	巴蜀书社 1998
江蓝生	后置词"行"考辨	语文研究	1998.1
	处所词的领格用法与结构助词"底"的由来	《汉语现状与历史的研究——首届汉语语言学国际研讨会论文集》	中国社会科学出版社 1999

	汉语使役与被动兼用探源	*In Honor of Mei Tsu-Lin*: *Studies on Chinese Historical Syntax and Morphology*	巴黎1999
	处所词的领格用法与结构助词"底"的由来	中国语文	1999.2
	从语言渗透看汉语比拟式的发展	中国社会科学	1999.4
	《游仙窟》漫笔	《中古近代汉语研究》第一辑	上海教育出版社2000
蒋冀骋	舌尖前元音产生于晚唐五代说质疑	中国语文	1997.5
蒋礼鸿 李亚明	《义府续貂》增订	古汉语研究	1998.3
蒋绍愚	汉语动结式产生的时代	《国学研究》第六卷	北京大学出版社1999
	《世说新语》《齐民要术》《洛阳伽蓝记》《贤愚经》《百喻经》中的"已""矣""讫""毕"	语言研究	2001.1
蒋希文	徐邈反切系统的"重纽"字	《燕京学报》第六辑	北京大学出版社1999
蒋宗许	《中古汉语语词例释》述评	辞书研究	1997.6
	《世说新语》疑难词句杂说	古汉语研究	1998.1
	关于词尾"复"的一些具体问题	中国语文	1998.1
	《世说新语》语词丛札	《汉语史研究集刊》第一辑	巴蜀书社1998
	《世说新语校笺》臆札	《文史》49辑	1999.4
金恩柱	唐代墓志铭的押韵及其研究方法	中山大学学报	1999.4

	从唐代墓志铭看唐代韵部系统的演变	古汉语研究	1999.4
金素芳	《经律异相》词语选释	湖州师院学报	2001.4

K

阚绪良	《世说新语》词语札记	安徽广播电视大学学报	2002.4

L

劳醒华	试论《太平广记》中的特殊被动句	黔南民族师范学院学报	2002.2
雷昌蛟	《博雅音》"口音"试析	语言研究	1998增刊
李葆嘉	吐火罗语文与早期汉译佛经文本——与季羡林先生商榷兼论反切的发明	语言研究	1998增刊
李长庚	《文选》旧音的音系性质问题	《汉语史研究集刊》第一辑	巴蜀书社1998
李佳	《文选集注》所引《字林》考	《汉语史研究集刊》第五辑	巴蜀书社2002
李建国	中古社会和训诂学的发展	《汉语史学报》第二辑	上海教育出版社2002
李茂康	形借说浅析	古汉语研究	1997.3
	试论《释名》中可取的声训	西南师范大学学报	1997.6
李明	两汉时期的助动词系统	《语言学论丛》第二十五辑	商务印书馆2002
李平	论魏晋南北朝人称代词"之"和"其"的变化	同济大学学报	2002.6
李启文	试论韵书产生的历史背景	语文研究	1997.3
李若晖	列子天瑞篇索隐	古籍整理研究学刊	1997.1
李恕豪	从郭璞注看晋代的方言区划	天府新论	2000.1

李思明	中古汉语并列合成词中决定词素次序诸因素考察	庆师院学报	1997.1
李维琦	"经行""应时"与"前却"	古汉语研究	1997.3
	《佛经释词》再续(六则)	古汉语研究	2001.2
	《佛经释词》再续	《汉语史学报》第二辑	上海教育出版社2002
李小荣	"娄罗之辩"与梵语四流音	中国语文	1998.6
栗学英	《南海寄归内法传》词语札记	钦州师专学报	2002.4
李义活	庾信诗之用韵研究	古籍整理研究学刊	2000.3
〔韩〕李钟九	《翻译老乞大·朴通事》所反映的汉语声调调值	古汉语研究	1997.4
连登岗	释《太平经》之"贤儒""善儒""乙密"	中国语文	1998.3
	"录籍"释义辨误	古汉语研究	1999.3
	《太平经》生词试释	兰州大学学报(第26卷)语言文字学专集	1998
	《太平经》词语辨释(二)	西北师大学报1998年专集	1998.12
	《太平经》词语别义辨释(三)	甘肃高师学报	2000.1
梁光华	《搜神记》的被动句研究	贵州文史丛刊	1998.1
	《搜神记》与《世说新语》的"是"字判断句比较研究	贵州文史丛刊	2000.4
梁晓虹	禅宗典籍中"子"的用法	古汉语研究	1998.2
	从《佛说孝顺子修行成佛经》看"伪疑经"在汉语史研究中的价值	《汉语现状与历史的研究——首届汉语语言学国际研讨会论文集》	中国社会科学出版社1999
林焘	今读与《广韵》小韵反切规律音相异之因	《语苑撷英——庆祝唐作藩先生七十寿辰学术论文集》	北京语言文化大学出版社1998

刘百顺	汉魏六朝"年（岁）""月""日"的表达	中国语文	1997.6
	汉魏晋南北朝史书语词考释	《汉语史学报》第二辑	上海教育出版社2002
	汉魏晋南北朝史书词语考释	西北大学学报	2002.3
刘承慧	汉语动结式产生的时代	《国学研究》第六卷	北京大学出版社1999
刘传鸿	《酉阳杂俎》语词训释	南京师大文学院学报	2002.2
刘冬冰	试述《切韵》系韵书的相承和演进	河南教育学院学报	1997.4
刘根辉	从中唐诗韵看当时的"浊上变去"	语言研究	1999增刊
刘根辉 尉迟治平	中唐诗韵系略说	语言研究	1999.1
刘广和	《圆明字轮四十二字诸经译文异同表》梵汉对音考订	中国人民大学学报	1997.4
	西晋译经对音的晋语韵母系统	《芝兰集》	人民教育出版社1999
	西晋译经对音的晋语声母系统	《中国语言学报》第十期	商务印书馆2001
	中古音分期问题	《汉语史学报》第二辑	上海教育出版社2002
	介音问题的梵汉对音研究	古汉语研究	2002.2
刘光明	《毛传》语助词训释条例探析	安庆师范学院学报	2002.3
刘洁	唐五代名词重叠的"调量"研究	西南民院学报（文学硕士论坛）	2001
刘曼丽	竺法护译经数量及时间考	西北大学学报	2000.2
刘启林	晋人书札习用语"匆匆"考	古籍整理研究学刊	2000.2
刘瑞明	"做……不着"新释	古汉语研究	1997.2

	"自"非词尾说驳议	中国语文	1998.4
	词尾"自"和"复"的再讨论	绵阳师专学报	1997.1
	从泛义动词论"取"并非时态助词	湖北大学学报	1997.1
	"自"非词尾说驳议	中国语文	1998.4
刘宋川	两汉时期的双宾语结构	湖北大学学报	2001.5
	两汉时期的双宾语结构	纪念王力先生百年诞辰学术论文集	商务印书馆 2002
刘晓红	如何判定中古汉语的同义组	《汉语史学报》第二辑	上海教育出版社 2002
刘玉屏	《世说新语》"子"的用法考察	齐齐哈尔大学学报	2002.1
刘志庆	佛教"乘"字读音考辨	文史杂志	2000.1
刘志生	《搜神记》《世说新语》中的选择问句	长沙电力学院学报	2002.4
刘子瑜	再谈唐宋处置式的来源	《汉语史论文集》	武汉出版社 2002
柳士镇	《百喻经》中若干语法问题的探索	中州学刊	1998.2
	试论中古语法的历时地位	《汉语史学报》第二辑	上海教育出版社 2002
龙国富	《阿含经》"V + (O) + CV"格式中的"已"	云梦学刊	2002.1
龙异腾	从唐代史书反切刊轻重唇音的分化	《汉语史研究集刊》第一辑	巴蜀书社 1998
鲁国尧	"颜之推谜题"及其半解（上）	中国语文	2002.6
陆 华	论《方言》对《尔雅》古今语的论述	南宁师范高专学报	2001.3
卢卓群	助动词"要"汉代起源说	古汉语研究	1997.3

吕朋林	切韵音系合口韵类的音值	中国音韵学研究会第十一届学术讨论会、汉语音韵学第六届国际学术研讨会论文集	香港文化教育出版社有限公司 2000

M

马连湘	从《世说新语》复合词的结构看汉语构词法在中古的发展	东疆学刊	2001.3
马振亚	几组词语探源	河北师院学报	1997.2
麦耘	隋代押韵材料和数理分析	语言研究	1999.2
毛毓松 刘亚辉	《广韵》工声字研究	语言研究	1998 增刊
梅维恒(Victor H. Mair)著 张子开译	区分中古汉语俗语言中字和词的界限的重要性——从对寒山诗的译注看世界汉学届的弊端	《新国学》第一卷	巴蜀书社 1999
梅祖麟	先秦两汉的一种完成貌句式——兼论现代汉语完成貌句式的来源	中国语文	1999.4
孟广道	佛教对汉语词汇的影响	汉字文化	1997.1
	对反切起源的再认识	冀东学刊	1997.1
孟昭水	试论判断词"是"的形成原因及形成时间	泰安师专学报	2000.1

N

聂鸿音	俄藏宋刻《广韵》残本述略	中国语文	1998.2

P

潘文国	汉语音韵研究中难以回避的论争——再论高本汉体系及《切韵》性质诸问题	古汉语研究	2002.4

盘晓愚	《经典释文》刘昌宗反切韵类考	语言研究	1998增刊
	《经典释文》中刘昌宗反切声类考	贵州大学学报	1999.2
潘永玉	八卷本《搜神记》成书时代新考	《文史》第四辑	中华书局 2000
〔韩〕裴宰	服虔、应劭音切所反映的汉末语音	古汉语研究	1998.1
彭茗玮	从《世说新语》看疑问代词"何"及"何"字结构的运用	池州师专学报	2000.2
	汉魏六朝诗歌中的连词浅析	青海师专学报	2001.2
平山久雄	中古汉语鱼韵的音值——兼论人称代词"你"的来源	《庆祝中国社会科学院语言研究所建所45周年学术论文集》	商务印书馆 1997
	隋唐音系里的唇化舌根音韵尾和硬腭音韵尾	《语言学论丛》第二十辑	商务印书馆 1998
普慧	齐梁诗歌声律论与佛经转读及佛教悉昙	文史哲	2000.6

Q

齐冲	汉语音译佛经词汇中省音现象的分析	《汉语史学报》第二辑	上海教育出版社 2002
钱群英	魏晋南北朝佛经词语考释	杭州师院学报	1999.5
	魏晋南北朝佛经词语考释	浙江大学学报	1999.6

R

| 冉启斌 | 《唐律疏议》中的语词释义 | 《汉语史研究集刊》第四辑 | 巴蜀书社 2001 |
| | "前人"议微 | 西南民院学报(文学硕士论坛) | 2001 |

任福贵 荆贵生	简论《晋书音义》中的舌音分化	中国音韵学研究会第十一届学术讨论会、汉语音韵学第六届国际学术研讨会论文集	香港文化教育出版社有限公司 2000

S

邵百鸣	《切韵》音系辨误	职大学报	2001.1
	论《颜氏家训·音辞篇》的价值	包头职大学报	2001.3
邵则遂	《抱朴子》语词札记	新疆教育学院学报	1997.1
沈光海	《世说新语》三词考补	湖州师院学报	2000.4
沈建民	《广韵》各声类字的一个统计分析	徐州师范大学学报	2000.2
	《经典释文》首音反切的声类	中国音韵学研究会第十一届学术讨论会、汉语音韵学第六届国际学术研讨会论文集	香港文化教育出版社有限公司 2000
沈小喜	中古汉语重纽研究	《语言学论丛》第二十二辑	商务印书馆 1999
时建国	曾运乾的《切韵》五十一纽说	西北师范大学学报	1998.5
石 磊	《五经文字》音注反映的中唐语音现象	古籍整理研究学刊	2000.4
石 锓	论疑问词"何"的功能渗透	古汉语研究	1997.4
	浅谈助词"了"语法化过程的几个问题	《汉语史研究集刊》第二辑	巴蜀书社 2000
施向东	鸠摩罗什译音研究	《芝兰集》	人民教育出版社 1999

	十六国时代译经中的梵汉对音	中国音韵学研究会第十一届学术讨论会、汉语音韵学第六届国际学术研讨会论文集	香港文化教育出版社有限公司2000
	十六国时代译经中的梵汉对音(声母部分)	天津大学学报	2001.1
	梵汉对音与古汉语的语流音变问题	《南开语言学刊》第一辑	南开大学出版社2002
时永乐	《论衡》文言虚词校释商榷	河北大学学报	2000.6
帅志嵩	也释"信宿"	《汉语史研究集刊》第四辑	巴蜀书社2001
〔日〕松尾良树著 冯蒸译	论《广韵》反切的类相关	《语言》第一卷	首都师范大学出版社2000
宋亚云 张蓉	《切韵》系韵重纽研究综述	古汉语研究	2001.2
苏杰	《三国志》今注今译问题辨析	南京师大学报	2001.5
	《三国志》语词札记	《汉语史学报》第二辑	上海教育出版社2002
孙捷 尉迟治平	盛唐诗韵系略说	语言研究	2001.3
孙良明	孔颖达关于词的兼类论述	山东师大学报	1998.1
	颜师古《汉书注》中的歧义分析	古籍整理研究学刊	1998.6
	简述汉文佛典对梵文语法的介绍及其对中国古代古汉语研究语法学发展的影响(上)——从"语法"的出处讲起	古汉语研究	1999.4

	简述汉文佛典对梵文语法的介绍及其对中国古代古汉语研究语法学发展的影响(下)——从"语法"的出处讲起	古汉语研究	2000.1
孙锡信	郑玄在语言研究方法论上的贡献	《语文论丛》(五)	上海教育出版社 1997
孙绪武	《广韵》又音的演变及其规范	广东职业技术师范学院学报	2001.1
孙玉文	《经典释文》成书年代新考	中国语文	1998.4

T

谭代龙	汉文佛典里的"生支"	《汉语史研究集刊》第四辑	巴蜀书社 2001
谭世宝	略论佛典中的对音详略增减问题	《敦煌文学论集》	四川人民出版社 1997
	切韵、反切及相关的切、反等词考辨	《汉语史研究集刊》第三辑	巴蜀书社 2000
唐为群 张咏梅	《百喻经》"我""尔""他"研究	湖北民族学院学报	2000.2
唐子恒	《三国志》双音词研究	文史哲	1998.1
	汉大赋双音词初探	福建文坛	2000.5
	汉大赋联绵词研究	山东大学学报	2002.1

W

万金川	宗教传播与语文变迁:汉译佛典研究的语言学转向所揭示的意义	正观	2000.19/20
万久富	词尾"若、尔、如、然、而"的再认识:从"縠觫若"谈起	南通师专学报	1997.3
	《晋书》语词拾零	古汉语研究	2000.2

	《晋书音义》的汉语史料价值	古籍整理研究学刊	2000.6
	《字林》的流传及其在中国语言学史上的价值	古籍整理研究学刊	2001.5
汪维辉	《晋书》点校商兑	古籍整理研究学刊	1997.1
	先唐佛经词语札记六则	中国语文	1997.2
	《高僧传》标点商兑	籍整理研究学刊	1997.3
	读《中国中世语法史研究》札记	《俗语言研究》第4期	1997.8
	常用词历时更替札记	语言研究	1998.2
	系词"是"发展成熟的时代	中国语文	1998.2
	几组常用词历史演变的考察	《汉语史研究集刊》第一辑	巴蜀书社 1998
	读《中国中世语法史研究》札记	俗语言研究	1999
	"舟—船""木—树"的历时替换	南京大学中文学报	1999
	方位词"里"考源	古汉语研究	1999.2
	汉语基本词汇历时替换二例	《古典文献与文化论丛》第二辑	杭州大学出版社 1999
	《世说新语》词语考辨	中国语文	2000.2
	《周氏冥通记》词汇研究	《中古近代汉语研究》第一辑	上海教育出版社 2000
	从词汇史看八卷本《搜神记》语言的年代(上)	《汉语史研究集刊》第三辑	巴蜀书社 2000
	唐宋类书好改前代口语——以《世说新语》异文为例	(台湾)汉学研究第18卷第2期	2000.12
	从词汇史看八卷本《搜神记》语言的年代(下)	《汉语史研究集刊》第四辑	巴蜀书社 2001
	汉魏六朝"进"字使用情况考察——对《"进"对"入"的历时替换》一文的几点补正	南京大学学报	2001.2

王邦维	玄奘的梵音"四十七言"和义净的"四十九字"	《周绍良先生欣开九十秩庆寿文集》	中华书局 1997
	汉语中"语法"一名最早的出处	《汉语史学报》第二辑	上海教育出版社 2002
王传德	陶韵考:兼与王力先生所分魏晋南北朝韵部比较	山东大学学报	1997.2
王春玲	《吴越春秋》复音动词结构特点概述	重庆三峡学院学报	2002.4
王华宝	《汉书·五行志》考论	南京师大学报	2001.5
王敏红	《太平经》语词补释	绍兴文理学院学报	2001.4
王继如	中古白话语词释义献疑	《文史》第四十二辑	中华书局 1997
王建设	从《世说新语》的语言现象看闽语与吴语的关系	华侨大学学报	2000.4
王临惠	《方言》中所见的一些晋南方言词琐谈	山西师大学报	2001.1
王敏红	《太平经》语词拾零	语言研究	2002.1
王启涛	杜诗疑难词语考辨	杜甫研究学刊	1997.2
	论《文心雕龙》的语言思想	天府新论	1997.3
	永明文学与《切韵》	四川师范大学学报	1997.3
	论魏晋玄学对语言学的深刻变革	成都大学学报	1997.4
	《文心雕龙》与《切韵》	西南民族学院学报	1997年增刊
	"孟劳"考	《中国文化论丛》	电子科大出版社 1997
	《文心雕龙》与《出三藏记集》	《扬明照教授90华诞纪念文集》	巴蜀书社 2000
	《魏书》语词小札	《汉语史研究集刊》第三辑	巴蜀书社 2000
	魏晋南北朝词语札记	四川师范大学学报	2000.1
	唐代法制文书中的缩略	《汉语史研究集刊》第四辑	巴蜀书社 2001

	中古汉语疑难词语考辨	古汉语研究	2002.1
王珊珊	谈谈梵文对音中来母对译 ṭḍd现象——兼论喻四对译 td 问题	中国音韵学研究会第十一届学术讨论会、汉语音韵学第六届国际学术研讨会论文集	香港文化教育出版社有限公司2000
王绍新	从几个例词看唐代动量词的发展	古汉语研究	1997.2
王 显	陆序"开皇初"为九年四月十七日前后说的补充	古汉语研究	1997.3
王小莘	从《高僧传》看佛教用语对汉语词汇的影响	《学土》	广东省高教出版社1997
	魏晋南北朝词汇研究与词书的编纂	中国语文	1997.4
	《颜氏家训集解》注释商榷	《语苑撷英》	北京语言文化大学出版社1998
	《颜氏家训》中反映魏晋南北朝时代色彩的新词	语文研究	1998.2
	从《颜氏家训》看魏晋南北朝的亲属称谓	古汉语研究	1998.2
	试论中古汉语的同步引申现象	南开大学学报	1998.3
	《颜氏家训》中反映魏晋南北朝时代色彩的新义	学术研究	1998.7
	《高僧传》词汇研究	《语言学论丛》第二十二辑	商务印书馆1999
王小莘 郭小春	王羲之文子书帖中的魏晋习俗语词	广西大学学报	2000.2
王小莘 张舸	《孔雀东南飞》中"严妆"一词注释商榷	语文建设	1998.3

王忻	从《颜氏家训》管窥魏晋时期汉语词汇复音化的发展	古汉语研究	1998.3
王云路	汉魏六朝诗歌语言研究与辞书编纂	《古典文献与文化论丛》	中华书局 1997
	谈谈词缀在古汉语构词法中的地位	《汉语史研究集刊》第一辑	巴蜀书社 1998
	汉魏六朝诗歌语词探源	第二届海峡两岸训诂学学术研讨会论文	台湾师范大学 1998
	从《汉语大词典》看六朝诗歌的汉语史研究价值	《李新魁教授纪念文集》	中华书局 1998
	说"儿"	杭州大学学报	1998.3
	汉魏六朝诗歌校注释例	古籍整理研究学刊	1999.4
	中古诗歌附加式双音词举例	中国语文	1999.5
	中古常用词研究漫谈	《中古近代汉语研究》第一辑	上海教育出版社 2000
	"云雨"漫笔	古汉语研究	2000.3
	从《唐五代语言词典》看附加式构词法在中近古汉语中的地位	古汉语研究	2001.2
	寒山诗的"知音"和"明眼人"——读项楚《寒山诗注》	《书品》	2001.3/4
	谈"掜挡"及其相关词语的附加式构词特点	语言研究	2002.1
	百年中古汉语词汇研究概述	古汉语研究	2002.4
王云路 方一新	汉语史研究领域的新拓展：评汪维辉《东汉—隋常用词演变研究》	中国语文	2002.2

王兆鹏	《广韵》"独用""同用"使用年代考——以唐代科举考试诗赋用韵为例	中国语文	1998.2
魏达纯	《颜氏家训》同义词语研究	语文辅导	1997.1
	从《颜氏家训》看修辞手段在魏晋南北朝复音词构成中的重要作用	康定学刊	1997.2
	《颜氏家训》中的反义词研究	语文辅导	1997.2
	《观世音应验记》词语拾零	古汉语研究	1997.3
	"咨嗟"及其影响义	语文月刊	1997.7
	《颜氏家训》中反义语素并列双音词研究	东北师大学报	1998.1
	"所以"在六本古籍中的演变考察	古汉语研究	1998.2
	《孔雀东南飞》中的"君"与"卿"	语文月刊	2000.11
魏培泉	中古汉语新兴的一种平比句	台大文史哲学报	2001.54
	说中古汉语的使成结构	史语所集刊第七十本第四分	2000
	东汉魏晋南北朝在语法史上的地位	《汉学研究》第十八卷特刊	2000
文亦武	慧琳《一切经音义》成书年代考实及其他	古籍整理研究学刊	2000.4
吴福祥	试论现代汉语动补结构的来源	《汉语现状与历史的研究——首届汉语语言学国际研讨会论文集》	中国社会科学出版社 1999
	关于动补结构"V死O"的来源	古汉语研究	2000.3

吴广兴 吴海勇	《经律异相》管窥	古籍整理研究学刊	1999.4
吴金华	《后汉书》标点献疑	古籍整理研究学刊	1997.1
	《三国志》语词琐记	《中古近代汉语研究》第一辑	上海教育出版社 2000
	《三国志》语词辨疑	《汉语史学报》第二辑	上海教育出版社 2002
吴茂萍	唐代称谓词札记	《汉语史研究集刊》第四辑	巴蜀书社 2001
	唐朝文献中的词缀"家"	西南民院学报(文学硕士论坛)	2001
吴庆峰	郭璞的词语注音法	汉字文化	2002.4
伍 巍	中古全浊声母不送气探讨	语文研究	2000.4
吴晓临	《搜神记》介词研究	西南民院学报	2000.10
武振玉	《入唐求法巡礼行记》中的口语词	绥化师专学报	1997.2
	《入唐求法巡礼行记》中所见的语法成分	古汉语研究	1997.4
	《太平广记》中概数词"可"和"许"试探	丹东师专学报	1997.4
	浅谈助词"却"的形成及发展	社会科学探索	1997.6
	东汉译经中所见的语法成分	吉林大学学报	1998.3
	魏晋六朝汉译佛经中的同义连用总括范围副词初论	吉林大学学报	2002.4

X

夏广兴	汉译佛典与义山诗	十堰职业技术学院学报	2002.1
	《六度集经》俗语词例释	上海师大学报	2002.5

夏剑钦	《颜氏家训·音辞篇》的音韵学地位	湘潭大学学报	2002.5
项楚	寒山拾得佚诗考	《周绍良先生欣开九秩庆寿文集》	中华书局1997
	寒山诗籀读札记	《新国学》第一卷	巴蜀书社1999
萧红	也说中古双宾语结构的形式与发展	古汉语研究	1999.1
	《洛阳伽蓝记》的五种判断句式	安徽师范大学学报	1999.1
	《论衡》的词序	华中师大学报	1999.3
	《洛阳伽蓝记》的结果补语	武汉大学学报	2002.1
萧黎明	郭璞注的历史方言学价值：兼与沈榕秋先生商兑	衡阳师专学报	1997.5
肖旭	也谈"自"和"复"	中国语文	1998.4
萧娅曼	从《世说新语》看判断词"是"的发展与"非""不"的关系	西南民院学报	2001.2
	"乃"在判断系统中的特殊功能——《世说新语》"乃"分析	《汉语史研究集刊》第五辑	巴蜀书社2002
辛岛静志	汉译佛典的语言研究	俗语言研究	1997.4
	汉译佛典的语言研究	《文化的馈赠——汉学研究国际会议论文集》	北京大学出版社2000
	《道行般若经》和"异译"的对比研究——《道行般若经》与异译及梵本对比研究	《汉语史研究集刊》第四辑	巴蜀书社2001
	《道行般若经》和"异译"的对比研究——《道行般若经》中的难词	《汉语史研究集刊》第五辑	巴蜀书社2002

徐朝东	《广韵》蟹摄平上声三等字小考	中国音韵学研究会第十一届学术讨论会、汉语音韵学第六届国际学术研讨会论文集	香港文化教育出版社有限公司2000
	《方言笺疏》同族词的研究方法及其评价	古籍整理研究学刊	2000.5
徐红梅	六朝小说的"於""于"用法研究	《暨南大学汉语方言学博士研究生学术论文集》	暨南大学出版社2001
许理和著 顾满林译	关于初期汉译佛经的新思考	《汉语史研究集刊》第四辑	巴蜀书社2001
徐莉莉	马王堆汉墓帛书(肆)所见称数法考察	古汉语研究	1997.1
	论《马王堆汉墓帛书》(肆)的声符替代现象及其与"古今字"的关系	华东师范大学学报	1997.4
	帛书《五十二病方》中巫术医方的认识价值	《学术集林》第十辑	上海远东出版社1997
	马王堆汉墓帛书(肆)中的声符替代字研究	《语言文字学刊》第一辑	汉语大词典出版社1998
	帛书《阴阳十一脉灸经》甲乙本异文考察	99上海国际汉字学学术研讨会论文《中国文字研究》第二辑	
	帛书《五十二病方》中"财"的用法	辞书研究	1999.6
徐时仪	《希麟音义》引《广韵》考	文献	2002.1
徐时仪 梁晓虹 陈五云	佛经音义中有关织物的词语——佛经音义外来词研究之一	《汉语史学报》第二辑	上海教育出版社2002

徐望驾	《助字辨略》和中古汉语虚词研究		2002.2
徐望驾 曹秀华	《助字辨略》的中古汉语虚词研究初探	常德师院学报	2001.5
徐正考	《论衡》"征兆"类同义词研究	古籍整理研究学刊	2001.4
	《论衡》词语札记	史学集刊	2002.1
徐之明	《文选》联绵字李善易读音切考辨	贵州大学学报	1997.1
	《文选》联绵词李善易读音切续考	贵州大学学报	1997.4
	《文选音决》反切韵类考	贵州大学学报	1999.6
	《文选音决》反切声类考	《汉语史研究集刊》第二辑	巴蜀书社 2000
	李善反切系统中特殊音切例释	古汉语研究	2000.1
	《文选》五臣音声类考	贵州大学学报	2001.6
薛凤生	《切韵》音系德元音音位与重纽、重韵等现象	《汉语音韵史十讲》	华语教学出版社 1999
薛宗正	汉晋古音与古西域地名	新疆大学学报	2000.1
寻仲臣 张文敏	《经典释文》的反切应是从邪分立	古汉语研究	1999.2

Y

颜丽	《说苑》"其"字研究	信仰师范学院学报	2002.3
颜洽茂	试论六朝译经中词义发展演变新趋向	《古典文献与文化论丛》	中华书局 1997
	试论佛经语词的"灌注得义"	《汉语史研究集刊》第一辑	巴蜀书社 1998
	《大正新修大藏经》平议二题	《汉语史学报》第二辑	上海教育出版社 2002
	中古佛经借词略说	浙江大学学报	2002.3

杨宝忠	《论衡》"形露易观"探因	河北大学成人教育学院学报	2002.2
杨 黛	佛经词语随札	古汉语研究	1998.2
Yang Jidong	Replacing *hu* with *fan*: A change in the Chinese perception of Buddhism during the Medieval period	JIABS	1998.1
杨 芳	《世说新语》语言的模糊美	暨南学报	2000.6
杨剑桥	《广韵》和关于《广韵》的研究	《研究论丛》	日本京都外国语大学 1997
杨 军	今本《释文》中后人所增改的反切举例	中国音韵学研究会第十一届学术讨论会、汉语音韵学第六届国际学术研讨会论文集	香港文化教育出版社有限公司 2000
杨 琳	《小尔雅》疑难义训溯源	烟台大学学报	2002.2
杨荣祥	《世说新语》中的反义词聚合及其历史演变	《语言学论丛》第二十四辑	商务印书馆 2001
	从《世说新语》看汉语同义词聚合的历史演变	《国学研究》第九卷	北京大学出版社 2002
杨素姿	沈约"声病说"之音韵现象	语言研究	1998 增刊
杨 芸	从《新序》看取消句子独立性的"之"	《汉语史研究集刊》第五辑	巴蜀书社 2002
杨泽林	试论《论衡》中的系词	张家口师专学报	1997.3
姚永铭	试论《慧琳音义》的价值	古汉语研究	1997.1
	《慧琳音义》与《切韵》研究	语言研究	2000.1
	《一切经音义》与词语探源	中国语文	2001.2
	《慧琳音义》与大型字书编纂	辞书研究	2002.2
姚振武	再谈中古汉语的"自"和"复"及相关问题——答刘瑞明、蒋宗许先生	中国语文	1997.1

叶桂斌	《陆机集》的用韵研究	常德师范学院学报	2000.1
叶纪勇	《高僧传》词语札记	台州师专学报	1999.4
董西国			
易 敏	《文选》汉大赋用字中的义符类化现象	北京师范大学学报	2002.4
尹 福	佛经津梁,辞典资源:读李维琦先生《佛经释词》《佛经续释词》	古汉语研究	2001.1
尹世英	《论衡》述宾短语的语法功能	临沂师专学报	1999.4
	《论衡》述宾短语的结构形式	广东职业技术学院学报	2000.2
游 黎	唐五代动量词发展状况简述	《汉语史研究集刊》第四辑	巴蜀书社 2001
	《世说新语》札记	古籍整理研究学刊	2001.1
尉迟治平	论中古的四等韵	语言研究	2002.4
于洪燕	试论《世说新语》中的代词	内蒙古电大学刊	1997.5
俞理明	《太平经》通用字求正	宗教学研究	1997.1
	"大家"称妇人时的意义和读音	《汉语史研究集刊》第一辑	巴蜀书社 1998
	《太平经》语言特点和标点问题	《古典文献与文化论丛》第二辑	杭大出版社 1999
	汉语称人代词内部系统的历史发展	古汉语研究	1999.2
	说"郎"	中国语文	1999.6
	《太平经》中非状语地位的否定词"不"	中国语文	2000.3
	《太平经》文字脱落现象浅析	古籍研究	2000.3
	《太平经》文字勘定偶拾	古籍整理研究学刊	2000.5
	"师"字二题	《汉语史研究集刊》第三辑	巴蜀书社 2000

	汉语词"博士"的外借和返借	西南民族学院学报	
	《太平经》中"者"和现代汉语"的"的来源	《汉语史研究集刊》第四辑	巴蜀书社 2001
	《太平经》中非状语地位的否定词"不"和反复问句	中国语文	2001.5
	《太平经》中常用的应叹提顿语	《汉语史研究集刊》第五辑	巴蜀书社 2002
	"娘"字小考	《汉语史学报》第二辑	上海教育出版社 2002
俞敏	后汉三国梵汉对音谱	《俞敏语言学论文集》	商务印书馆 1999
俞允海	从《玉篇》考察古代的特殊文字现象	汉字文化	2002.3
余迺永	泽存堂本《广韵》之版本问题	语言研究	1999.2
	俄藏宋刻《广韵》残卷的版本问题	中国语文	1999.5
遇笑容	The Influence of Translated Later Han Buddhist Sutras on the Development of the Chinese Disposal Construction	Cahiers de Linquistique Asie Orientale (Centre de Recherches Linguistiques sur l'Asie Orientale, Paris) 29	2000.2
遇笑容	《贤愚经》中的代词"他"	《中国语学研究》卷20	2000年
遇笑容 曹广顺	六度集经中的副词"都"	Cahiers de Linquistique Asie Orientale (Centre de Recherches Linguistiques sur l'Asie Orientale, Paris) 27	1998.2

	从语言的角度看某些早期译经的翻译问题	《汉语史研究集刊》第三辑	巴蜀书社 2000
	中古汉语中的"VP 不"式疑问句	《纪念王力先生百年诞辰学术论文集》	商务印书馆 2002
于志培	中古蝉母类变管测	辽宁师范大学学报	2000.5
虞万里	柯蔚南《东汉音注手册》三礼资料订补	《国际汉学》第五辑	大象出版社 2000

Z

曾昭聪	原本《玉篇》中的语源研究	黔南民院学报	2001.1
曾述忠	唐宋词义琐记	语言研究	2002.3
张 灯	《文心雕龙·章句》辨疑	海南大学学报	1997.1
	文心雕龙辨疑:《比兴》十条	上海教育学院学报	1997.1
张华文	试论东汉以降前置宾语"是"字判断句	云南师大学报	2000.1
张 洁	《文选》李善注的直音和反切	语言研究	1998 增刊
	《音决》声母考	古汉语研究	1999.4
	李善音系与公孙罗音系声母的比较	中国语文	1999.6
	论《切韵》时代轻、重唇音的分化	《汉语史学报》第二辑	上海教育出版社 2002
张锦笙	"相"字考略	镇江师专学报	1997.2
张劲秋	《论衡》双宾语句浅谈	安徽教育学院学报	2002.2
张 雷	《韵补》所引汉代著述及其文献价值:以《易林》为例	福建论坛	2000.3
张联荣	汉字的繁衍与词的同一性	语文建设	1999.3
张能甫	从郑玄笺注看东汉时代的新词新义	《汉语史研究集刊》第二辑	巴蜀书社 2000
	郑玄注释语料在《汉语大词典》修订中的价值	西南民院学报	2001.6

张全真	从《方言》郭注看晋代方言的地域变迁	古汉语研究	1998.4
张万起	《世说新语》称谓问题	《中国语言学报》第八期	1997.3
	《世说新语》中的副词"亦"	《庆祝中国社会科学语言研究所建所45周年学术论文集》	商务印书馆1997
	量词"枚"的产生及其历史演变	中国语文	1998.3
张渭毅	中古音分期综述	《汉语史学报》第二辑	上海教育出版社2002
张新传	汉魏晋南北朝时期的"比"字句——"比"字句的历史演变轨迹探寻之一	上饶师专学报	1998.1
张延成	《汉书》中的修饰造词	语文学刊	2000.4
张诒三	《三国志·魏志》程度副词的特点	殷都学刊	2001.3
	《魏书》词语选释	古汉语研究	2001.4
张真全	从《方言》郭璞注看晋代方言的地域变迁	古汉语研究	1998.4
赵长才	"打破烦恼碎"句式的结构特点及形成机制	《汉语史研究集刊》第四辑	巴蜀书社2001
赵振铎	《尔雅》和《尔雅诂林》	古汉语研究	1998.4
	唐人笔记里面的方俗读音（一）	《汉语史研究集刊》第二辑	巴蜀书社2000
	唐人笔记里面的方俗读音（二）	《汉语史研究集刊》第三辑	巴蜀书社2000
	魏晋南北朝的语言简述	楚雄师专学报	2000.4
郑明友	《广韵》切语下字错乱探源	语言研究	1998增刊
〔韩〕郑荣芝	唐人卢藏用音切字研究	语言研究	1998增刊

郑贤章	从汉文佛典俗字看《汉语大字典》的缺漏	中国语文	2002.3
郑张尚芳	中古音的分期与拟音问题	中国音韵学研究会第十一届学术讨论会、汉语音韵学第六届国际学术研讨会论文集	香港文化教育出版社有限公司2000
周凤玲	论《切韵》音系的性质	集宁师专学报	2002.1
周日健	《颜氏家训》复音词的构成方式	华南师大学报	1998.2
周艳梅	《旧唐书》词语札记	《汉语史研究集刊》第四辑	巴蜀书社2001
	《旧唐书》俗语词例释	西南民院学报(文学硕士论坛)	2001
周玉秀	论《广韵》的重纽和韵类划分问题	青海师范大学学报	1997.3
周祖谟	齐梁陈隋时期的方音	《语言学论丛》第十九辑	商务印书馆1997
周祖庠	从原本《玉篇》音看《切韵》音	语言研究	1998增刊
朱 城	古书训释札记	古籍整理研究学刊	1997.4
	连词"所以"产生的时代	辽宁大学学报	2000.4
朱冠明	中古译经中的"持"字处置式	《汉语史学报》第二辑	上海教育出版社2002
竺家宁	魏晋佛经的三音节构词现象	《纪念王力先生百年诞辰学术论文集》	商务印书馆2002
朱庆之	释"助"和"助喜"	中国语文	1997.3
	从几组汉梵同理据词看中印文化的早期交往	《学术集林》第十一辑	上海远东出版社1997
	敦煌变文诗体文的换"言"现象及其来源	《敦煌文学论集》	四川人民出版社1997

	佛教汉语的"时"和"时时"	《汉语史研究集刊》第一辑	巴蜀书社 1998
	佛典与汉语音韵研究——20世纪国内佛教汉语研究回顾之一	《汉语史研究集刊》第二辑	巴蜀书社 2000
	佛经翻译中的仿译及其对汉语词汇的影响	《中古近代汉语研究》第一辑	上海教育出版社 2000
	梵汉《法华经》中的"偈""颂"和"偈颂"(一)	《汉语史研究集刊》第三辑	巴蜀书社 2000
	梵汉《法华经》中的"偈""颂"和"偈颂"(二)	《汉语史研究集刊》第四辑	巴蜀书社 2001
	佛教混合汉语初论	《语言学论丛》第二十四辑	商务印书馆 2001
	王梵志诗"脆风坏"考	中国语文	2001.6
	"泥日""泥曰"与"泥洹"	《纪念王力先生百年诞辰学术论文集》	商务印书馆 2002
	汉语外来词研究杂谈	《中国学研究》第二十二辑	中国学研究会 2002
	梵汉《法华经》中的"偈""颂"和"偈颂"	《禅学》第二卷	中华书局 2002
	王梵志诗的"八难"和"八字"	《中国禅学》第一卷	中华书局 2002
祝敏彻	《国语》《国策》中的疑问句	湖北大学学报	1999.1
朱声琦	喻母四等产生时代考	抚州师范学院学报	1997.4
邹德雄	《百喻经》中若干语法现象初探	郧阳师专学报	2000.5

日本近二十五年来中古汉语研究文献目录

〔日〕松江崇

说　明

本目录收录了自 1974 年至 1999 年这 25 年里在日本国内发表的关于中古汉语研究的论文。1974 年以前发表的论文，若在 1974 年至 1999 年间的论文集上被再次登载，亦予以收录（题目只采用论文集上被再次登载时的）。

所谓"中古汉语"主要指从东汉到中唐的汉语。不过有以下三个问题需要说明一下：

一、即使成书年代是在唐代之后，若该书籍反映的是从东汉到中唐代的语言系统，那么亦将其视为中古汉语的语言资料。

二、中古汉语研究主要包括音韵研究和词汇语法研究这两项内容。其中，音韵研究包括对敦煌文献的研究。但由于我们认为从词汇语法史的观点来看，敦煌变文所反映的词汇语法应该被划为"近代汉语"的范畴，因而词汇语法研究的内容不包括敦煌变文。

三、就扬雄《方言》而言，虽然扬雄不属于东汉人，但扬雄《方言》含有大量的当时的口语成分，因此，本目录仍收进了有关扬雄《方言》的研究论文。

本目录按以下的顺序排列：①著者/编者（按拼音顺序排列），②发表年份，③题目，④所载杂志、论文集。

本目录在编制过程中,有幸得到今井俊彦、植屋高史和小方伴子等学友的大力帮助,在此深表谢意!

阿辻哲次,1979年,【書評】福田襄之介氏『中国字書史の研究』,均社論叢9

阿辻哲次,1988年,緯書字説考,『漢語史の諸問題』,京都大学人文科学研究所

阿辻哲次,1989年,『図説漢字の歴史』,大修館書店

阿辻哲次,1994年,蕭子良『篆隷文体』写巻の研究,『中国語史の資料と方法』,京都大学人文科学研究所

坂井健一,1958年,敦煌変文の押韻字にみられる音韻上の特色,中国文化研究1;1995年,『中国語学研究』,汲古書院

坂井健一,1959年;1995年,『集韻』における果・仮摂の特色について,中国文化研究2;『中国語学研究』,汲古書院

坂井健一,1959年,1995年,経典釈文所引『字林』音について——経典釈文所引音義攷(Ⅰ),中国文化研究2;『中国語学研究』,汲古書院

坂井健一,1964年,1995年,『広韻』中の同音同義同字語について,漢学研究(復刊)1;『中国語学研究』,汲古書院

坂井健一,1964年,1995年,劉昌宗音義の声韻上の特色——経典釈文所引音義攷(Ⅱ),『内野博士還暦記念東洋学論集』(漢魏文化研究会);『中国語学研究』,汲古書院

坂井健一,1965年,1995年,劉昌宗音義考——韻類上の特色——経典釈文所引音義攷(Ⅲ),漢学研究(復刊)3;『中国語学研究』,汲古書院

坂井健一,1966年,1995年,郭象荘子音義について——経典釈文所引音義攷(Ⅳ),漢学研究(復刊)4;『中国語学研究』,汲古書院

坂井健一,1967年,1995年,徐邈音義の声類について——経典釈文所引音義攷(Ⅴ),東方学33;『中国語学研究』,汲古書院

坂井健一,1967年,1995年,徐邈音義考——韻類を中心に——経典釈文所引音義攷(Ⅵ),東方学50—2;『中国語学研究』,汲古書院

坂井健一,1967年,1995年,いわゆる鄭玄音義について——経典釈文所引音義攷(Ⅶ),漢学研究(復刊)5;『中国語学研究』,汲古書院

坂井健一,1968年,1995年,韋昭・呂忱・向秀・王元規・何胤・崔譔音について——経典釈文所引音義攷(Ⅷ),漢学研究(日本大学中国文学会)6;『中国語学研究』,汲古書院

坂井健一,1969年,1995年,『論語釈文』の「書キ入レ」音について,日本中国学会報21;『中国語学研究』,汲古書院

坂井健一,1969年,1995年,郭璞・爾雅音義について——経典釈文所引音義攷(Ⅸ),研究紀要11;『中国語学研究』,汲古書院

坂井健一,1972年,1995年,魏晋南北朝字音研究序説——経典釈文所引音義を中心とせる一,研究紀要14;『中国語学研究』,汲古書院

坂井健一,1972年;1995年,爾雅釈文音注家研究——経典釈文所引音義攷(Ⅹ),『鳥居久靖先生華甲記念論集中国の言語と文学』,鳥居久靖教授華甲記念会;『中国語学研究』,汲古書院

坂井健一,1973年;1995年,敦煌出土荘子音義写本残巻(ペリオ3602)と経典釈文音義との比較考察——経典釈文所引音義攷(Ⅺ),研究紀要15;『中国語学研究』,汲古書院

坂井健一,1978年;1995年,『広韻』研究——同字異語について—(1),漢学研究16・17合併号;『中国語学研究』,汲古書院

坂井健一,1975年,『魏晋南北朝字音研究』,汲古書院

坂井健一,1976年;1995年,『広韻』研究——増加字について—,日本大学人文科学研究所研究紀要18

坂井健一,1977年,経典釈文所収春秋三伝異文の音韻的特質,漢学研究(日本大学中国文学会)15

坂井健一,1979年;1995年,『広韻』研究——同字異語について—(2),日本大学人文科学研究所研究紀要22;『中国語学研究』,汲古書院

坂井健一,1981年,「朝鮮漢字音の一特質」と「中國音韻史研究の一方向」——第一口蓋音化に關連して—,中国語学228

坂井健一,1985年,1995年,『広韻』研究——通攝・江韻重出字小考—,日本大学人文科学研究所研究紀要31;『中国語学研究』,汲古書院

坂井健一,1990年,1995年,李白詩詞文用語分析試論,日本大学人文科学研究所研究紀要39;『中国語学研究』,汲古書院

坂井健一,1995年,『経典釈文』音注私攷,漢学研究(日本大学中国文学会)33

坂井健一,1995年,『経典釈文』所引音注「如字」攷——「論語音義」を中心に—,『栗原博士頌壽記念東洋学集』,汲古書院

坂井健一,1995年,『経典釈文』論語音義所引魯読攷,日本大学人文科学研究所研究紀要49

坂井健一,1995年,『中国語学研究』,汲古書院

坂井健一,1998年,『宋本広韻全訳第一分冊(通攝・江攝)』,汲古書院

坂井健一,1999年,『宋本広韻全訳第二分冊(止攝)』,汲古書院

坂井裕子,1991年,「視」から「看」へ——『世説新語』の時代を中心にして,奈良女子大学人間文化研究科年報6

坂井裕子,1992年,中古漢語の是非疑問文,中国語学239

蔡鏡浩,1990年,魏晋南北朝的方言詞彙,中国語研究32,白帝社

蔡鏡浩,1992年,関于中古漢語虛詞的考釈,中国語研究34,白帝社

長尾光之,1979年,中國語譯『百喩經』の言語,福島大学教育学部論集(人文科学)31—2

長尾光之,1980年,中國語譯『雜寶藏經』の言語,福島大学教育学部論集(人文科学)32—2

長尾光之,1981年,中國語譯『生經』の言語,福島大学教育学部論集(人文科学)33

Saroj Kumar Chaudhuri,1998年,The Chinese Discovery of the Sanskrit Script,愛知学泉大学経営研究12—1

城田俊,1981年,『中古漢語音韻論』,風間書房

池田巧,1989年,漢蔵対音資料 P.T.一二二八所見的中古漢語河西方言韻尾的対音,中国語学236

川越菜穂子,1985年,中国語介詞〈在〉の歴史的考察——『世説新語』を中心に—,京都教育大学国文学会誌20

川口榮一,1984年,杜詩の通韻についての一考察,研究論叢(京都外国語大学)25

村上幸造,1992年,押韻から見た蘭亭誌——蘭亭叙の偽作説に関連して—,大阪工業大学紀要37—1

大西克也,1996年,【書評】梅祖麟『唐代・宋代共同語的語法和現代方言的語法』——上中古間漢語文法史の視点から—,『中国の方言と地域文化(4)』(平成5—7年度科学研究費研究成果報告書第4分冊,研究代表者平田昌司)

大庭脩,1992年,『漢簡研究』,同朋社

大島正二,1974年,顔師古急就篇注音韻考,北海道大学文学部紀要22—1

大島正二,1975 年,晋書音義音韻考,東洋学報 56—2・3・4
大島正二,1975 年,晋書音義音韻考——資料表(上)—,北海道大学文学部紀要 24—1
大島正二,1976 年,晋書音義音韻考——資料表(下)—,北海道大学文学部紀要 24—2
大島正二,1976 年,後漢書音義音韻考,北海道大学文学部紀要 25—1
大島正二,1976 年,敦煌出土礼記音残巻について,東方学 52
大島正二,1977 年,唐代南方音の一様相——李善「文選」音注に反映せる江都字音について—,北海道大学文学部紀要 26—1
大島正二,1981 年,『唐代字音の研究』,汲古書院
大島正二,1981 年,『唐代字音の研究——資料索引—』,汲古書院
大島正二,1984 年,曹憲『博雅音』考——隋代南方字音の一様相(上)——反切用字について〔付〕資料,北海道大学文学部紀要 32—2
大島正二,1984 年,曹憲『博雅音』考——隋代南方字音の一様相(上)[補稿]資料 I 音注総表,北海道大学文学部紀要 33—1
大島正二,1985 年,曹憲『博雅音』考——隋代南方字音の一様相(下)——声類・韻類について,北海道大学文学部紀要 34—1
大島正二,1986 年,字音資料の取扱い方について—『切韻』の性格に関する邵榮芬説の一論据を巡って——,『伊藤漱平教授退官記念中国学論集』,汲古書院
大島正二,1997 年,『〈辞書〉の発明:中国言語学史入門』,三省堂
大島正二,1997 年,『中国言語学史』,汲古書院
大島正二,1998 年,『韻鏡』の撰述年代について,『日本中国学会創立五十年記念論文集』,汲古書院

大東文化大學中國文學研究部〔編〕,1983年,『捜神記語彙索引』,汲古書院

大友信一 西原一幸,1984年,『「唐代字様」二種の研究と索引』,櫻風社

棟方徳,1997年,唐詩に見える存現文について,二松(二松学舎大学大学院)11

東洋哲学研究所,1977年,『法華経一字索引』,東洋哲学研究所

東洋哲学研究所,1979年,『維摩経・勝鬘経一字索引』,東洋哲学研究所

董志翹,1994年,《太平広記》語詞考釈,中国語研究36,白帝社

董志翹,1994年,《太平広記》語詞拾詁,俗語言研究創刊号

董志翹,1994年,《太平広記》同義複詞挙隅,花園大学文学部研究紀要26

董志翹,1996年,《入唐求法巡礼行記校注》商兌(一),俗語言研究3

董志翹,1997年,《入唐求法巡礼行記校注》商兌(二),俗語言研究4

董志翹,1998年,《入唐求法巡礼行記校注》商兌(三),俗語言研究5

峯村三郎,1974年,再び韻鏡の内外転について,国士舘大学人文学会紀要6

富平美波,1999年,『釈名』に見える「天」の2音について,山口大学文学会誌49

服部四郎,1981年,中古シナ語の研究,日本の言語学7,大修館書店

服部四郎,1984年,中古漢語と上代日本語音——paper phonetics的思考を防ぐために—,言語13—2

福田哲之,1994年,『急就篇』皇象本諸本について,汲古26,汲古書院

福田哲之,1995年,漢代『急就篇』残簡論考,島根大学教育学部紀要人文・社会科学29

福田哲之,1998年,吐魯番出土『急就篇』古注本考——北魏における『急就篇』の受容—,東方学96

福田哲之,1999年,『漢書』藝文志所載『杜林蒼頡訓纂』『杜林蒼頡訓詁』について,汲古35,汲古書院

福田哲之,1999年,吐魯番出土『急就篇』古注本校釈,大阪大学中国研究集刊蔵号(25号)

福田裏之介,1979年,『中国字書史の研究』,明治書院

岡本勲,1987年,「唐五代西北方音」と日本漢字音,中京文学紀要22—2

岡本勲,1988年,チベット資料による漢字音の音価推定——唐代の声母について—,中京大学文学部紀要22—3・4

岡本勲,1988年,広韻の成立とその性格について——附、訳註張世禄著『広韻研究』—,中京大学文学部紀要23—1

岡本勲,1988年,呉音と唐代西北方言音,訓点語と訓点資料79

岡本勲,1988年,唐代に於ける咸・深・山・臻攝の音価,訓点語と訓点資料80

岡本勲,1989年,中古音韻学と訓詁注釈——反切以前の字音表示—(附——訳注、張世禄『中国音韻学史』第一・二・三章),中京大学文学部紀要24—1

岡本勲,1989年,反切の起源について——附、訳註張世禄『中国音韻学史』第四章第一・二・三節,中京大学文学部紀要24—2

岡本勲,1989年,四声の起源について——附、訳注張世禄『中国音韻学史』第四章第三節,中京大学文学部紀要24—3・4

岡本勲,1990年,切韻以前の字典——附、訳注張世禄『中国音韻学史』第五章,中京大学文学部紀要25—1

岡本勲,1990年,字母と等韻の成立について——含、張世禄『中国音韻学史』第六章岡本勲訳注,中京大学文学部紀要25—3・4

岡本勲,1991年,『日本漢字音の比較音韻史的研究』,桜楓社

岡本勲,1998年,切韻の性格とその音韻体系,中京大学文部紀要32—3・4

岡本勲,1998年,守温の韻学残巻について,中京大学文学部紀要32(特集号)

岡本勲,1998年,字音研究と声訓,中京大学文学部紀要33—1

岡本勲,1998年,王仁昫刊謬補缺切韻の成立時期,中京大学文学部紀要33—2

岡本勲,1999年,唐代の声調,中京大学文学部紀要33—3・4

岡本勲,1999年,切韻の分韻と現実の音韻,中京大学文学部紀要34—1

岡本勲,1999年,顔氏家訓の音韻観,中京大学文学部紀要34—2

高橋均,1992年,「経典釈文・論語音義」考(一),東京外国語大学論集45

高橋均,1993年,「経典釈文・論語音義」考(二),東京外国語大学論集46

高橋均,1993年,「経典釈文・論語音義」考(三),東京外国語大学論集47

高橋均,1994年,「経典釈文・論語音義」考(四),東京外国語大学論集48

高橋均,1994年,「経典釈文・論語音義」考(五),東京外国語大学論集49

高橋均,1995年,「経典釈文・論語音義」考(六),東京外国語大学論集50

高志眞夫,1982年,雒言…について——南北朝期を中心に,鈴鹿工業高等専門学校紀要15

高田時雄,1981年,チベット文字で書かれた寒食詩の断片,均社論叢10

高田時雄,1983年,雑抄と九九表—敦煌におけるチベット文字使用の一面,均社論叢14

高田時雄,1987年,玉篇の敦煌本,人文(京都大学教養部)33

高田時雄,1988年,『敦煌資料による中国語史の研究—九・十世紀の河西方言—』,創文社

高田時雄,1988年,コータン文書中の漢語語彙,『漢語史の諸問題』,京都大学人文科学研究所

高田時雄,1988年,玉篇の敦煌本・補遺,人文(京都大学教養部)35

高田時雄,1988年,中国語史の研究と敦煌学,創文292,創文社

高田時雄,1990年,レニングラードにあるチベット文字転写法華経普門品,神戸外国語大学外国学研究23

高田時雄,1993年,チベット文字書写「長巻」の研究——本文編,東方学報65

高田時雄,1998年,敦煌の社会と言語——写本にみる学校と教材など,月刊しにか9(7)

高田忠周,1974年,『六體千字文』,国書刊行会

工藤早恵,1989年,顔師古の合韻について,中国語学236

古屋昭弘,1979年,王仁昫切韻に見える原本系玉篇の反切——又音反切を中心に—,中国文学研究(早稲田大学中国文学会)5

古屋昭弘,1983年,「王仁昫切韻」新加部分に見える引用書名等について,中国文学研究(早稲田大学中国文学会)9

古屋昭弘,1984年,王仁昫切韻と顧野王玉篇,東洋学報65—3・4

古屋昭弘,1986年,【書評】石井一二三『改定中古漢字音字典』,東方68,東方書店

古屋昭弘,1987年,白居易詩における「相」の声調について,開篇(早稲田大学文学部内)4

古屋昭弘,1994年,白居易詩にみえるV教(O)Cについて,開篇12,好文出版

古屋昭弘,1999年,『斉民要術』の"V令C""V着O"等について,開篇19,好文出版

河野六郎,1937年,1979年,玉篇に現れたる反切の音韻的研究,東京帝国大学文学部言語学科卒業論文;『河野六郎著作集2中国音韻学論文集』,平凡社

河野六郎,1939年,1979年,朝鮮漢字音の一特質,言語研究3;『河野六郎著作集2中国音韻学論文集』,平凡社

河野六郎,1950年,1979年,中国音韻史の一方向—第一口蓋化に関連して,中国文化研究会会報(東京文理科大学)1—1

河野六郎,1954年,1979年,唐代長安音に於ける微母に就いて,中国文化研究会会報(東京教育大学)4—1;『河野六郎著作集2中国音韻学論文集』,平凡社

河野六郎,1955年,1979年,慧琳衆経音義の反切の特色,中国文化研究会会報5—1,東京教育大学;『河野六郎著作集2中国音韻学論文集』,平凡社

河野六郎,1960年,1980年,【書評】ポール・セリュイス著「方言」に依る漢代のシナ語方言,東洋学報43—3;『河野六郎著作集3文字編・雑纂』,平凡社

河野六郎,1965年,1979年,広韻という韻書,『石田博士頌寿記念東洋史論叢』,石田博士古希記念事業会;『河野六郎著作集2 中国音韻学論文集』,平凡社

河野六郎,1966年,1980年,【書評】E.G.プーリーブ・ランク著「古代中国語の子音組織」,東洋学報48—4;『河野六郎著作集3 文字編・雑纂』,平凡社

河野六郎,1968年;1979年,『朝鮮漢字音の研究』,天理時報社;『河野六郎著作集2 中国音韻学論文集』,平凡社

河野六郎,1979年,有坂博士と所謂「重紐」論,『河野六郎著作集2 中国音韻学論文集』,平凡社

河野六郎,1979年,『河野六郎著作集2 中国音韻学論文集』,平凡社

河野六郎,1980年,『河野六郎著作集3 文字編・雑纂』,平凡社

亀井孝 河野六郎(編者代表)千野栄一〔編著〕,1996年,『言語学大辞典(第6巻・術語編)』,三省堂

花登正宏,1974年,中古中国語の喉音韻尾――とくに曾・梗摂の合流について―,集刊東洋学(東北大学中国文史哲研究会)32

花登正宏,1998年,反切の実際的研究序説,大阪市立大学中国語学会中国学誌否号

黄華珍,1993年,宋刻本『荘子音義』の比較研究,二松(二松学舎大学)7

黄華珍,1994年,『荘子音義』の構成について,二松(二松学舎大学)8

黄華珍,1999年,『荘子音義の研究』,汲古書院

黄耀堃,1982年,試釈神珙《九弄図》的五音――及"五音之家"略説,均社論叢11

黄耀堃,1982年,有関"五音之家"資料初編(一),均社論叢 12

黄耀堃,1983年,有関"五音之家"資料初編(二),均社論叢 13

黄耀堃,1991年,試論〈帰三十字母例〉在韻学史的地位,均社論叢 17

吉池孝一,1988年,『倭名類聚抄』所引の『考声切韻』逸文の反切と「慧琳音義」の反切,汲古 13,汲古書院

吉池孝一,1988年,中国語音韻史からみた日本漢字音の清濁,国語通信 306,筑摩書房

吉田雅子,1983年,敦煌写本"開蒙要訓"にみられる音注と廣韻との比較,東洋大学大学院紀要文学研究科 20

吉田雅子,1986年,敦煌写本"開蒙要訓"の音韻体系——押韻・異文・音注を中心として,東洋大学大学院紀要文学研究科 23

吉田雅子,1988年,羅常培『唐五代西北方音』にみる敦煌写本"開蒙要訓",東洋大学紀要教養課程篇 27

吉田早恵,1987年,『四庫全書総目提要』所載「方言」訳注,開篇(早稲田大学文学部内)3

賈林成,1996年,論《中古虚詞語法例釈》,俗語言研究 3

江藍生,1989年,《生経・舅甥経》詞語札記,中国語研究 31,白帝社

江藍生,1996年,《遊仙窟》漫筆,開篇 14,好文出版

井上一之,1997年,中古漢語の副詞接尾辞「復」について,中央学院大学人間・自然論集 7

井上一之,1998年,『世説新語』に見える「人」の自称詞的用法——指示の間接化が意味するもの—,中国詩文論叢(早稲田大学中国詩文研究会)17

井野口孝,1985年,『新訳華厳経音義私記』所引『玉篇』佚文(資料),愛知大学国文学 24・25

井野口孝,1992年,大治本『新華蔵経音義』所引『玉篇』佚文(資

料)・其一,愛知大学国文学 32
井野口孝,1993 年,大治本『新華蔵経音義』所引『玉篇』佚文(資料)・其二,愛知大学国文学 33
久保卓哉,1988 年,『陳書』評語総合索引,福山大学教養部紀要 12
久保卓哉,1989 年,『陳書』評語索引(二),福山大学教養部紀要 13
久保卓哉,1990 年,『陳書評語索引』,中国書店
臼田真佐子,1990 年,『広韻』『集韻』の韻目の異同について,開篇 7,好文出版
九州大学文学部中国文学研究室咏懷詩會,1985 年,『阮籍集索引』,中国書店
橘純信,1977 年,切韻の多音字——同音異声調について(一)—,漢学研究(日本大学中国文学会)15
橘純信,1984 年,周易異文に反映する方音的特徴,漢学研究(日本大学中国文学会)21
橘純信,1985 年,鄭玄注の音韻分析其 1,読如注,国際関係学部研究年報(日本大学国際関係学部)7
橘純信,1986 年,鄭玄注の音韻分析其 2,読為注,国際関係学部研究年報(日本大学国際関係学部)8
橘純信,1988 年,鄭玄注の音韻分析其 3,当為注,国際関係学部研究年報(日本大学国際関係学部)9
橘純信,1989 年,鄭玄注の音韻分析其 4,声訓・読音注,国際関係学部研究年報(日本大学国際関係学部)10
橘純信,1991 年,鄭玄注の音韻分析其 5,釈文所収注,国際関係学部研究年報(日本大学国際関係学部)11
橘純信,1991 年,『周禮』『儀禮』の古今異文が反映する音韻現象,国際関係学部研究年報(日本大学国際関係学部)12
闞緒良,1998 年,南北朝時期的副詞"傷",中国語研究 40,白帝社

堀池信夫,1984年,東漢の「讀爲」の構文,中国語学231

ロバート・A・ジュール(Juhl, Robert A.),1979年,唐代の母音変遷と声調の関係について——唐代の母音が併合する時には,声調が母音の音質に影響することにかんする報告,アジア・アフリカ語の計数研究10

キムデソン(D-S. Kim),1999年,中古漢語の模韻の音価再構について,福岡大学大学院論集30—2

頼惟勤,1948年,1989年,天台大師畫讃の構造,油印;『頼惟勤著作集Ⅰ中国音韻論集』,汲古書院

頼惟勤,1948年,1989年,内転・外転について,中国語学19;『頼惟勤著作集Ⅰ中国音韻論集』,汲古書院

頼惟勤,1949年,1989年,内外＝深浅説批判,中国語学30;『頼惟勤著作集Ⅰ中国音韻論集』,汲古書院

頼惟勤,1951年,1989年,漢音の声明とその声調,言語研究17・18合併号;『頼惟勤著作集Ⅰ中国音韻論集』,汲古書院

頼惟勤,1956年,1989年,中古中国語の喉音韻尾,東大中文学会会報7;『頼惟勤著作集Ⅰ中国音韻論集』,汲古書院

頼惟勤,1957年,1989年,有坂秀世氏の学説について——論文「隋代の支那方言」によりつつ,東大中文学会会報11;『頼惟勤著作集Ⅰ中国音韻論集』,汲古書院

頼惟勤,1957年,1989年,中国における上古の部と中古の重紐,国語学28;『頼惟勤著作集Ⅰ中国音韻論集』,汲古書院

頼惟勤,1958年,1989年,中古中国語の内・外について,お茶の水女子大学人文科学紀要11;『頼惟勤著作集Ⅰ中国音韻論集』,汲古書院

頼惟勤,1959年,1989年,諸天漢語讃について,お茶の水女子大学人文科学紀要12;『頼惟勤著作集Ⅰ中国音韻論集』,汲古

書院

頼惟勤,1962年,1989年,九方便・五悔について,中国語学120;『頼惟勤著作集Ⅰ中国音韻論集』,汲古書院

頼惟勤,1974年,声調名としての五音,中哲文学会報(東大中哲文学会)1

頼惟勤,1974年,1989年,『切韻』について,『宇野哲人先生白寿祝賀記念東洋学論叢』(宇野哲人先生白寿祝賀記念会);『頼惟勤著作集Ⅰ中国音韻論集』,汲古書院

頼惟勤,1975年,1989年,中国語声調史資料としての仏教音楽,比較文化研究会報2(原題:中国音韻史と仏教音楽);『頼惟勤著作集Ⅰ中国音韻論集』,汲古書院

頼惟勤,1977年,重紐について,日本語(岩波講座)5月報8

頼惟勤,1982年,1989年,中國音韻史上の問題點,研究紀要(お茶の水女子大学附属高等学校研究会)27;『頼惟勤著作集Ⅰ中国音韻論集』,汲古書院

頼惟勤,1989年,官話系声調体系の成立について,『頼惟勤著作集Ⅰ中国音韻論集』,汲古書院

頼惟勤,1989年,『頼惟勤著作集Ⅰ中国音韻論集』,汲古書院

頼惟勤,1990年,声明としての戒品,千葉経済論叢(千葉経済大学)1

頼惟勤〔著〕水谷誠〔編〕,1996年,『中国古典を読むために——中国語学史講義一』,大修館書店

李亞明,1983年,《太平広記》詞語札記,中国語学230

李亞明,1984年,太平広記常見詞語匯釈,『中国語学論文集』,不二出版

立石広男,1975年,郭璞の『爾雅』音について,研究紀要(日本大学人文科学研究所)17

立石広男,1975年,郭璞の音注について(下),漢学研究(日本大学中国文学会)第13·14合併号

立石広男,1978年,『経典釈文』の直音·反切併記例について,研究紀要(日本大学人文科学研究所)21

立石広男,1987年,『爾雅』注における方言,研究紀要(日本大学人文科学研究所)33

立石広男,1988年,『爾雅』注に関する考証の問題,研究紀要(日本大学人文科学研究所)35

立石広男,1994年,郭璞の音注について,研究紀要(日本大学文理学部人文科学研究所)47

立石広男,1995年,郭璞の訓詁,『栗原圭介博士頌寿記念東洋学論集』,汲古書院

立石広男,1999年,郭璞の音注についてⅡ,研究紀要(日本大学文理学部人文科学研究所)57

梁暁虹,1996年,佛典與訓詁,開篇14,好文出版

梁暁虹,1999年,試論中国僧人對訓詁学研究的貢獻,『現代中国語研究論集』,中国書店

林史典,1983年,中古漢語の介音と日本呉音,筑波大学文藝言語研究言語篇8

林武実,1995年,斉梁陳隋期詩文押韻に基づく『切韻』韻母体系再構試案,名古屋外国語大学紀要11

林裕子,1997年,『世説新語』にみられる古今同義語,中国語学244

劉一之,1997年,従王梵志詩的用韻看唐代中原方音,聖徳学園岐阜教育大学紀要34

劉広和,1993年,唐朝不空和尚梵漢対音字譜,開篇11,好文出版

落合守和,1978年,法顕『仏遊天竺記』の音訳漢字「竭叉(国)」と

419

法顕の入竺路,人文学報(東京都立大学)128

埋田重夫,1986年,白居易詩にみられる「誰家」をめぐって——特にその俗語用法に関するノート—,中国詩文論叢(早稲田大学中国詩文研究会)5

Samuel E. Martin〔著〕矢放昭文〔譯〕,1980年,中古漢語の音素(一),鹿児島経大論集21—3

Samuel E. Martin〔著〕矢放昭文〔譯〕,1981年,中古漢語の音素(二),鹿児島経大論集21—4

Samuel E. Martin〔著〕矢放昭文〔譯〕,1981年,中古漢語の音素(三),鹿児島経大論集22—1

末木文美士,1993年,【書評】佛教漢語研究への第一歩『佛典與中古漢語詞彙研究』,東方151,東方書店

牧克巳,1991年,唐詩の詩題を通して観た受身の助動詞「見」について,九州中国学会報29

木村公直,1989年,曹憲『博雅音』における止摂の分合について,均社論叢16

木田章義,1994年,顧野王『玉篇』とその周辺,『中国語史の資料と方法』(京都大学人文科学研究所)

木田章義,1998年,『玉篇』とその周辺,訓点語と訓点資料記念特輯

内野熊一郎,1976年,毛詩経典釈文中の「毛・鄭音切」に就て,東方学52

内野熊一郎,1978年,『補訂漢魏碑文金文鏡銘索引——隷釈篇』,高文堂出版社

内野熊一郎,1980年,通常底本とされる通志堂本釋文に現はれた漢魏呉三國時代學人の經・子音義私考,東方学59

平山久雄,1975年,『史記正義』「論音例」の「清濁」について,東洋

学報56—2・3・4
平山久雄,1977年,"唐代音による唐詩の朗読"について,漢文教室120・121
平山久雄,1977年,中古音重紐の音声的表現と声調との関係,東洋文化研究所紀要(東京大学)73
平山久雄,1979年,敦煌毛詩音残巻反切の研究(中の1),東洋文化研究所紀要(東京大学)78
平山久雄,1980年,敦煌毛詩音残巻反切の研究(中の2),東洋文化研究所紀要(東京大学)80
平山久雄,1982年,敦煌毛詩音残巻反切の研究(中の3),東洋文化研究所紀要(東京大学)90
平山久雄,1982年,森博達氏の日本書紀α群原音依拠説について,国語学128
平山久雄,1983年,森博達氏の日本書紀α群原音依拠説について再論,国語学134
平山久雄,1984年,故唐蘭教授「論唐末以前韻學家所謂"軽重"和"清濁"」に寄せて,均社論叢15
平山久雄,1985年,俟母の来源,『古田教授退官記念中国文学語学論集』,東方書店
平山久雄,1985年,敦煌毛詩音残巻反切の研究(中の4),東洋文化研究所紀要(東京大学)97
平山久雄,1986年,敦煌毛詩音残巻反切の研究(中の5),東洋文化研究所紀要(東京大学)100
平山久雄,1988年,『切韻』序と陸爽,開篇6,好文出版
平山久雄,1988年,【書評】高田時雄著『敦煌資料による中国語史の研究——九・十世紀の河西方言—』,創文292,創文社
平山久雄,1988年,敦煌毛詩音残巻反切の研究(中の6),東洋文

化研究所紀要(東京大学)105

平山久雄,1989年,高誘『淮南子』『呂氏春秋』注に見える「急気言」「緩気言」について,東方学78

平山久雄,1991年,中古漢語における重紐韻介音の音価について,東洋文化研究所紀要(東京大学)114

平山久雄,1997年,万葉仮名のイ列甲・乙と中古漢語の重紐——対応上の例外をめぐって,『東方学会創立五十周年記念東方学論集』(東方学会)

平田昌司,1981年,《刊謬補缺切韻》的内部結構與五家韻書(一),均社論叢10

平田昌司,1982年,《刊謬補缺切韻》的内部結構與五家韻書(二),均社論叢11

平田昌司,1982年,反切上字「匹」の一解釋,均社論叢11

平田昌司,1994年,謝霊運『十四音訓叙』の系譜——科挙制度と中国語史第一,『中国語史の資料と方法』(京都大学人文科学研究所)

平田昌司,1997年,義浄訳『根本説一切有部毘奈耶破僧事』はインド韻律をどう処理したか,『古田敬一頌壽記念中国学論集』,汲古書院

Pulleyblank, Edwin G., 1983年, Middle Chinese Reflexes of Old Chinese Final Palatals, Labialvelars and Uvulars, アジア・アフリカ言語文化研究25

Pulleyblank, Edwin G., 1997年, Chinese Historical Phonology ; Palatal Endings in Middle and Old Chinese,『橋本萬太郎記念中国語学論集』,内山書店

前川幸雄,1979年,柳宗元歌詩作品における脚韻の研究,漢文学(福井漢文学会)16

前川幸雄,1980年,劉禹錫歌詩作品の脚韻の研究(劉夢得研究第貳號),福井工業高等専門学校研究紀要14

前川幸雄,1982年,劉・白唱和詩の脚韻の研究(劉夢得研究參號),福井工業高等専門学校研究紀要16

橋本萬太郎,1974年,朝鮮漢字音と中古中国語高口蓋韻尾,アジア・アフリカ言語文化研究7

橋本萬太郎,1975年,梗攝諸韻の朝鮮漢字音,アジア・アフリカ語の計数研究1

Hashimoto, Mantaro J.(橋本萬太郎),1975年,Implications of Ancient Chinese retroflex endings,アジア・アフリカ語の計数研究1

Hashimoto, Mantaro J.(橋本萬太郎),1978年,『Phonology of Ancient Chinese, Vol.1』(東京外国語大学アジア・アフリカ言語文化研究所)

Hashimoto, Mantara J.(橋本萬太郎),1979年,『Phonology of Ancient Chinese, Vol.2』(東京外国語大学アジア・アフリカ言語文化研究所)

Hashimoto, Mantaro J.(橋本萬太郎),1985年,The construction of Sound Tables in the YUN-JING,アジア・アフリカ語の計数研究24

慶谷壽信,1974年,敦煌出土の音韻資料(下),人文学報(東京都立大学)98

慶谷壽信,1976年,敦煌出土の「俗務要名林」(資料篇),人文学報(東京都立大学)112

慶谷壽信,1978年,「俗務要名林」反切声韻考,人文学報(東京都立大学)128

慶谷壽信,1978年,仏教文化と中国語学,中国語225,大修館書店

慶谷壽信,1980年,『玉篇』巻末に附された「五音聲論」について,人文学報(東京都立大学)140

慶谷壽信,1980年,歌戈魚虞模の音価をめぐって,中国語246,大修館書店

慶谷壽信,1981年,「字母」という名稱をめぐって,日本中国学会報33

慶谷壽信,1981年,韻書の歴史,漢字の常識(二),尚学図書

李思敬〔著〕慶谷壽信 佐藤進〔編訳〕,1987年,『基本中国語学叢書⑥音韻のはなし——中国音韻学の基本知識—』,光生館

慶谷壽信,1997年,歌戈魚虞模古読論争の概略,『古田敬一頌壽記念中国学論集』,汲古書院

慶谷壽信,1997年,歌戈魚虞模古読論争の学史上の意義,『橋本萬太郎記念中国語学論集』,内山書店

清水凱夫,1986年,沈約韻紐四病考,学林8

清水義秋,1980年,寶生寺蔵福徳二年本韻鏡について〈資料〉,相模工業大学紀要14—2

清水史,1980年,福徳二年本韻鏡の資料分析,相模工業大学紀要14—2

清水史,1986年,『廣韻』反切小考,東横国文学18

清水史,1991年,〈反切〉と〈韻図〉,『愛媛大学人文学会創立十五周年記念論集』

清水史,1992年,規範と実際——〈韻〉と〈韻書〉の分類,愛文(愛媛大学法文学部国語国文学会)27

清水史,1995年,「切韻」の性格——陸法言序と切韻音系,表現研究61

清水史,1996年,『韻鏡』と張麟之,愛文(愛媛大学法文学部国語国文学会)31

若林建志,1994年,唐代伝奇小説の中の複音節動詞について——中唐期の作品を中心に,東洋大学紀要教養課程篇33

若林建志,1997年,『李娃伝』の言語について,東洋大学紀要教養課程篇36

若林建志,1999年,『南柯太守伝』の言語について,東洋大学紀要教養課程篇38

三保忠夫,1990年,敦煌簡牘資料における量詞の考察,島根大学島大国文19

三保忠夫,1991年,『吐魯番出土文書』における量詞について,島根大学島大国文20

三根谷徹,1949年,1993年,軽唇音化の問題,中国語学27;『中古漢語と越南漢字音』,汲古書院

三根谷徹,1953年,1993年,韻鏡における歌(戈)韻の位置,東洋学報35—3・4;『中古漢語と越南漢字音』,汲古書院

三根谷徹,1953年,1993年,韻鏡の三・四等韻について,言語研究22・23;MEMOIRS of the RESEARCH DEPARTMENT of THE TOYO BUNKO 30(翻訳);『中古漢語と越南漢字音』,汲古書院

三根谷徹,1956年,1993年,中古漢語の韻母の体系——切韻の性格—,言語研究31;『中古漢語と越南漢字音』,汲古書院

三根谷徹,1965年,1993年,韻鏡と越南漢字音,言語研究48;『中古漢語と越南漢字音』,汲古書院

三根谷徹,1972年,1993年,『越南漢字音の研究』,東洋文庫論叢第53;『中古漢語と越南漢字音』,汲古書院

三根谷徹,1976年,1993年,唐代の標準語音について,東洋学報57—1・2;『中古漢語と越南漢字音』,汲古書院

三根谷徹,1978年,1993年,宋代等韻図の構成,東洋学報60—1・

2;『中古漢語と越南漢字音』,汲古書院
三根谷徹,1982年,1993年,「韻鑑序例」考,国学雑誌83—11;『中古漢語と越南漢字音』,汲古書院
三根谷徹,1993年,韻鏡と中古漢語,『中古漢語と越南漢字音』,汲古書院
三根谷徹,1993年,『中古漢語と越南漢字音』,汲古書院
三輪典嗣,1992年,中国語学史考(六),桜文論叢(日本大学)30
三輪典嗣,1994年,中国語学史考(七),桜文論叢(日本大学)38
三輪典嗣,1995年,中国語学史考(八),桜文論叢(日本大学)40
三潴正道,1983年,"相"における指代作用の成立過程について,麗澤大学紀要35
桑山正進 高田時雄,1994年,『法顕伝索引』,京都大学人文科学研究所付属東洋学文献センター
森博達,1977年,『日本書紀』歌謡仮名分布表——漢字原音より観た書記区分論:資料編一,文学論叢(愛知大学文学会)58
森博達,1978年,『玄應音義』における三等韻の分合について,均社論叢7(5巻2期)
森博達,1981年,漢字音より観た上代日本語の母音組織,国語学126
森博達,1981年,『大唐西域記』における止攝諸韻の音譯漢字について,均社論叢10
森博達,1981年,重紐をめぐる二、三の問題——中国語学会第30回大会音韻関係シンポジウムを聞いて一,中国語学228
森博達,1981年,唐代北方音と上代日本語の母音音価,外国文学研究(同志社大学)28
森博達,1982年,平山久雄氏に答え再び日本書紀α群原音依拠説を論証す,国語学131

森博達,1982年,武玄之『韻詮』の岑韻について,外国文学研究(同志社大学)33・34合併号

森博達,1983年,中古重紐韻舌歯音字の帰類,『伊地智善継・辻本春彦両教授退官記念中國語学・中國文学論集』,東方書店

森博達,1991年,『古代の音韻と日本書紀の成立』,大修館書店

森野繁夫,1974年,六朝訳経の語法(1)——補助動詞をともなう複合動詞—,広島大学文学部紀要33

森野繁夫,1975年,六朝漢語の疑問文,広島大学文学部紀要34

森野繁夫,1976年,六朝訳経の語彙,広島大学文学部紀要36

森野繁夫,1977年,「世説新語」における評語——「朗」について,広島大学文学部紀要37

森野繁夫,1978年,六朝漢語の研究——「高僧伝」について—,広島大学文学部紀要38—1

森野繁夫,1979年,六朝漢語の研究——陸雲「平原に與うる書」の場合,広島大学教育学部紀要第2部28

森野繁夫 藤井守,1979年,六朝古小説語彙集,広島大学文学部紀要39 特輯号2

森野繁夫 上村素子,1982年,『六朝評語集(古『晉書』)』,中国中世文学研究会(広島大学中国文学研究室内)

森野繁夫,1982年,『六朝評語集(『晉書』)』,中国中世文学研究会(広島大学中国文学研究室内)

森野繁夫,1983年,六朝譯經の語法と語彙,東洋学術研究22—2

森野繁夫,1987年,六朝語辞雑記(一),中国語研究28,白帝社

森野繁夫,1989年,六朝語辞雑記(二),中国中世文学研究(広島大学中国文学研究室内)19

森野繁夫,1989年,『六朝古小説語彙集』,朋友書店

砂岡和子,1986年,敦煌出土『字宝碎金』の語彙と字体,中国語学

233

砂岡和子,1997 年,平安古記録中的唐代口語疑問句,駒沢女子大学研究紀要 4

山本巌,1977 年,服虔・應劭の反切について,宇都宮大学教育学部紀要第一部 27

山本巌,1978 年,再論服虔・応劭の反切について,宇都宮大学教育学部紀要第一部 28

上条信山,1998 年,『現代臨書大系中国第二巻三国・晋』,小学館

上条信山,1998 年,『現代臨書大系中国第三巻北魏・隋』,小学館

上条信山,1998 年,『現代臨書大系中国第四巻唐 1』,小学館

上条信山,1998 年,『現代臨書大系中国第五巻唐 2』,小学館

上田正,1974 年,唐代の「清濁」に関する一資料,均社論叢 1(1 巻 2 号)

上田正,1975 年,『切韻諸本反切総覧』,均社(京都大学文学部中文研究室内)単刊之一

上田正,1978 年,中古中国語の三等韻について,神戸女学院(中高部)紀要 1—1

上田正,1981 年,「東宮切韻」所引「曹憲」について,訓点語と訓点資料 66

上田正,1981 年,ソ联にある切韻残卷,東方学 62

上田正,1981 年,慧琳音の韻の通用に關する統計的研究,均社論叢 10

上田正,1981 年,玄應音義諸本論考,東洋学報 63—1・2

上田正,1981 年,新撰字鏡の切韻部分について,東方学 62

上田正,1984 年,『切韻逸文の研究』,汲古書院

上田正,1984 年,慧琳音論考,日本中国学会報 35

上田正,1986 年,『希麟反切総覧』,著者自印

上田正,1986 年,『玉篇反切総覧』,著者自印

上田正,1986 年,『玄應反切総覧』,著者自印

上田正,1987 年,『慧琳反切総覧』,汲古書院

上田正,1989 年,【書評】周祖謨著『唐五代韻書集存』,均社論叢 16

上野恵司,1989 年,【書評】その刊行が最も待たれていた本――中国語史通考,東方 94,東方書店

神尾弌春,1976 年,『慧琳一切経音義反切索引』,槿風荘

神尾弌春,1977 年,『慧琳一切経音義反切索引補正禄』,槿風荘

神尾弌春,1979 年,『慧琳一切経音義反切索引補正追録』,自費出版

神尾弌春,1980 年,『慧琳一切經音義の模索』,自費出版

神野恭行,1986 年,訳経にみる語法特徴について―『過去現在因果経』の疑問・受動表現について―,京都産業大学中国語文研究会中国語文誌

石井一二三,1986 年,『改訂中古漢字音字典』,名著普及会

矢沢秀昭,1993 年,入声韻尾の代替変化について―上古より中古を中心にして,漢学研究(日本大学中国文学会)31

矢沢秀昭,1994 年,去声専韻発生の要因について,漢学研究(日本大学中国文学会)32

矢放昭文,1978 年,『慧琳音義』巻第二七の反切について,均社論叢 7(5 巻 2 期)

矢放昭文,1979 年,『慧琳音義』所収『玄應音義』の一側面,均社論叢 8(6 巻 1 期)

矢放昭文,1981 年,慧琳音義反切の等韻學的性格,均社論叢 10

矢放昭文,1982 年,『法華玄賛』に見える『玉篇』等の佚文,均社論叢 12

矢放昭文,1983 年,『法華玄賛』に見える反切について,『伊地智

善継・辻本春彦両教授退官記念中國語学・中國文学論集』,東方書店

矢放昭文,1989年,【書評】上田正氏著『慧琳反切総覧』,均社論叢16

辻本春彦,1954年,1978年,いわゆる三等重紐の問題,中国語学研究会会報24;均社論叢6(5巻1期)

笹原宏之,1987年,則天文字の周圏論的性質について,開篇(早稲田大学文学部内)4

狩野充徳,1976年,文選集注所引音決撰者についての一考察,『小尾博士退休記念中国文学論集』,第一学習社

狩野充徳,1983年,文選集註所音決に見える諸注について,山陽女子短期大学研究紀要9

狩野充徳,1984年,文選集注所引音決に見える諸注について(続),山陽女子短期大学研究紀要10

狩野充徳,1987年,張士俊「沢存堂本広韻」の系譜,汲古11,汲古書院

狩野充徳,1988年,『文選音決』の研究——資料篇(1)音注総表—,広島大学文学部紀要47特輯號2

水谷誠,1977年,『経典釈文』に見える「令」の破音について,中国文学研究(早稲田大学中国文学会)3

水谷誠,1980年,「重」の破音における三声調区分について,安田学園研究紀要20

水谷誠,1982年,陶淵明における破音字・両収字の押韻について,中国文学研究(早稲田大学中国文学会)8

水谷誠,1982年,陶淵明詩押韻ノート,古代研究(早稲田大學)14

水谷誠,1985年,「彭衙行」は擬古的押韻詩か——杜甫詩韻覚書—,中国詩文論叢(早稲田大学中国詩文研究会)4

水谷誠,1985年,杜甫詩の換韻について——音韻的特色を中心に—,中京大学教養論叢 26—3

水谷誠,1995年,韓愈の疑古用韻について——「銘」での用例を中心に—,中国詩文論叢(早稲田大学中国詩文研究会)14

水谷誠,1998年,『群経音弁』から見た『集韻』と『経典釈文』(上),創価大学文学部外国語学科中国語専攻創大中国論集 1

水谷誠,1999年,『群経音弁』から見た『集韻』と『経典釈文』(下),創価大学文学部外国語学科中国語専攻創大中国論集 2

水谷真成,1948年,1994年,声明本展観目録,中国語学 20;『中国語史研究——中国語学とインド学との接点』,三省堂

水谷真成,1948年,1994年,声明について,中国語学 20;『中国語史研究——中国語学とインド学との接点』,三省堂

水谷真成,1949年,1994年,仏典音義書目,大谷学報 28—2;『中国語史研究——中国語学とインド学との接点』,三省堂

水谷真成,1954年,1994年,「頗」字訓詁小考,大谷学報 34—3;『中国語史研究——中国語学とインド学との接点』,三省堂

水谷真成,1955年,1994年,慧琳の言語系譜——北天系転写漢字の対音—,仏教文化研究 5;『中国語史研究——中国語学とインド学との接点』,三省堂

水谷真成,1955年,1994年,瑠璃音声考——梵漢対音の問題—,大谷学報 34—4;『中国語史研究——中国語学とインド学との接点』,三省堂

水谷真成,1956年,1994年,慧琳音義雑考,支那学報 2;『中国語史研究——中国語学とインド学との接点』,三省堂

水谷真成,1957年,1994年,唐代における中国語語頭鼻音のDe-nasalization進行過程,東洋学報 39—4;『中国語史研究——中国語学とインド学との接点』,三省堂

水谷真成,1958年;1994年,暁・匣両声母の対音——大唐西域記夷語音釈稿(その二),東洋学報40—4;『中国語史研究——中国語学とインド学との接点』,三省堂

水谷真成,1959年,1994年,Brahmi文字転写『羅什訳金剛経』の漢字音,『名古屋大学文学部十周年記念論集』;『中国語史研究——中国語学とインド学との接点』,三省堂

水谷真成,1959年;1994年,慧苑音義音韻考——資料の分析—,大谷大学研究年報11;『中国語史研究——中国語学とインド学との接点』,三省堂

水谷真成,1960年,1994年,梵語の"ソリ舌"母音を表わす漢字——二等重韻と三四等重韻—,言語研究37;『中国語史研究——中国語学とインド学との接点』,三省堂

水谷真成,1961年;1994年,漢訳仏典における特異なる待遇表現について——訳経語彙零釈之一—,『塚本博士頌寿記念佛教史学論集』(塚本博士頌寿記念会);『中国語史研究——中国語学とインド学との接点』,三省堂

水谷真成,1961年,1994年,陸法言「切韻」,『中国の名著——その鑑賞と批評』,勁草書房;『中国語史研究——中国語学とインド学との接点』,三省堂

水谷真成,1967年,1994年,上中古の間における音韻史上の諸問題,『中国文化研究叢書1言語』,大修館書店;『中国語史研究——中国語学とインド学との接点』,三省堂

水谷真成,1968年,1994年,永明期における新体詩の成立と去声の推移,『吉川博士退休記念論文集』,筑摩書房;『中国語史研究——中国語学とインド学との接点』,三省堂

水谷真成,1968年,1994年,梵語音を表わす漢字における声調の機能——声調史研究の一資料—,『名古屋大学文学部二十周

年記念論集』;『中国語史研究——中国語学とインド学との接点』,三省堂

水谷真成,1974年,1994年,音訳漢字に対する音注の諸相——『大唐西域記』を例として—,『入矢教授・小川教授退休記念中国文学・語学論集』,筑摩書房;『中国語史研究——中国語学とインド学との接点』,三省堂

水谷真成,1974年,1994年,大唐西域記敬播序訓注稿,名古屋大学文学部研究論集61;『中国語史研究——中国語学とインド学との接点』,三省堂

水谷真成,1994年,『中国語史研究——中国語学とインド学との接点』,三省堂

斯波六郎,1989年,為当考,古典教育10

松本丁俊,1981年,佛典から見た中國音韻と梵音の關係,『飯田利行博士古稀記念東洋学論叢』,国書刊行会

松江崇,1999年,『揚雄《方言》逐条地図集』,平成9—11年度科研費基盤(A)研究成果報告書第4分冊(研究代表者 遠藤光暁)

松江崇,1999年,『六度集経』『佛説義足経』における人称代詞の複数形式,中国語学246

松浦友久,1976年,ふたたび散 sǎnとsànについて——論点の確認とその当否—,中国語学223〈這里的兩個 san 要加聲調符號,前邊的是3聲,后邊的是4聲〉

松浦友久,1996年,認識の枠組としての「平上去入」——「中古的古典学」の形成と継承—,中国文学研究(早稲田大学中国文学会)22

松浦友久,1997年,李善注本「文選序」の音注について——「加注者」の検討と「別、入声」の解釈,中国詩文論集(早稲田大学中国詩文研究會)16

433

松浦友久,1999年,「漁夫」の読音について——訓読・音読学おける破音の機能,早稲田大学中国文学研究25

松尾良樹,1974年,広韻反切の類相関について,均社論叢1(1期1号)

松尾良樹,1975年,宋刊巾箱本廣韻の反切,均社論叢3(2巻1期)

松尾良樹,1977年,広韻序訳註並びに補説,均社論叢5(4巻1期)

松尾良樹,1978年,『経典釈文序録疏證』訳注(一)・序,均社論叢6(5巻1期)

松尾良樹,1978年,祭韻系の問題,アジア・アフリカ言語文化研究16

松尾良樹,1978年,幽韻小論,均社論叢6(5巻1期)

松尾良樹,1978年,『経典釈文序録疏證』訳注(二),均社論叢7(5巻2期)

松尾良樹,1979年,『干禄字書』浅説,均社論叢8(6巻1期)

松尾良樹,1979年,音韻資料としての「太公家教」——異文と押韻,アジア・アフリカ言語文化研究17

松尾良樹,1979年,舌音歯音と重紐問題——中古中国語の五音,言語研究76

松尾良樹,1979年,唐詩に於ける韻の概念——今体詩と古体詩,均社論叢9

松尾良樹,1980年,唐詩に於ける韻の概念——今体詩と古体詩(発表要旨),言語研究77

松尾良樹,1981年,王梵志詩韻譜,均社論叢10

松尾良樹,1982年,李義山詩韻譜,東方学報54

松尾良樹,1986年,【書評】志村良治著『中国中世語法史研究』,集

刊東洋学(東北大学中国文史哲研究会)55
松尾良樹,1986年,『万葉集』詞書と唐代口語,叙説(奈良女子大学国語国文研究會)13
松尾良樹,1987年,『日本書紀』と唐代口語,和漢比較文学3
松尾良樹,1988年,漢代訳経と口語——訳経による口語史・初探,禅文化研究所紀要15
松尾良樹,1988年,唐代の語彙における文白異同,『漢語史の諸問題』(京都大学人文科学研究所)
松尾良樹,1991年,訓点資料を読む——仏典の口語表現を中心に,叙説(奈良女子大学国語国文研究会)18
松尾善弘,1979年,「見」字考——六朝・唐詩の解釈を通して,『加賀博士退官記念 中国文史哲学論集』,講談社
松尾善弘,1984年,「見」字再考,鹿児島大学教育学部研究紀要人文社会科学篇36
太田辰夫,1953年,1988年,唐代文法試考,Azia Gengo Kenkyu5;『中国語史通考』,白帝社
太田辰夫,1958年,再版1981年,『中國語歴史文法』,江南書院,朋友書店
太田辰夫,1987年,1988年,中古(魏晋南北朝)漢語の特殊な疑問形式,中国語研究28,白帝社;『中国語史通考』,白帝社
太田辰夫,1988年,中古語法概説,『中国語史通考』,白帝社
太田辰夫,1988年,再版1999年,『中国語史通考』,白帝社
太田辰夫,1989年,【書評】中古漢語の道しるべ——江藍生著魏晋南北朝小説詞語彙釈,東方95,東方書店
太田辰夫,1998年,『新訂中国歴代口語文』,朋友書店
太田斎,1998年,〈資料〉玄應音義反切と玉篇反切の一致,開篇17,好文出版

唐蘭,1984年,〈資料〉論唐宋以前韻學所謂"軽重"和"清濁",均社論叢15

陶山信男,1988年,柳宗元の散文『捕蛇者説』における語気詞について,文学論叢(愛知大学文学会)88

藤井守,1980年,三國志語彙集,広島大学文学部紀要40特輯号2

藤井守,1981年,三國志裴氏注語彙集,広島大学文学部紀要41特輯号3

藤田夏紀,1992年,『干禄字書』における正字・異体字関係の類型について,広島大学国語国文学会国文攷136

藤堂明保,1947年,1987年,越南語より見たる影・喩母両字母の発生について,抽印本;『中国語学論集』,汲古書院

藤堂明保,1951年,1987年,B. Karlgren氏の諧声説を駁す,Azia Gengo Kenkyu2;『中国語学論集』,汲古書院

藤堂明保,1959年,1987年,呉音と漢音,日本中国学会報11;『中国語学論集』,汲古書院

藤堂明保,1979年,『中国語概論』,大修館書店

藤堂明保,1957年,1980年,『中国語音韻論その歴史的研究』,江南書院;光生館

藤堂明保 相原茂,1985年,『新訂中国語概論』,大修館書店

藤堂明保,1987年,『中国語学論集』,汲古書院

田川一巳,1976年,揚雄とその著『方言』について,大東文化大学紀要14

田中和夫,1994年,中古漢語副詞「無得」について——「得」の接尾語化をめぐって—,人文社会科学論叢(宮城学院女子大学)3

田中和夫,1995年,就《毛詩正義》中副詞"無得"的初探,日本文学研究ノート(宮城学院女子大学日本文学会)30

田中和夫,1997年,『毛詩注疏』に見られる問答体構成の論証形式――「若然」をめぐって―,日本文学研究ノート(宮城学院女子大学日本文学会)32

汪維輝,1997年,讀《中国中世語法史研究》札記,俗語言研究4

望月真澄,1985年,慧琳音義における反切の特徴について,金沢大学文学部論集文学科篇5

望月真澄,1991年,『集韻』札記,金沢大学文学部論集文学科篇11

望月真澄,1993年,集韻の呉語的側面,筑波大学文芸言語研究言語篇23

望月真澄,1999年,慧琳経音義所拠之字書説,神奈川大学言語研究22

尾崎雄二郎,1962年,1980年,反切から見た集韻の問題点,東方学24;『中国音韻史の研究』,創文社

尾崎雄二郎,1968年,1980年,等韻図三等についての一つの考え方,『吉川博士退休記念論文集』;『中国音韻史の研究』,創文社

尾崎雄二郎,1970年,1980年,漢語史における梵語学,東方学40;『中国音韻史の研究』,創文社

尾崎雄二郎,1970年,1980年,切韻系韻書における韻の配列について,日本中国学会報;『中国音韻史の研究』,創文社

尾崎雄二郎,1971年,1980年,切韻における鼻子音韻尾の処理について,中国語学206;『中国音韻史の研究』,創文社

尾崎雄二郎,1971年,1980年,切韻の規範性について,人文(京都大学教養部)17;『中国音韻史の研究』,創文社

尾崎雄二郎,1972年,1980年,中国音韻史の研究――三島海雲記念財団への研究経過報告―,事業報告書(三島海雲記念財団)9;『中国音韻史の研究』,創文社

尾崎雄二郎,1980年,『中國語音韻史の研究』,創文社

尾崎雄二郎,1992年,韻学備忘(重紐反切非類化論),日本中国学会報44

尾崎雄二郎,1995年,漢語喉音韻尾論献疑,立命館大学国際関係学会・国際研究8—1

尾崎雄二郎,1998年,古代漢語の唇牙喉音における極めて弱い口蓋化について——いわゆる軽唇音化の音声学—,『日本中国学会創立五十年記念論文集』,汲古書院

魏書研究会,1999年,『魏書語彙索引』,汲古書院

西上勝,1982年,『集韻』反切用字法の上の一特色——牙喉音反切上字の検討,中国語学229

西原一幸,1981年,唐代楷書字書の成立——『顔氏字様』から『干禄字書』『五経文字』へー,金城学院大学論集国文学篇23

西原一幸,1982年,『顔氏字様』以前の字様について,金城学院大学論集国文学篇24

西原一幸,1985年,独立の書誌範疇としての字様,金城学院大学論集国文学篇27

西原一幸,1985年,敦煌出土『時要字様』残巻について,東方学70

西原一幸,1986年,敦煌出土『新商略古今字様撮其時要并引正俗釈』残巻について,金城学院大学論集国文学篇28

西原一幸,1991年,杜延業撰『群書新定字様』の佚文について,金城国文66

西端幸雄,1976年,原本玉篇零巻、玉篇佚文補正漢字索引,訓点語と訓点資料59

項楚,1994年,寒山詩校勘札記,俗語言研究創刊号

向島成美,1974年,杜甫詩の用韻について,東京教育大学文学部紀要97

小倉肇,1991年,韻書について(一),弘前大学教育学部紀要66

小倉肇,1992年,韻書について(二),弘前大学教育学部紀要67

小倉肇,1992年,韻鏡の術語(一),弘前大学国語国文学14

小倉肇,1993年,韻鏡の術語(二),弘前大学国語国文学15

小池一郎,1987年,「不在」の文法について――唐詩文法論序説―,外国文学研究(同志社大学)47

小川環樹,1951年,1977年,反切の起源と四声および五音,言語研究19;『中国語学研究』,創文社

小川環樹,1953年,1977年,你と爾と日母の成立,言語研究24;『中国語学研究』,創文社

小川環樹,1953年,1977年,等韻図と韻海鏡源――唐代音韻史の一側面,中国語学研究会論集1;『中国語学研究』,創文社

小川環樹,1955年,1977年,千字文について,『書道全集』1,平凡社;『中国語学研究』,創文社

小川環樹,1960年,1977年,「南朝四百八十寺」の読み方――音韻同化の一例,中国語学100;『中国語学研究』,創文社

小川環樹,1960年,1977年,ポール・セリュイス氏「揚雄の『別国方言』にみえる漢代諸方言の研究」を評す,Monumenta Serica XIX(ロイ・ミラー英訳);『中国語学研究』,創文社

小川環樹,1977年,唐詩の押韻――韻書の拘束力,『中国語学研究』,創文社

小川環樹,1977年,『中国語学研究』,創文社

小川環樹,1982年,荘子音義解題,天理図書館善本叢書漢籍之部一

小川環樹 木田章義,1984年,『注解千字文』,岩波書店

小川恒夫,1999年,唐詩中の「好+動詞」について,中国中世文学研究(広島大学文学研究室内)35

小島憲之,1976年,原本系『玉篇』佚文拾遺の問題に関して,『大坪併治教授退官記念国語史論集』,表現社

小方伴子,1997年,古漢語研究における使動用法の扱いについて,開篇16,好文出版

小方伴子,1998年,『論衡』の使動用法,中国語学245

小方伴子,1999年,先秦・両漢の"見"について,中国語学246

小林芳規〔解題〕,1980年,『古辭書音義集成第七巻 玄應撰一切經音義(上)』,汲古書院

小林芳規〔解題〕,1980年,『古辭書音義集成第八巻 玄應撰一切經音義(中)』,汲古書院

小林芳規〔解題〕,1981年,『古辭書音義集成第九巻 玄應撰一切經音義(下)』,汲古書院

辛島静志,1994年,『『長阿含経』の原語の研究——音写語分析を中心として』,平河出版社

辛島静志,1996年,漢訳仏典の漢語と音写語の問題,『東アジア社会と仏教文化(シリーズ東アジア仏教第5巻)』(春秋社)

辛島静志〔撰〕裘雲青〔訳〕,1997年,漢訳仏典的語言研究(附篇:仏典漢語三題),俗語言研究4

辛島静志,1998年,漢訳仏典的語言研究(二),俗語言研究5

SEISHI KARASHIMA (辛島静志),1998年,『A GLOSSARY OF DHARMARAKSA'S TRANSLATION (正法華経詞典)』, The International Research Institute for Advanced Buddhology, Soka University

許建平,1997年,唐写本《禮記音》所見方音考,俗語言研究4

許山秀樹,1994年,口語系資料における「V殺」の諸相——『遊仙窟』・『敦煌変文集』・『祖堂集』・『朱子語類』の用例から,中国詩文論叢(早稲田大学中国詩文研究会)13

玄幸子,1990年,白居易詩に於ける"V取"について,中文研究集刊(中国文学研究会)2

玄幸子,1992年,口語語彙資料七種総合拼音索引,大阪市立大学中国学志7

玄幸子,1995年,「賢愚経」に於ける"與"の用法について——口語史研究への一試論,関西大学中国文学会紀要16

玄幸子,1996年,『生経』語法札記,人文科学研究(新潟大学人文学部)92

塩見邦彦,1981年,1995年,唐詩俗語新考,立命館文学430・431・432;『唐詩口語の研究』,中国書店

塩見邦彦,1982年,1995年,白居易詩における俗語表現,文化紀要(弘前大学)16;『唐詩口語の研究』,中国書店

塩見邦彦,1983年,1995年,唐詩俗語新考(二),文化紀要(弘前大学)17;『唐詩口語の研究』,中国書店

塩見邦彦,1983年,1995年,唐詩俗語新考(三),文化紀要(弘前大学)18;『唐詩口語の研究』,中国書店

塩見邦彦,1984年,1995年,唐詩俗語新考(四),文化紀要(弘前大学)19;『唐詩口語の研究』,中国書店

塩見邦彦,1985年,唐詩俗語新考補遺,文化紀要(弘前大学)22

塩見邦彦,1987年,1995年,全唐詩「戸」考,『道教と宗教文化』,平河出版社;『唐詩口語の研究』,中国書店

塩見邦彦,1988年,1995年,唐代の「夜市」,鳥取大学教育学部研究報告39—1;『唐詩口語の研究』,中国書店

塩見邦彦,1989年,1995年,全唐詩「市」考,鳥取大学教育学部研究報告40—1;『唐詩口語の研究』,中国書店

塩見邦彦,1995年,『唐詩口語の研究』,中国書店

楊剣橋,1996年,《広韻》和関於《広韻》的研究,研究論叢(京都外

国語大学)48

野間文史,1996年,五経正義語彙語法札記,広島大学文学部紀要56

野間文史,1997年,五経正義語彙語法札記(二),広島大学文学部紀要57

野間文史,1998年,五経正義語彙索引語法札記(三),広島大学文学部紀要58

野間文史,1999年,五経正義語彙語法札記(四),広島大学文学部紀要59

伊藤丈,1990年,六朝漢語語法考Ⅱ,開篇7,好文出版

伊藤丈,1980年,漢訳『生經』の語法についてその一,印度学仏教学研究29—1

伊藤丈,1984年,六朝漢訳仏典の語法その一「将+否定詞」,大正大学総合仏教研究所年報6

伊藤丈,1985年,六朝漢訳仏典の語法その二「了+否定詞」,大正大学総合仏教研究所年報7

伊藤丈,1988年,六朝漢語語法考——「了+否定詞」—,開篇6,好文出版

伊藤丈,1991年,六朝漢語語法考——完了体「〜了」—,『天台思想と東アジア文化の研究』,山喜房仏書林

伊藤丈,1991年,六朝中国語の語法〈〜著〉をめぐって,『牧尾良海博士喜寿記念儒佛道三教思想論攷』,山喜房仏書林

伊藤丈,1993年,漢魏晋南北朝訳経史語法—完了体「〜了」,開篇11,好文出版

衣川賢次,1995年,遊仙窟舊注校讀記(上),花園大学文学部研究紀要27

衣川賢次,1996年,遊仙窟舊注校讀記(中),花園大学文学部研究

紀要 28

衣川賢次,1997年,遊仙窟舊注校讀記(中之二),花園大学文学部研究紀要 29

衣川賢次,1997年,傅亮『光世音應驗記』,譯注,花園大学文学部研究紀要 29

衣川賢次,1998年,遊仙窟旧注弁証,『日本中国学会創立五十年記念論文集』,汲古書院

衣川賢次,1999年,張演『續光世音應驗記』,花園大学文学部研究紀要 31

余靄芹,1976年,古代中国語頭子音の音韻対立,中国語学 223

遠藤光曉,1988年,『悉曇蔵』の中国語声調,『漢語史の諸問題』(京都大学人文科学研究所)

遠藤光曉,1988年,P3696の第 10・12・13 片について,開篇 6,好文出版

遠藤光曉,1988年,三つの内外転,日本中国学会報 40

遠藤光曉,1988年,敦煌文書 P2012「守温韻学残巻」について,青山学院大学一般教育論集 29

遠藤光曉,1989年,『切韻』小韻の層位わけ,青山学院大学一般教育論集 30

遠藤光曉,1989年,『切韻』反切の諸来源——反切下字による識別—,日本中国学会報 41

遠藤光曉,1989年,切韻の韻序について,芸文研究(慶應義塾大学芸文学会)54

遠藤光曉,1990年,『切韻』「序」について,青山学院大学一般教育論集 31

遠藤光曉,1990年,『切韻』における稀少反切上字の分布,中国語学 237

遠藤光暁,1990年,臻櫛韻の分韻過程と荘組の分布,日本中国学会報42

遠藤光暁,1991年,『切韻』における唇音の開合について,日本中国学会報43

原田種成,1981年,捜神記語彙索引(一),大東文化大学紀要人文科学19

原田種成,1982年,捜神記語彙索引(二),大東文化大学紀要人文科学20

原田種成,1983年,捜神記語彙索引(三),大東文化大学紀要人文科学21

斎藤茂,1983年,孟郊詩の用韻について,中哲文学会報(東大中哲文学会)8

詹満江,1987年,唐詩における口語表現——動詞に後置する助辞をめぐって,芸文研究(慶應義塾大学芸文学会)51

張之強,1985年,旧体詩詞中的一些語法問題,『古田教授退官記念中国文学語学論集』,東方書店

沼本克明 池田證壽 原卓志,1984年,『古辭書音義集成第十九卷 一切經音義索引』,汲古書院

沼尻正隆,1975年,郭璞の『爾雅』音について,研究紀要(日本大学人文科学研究所)17

志村良治,1967年,1984年,連詞「従渠」について——唐代における縦予の表現—,東方学33;『中国中世語法研究』,三冬社

志村良治,1967年,1984年,中世中国語の語法と語彙,『中国文化叢書1言語』,大修館書店;『中国中世語法研究』,三冬社

志村良治,1968年,1984年,接辞「生」について——語彙史研究方法論の試み—,集刊東洋学19;『中国中世語法研究』,三冬社

志村良治,1970年,1984年,指示副詞「恁麼」考,東方学39;『中国

中世語法研究』,三冬社
志村良治,1972年,1984年,動詞「著」について,『鳥居久靖先生華甲記念論文集中国の言語と文字』(鳥居久靖教授華甲記念会);『中国中世語法研究』,三冬社
志村良治,1974年,「這」について,『入矢教授・小川教授退休記念中国文学・語学論集』,筑摩書房
志村良治,1975年,1984年,使成複合動詞の成立過程,東北大学文学部研究年報24;『中国中世語法研究』,三冬社
志村良治,1978年;1984年,「与」「饋」「給」——中世より近世への漢語授与動詞の史的変遷の検討と給kei214の来源—,東北大学文学部研究年報27;『中国中世語法研究』,三冬社
志村良治,1980年,「那」について,『池田末利博士古稀記念東洋学論集』(池田末利博士古稀記念会)
志村良治,1984年,「這」と「那」——中世における新しい指示詞の体系—,『中国中世語法研究』,三冬社
志村良治,1984年,中世中国語における疑問詞の系譜,『中国中世語法研究』,三冬社
志村良治,1984年,『中国中世語法史研究』,三冬社
中村雅之,1986年,同字省略符号「〻」による切韻残巻の類別,中国語学233
中村雅之,1988年,『倭名類聚抄』所引の「陸詞切韻」——東宮切韻利用の問題をめぐって—,汲古13,汲古書院
中村雅之,1988年,反復記号「〻」の諸相,中国語学235〈〻表示反復符號〉
中村雅之,1991年,孫愐『唐韻』について,富山大学人文学部紀要17
中村雅之,1992年,中古音重紐の音韻論的解釈をめぐって,富山

大学人文学部紀要 18

中村雅之,1993年,孫愐『唐韻』について,富山大学人文学部紀要 17

中田勇次郎,1977年,『中国書論体系第一巻・漢魏晋南北朝』,二玄社

中田正心,1980年,千字文試論,中央学院大学論叢 14

佐々木孝憲,1988年,闍那崛多訳を中心とした漢訳経典に見られる代詞「彼」の用法——法華経普門品の「我今重問彼」における「彼」の読みに関連して—,立正大学大学院紀要 4

佐藤義寛,1988年,『三教指帰成安注』所引「玉篇」佚文集並びに研究,文芸論叢(大谷大学)31

佐藤昭,1975年,晩唐、貫休詩の押韻上の一特色,中国語学 221

佐藤昭,1987年,中古中国語の梗摂二等韻の音韻変遷について,横浜国立大学人文紀要第二類語学文学 34

佐藤進,1976年,釈名声訓考,人文学報(東京都立大学)112

佐藤進,1976年,類書〈翰苑〉の注末助字——併せて遼海叢書の校書を窺う—,富山大学文理学部文学科紀要 4

佐藤進,1978年,「漢書雑誌」の連語——武功爵詔の師古注をめぐって—,富山大学人文学部紀要 2

佐藤進,1998年,『宋刊方言四種影印集成』,平成 9—11 年度科学研究費基盤(A)研究成果報告書第 2 分冊(研究代表者遠藤光暁)

佐藤進,1998年,揚雄『方言』研究導論,『現代中国語学への視座——新シノロジー・言語編』,東方書店

佐藤進 小方伴子,1998年,戴震『方言疏証』引『文選』考,人文学報(東京都立大学)292

佐藤利行,1985年,受身形「為——所——」式試論——六朝期の

資料を資料を踏まえて一,『古田教授退官記念 中国文学語学論集』,東方書店

佐藤利行,1985年,六朝漢語の研究——王羲之の書翰の場合一,安田女子大学紀要14

佐藤利行,1987年,六朝漢語の研究——東晋・王献之の書翰の場合一,国語国文論集(安田女子大学)17

佐藤利行,1990年,六朝漢語の研究——西晋・陸雲の書翰の場合一,国語国文論集(安田女子大学)20